KB193880

눈의 역사 눈의 미학

The History of the Eye, The Aesthetic of the Eye

by Yim Chol Kyu

Published by Hangilsa Publishing Co. Ltd.
Korea, 2004

눈의 역사 눈의 미학

임철규 지음

한길사

눈의 역사 눈의 미학

지은이 임철규
펴낸이 김언호

펴낸곳 (주)도서출판 한길사
등록 1976년 12월 24일 제74호
주소 10881 경기도 파주시 광인사길 37
홈페이지 www.hangilsa.co.kr
전자우편 hangilsa@hangilsa.co.kr
전화 031-955-2000~3 **팩스** 031-955-2005

부사장 박관순 **총괄이사** 김서영 **관리이사** 곽명호
영업이사 이경호 **경영담당이사** 김관영 **기획위원** 유재화
편집 백은숙 안민재 노유연 이지은 김광연 신종우 원보름
마케팅 윤민영 양아람 **관리** 이중환 문주상 이희문 김선희 원선아
디자인 창포 **출력** DiCS **인쇄** 오색프린팅 **제본** 경일제책사

제1판 제1쇄 2004년 1월 5일
제1판 제5쇄 2016년 4월 8일

값 25,000원
ISBN 978-89-356-5532-8 04800
ISBN 978-89-356-7146-5(세트) 04800

• 잘못 만들어진 책은 구입하신 서점에서 바꿔드립니다.

「이집트 제4왕조의 네번째 왕 카프레의 두상」

고대 이집트는 파라오의 국가였다. 모든 것은 그들을 위해 존재했고,
예술도 그들을 위해 존재했다. 신전과 조각상들은 모든 파라오를 '살아 있는 신'으로
부각시킨다. 근엄하고 안정된 자태의 젊은 파라오들, 그러나 그들의 눈은
긴장한 것처럼 보인다. 전형적으로 퉁방울이나 편도 모양을 한 눈은 대부분
날카로운 눈매와 튀어나올 듯한 달걀 모양의 눈동자에,
때때로 저 위를 향해 치켜뜬 모습을 하고 있기도 하다.

• 카이로, 이집트박물관

「아멘호테프 4세 부조」

길쭉한 얼굴, 심하게 돌출된 코, 두툼한 입술, 우뚝 솟은 광대뼈,
긴 턱과 퉁방울 같은 아래턱, 기다란 목, 돋보이는 가슴, 부어오른 복부,
여자 같은 엉덩이, 두꺼운 넓적다리, 마르고 가냘픈 장딴지에다 보기도 심할 정도로
움푹 들어간 눈을 하고 있다.

「페리클레스의 흉상」

고전주의 시대의 아테네를 이야기할 때 페리클레스를 거론하지 않을 수 없다.
그가 없었다면 우리가 현재 알고 있는 아테네는 존재하지 않았을 것이다.
페리클레스는 스파르타와의 전쟁에서 전사한 병사들의 추모연설에서 아테네의 제도는
이웃나라들의 제도를 모방하지 않았으며, 아테네의 정체가 민주제라 불리는 것은
권력이 소수에게 있는 것이 아니라 국민 모두의 손에 있기 때문이라고 말했듯이
민주주의 제도와 이념을 실현시킨 지도자였다.

• 런던, 영국박물관

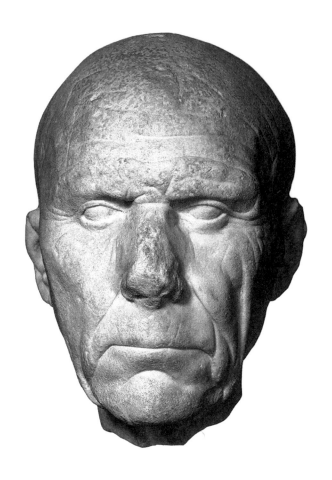

「기원전 1세기 스코프티토 출신의 한 남성의 두상」

로마인들은 구체적이고 사실적인 것을 선호했다.
가령 스코프티토 출신의 한 남성 대리석 흉상을 보면, 얽은 자국과 굵은 주름으로
가득한 얼굴과 아래로 축 처진 턱 등이 사실적으로 묘사되어 있다.
또한 날카로운 눈빛을 한 그의 사실적인 모습은 공적 업무에 평생을 바친
엄숙하고 진중한 공직자의 모습, 바로 그것이다.

* 키에티, 이탈리아 국립박물관

「그리스도의 승천」

중세시대 눈의 표현에서 또 하나의 공통점은
그 눈들의 시선이 저 위쪽을 향한다는 것이다.
지상의 나라에서 벗어나 구원을 향한 중세인의 열망이 궁극적으로
이루어진 장소는 바로 저 위의 천국이었고, 저 위를 향하고 있는
성상들의 시선은 바로 중세인들의 긴장과 열망의 반영인 것이다.
• 런던, 빅토리아 · 앨버트박물관

미켈란젤로, 「아담의 창조」

미켈란젤로의 아담은 위엄 있고 아름다우며 당당하다.
당당한 눈빛과 늠름한 근육은 마치 인간 존재의 아름다운 생명력을
대변하는 듯하며, 그의 시선도 두려움 없이 창조자의 눈을 응시한다.
니체의 표현대로 르네상스 시대는 본질적으로
"기독교의 가치들을 재평가"한 시대였던 것이다.

* 바티칸, 시스티나 성당

뒤러, 「멜랑콜리아 I」

이 작품은 르네상스 시대의 절망이 반영된 작품이다.
판화 속의 우울한 천사는 바로 좌절한 뒤러의 자화상이다. 천사의 눈은 바로
'근대적' 인간의 눈이며, 그 눈은 14세기 중엽에서 15세기 중엽에 이르는 시기의
잔혹한 참화를 조망하고, 그 참화의 연장인 현재를 바라보다가, 그러한 참화가
미래에도 계속될 것이라는 불길한 예감 속에서 지쳐버린 절망의 눈이다.

• 워싱턴 D.C., 국립미술관

베르니니, 「성 테레사의 황홀경」

이 작품은 바로크 예술의 '파토스'적 요소를
아주 선명하게 보여준다. 내적 고통과 환희를 동시에 표출하는 듯한
아빌라의 성녀 테레사의 옷은 여러 폭의 주름이 소용돌이치는
불길의 모양을 이루고, 눈은 황홀경에 빠진 듯 반쯤 감겨 있으며,
그 위로 정액의 표상이기도 한 '태양의 씨앗'을 품은 천상의 빛이 쏟아져 내리고 있다.

* 로마, 성 마리아 델라 비토리아

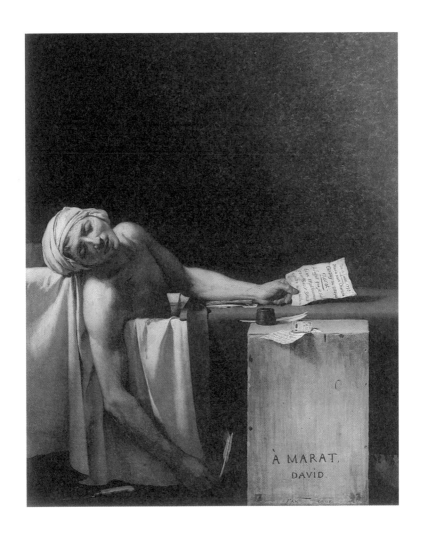

다비드, 「마라의 죽음」

다비드의 이 그림은 프랑스 혁명 당시 상징체계의 한 요소로서
중요한 서사적 역할을 담당했던 것으로 평가된다. 암살당한 순간의 마라는
편안한 안식의 황홀에 젖은 모습이다. 그는 혁명에 충실했던 자신의 삶에 안도하며,
계속될 혁명의 완성을 자신하듯 편안한 죽음을 맞이하고 있는 것이다.

• 브뤼셀, 벨기에 왕립박물관

블레이크, 「아담을 창조하는 엘로힘」

엘로힘은 인간을 심판하는 복수의 신의 속성을 가진 존재다.
블레이크의 작품 속에서 엘로힘, 즉 여호와는 첫 5일 동안의 창조 작업에
지친 듯 피곤한 표정을 짓고 있다. 한편 아담의 눈과 얼굴은 공포에 질렸으며,
뱀들이 그의 몸 전체를 감고 있다. 기독교의 전통적인 창조신화의 이미지는
여지없이 전복되며, 마치 폭군적인 여호와의 기이한 성행위, 동성애적이고
새디즘-매저키즘적인 성행위를 드러내는 것처럼 보인다.

● 런던, 테이트미술관

반 고흐, 「자화상」

이 그림에서 희망을 읽어내기는 힘들다. 입을 굳게 다문 비장한 표정으로
정면을 응시하는 그의 눈에서는 날카로움과 광기가 묻어난다.
마치 증오와 분노, 아니 냉소와 저주를 쏟아내는 듯하다.
그에게 이 저주의 대상은 바로 죽음이다. 이 자화상은 그가 심연 그 자체인
죽음을 부활을 전제로 한 또 하나의 삶으로 받아들일 수 없었음을 표현한 것이다.

● 파리, 오르세이미술관

뭉크, 「카를 요한 거리의 저녁」

20세기는 세계대전, 대량학살, 강대국들의 침략과 독립 이후의 내전
등으로 점철된 시대였다. 이 시기의 사람들은 인간실존의 형이상학적
불안을 경험한다. 이 시대적 경험을 적나라하게 표현한 화가인 뭉크의 작품
속에는 죽음에 대한 동경과 죽음에 대한 공포가 시소게임같이 드러난다.
그의 죽음에 대한 공포의 이미지는 이 그림에서도 인간의 모습을 하고 거리를 활보한다.
* 베르겐, 라스무스 메이어 소장

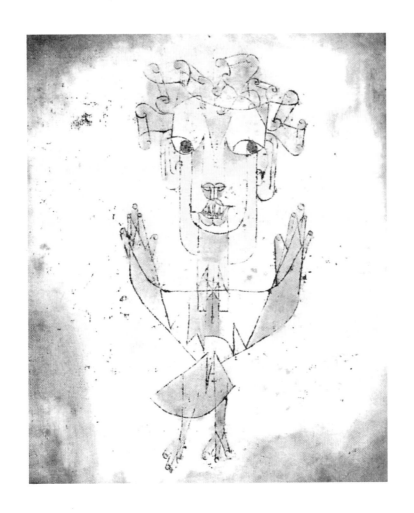

클레, 「새로운 천사」

벤야민은 「역사철학 테제」에서 이렇게 말한다.
"클레가 그린 「새로운 천사」라는 그림이 있다. 그 천사는 눈을 크게 뜨고 있다.
입은 벌어져 있으며 날개도 펼쳐져 있다. 역사의 천사도 이러한 모습일 것이다."
이 그림에서 주목할 부분은 메두사를 연상시키는 천사의 머리카락과 눈빛이다.
메두사는 역사의 연속성에 종지부를 찍고 위장된 진보의 역사를 정지시킨
벤야민의 역사의 비연속성 개념에 매우 적합한 이미지를 지닌 인물이다.

* 예루살렘, 이스라엘박물관

앙소르, 「그리스도의 브뤼셀 입성」

앙소르의 이 작품에는 군중이 등장한다. 그들 모두는 누군가를 기다리고 있다.
하지만 설렘이 아니라, 경악, 불안, 무엇보다도 공포의 눈빛을 하고
누군가 또는 무엇인가를 기다린다. 그로테스크한 인간들을 배경으로
'사회주의 국가여 영원하라'고 적힌 깃발이 나부끼고, 뒤쪽에는 초라한 당나귀를 탄
작은 키의 그리스도가 등장한다. 이 작품에서 앙소르는 인간의 해방과 구원이라는
유토피아의 실현을 내건 마르크스주의와 기독교, 양쪽 모두를 조롱한 것이다.

* 캘리포니아, 폴 게티박물관

피카소, 「게르니카」

피카소는 그림 속 말의 머리 위에서 빛나는 전구를 신으로 표상한다.
그러나 이 신은 정의의 신이 아니다. 인간의 삶을 관념적으로만 지배할 뿐
어떠한 실천적인 도움도 제공하지 않는, 인간들의 고통과 비통,
애원의 눈길에 어떠한 반응도 보이지 않는, 자신의 고고한 빛으로
인간들의 눈빛을 반사해버린 하나의 절대 추상체에 지나지 않는다.

• 마드리드, 국립 소피아 왕비 예술센터

마그리트, 「가짜 거울」

이 그림에서 홍채는 구름이 떠다니는 파란 하늘로, 까만 동공은 마치
그 하늘의 중앙에 떠 있는 태양처럼 묘사된 인간의 눈을 볼 수 있다.
이는 곧 인간의 눈이 신이 되기 위해 하늘에 투사되었음을 뜻한다.
마그리트는 이 작품을 통해 인간의 눈이 태양, 즉 신의 눈이 되고자 한 욕망,
달리 말하자면 스스로 신이 되고자 한 자신의 욕망뿐만 아니라 더 나아가
모든 현대인의 욕망을 표출한다.

● 뉴욕, 현대미술관

추경, 정한, 진선, 은정, 성한, 그리고 하나에게

눈의 역사 눈의 미학

책머리에

약 20년 전에 나는 「눈의 미학」이라는 논문을 발표한 바 있다. 그후 '눈'에 대해 좀더 본격적으로 접근해보리라는 생각이 나를 떠난 적은 한 번도 없었다. 다른 주제들에 대한 관심으로 인해 그러한 생각에서 한 걸음 떨어져 있기는 했지만, 1980년대 중반 이후 포스트모더니즘에 대한 논의가 활발해지고, 다양한 분야에서 이 시대를 특징짓는 시각문화에 대한 논의들이 전개되면서부터 나는 오랜 세월 동안 관심의 대상이었던 '눈'에 대해 다시 한 번 진지하게 생각하기 시작했다. 이 책은 이러한 오랜 관심의 결과다.

사실 20년 전의 그 논문을 통해 나는 '눈'에 대한 인문학적 접근을 '선점'하고 이를 본격적으로 논의한 학자들 가운데 한 사람이 되었다. 1990년대에 이르러 제이(Martin Jay), 레빈(David Michael Levin) 등의 저서를 포함하여 눈 또는 시각에 대한 전문서가 다수 등장했다. 그후 아니 그 전에도 여러 학자의 저서가 있었지만, 『눈의 역사 눈의 미학』은 그 어느 논의보다 진지하며 폭넓다. 더 진지하다는 것은 문제의식이 그만큼 더 치열하고 더 심각하다는 것이다. 가령 이 책의 주요한 전언이라 할 수 있는 주장인 "눈이 있는 한 인간의 세계는 파국을 면할 길이 없다. 종교적 용어를 구사한다면 인간에게 구원은 없다"는 과거의 어느 선학(先學)들이나 동시대의 그 누구에게서도 들을 수 없는 목소리다. 논의의 폭이 넓다는 것은 어디서도 쉽게 접해볼 수 없는 논지가 문학, 미술, 신학, 철학, 신화, 역사 등의 다양한 분야를 통해 심도 있게 펼쳐지고 있다는 뜻이다.

이 책에는 많은 참고문헌이 등장한다. 그러나 그들은 자유롭게 나래를 펴는 나의 사유를 전혀 구속하지 않았다. 어떤 점에서 나는 그들을 철저히 이용했다. 그들은 단지 나의 주장을 보강하고 지지하는 참고물에 지나지 않았다. 이 글의 주요 주제가 전적으로 나의 자유롭고 진지한 사유의 결과라 주장해도 그리 지나친 '오만'은 아닐 것이다. 하지만 그만큼 일방적인 주장이 될 수도 있다. 그러나 바로 그런 것이 '글쓰기'의 운명적인 조건이 아니던가.

언제부터인가 우리네에는 학자들의 조로(早老)가 일반화되어가고 있다. 아니 당연시되고 있다. 서양의 유수(幽邃)한 학자들은 70대는 물론 80대에도 그들의 노동을 멈추지 않으며, 계속해서 역저를 내놓고 있다. 나는 '조로'라는 가당찮은 현실을 받아들일 수가 없었다. 그들의 역저에 뒤지지 않는 성과물을 내놓고 싶었다. 이 책에는 2002년은 물론 올해에 출간된 저서들이 참고문헌으로 등장한다. 마지막까지 노동하는, 마지막까지 철저하고 싶은 '학인'(學人)으로서의 고집을 포기하고 싶지 않았기 때문이다.

이 책과 관련하여 몇 마디 말을 첨가하고 싶다. 제3장 「눈과 성기」는 「웃는 하부 ── 눈과 성기」라는 제명으로 학술계간지 『안과 밖』 제12호(2002)에 실린 적이 있지만, 다시 보완한 글이다. 그리고 이 책의 제명에 '눈의 역사'와 더불어 '눈의 미학'이라는 명칭을 붙인 까닭은 영어, 불어, 독어 등의 '미학'이라는 단어가 모두 '감각경험'이나 '감각지각'을 의미하는 그리스어 아이스테시스(aisthesis)에서 유래한 것이고, 여기에 쓰인 감각경험이나 감각지각이라는 것이 근본적으로 '봄'(見)의 감각기관인 '눈'에 의한 경험, 지각을 가리키기 때문이다. 서양과 달리 동양, 특히 동아시아 지역의 문화는 '눈의 문화'가 아니었다. 따라서 이 책은 '눈의 문화' 또는 '이미지의 문화'로 규정되는 서구에 집중할 수밖에 없었고, 서구 중심적인 성격을 띨 수밖에 없었다. 나는 제8장에서 동양이 '눈의 문화'를 형성할 수 없었던 원인들을 거론하면서 문학 장르로서「동양에는 왜 '비극'이 없는가」를 논하는 것으로 자위해야만 했다. 1994년의 저서 『왜 유토피아인가』의「책머리에」나는 "이 책과 더불어 나는 이런 종류의 무거운 주제에서 이제 떠나기로 작정하였다"는 말을 남긴 적이 있다. 하지만 그러한 결심, 그러한 약속을 지키지 못한 채, 이번에도 무거운 주제의 책을 내놓게 되었다. 아마도 이 땅의 고난에 찬 분단의 역사, 수난의 역사, 억압의 역사를 나 역시 '숙명적'으로 껴안아야 했기에 나의 주제들이 무겁고 심각할 수밖에 없었는지도 모른다.

이제는 감사의 마음을 전할 차례다. 나의 최초의 저서이자 역서인 『우리시대의 리얼리즘』과 『비평의 해부』를 각각 1983년과 1982년에 한길사에서 출판해주었다. 그후 지금까지 우리가 맺은 인연을 소중하게 간직하고 있는 한길사 대표 김언호 선생에게 감사의 마음을 드린다. 나의 책이 좋은 평판을 얻어 그에 보답할 수 있기를 바랄 뿐이다. 그리고 좀더 좋은 책을 만들기 위해 노고를 다한 한길사의 편집부를 포함한 여러 직원에게도 감사의 마음을 드린다.

내가 재직하고 있는 연세대학교의 여러분에게도 감사의 마음을 드린다. 특히 중앙도서관의 홍충란, 채정림 선생은 나의 작업을 위해 정성을 다해주었다. 나에게 필요한 신간서적들을 적잖게 주문하여 제공하는 데 커다란 도움을 주었다. 고마운 마음을 놓칠 수가 없다. 그리고 엄청난 양의 원고를 정성스럽게 다듬고, 많은 조언을 해준 대학원 비교문학과 박사과정의 이경하 양에게 감사의 마음을 보낸다. 참으로 고맙기가 그지없다. 그 후학이 가장 존경한다는 데리다에 비길 만한 훌륭한 학자로 커가기를 바라는 마음말고 더 이상 어떤 감사의 말로 노고에 값하랴.

마지막으로 연세대학교에 감사의 마음을 바친다. 학창시절을 포함하여 35년 동안 모교에 몸담았던 나에게 학교는 너무나 많은 은혜를 베풀었다. 학교는 무엇보다도 내게 직장이라는 삶의 터전을 제공함으로써 일생 동안 나의 가족을 보살필 수 있게 해주었다. 나는 언제나 이를 가장 고맙게 생각한다. 또한 안식년과 연구비를 통해 집필활동을 도와주었다. 나의 저서들이 학교의 명성에 보탬이 되었다면, 아니 된다면 그 은혜의 빚을 조금이라도 갚는 것이기에 나에게 그 이상의 기쁨은 없을 것이다. 내년이면 정년이 되어 학교를 떠난다. 떠난 후에도 좋은 저서로 은혜에 보답하리라.

그 누가 "노병(老兵)은 죽지 않고 단지 사라질 뿐"이라고 했던가. 나는 이 책을 마무리하면서 정반대의 말을 하고 싶었다.

2003년 12월
임철규

1 눈은 감옥이다

눈의 작란(作亂)

눈은 우리의 모든 감각 중에서 가장 중요한 감각이다. '인식작용'을 통해 대상을 개념화하는 것이 인간의 고유한 능력이라고 할 때 이러한 인식작용은 주로 '봄'(見)을 통해 가능해지는 것이기 때문이다. 다른 동물들도 눈을 가지고 있지만, 그들의 '봄'은 개념화를 가능하게 하는 인식작용으로 이어지지 않는다. 인간만이 '봄'을 통해 사유한다. 인식의 전제조건인 '봄'이 없었다면, 즉 '봄'의 눈이 없었다면, 인간의 모든 사유뿐만이 아니라 인간의 역사, 인간의 문명 자체가 불가능했을 것이다. 아니 인간이라는 존재 자체가 불가능했을 것이다.

이러한 눈의 중요성, 즉 인식작용에 미치는 눈의 영향력은 이미 고대 그리스인들의 언어에서부터 유추가 가능하다. '나는 안다'의 '오이다'(oida) 동사가 그 대표적인 예다. '오이다' 동사는 원래 '나는 본다'는 의미의 동사 '에이돈'(eidon)의 과거형이다. '나는 보았다'는 의미의 과거형 동사이지만 '나는 안다'는 현재동사의 의미로 주로 사용된다. 이는 보는 순간 '나'의 봄이 '나'의 '앎'으로 이어진다는 것을 함축하고 있다. 영어나 불어 등에서 '본다'는 동사가 '안다'는 의미로 쓰인다는 점도 같은 맥락에서 이해될 수 있다. 보는 것이 아는 것이라는 것, 그것은 곧 감각작용이 바로 인식작용으로 이어진다는 것을 말해준다.

그러나 눈의 중요성만큼이나 주목하지 않을 수 없는 것이 눈의 위험성이다. 우리가 어떤 대상—그것이 물질적이든 관념적이든 간에—을 인식할 때, 그 대상을 전체로서 인식한다는 것은 불가능하다. 우리가 어떤 것을 '안다'고 할 때, 그것은 항상 이 '안다'는 부분에 속하지 않는 '알지 못하는' 부분에 대한 배제를 수반하기 때문이다. 언제나 부분밖에 파악하지 못하는 것, 이것이 모든 인식작용의 한계다. 언제나 부분만을 파악하면서도 그 부분을 전체라고 규정하는 것이 인식작용의 모순이며, 이러한 모순이야말로 인식작용의 숙명적인 한계인 것이다. "본다는 것 자체는 심연(深淵)을 본다는 것이 아니겠는가?"[1]라고 한 니체의 진술도 전체로서 완전하게 인식될 수 있는 것은 아무것도 없다는 것, 즉 인간은 끝 모를 심연말고는 어떠한 실체도 전체로서 파악할 수 없다는 극도의 니힐리즘을 표현한 것이다.

눈이 있다는 것은 본다는 것이며, 본다는 것은 인식한다는 것이며, 인식한다는 것은 전체 중의 부분만을 파악한다는 것이기에 눈이란 진정 감옥이다. 인식한다는 것은 모든 대상을 있는 그대로 두지 않고 부분이라는 틀, 인식의 틀 속에 가두는 것이기 때문이다. 비트겐슈타인은 "철학은 모든 것을 있는 그대로 두는 것"[2]이라고 주장했지만, 인식의 세계는 모든 것을 있는 그대로 두는 것이 아니라 전체 가운데 부분을 떼어내어 그것을 전체인 것처럼 '틀짓는' 감옥의 세계, 관견(管見)의 세계다. 이런 점에서 볼 때 인식의 이름으로 행하는 모든 논리적 사유——이성적 담론——는 일면 가장 비철학적이다. 인식의 역사는 감옥의 역사이며, 인간 사유의 역사는 '틀짓기'의 역사다. 틀짓기의 역사는 전체를 부분으로 난도질하는 '비틀기'의 역사다. 눈이 있고 그 눈이 바라보는 대상이 있는 한, 즉 인식의 주체인 '나'가 있고 인식의 대상인 '너'가 있는 한 '틀짓기'의 역사, '비틀기'의 역사는 필연이자 숙명인 것이다. 눈이 본 부분을 전체인 것처럼 절대화하는 인식의 폭력은 실로 오랜 역사를 지닌다. 그것의 역사가 곧 인간의 역사라 하더라도 별 무리는 없을 것이다. 일찍이 그리스 이오니아 학파의 자연철학자 탈레스는 '만물의 근원은 물'이라고 했다. 한편 같은 이오니아 학파의 아낙시만드로스는 우주의 궁극적 물질, 즉 근원은 '무한정자'(無限定者, apeiron)나 '카오스'(현대 학자들은 '무한정자'를 헤시오도스의 '카오스'와 결부시킨다), 곧 '혼돈'이라고 했다. 그는

---

1) Friedrich Nietzsche, *Thus Spoke Zarathustra*, R. J. Hollingdale 역 (New York: Penguin, 1961), 177쪽.
2) Ludwig Wittgenstein, *Philosophical Investigations*, G. E. M. Anscombe 역 (New York: Macmillan: 1953, §124, 49e쪽.

모든 만물은 '혼돈' 상태인 '무한정자'에서 발생하며, 이때 모든 물질의 근원이 되는 '무한정자'는 물처럼 지각할 수 있는 물질이 아니라 마치 인간의 경험을 초월하는 신적 존재처럼 지각할 수 없는 어떤 것이라고 했다. 그리고 또 다른 자연철학자 아낙시메네스는 만물의 근원이 공기라고 했다. 이들은 모두 기원전 6세기경의 동시대인들이었지만 그들이 세상을 어떻게 '보고' 어떻게 인식하는가에 따라 만물의 근원을 각기 다르게 규정했던 것이다. 여기서 다르게 규정한다는 것은 자신이 보는 부분적인 현상만을 관찰하고 그러한 관찰의 결과에 입각해서 그 부분적인 현상을 전체인 것처럼 틀짓고 개념화한다는 것이다.

이렇게 탈레스와 더불어 시작한 '존재론'의 역사는 전체를 부분으로 난도질하고, 부분을 전체인 양 틀짓고, 다시 그 틀을 '비트는' 끝없는 개념화의 역사에 지나지 않았던 것이다. 거듭된 인식 파편화의 산물이나 다름없는 것이 숱한 '존재론'들이다. 헤라클레이토스는 이렇게 말했다.[3] "신들에게는 모든 것이 아름답지만, 인간들에게는 어떤 것은 옳고 어떤 것은 옳지 않다." 인간 사유의 역사는 어느 한 편을 '타자화'하고 배척하는 숱한 존재론들 간의 간단없는 갈등과 충돌, 그리고 분란의 역사인 것이다.

이 우주의 절대자, 절대적인 존재로서의 '신'이라는 개념도 인식 파편화의 산물이다. 대부분의 종교는 사물의 생성, 발전, 그리고 소멸이라는 현상들을 주관하는, 즉 그러한 현상들에 질서와 법칙을 부여하는 어떤 초월적 존재를 가정하고 그 존재를 신앙의 대상으로 자리매김하는 것에서부터 출발했다고 할 수 있다. 그런데 2세기의 한 기독교인 저자에 따르면 고대 그리스에서는 365명이나 되는 신이 있었다고 한다.[4] 이는 그만큼 신에게 부여할 수 있는 속성이나 개념이 많았다는 의미일 것이다.

3) Heraclitus, Frag. 102, Hermann Diels 편, *Die Fragmente der Vorsokratiker* (Berlin: Weidmann, 1954).
4) Simon Price, *Religions of the Ancient Greeks* (Cambridge: Cambridge UP, 1999), 11쪽.

그들 각각은 독자적인 개념을 요구할 수 있는 독자적인 존재였다.

거칠게 정리한다면, 가공할 만한 천둥과 번개를 '보고' 이를 제우스의 이름으로 신격화하고 그를 악한 자나 금기를 위반한 자를 다스리는 '정의의 신'으로 개념화하거나, 태양을 '보고' 이를 아폴론의 이름으로 신격화하고 그를 신탁과 예언을 내리는 '빛의 신'이나 '지식의 신'으로 개념화하는 것. 또는 '힘 있는 자, 황소'(「창세기」 49.14), 폭풍우, 천둥과 번개를 '보고' 이를 여호와의 이름으로 신격화하고 그를 거부한 자들에게 벌을 내리는 '분노의 신'으로 개념화하고, 인간 예수의 행위를 '보고' 그를 '신의 아들'로 신격화하고 십자가 위의 죽음을 통해 절대적인 사랑을 위한 절대적인 자기희생을 보여준 '사랑의 신'으로 개념화하는 것. 또 불타를 '보고' 그의 법문을 '듣고' 그를 지존(至尊)으로 신격화하고 고통으로부터 해탈에 이르는 지혜를 가르쳐준 '자비의 신'으로 개념화하는 것 등등 다양한 신적 존재들——그것이 절대존재로 일컬어지든 절대진리로 일컬어지든 간에——은 이처럼 '봄'을 전제로 하는 인간 인식의 파편화에 따른 결과물인 것이다.

따라서 종교의 역사도 존재론의 역사와 마찬가지로 어느 한 편을 '타자화'하고 배척하는 갈등과 분란의 역사다. 숱한 종교전쟁이 이를 증명하며, 때로는 자신들의 신을 절대존재로 규정하고 이를 이데올로기나 전쟁의 대의로 이용한 것도 종교의 한 역사다. 눈이 '본 바'를 개념화하는 인식작용이 없었다면 절대추상체나 절대진리로서의 신이라는 개념은 전혀 성립될 수 없었을 것이다. 전체에서 부분을 떼어내어 이를 전체로 틀 짓고 절대화하는 인식의 파편화 그리고 파편화를 가져오는 눈의 '작란'이 없었다면, 종교분쟁이나 전쟁과 같은 파국의 역사는 없었을 것이다. 눈은 그만큼 위험하기 짝이 없는 감각이다.

눈의 폭력성

어떤 사물에 대한 개념화 작업은 이전에 우리가 어떤 대상을 보고 인식했던 경험의 내용, 우리 의식 속에 저장된 기억의 내용을 기반으로 한다. 우리는 우리 의식 속에 저장된 '기억'의 내용에 의지하지 않고는 어떠한 대상도 개념화할 수 없다. 가령 장미를 보고 '장미는 아름답다'고 인식할 때, 우리는 이전에 다른 대상들을 '보고' 인식한 기억의 내용을 비교의 토대로 해서 장미를 '아름답다'고 개념화할 수 있는 것이다. 개념화에는 '분별'이 전제되고, 분별에는 '비교'가 전제되며, 비교를 위해서는 경험의 기억들, 즉 의식 속에 저장된 기억의 내용이 전제된다. 이 모든 행위의 시작에 '봄'이 있다. '봄'이 없다면 어떠한 기억도 의식 속에 저장될 수 없기 때문이다. 의식 속에 저장된 기억의 작란이 다름 아닌 개념화인 것이다. 경험의 단편에 속하는 기억이라는 것이 얼마나 국소적이고 파편적인가. 그러한 기억의 작란이 '봄'에서 시작된다면, '봄' 또한 얼마나 작란스러운가.

　데리다 자신은 인식이 무엇인지 알지 못하며, 과연 인식이라는 것이 존재하는 것인지에 대해서도 알지 못한다고 했다. 그는 '쳐다본다'는 의미를 가진 그리스어 동사 스켑테온(skepteon)의 명사형인 스켑시스(skepsis)에 대해 "눈과 관계가 있는 단어다. 그것은 시각적 인식, 관찰, 경계, 주시와 관계가 있다"[5]면서 여기서 유래한 스켑티시즘(skepticism)이라는 영어 단어를 거론한다. 이것의 의미는 '회의' 또는 '회의론'이다. 이를 통해 그는 눈이란 전혀 믿을 수 있는 감각이 아니라는 것, 말하자면 눈이 '본 바'는 믿을 수 없는 '회의'의 대상이라는 것을 암시한다. 전체를 부분으로 난도질하여 개념화하는 이러한 '폭력'에는 눈이 초래한 기억의 단편적인 작란이 자리하고 있기 때문이다.

　전체를 부분으로 난도질하여 틀짓는 일종의 '폭력'으로서의 개념화를 이야기할 때, 거론하지 않을 수 없는 것이 바로 언어 문제다. 모든 언어

---

5) Jacques Derrida, *Memoirs of the Blind*, Pascale-Anne Brault와 Michael Naas 공역 (Chicago: U of Chicago Press, 1993), 1쪽.

표현은 개념화를 전제로 하기 때문이다. 개념화가 일종의 폭력이라면, 개념화를 전제로 하는 모든 언어 역시 폭력적일 수밖에 없다. 레비 스트로스는 아마존 지역의 인디언 부족인 남비콰라족에 대한 연구에서 '글'(l'écriture)의 출현 이전, 즉 문자언어 사회 이전의 음성언어 사회, '글 없는 사회'에서 그들은 순진무구하고 비폭력적으로 살았다고 주장했다. 물론 데리다는 글이 없는 공동체란 애초에 존재하지 않았다고 역설하면서 남비콰라족의 사례에서 끌어낸 그의 도식적인 결론에 이의를 제기했다. 하지만 그 또한 루소와 마찬가지로 글은 일종의 폭력이라는, 즉 그것이 폭력이나 억압과 결부되어 있다는 그 인류학자의 주장만큼은 부인하지 않았다.[6] 데리다는 분류하고 범주화하는 한, 즉 개념화하는 한 글은 폭력적이라고 주장한다.

이러한 폭력적 개념화의 가장 흔한 예를 '재현'('표상')에서 찾을 수 있다. 니체는 그의 초기 저작 『비극의 탄생』에서 모든 재현, 특히 언어에서의 재현이 폭력적일 수밖에 없음을 시사한다. 그는 재현에 의해 왜곡 표현된 자연 등, 왜곡되기 이전의 어떤 실체의 흔적에 주목하면서 언어로 번역되기 이전의 순수한 상태를 동경한다. 그가 『비극의 탄생』에서 가사 없는 음악을 더 좋아한다고 말한 것도 바로 이러한 맥락에서다.[7] 그것이 음성언어든 문자언어든 간에 언어에는 언제나 폭력이 내포되어 있다는 것이다.

앞서 지적했듯이 어떤 대상을 있는 그대로 인식하지 못하고 전체 가운데 부분을 도려내어 이를 전체인 것처럼 틀짓는 것, 이것이 인식작용의 본질이자 한계이며 숙명이다. 그렇다면 인간이 펼치는 인식작용의 총체

---

6) Jacques Derrida, "The Violence of the Letter: From Lévi-Strauss to Rousseau," *Of Grammatology*, Gayatri Chakravorty Spivak 역 (Baltimore: Johns Hopkins UP Press, 1976), 116쪽, 135쪽.

7) Friedrich Nietzsche, *The Birth of Tragedy and Other Writings*, Raymond Geuss와 Ronald Speirs 공편, Ronald Speirs 역 (Cambridge: Cambridge UP, 1999), §6, 33~36쪽.

적 산물인 언어도 인식작용과 마찬가지로 숙명적인 한계를 지닐 수밖에 없다. 따라서 언어는 폭력적일 수밖에 없는 것이다. 여기서 다시 한 번 주목해야 할 것은 언어에 내재한 폭력성이 눈의 작란에서 연유한다는 것이다. '봄'을 통해 인식작용을 유도하는 것이 눈이기 때문이다.

일반적으로 눈은 그 '본 바'를 '타자화'하며, 이 '타자화'는 '차별화'를 전제로 한다. 그리고 이 '차별화'에는 전체에서 부분을 떼어내어 그것이 마치 전체인 양 틀짓는 인식의 작란이 자리잡고 있다. 이런 작란의 결과물인 차별화는 '타자'를 '욕망'이나 '억압' 아니면 '지배' 대상으로 삼는, 이른바 인식의 '제국주의' 놀이를 감행한다. 차별화를 통해 대상을 타자화할 때 인식의 주체가 남성이면 여성이 주로 주체의 욕망이나 억압의 대상이 된다. 인식의 주체가 강자면 물론 약자가 억압이나 지배의 대상이 된다. 로마의 뛰어난 학자이자 시인이었던 바로(Marcus Terentius Varro)는 다음과 같이 말했다.

나는 시각, 즉 힘으로부터 본다. 왜냐하면 시각은 오감 가운데 가장 강한 감각이기 때문이다. 다른 감각은 300미터 떨어져 있는 것을 지각할 수 없지만, 눈의 지각이 뿜어내는 힘은 별들에도 이른다…….[8]

여기서 바로는 시각을 힘과 동일시하고 있다. '시각'(visus)을 의미하는 단어와 '힘'(vis)을 의미하는 단어의 어원이 '나는 본다'(video)는 의미의 동사인 점도 이를 뒷받침한다. '힘'(vis)을 의미하는 단어가 때때로 '성폭력'이나 '강간'이라는 의미로 쓰이기도 하는데[9], 바로는 곧 다음 문장에

---

8) Varro, *de Lingua Latina* 6.80: "video a visu, <id a vi>: qui<n> que enim sensum maximus in oculis: nam cum sensus nullus quod abest mille passus sentire possit, oculorum sensus vis usque pervenit ad stellas...." David Fredrick, "Introduction: Invisible Rome," *The Roman Gaze: Vision, Power, and the Body*, David Fredrick 편 (Baltimore: Johns Hopkins UP, 2002), 1쪽에서 재인용.

서 사냥꾼 악타이온이 목욕하는 여신 아르테미스를 "눈으로 범한다"는 표현을 사용한다. 눈은 경계를 모르고 여러 형태의 폭력을 행사하는 위험한 감각이라는 것이다. 실제로 '봄'으로부터 연원하는 라틴어 '힘'이라는 단어는, '폭력'이나 '적대 세력'이라는 의미로 사용되는 경우가 더 많다.

헤겔은 역사의 중심에 '적대 세력' 간의 투쟁이 있다고 보았다. 그 투쟁은 곧 '주인'과 '노예' 간의 투쟁이다. 그의 『정신현상학』에 따르면 역사는 '인정'을 얻기 위한 투쟁과 함께 시작된다. 그러한 투쟁은 음식이나 땅, 여자를 얻기 위한 투쟁이 아니라 누가 주인인지를 확인하려는 투쟁이다. 여기서 투쟁을 포기한 자는 '노예'가 되고, 끝까지 투쟁한 자는 '주인'이 된다. 즉 역사는 차이나 구별을 짓기 위한 힘의 투쟁이라는 것이다. 이러한 차이나 구별도 '본 바'를 타자화하는 인식작용의 파편화, 즉 개념화의 작란이다. 역사는 이런 개념화의 작란이 추동하는 투쟁의 연속이다. 국가와 국가 간의, 민족과 민족 간의, 남성과 여성 간의 그리고 개인과 개인 간의 투쟁은 각기의 타자에게서 '자기'를 '인정'받으려는, 특권적 주체의 자기 주관성을 확보하여 '차이'와 '구별'을 정당화하려는 투쟁에 지나지 않는다.

포스트모더니즘적 사유가 보여주듯이 차이와 타자화가 전적으로 부정적인 결과만 가져온 것은 아니다. 하지만 지금까지의 역사는 억압과 지배를 전제로 하는 타자화가 남긴 아픈 상처들로 점철된 것이 사실이다. 욕망, 억압, 지배의 대상을 전제로 한 '타자화'는 인식이라는 국소적인 틀 속에서 이루어지는 폭력 그 이상도 이하도 아니다. '지옥, 그것은 타인'[10]이라는 사르트르의 주장은 눈이 초래하는 고정된 인식의 틀 속에서 모든

---

9) David, Fredrick, 같은 글, 2쪽.
10) 그의 극작품 『출구는 없다』(*Huis Clos*, 1944)에 등장하는 주요한 모티프 가운데 하나다. 그의 '타자'에 대한 이러한 입장은 Jean-Paul Sartre, *Being and Nothingness*, Hazel E. Barnes 역 (New York: Philosophical Library, 1956), 263쪽에서도 강조된다.

인간과 국가, 사상과 제도 간에 서로 치고받는 적대적 관계의 성격을 잘 정리해준다. 벤야민이 그의 「역사철학테제」에서 인간의 역사는 '잔해 위에 또 잔해'가 거듭 쌓여온 '파국'의 역사라고 적절하게 진단하듯이[11], 인간의 역사는 그러한 적대관계가 초래하는 적대적 투쟁, 필연적 투쟁의 간단없는 연속인 것이다.

인간의 역사와 문명 그 어디서 인간다운 '진보'의 역사, 인간다운 '발전'의 문명이라는 것을 찾아볼 수 있는가. 오히려 시기, 음욕, 탐욕 등으로 가득 찬 인간의 눈은 "좋은 눈의 흔적은 어디에도 없는 악한 눈"이라는 라캉의 주장이야말로[12] 모든 대상을 '타자화'하고 폭력을 유도하는 파괴적인 인간의 눈에 대한 가장 정확한 규정이 아니겠는가. '타자화'는 인식의 주체가 자의적으로 휘두르는 폭력과 다름없다. 이러한 틀짓기, '비틀기'의 역사는 바로 모든 개념화의 원천인 눈이 펼친 역사다. 인간의 눈이 본질적으로 '악한 눈'이라면, 눈이 있는 한 인간의 세계는 파국을 면할 길이 없다. 종교적 용어를 구사한다면 인간에게 구원은 없다.

그렇다면 인간에게 '구원의 눈'은 없는 것인가. 이에 대한 대답은 마지막 장에서 다룰 것이다. 이 책은 이 절박한 물음에 대한 답을 찾아 떠나는 긴 여정이다.

---

11) 벤야민의 역사관에 대해서는 임철규, 졸고, 「역사의 천사—발터 벤야민과 그의 묵시록적 역사관」, 『왜 유토피아인가』(서울: 민음사, 1994), 373~407쪽을 참조할 것.
12) Jacques Lacan, *The Four Fundamental Concepts of Psycho-Analysis: The Seminar of Jacques Lacan Book XI*, Jacques-Alain Miller 편, Alan Sheridan 역 (New York: Norton, 1978): 115쪽, 라캉은 같은 책에서 "성서 전체 그리고 심지어 『신약』에서도 좋은 눈은 어디에도 없다. 도처에 악한 눈만 있다"고 말한다. 119쪽을 볼 것.

2 눈과 태양, 신 그리고 빛

눈과 태양, 신 그리고 빛

눈과 태양의 관계는 여러 신화적, 종교적 담론에서부터 부각되고 있다. 인도의 「아이타레야 우파니샤드」에는 "태양은 시각이 되어 눈으로 들어갔다"[1]고 기록되었고, 중국의 여러 문헌에는 반고(盤古) 신화를 통해 태양의 생성에 관한 이야기가 실려 있다. 『삼오력기』(三五曆紀)와 『오운력년기』(五運歷年紀) 등의 한족 문헌은 물론 여러 소수민족의 문헌에도 태초의 거인 반고가 죽은 후 그의 왼쪽 눈은 태양, 오른쪽 눈은 달이 되었다고 나와 있다.[2] 한국의 창세신화도 중국의 경우를 따르는데, 박봉춘본을 포함한 여러 판본에 태양이 반고의 눈에서 생성되었다는 기록을 찾아볼 수 있다.[3]

한편 태양과 '눈'의 관계는 그것이 신의 눈으로 표상되는 여러 신화를 통해 확인할 수 있다. 가령 인도의 『베다』에서 태양은 미트라, 바루나의 눈, 또는 "아그니의 천상의 얼굴, 즉 어둠을 관통하는 우주의 눈"[4]으로, 때로는 바루나와 미트라의 '위대하고 고귀한 눈'으로 묘사된다. 태양 수리아가 위대한 신 바루나와 미트라의 눈이라는 점도 반복해서 강조되며,[5] 시바가 지닌 세 개의 눈 가운데 하나도 태양을 상징한다. 또한 태양은 고대 페르시아에서는 아후라 마즈다의 눈, 그리스에서는 제우스의 눈, 이슬람에서는 알라의 눈, 아시리아에서는 니니기쿠의 눈이었으며,[6]

1) *Aitareya Upaniṣad*, *The Principal Upaniṣads*, S. Radhakrishnan 편역 (India: Indus, 1994), I.1.4, I.2.4. (516쪽, 517쪽).
2) 서유원, 『중국창세신화』(서울: 아세아문화사, 1998), 131~135쪽.
3) 박종성 「한국 창세 서사시의 신화적 의미와 시대적 변천」 (서울대 박사논문, 1999), 26~27쪽을 참조할 것.
4) Charles Malamoud, *Le Jumeau solaire* (Paris: Éditions du Seuil, 2002), 15쪽.
5) J. Gonda, *Eye and Gaze in the Veda* (Amsterdam-London: North-Holland, 1969), 6쪽, 41~43쪽.
6) Michael E. Monbeck, *The Meaning of Blindness: Attitudes toward Blindness and Blind People* (Bloomington: Indiana UP, 1973), 126쪽.

노르웨이 신화에서 태양이 주신(主神) 오딘의 눈이라는 것은 잘 알려진 사실이다. 아프리카의 많은 종족, 가령 발레세족, 갈라족, 하드야족, 난디족, 오밤보족, 시다모족 등은 지금도 태양을 신의 눈이라고 생각한다.[7] 고대 이집트 호루스 신의 경우 그의 오른쪽 눈은 태양, 왼쪽 눈은 달로, 『바가바드기타』에 등장하는 '최고의 존재'인 크리슈나의 두 눈도 각각 태양과 달로 표상된다.[8] 창조신 이자나기 노미고토의 왼쪽 눈에서 태양, 오른쪽 눈에서 달이 생성되었다는 일본의 신화는 물론, 그들의 민족신앙인 신도(神道), 중국의 도교(道敎)에서도 태양을 신의 눈이라고 본다. 아프리카 발레세족의 경우 아직도 신의 오른쪽 눈을 태양, 왼쪽 눈을 달이라고 믿는다.

이처럼 신(들)의 눈인 태양은 때때로 생명의 창조적 원천, 우주의 지배 원리, 우주의 궁극적 질서, 정의의 궁극적 실현자 등으로 표상되기도 하며, 더 나아가 신 자체와 동일시되기도 한다.

『바가바드기타』에서 최고의 존재인 크리슈나는 '빛나는 태양' 그 자체와 동일시되며,[9] 「찬도기야 우파니샤드」에서 태양은 "신 중의 신, 가장 높은 빛"[10], "모든 존재가 의지하는 대상"으로 칭송된다.[11] 태양의 눈 그 자체가 신이었던 고대 이집트를 비롯하여 메소포타미아, 그리스, 로마 등지에서도 주요한 남성 신들의 대부분이 태양과 결부되었고, 신으로서의 태양에 대한 숭배는 고대세계를 특징짓는 공통적인 현상들 가운데 하나였다. 메소포타미아의 경우 괴물 티아마트를 제거한 마르두크 신은 매일 아침 같은 모습, 같은 빛으로 솟아오르는 태양, 말하자면 암흑에서

---

7) John S. Mbiti, *Concepts of God in Africa* (New York: Praeger, 1970), 93쪽, 133쪽.

8) *Bhagavad-Gītā As It Is*, A. C. Bhaktivedanta Swami Prabhupāda 편 (Los Angels: The Bhaktivedanta Book Trust, 1983), 568쪽.

9) *Bhagavad-Gītā As It Is*, 같은 책, 534쪽.

10) *Chāndogya Upaniṣad*, 앞의 책, *The Principal Upaniṣads*: III.17.7. (397쪽).

11) *Chāndogya Upaniṣads*, 같은 책, II.9.2. (364쪽).

빛, 카오스에서 질서를 가져오는 태양과 결부되었다. 이 점에서 그는 피톤을 제거한 그리스의 태양신 아폴론, 암흑으로 인식되는 밤의 뱀 브리트라를 물리친 인도 '최고의' 태양신 인드라와 닮았다. 메소포타미아 최고의 신 샤마시도 태양신으로 일컬어졌으며, 히타이트족 최고의 신 이스타누 역시 태양신으로 칭송되었다. 이집트에서도 한때 '최고의 존재'는 태양신 아몬－레(아몬－라)였고, 이후 오시리스 숭배가 이전처럼 일반화된 후에도 죽음을 앞둔 파라오는 '저무는 태양'이나 '죽어가는 오시리스 신', 그리고 그 신의 아들로 다시 태어나는 떠오르는 '태양신 호루스'와 동일시되었다.[12] 잉카 제국에서 태양은 백성을 지켜주는 수호신으로 경배되었고,[13] 페르시아에서 태양은 '우주의 통치자'인 미트라 신과 동일시되었으며,[14] 『구약』의 여호와는 "벌하고 구원하고 치유하는 태양신"[15]으로, 그리고 예수도 일찍이 '정의의 태양'으로 일컬어졌다.[16] 이런 점에서 볼 때 기독교 역시 태양숭배의 종교였다는 주장이 무리하게 보이지만은 않는다. 예수가 죽은 이후, 로마에서 태양으로서의 예수에 대한 숭배가 유행했다는 사실이 이를 입증한다.

---

12) David Leeming and Jake Page, *God: Myths of the Male Divine* (New York: Oxford, 1996), 133쪽.

13) Constance Classen, *Worlds of Sense: Exploring the Senses in History and Across Cultures* (London: Routledge, 1993), 109쪽.

14) 미트라와 태양의 보다 포괄적인 관계에 대해서는 F.W. Schelling, *Philosophie de la mythologie*, Alain Pernet 역 (Grenoble: Éditions Jerome Millon, 1994), 142~143쪽을 볼 것. 그리고 미트라가 '우주의 통치자'로서 특히 고대 그리스에서 태양과 동일시된 것에 대해서는 David Ulansey, *The Origins of the Mithraic Mysteries: Cosmology and Salvation in the Ancient World* (New York: Oxford UP, 1989), 107~112쪽을 볼 것.

15) Othmar Keel과 Christoph Uehlinger 공저, *Gods, Goddesses, and Images of God in Ancient Israel*, Thomas H. Trapp 역 (Minneapolis: Fortress Press, 1998), 277쪽 그리고 여러 군데를 볼 것.

16) R. C. Zaehner, *Mysticism: Sacred and Profane* (Oxford: Clarendon Press, 1967), 91쪽.

결국 그리스도는 태양의 날(부활절 주일)에 다시 살아난 것으로 공포되었고, 기독교인들은 일요일, 즉 태양의 날에 예배에 참석했으며, 예배가 진행되는 동안 그들의 얼굴은 동쪽, 즉 태양이 떠오르는 쪽을 향하고 있었다.[17]

태양을 신과 동일시하는 태도는 오늘날에도 아프리카의 가나와 나이지리아 북부 지역에 사는 종족들에게서 발견되는데, 그들에 따르면 '최고의 존재'인 태양은 신의 아들이며 땅은 그의 아내다.[18] 가나의 아샨티족은 가장 위대한 신 니얀코폰을 의인화된 태양이라고 생각한다.[19] 아프리카의 일라족과 발루바족이 각각 태양을 "행성들 중의 그", "많은 행성 중의 그, 영원한 신"이라고 부를 때, 그들은 태양과 신을 같은 존재로 보는 것이다.[20] 발칸 산맥에 사는 슬라브인들은 태양을 '지상의 신'으로 간주하며, 북미의 인디언 부족들에게 태양은 "위대한 신이 살고 있는 거처"인 동시에 때로는 신 자체가 되기도 한다.[21] 이러한 동일시는 우리네 민간신앙에서도 마찬가지다.

인간에게 태양은 언제나 저 위에서 이 아래를 내려다보는 존재였다. 마찬가지로 신과 같은 초월적 존재들도 언제나 '저 위에서 이 아래를 내려다보는' 존재들이었다. 저 위에서 이 아래를 '내려다보는' 존재라는 점

---

17) Wolf Liebeschuetz, "The Significance of the Speech of Praetextatus," Polymnia Athanassiadi와 Michael Frede 공편, *Pagan Monotheism in Late Antiquity* (Oxford: Clarendon Press, 1999), 189~190쪽. 기독교 교회는 그리스도를 태양의 신 미트라와 결부시키면서 '무적의 태양'이라고 단언하기까지 했다. F. W. Schelling, 앞의 책, 143쪽을 볼 것.

18) Geoffrey Parrinder, *African Traditional Religion* (New York: Harper and Row, 1976), 34쪽.

19) Geoffrey Parrinder, 같은 책, 45쪽.

20) John S. Mbiti, 앞의 책, 28쪽.

21) 세르기우스 골로빈, 미르치아 엘리아데, 조지프 캠벨 지음, 『세계신화 이야기』, 이기숙, 김이섭 역 (서울: 까치사, 2001), 94쪽.

에서 그들은 때때로 '눈' 자체와 동일시된다. 『베다』에 나오는 태양신 수리아는 '모든 것을 보는' 존재다.[22] 세계를 만든 비스바카르마는 '눈의 아버지'이며,[23] 여러 초기 신화에 등장하는 인드라는 '1,000개의 눈'을 지녔다. 수메르의 창조신 중 하나인 엔키(에아)는 '번쩍이는 눈을 가진 신'이라는 별칭을 가지고 있으며,[24] 시리아 기원의 이집트 신 오시리스의 뜻은 '눈의 자리' 또는 '눈의 힘'인 것으로 알려진다.[25] 호메로스의 서사시 『일리아스』에 등장하는 태양은 '모든 것을 보는' 존재이며, 핀다로스의 시 「올림피아 경기승리가」에 등장하는 태양은 천하의 모든 것들을 볼 수 있는 '하늘의 위대한 눈'이며(7.61~63), 제우스의 눈은 "모든 것을 보거나 모든 것을 알고 있다."[26]

이러한 사례들은 유대교와 초기 기독교 문헌에서도 빈번하게 등장한다.[27] "여호와의 눈은 온 땅을 두루 감찰한다"는 『구약』의 「역대하」(17.9)에서부터 『신약』의 「데살로니가전서」에 이르기까지, 미래의 심판관으로서의 신은 지상의 모든 것을 내려다보고 인간의 모든 행동을 기록하는 존재로 등장한다.[28] 그리하여 고대 비잔틴인들은 '만물을 보는 이

---

22) *The Vedas*, Sarvepalli Radhakrishnan과 Charles A. Moore 공편, *A Sourcebook in Indian Philosophy*, (Princeton: Princeton UP, 1957), 12쪽.

23) *The Vedas*, 같은 책, 18쪽.

24) Alan Dundes, *Interpreting Folklore* (Bloomington: Indiana, 1980), 119쪽.

25) Francesco Aristide Ancona, *Myth: Matter of Mind?* (Lanham/New York: UP of America, 1994), 93쪽.

26) 헤시오도스, 『일과 나날』 267행. 그리스 비극시인들, 가령 아이스킬로스도 그의 작품 『오레스테이아』의 3부작 가운데 마지막 작품 「자비로운 여신들」(1,045행)에서 제우스를 '모든 것을 보는 자'로 규정하며, 소포클레스도 『안티고네』(184행)에서 작중 인물 크레온 왕을 통해 제우스를 "영원히 모든 것을 보는" 신이라고 말한다.

27) Harry O. Maier, "Staging the Gaze: Early Christian Apocalypses and Narrative Self-Representation," *HTR* 90:2 (1997), 131~154쪽을 볼 것.

28) 「욥기」 34.21; 「시편」 7.9, 11.4, 139.1; 「잠언」 5.21, 15.3, 24.12; 「예레미야」 16.17, 17.10; 「아모서」 9.8; 「스가랴」 4.10; 「마태복음」 6.6, 25.31~46; 「마가복음」 4.22; 「로마서」. 2.16; 「데살로니가전서」 1.9~10.

러한 신의 눈'을 "정의의 눈"이라 칭했다.[29] "하늘이 지켜본다"는 우리네의 일상적인 표현도 이러한 인식의 한 예라 하겠다.

아칸족을 비롯한 아프리카의 대다수의 종족은 신을 "모든 것을 보고 모든 것을 아는 이"라고 규정한다. 이러한 규정을 통해 그들의 신은 완벽한 지혜와 지식, 그리고 통찰력을 가진 존재가 된다. 요루바족의 민요처럼, 신은 "인간을 속속들이 들여다보는 존재"인 것이다. 따라서 간다족에게 신은 "큰 눈"이자 "위대한 눈"이 된다.[30] 신에 대한 이러한 호칭은 신의 속성에 대한 구체적인 표현인 동시에, 신이 가진 절대적인 힘이 그 시선, 즉 눈에서 유래한다는 것을 일러준다. 모든 것을 그의 시선 아래 두는 신의 절대적인 힘을 말해주는 것이다.

눈과 빛

태양처럼 모든 것을 보는 존재인 신은 태양과의 동일시를 통해 빛의 원천, 때로는 빛 자체가 되기도 한다. '제우스'의 어원적 의미는 '빛나는 하늘'이며, 그는 번개로 현현한다.[31] 고대 이집트 신화에서 최초의 창조주이자 신인 아톰은 빛의 상징이며,[32] 오시리스는 '거룩한 불'이라 불린다. 『구약』의 「시편」과 「이사야서」는 여호와를 각각 '빛'(27.1), '영영한 빛'(60.19)이라 칭하며, 바빌론 유수 이후에도 여전히 여호와는 '빛의 존재'였다(「이사야서」 60.1~3). 고대 메소포타미아의 마르두크 신도 빛과 동일시되었으며, 아프리카의 아칸족에게 신이 "빛나는 존재"라면 이

---

29) Henry Maguire, *The Icons of Their Bodies: Saints and their Images in Byzantium* (Princeton: Princeton UP, 1996), 115쪽.

30) John S. Mbiti, 앞의 책, 3쪽, 4쪽을 볼 것.

31) Marcel Detienne, *The Creation of Mythology*, Margaret Cook 역 (Chicago: U of Chicago Press, 1986), 10쪽 Walter Burkert, *Greek Religion*, John Raffan 역 (Cambridge/M.A.: Harvard UP, 1985), 126쪽.

32) Michael E. Monbeck, 앞의 책, 125쪽.

그 비라족에게 빛은 신의 은총의 표시이기도 하다.[33]

『바가바드기타』에서 빛은 존재의 '원천'이다.[34] 『우파니샤드』에서 아트만-브라만은 빛과 동일시되고 있으며,[35] 그 브라만은 '떠오르는 빛', '빛나는 광채'로 현현한다. 이 빛은 "암흑을 분쇄하는 '번개'이기도 하다."[36] 때때로 『우파니샤드』의 신들은 태양이나 달보다 강한 빛으로 현현하기도 한다. 위대한 구세주나 현자들의 탄생도 빛을 통해 예고된다.[37] 마호메트가 태어났을 때는 찬란한 빛이 온 세상을 비추었고,[38] 붓타가 탄생했을 때는 다섯 개의 우주가 빛났다.[39] 예수의 탄생 때도 마찬가지다.

사실 「마태복음」과 「누가복음」에서는 예수의 탄생과 빛의 연관성이 상대적으로 미미한 편이지만, 누가가 신의 영광스러운 빛을 받고 두려워하는 목자들에게 예수의 탄생을 알리는 천사들이 오고 있음을 묘사했을 때(「누가복음」 2.9), 마태가 예수 탄생의 시간과 장소를 가리키는 별들에 대해 말했을 때(「마태복음」 2.2, 2.7, 2.9, 2.10), 이들 예수의 탄생을 빛을 통해 예고한다. 후대의 기독교 문헌들은 예수가 탄생한 장소는 신의 출현을 알리는 빛으로 가득 차 있었으며, 천사 가브리엘을 맞이한 처녀 마리아의 방도 빛으로 가득 차 있었다고 묘사한다.[40] 복음서 저자들은

---

33) John S. Mbiti, 앞의 책, 57쪽.

34) *Bhagavad-Gītā As It Is*: 앞의 책, 661쪽.

35) Mircea Eliade, *The Two and the One*, J. M. Cohen 역 (New York: Harper and Row, 1965), 26~28쪽을 볼 것.

36) *Brhad-araṇyaka Upaniṣad*, 앞의 책, *The Principal Upaniṣads*: V.7.1. (294~295쪽)

37) 이에 대해서는 Mircea Eliade, *Occultism, Witchcraft, and Cultural Fashions: Essays in Comparative Religions* (Chicago: U of Chicago Press, 1976), 97쪽 이하를 볼 것.

38) Mircea Eliade, *A History of Religious Ideas, From Muhammad to the Age of Reforms* (Chicago: U of Chicago Press, 1985), III: 62쪽.

39) Mircea Eliade, 앞의 책, *Occultism, Witchcraft, and Cultural Fashions*, 97쪽.

40) 이에 대해서는 Thomas Fawcett, *Hebrew Myth and Christian Gospel* (London: SCM Press, 1973), 79쪽을 볼 것.

이미 예수의 변형이야기에서 빛의 상징을 사용하는데, 높은 산에서 모세, 엘리야와 함께 변형된 모습으로 나타난 예수의 얼굴은 태양처럼 빛났고, 그의 옷은 눈부신 흰색이었다(「마태복음」 17.2; 「마가복음」 9.3). 여기서 이미 예수는 신의 빛으로 축복받는, 그리하여 진정한 구원의 빛으로 이 세상에 오는 구세주의 모습을 하고 있다.[41] 요한이 신, 아니 예수를 '빛'이라 규정했듯이(「요한일서」 1.5), 기독교에서 '빛'은 예수를 특징짓는 가장 중요한 이미지다.

그러나 이러한 빛의 이미지가 신들만의 전유물은 아니었다. 그것은 인간에게도 적용되어야만 했다. 인간도 빛을 방출하는 눈을 가졌기 때문이다. 인간의 눈이 빛이나 일종의 에너지를 방출한다는 인식은 자연스럽게 인간의 눈이 태양이나 신의 속성을 공유한다는 인식으로 이어졌다. 「아이타레야 우파니샤드」의 "태양은 시각이 되어 눈으로 들어갔다"는 구절에서 알 수 있듯이, 눈은 태양처럼 스스로 빛을 내기 때문에 '볼' 수 있다. 이러한 사유의 서구적 전통은 그리스 철학자 엠페도클레스가 눈은 밖으로 빛을 내보내는 하나의 '등불'이라고 주장했던 데서 시작되었다.[42]

이러한 엠페도클레스의 주장은 시선이란 눈에서 외부로 빛을 쏟아내는 것이라는 플라톤의 주장에서 더욱 구체화되었으며(『파이드로스』 255C~D; 『티마이오스』 45B~46B), '인간의 눈 자체가 빛을 내지 않는다면, 그것은 태양의 빛을 지각할 수 없다'는 그들의 테제는 호메로스의 『일리아스』(XII. 466행)나 소포클레스의 『아이아스』(69~70행)에서도 등장한다. "시각이나…… 눈 그 어느 것도 태양은 아니다. 그러나 그것은 모든 감각 가운데 태양을 가장 많이 닮아 있다"(『국가』 508B)고 한 플라톤은 태양이나 신에 귀속되는 빛의 속성을 인간의 눈에도 부여했다. 그

---

41) 「베드로후서」 1.19: "우리에게 확실한 예언이 있어 어두운 데 비치는 등불과 같으니……."

42) Empedocles, Frag. 389. G. Kirk, J. E. Raven, M. Schofield 공편, *The Presocratic Philosophers* (Cambridge: Cambridge UP, 1983), 308쪽.

리하여 인간은 내부에 불을 가지고 있으며, 눈을 통해 밖으로 나온 이 불이 세상을 비춘다는 그의 인식은 그리스적 사유를 이루는 하나의 근간이 되었다. 그가 '눈물'이라 일컫는 불과 물이 눈에서 쏟아져 나온다고 했을 때, 불은 곧 인간의 영혼인 것이다(『티마이오스』 68E).[43] 이러한 플라톤의 영향으로 그리스인들에게 눈은 곧 인간의 영혼, 영혼의 불을 밖으로 드러낸 "의식의 램프"[44]였다.

인간의 영혼을 밖으로 드러낸 '램프'인 눈, 이집트인들에게 그것은 영혼의 자리였으며, 이슬람에서 '눈'을 의미하는 아윈('ayn)도 원천, 본질, 말하자면 플라톤적인 이데아를 의미하는 것이었다. 여기서 우리가 주목해야 할 점은 물리적 실체로서 인간의 눈이 태양과 신의 속성을 공유함으로써 형이상학적, 신적 차원으로 옮겨간다는 것이다. 플라톤은 개별적이고 감각적인 현실의 세계에 대립되는 보편적이고 실재적인 본질의 세계를 상정하고, 감각적인 현상의 세계를 초월한 이 본질세계를 이데아들의 세계로 규정했다. 현상계의 근원이자 본질세계인 '이데아들'의 정점에 선(善)의 이데아가 있으며, 천체에서 최고의 존재인 태양의 속성을 닮은 선의 이데아는 태양처럼 다른 모든 이데아를 비춘다.

따라서 플라톤의 선의 이데아는 단순히 선의 본질에 그치지 않는다.

---

43) Ruth Padel, *In and Out of the Mind: Greek Images of the Tragic Self* (Princeton: Princeton UP, 1992), 60~61쪽을 참조할 것.

44) Ruth Padel, 앞의 책, 60쪽. 한편 사랑의 근원적 동인(動因)으로서 시선이라는 화살(때로는 독이 있는 화살)을 연인의 심장에 쏘아 정념에 휩싸이게 하는 눈의 역할은 그리스 문학, 특히 대표적인 장르인 비극에서 하나의 강력한 전통을 형성하고 있었다. 이처럼 눈이 빛을 단지 수용하거나 반사하는 것이 아니라 불이라는 형식으로 그 자체의 내면적인 빛을 소유하고 그 빛을 강렬하게 전달하는 '공격적인 눈'이라는 문학적 토포스는 플라톤의 영향 아래 르네상스 말까지 유럽 문학과 아랍 문학을 주도했다. 이에 대해서는 Lance K. Donaldson-Evans, *Love's Fatal Glance: A Study of Eye Imagery in the Poets of the Ecole Lyonnaise* (Boston: U of Massachusetts Press, 1980), 특히 9~46쪽을 볼 것.

그것은 존재와 본질의 원인, 지식과 진리의 원인(『국가』 508E~509B)이기에 모든 존재와 본질을 규정한다. 태양을 선의 이미지로 사용했던 플라톤의 사상을 이어받은 성 아우구스티누스는 이를 신의 이미지로 파악했다. 선의 이데아와 신은 다같이 빛의 원천이며 "존재와 지식의 궁극적 원리"를 제공했기 때문이다.[45] 여기서 우리는 다시 한 번 눈, 태양, 신이 서로 맞물리는 순간을 포착하게 된다. "모든 감각 가운데 태양을 가장 많이 닮은" 눈은 선의 이데아를 지향하는 신적 속성을 내포할 수밖에 없는 것이다.

아우구스티누스에 따르면 신이 창조한 세계는 신의 의지가 녹아 있는 질서의 세계이며, 신의 영원한 법칙은 인간에게 이 질서를 지키고 사랑할 것을 요구한다. 아우구스티누스는 이 땅 위의 "모든 이는 자기가 사랑하는 존재와 똑같은 존재가 된다. 그대가 땅을 사랑하는가? 그대는 땅이 될 것이다. 그대가 신을 사랑하는가? ……그대는 신이 될 것이다"[46]라고 했다. 플라톤에게 있어 선의 이데아를 직접 본다는 것이 불가능한 것처럼, 아우구스티누스에게 있어서도 신 또는 신의 의지를 본다는 것도 불가능하다. 신이 창조한 우주적 질서(플라톤의 경우 위계질서를 이루는 이데아들의 영역)를 통해 최상의 원리의 존재를 알 수 있지만 그것을 볼 수는 없다. 아우구스티누스에게 있어 신에 이르는 길은 플라톤의 경우처럼 대상 영역을 통해서가 아니라, 철저하게 우리 자신의 '내부'를 통해서다. 우리 내부를 통해서 만날 수 있는 신은 인식의 대상이 되는 초월적 존재일 뿐만 아니라 우리 "인식행위의 근본토대, 기본원리"이기도 하다.

아우구스티누스에게 신의 빛은 플라톤의 경우처럼 "존재의 질서를 비추면서 '저기 밖에' 있는 빛이면서 동시에 '내적' 빛"[47]이기도 하다. 그

---

45) Charles Taylor, *Sources of the Self: The Making of the Modern Identity* (Cambridge/M.A.: Harvard UP, 1989), 128쪽.

46) Saint Augustine, *On Free Will*, I. vi.15. Charles Taylor, 앞의 책, 537쪽(주3)에서 재인용.

것은 "세상에 와서 모든 사람에게 비치는 빛"(「요한복음」 1.9), 가령 다마스쿠스로 가는 바울로의 영혼을 깊이 흔들어 그에게 내재되어 있었으나 오랫동안 매몰되었던 신성의 빛을 일깨운 원초적인 빛이다. 바울로의 깨달음은 바로 그의 영혼 내부에 자리하던 내적 빛이 밖으로 드러난 것이다. "모든 사람에게 비치는" 이 은총의 빛은 다름 아닌 최고의 '선'인 '사랑', 곧 예수다. 플라톤에게 "초월적 규범들" 중의 "규범"인 선의 이데아가 궁극적으로는 초월적 사랑이듯이,[48] 아우구스티누스에게, 아니 모든 인간에게 규범들 중의 규범은 다름 아닌 예수다. 플라톤의 주장처럼 모든 감각 중 태양을 "가장 많이 닮은" 것이 인간의 눈이라면, 그 눈들은 태양의 이미지인 '선'의 이데아를 지향하는 신적 속성을 가질 수밖에 없으며, 그 규범인 예수의 '사랑의 빛'을 존재론적 속성으로 그 속에 담을 수밖에 없다. 하지만 그 빛은 오래 전에 매몰되어버렸다. 언제부터인가 악한 눈이 선한 눈을 대체했기 때문이다.

『구약』에 대한 유대교 랍비들의 주석에 따르면, 태초에 신이 "광채로 옷을 입고 이 끝에서 저 끝까지 온 세상을 비추었을 때" 자신을 빛으로 휘감았으며,[49] 태초의 세상은 그 빛의 영광 속에 있었다. 또한 신은 자신의 빛으로 아담에게 옷을 입혔으며, 아담의 얼굴은 빛의 경이 속에서 태양보

---

47) Charles Taylor, 앞의 책, 129쪽 이하를 볼 것. 『우파니샤드』는 반복적으로 존재는 순수 빛에 의해 자체를 현시하며 인간은 초월적인 빛을 경험함으로써 존재를 인식한다고 주장한다. 「찬도기야 우파니샤드」는 가장 높은 세계에서 빛나는 그 빛은 사실상 인간의 내부에서 빛나는 빛과 똑같은 빛이라고 말한다 (*Chandogya Upaniṣad, The Principal Upaniṣads*: III.13.7). Mircea Eliade, *Myths, Rites, Symbols: A Mircea Eliade Reader*, Wendell C. Beane과 William G. Doty 공편 (New York: Harper Coliphon, 1975), II: 328~330쪽을 참조할 것.

48) Pierre Hadot, *What is Ancient Philosophy?*, Michael Chase 역 (Cambridge/M.A.: Harvard UP, 2002), 69~70쪽을 볼 것.

49) *Genesis Rabbah* 3:4, *Midrash Rabbah*, Jacob Israelstam과 Judah J. Slotki 공역 (London: Soncino, 1983). 「에스겔」 1.4 이하. 28, 10.4, 43.2.

다 더 밝게 빛났다.[50] 태양보다 더 빛나던 아담은 신에 의해 빛의 몸으로 창조되었으며, 아담 스스로도 그 신처럼 빛이 되었다.[51] 「창세기」에 언급되지는 않았지만, 타락 이후의 아담은 원초적인 빛의 은혜, 순진무구의 상태를 잃었다. 이에 대해 「욥기」 제38장 제15절에서 악인에게는 빛이 거두어졌다고 암시되었다. 신의 '몸'을 이어받은 신성한 이미지와 신성한 빛은 원죄의 결과로 상실되어버린 것이다.[52] 그리하여 아담의 몸은 본래의 신성한 빛을 단지 '반영'하는 육체, 즉 육체로서의 몸이 되었다.[53] 이후 인류는 신이 거두어들인 신성한 빛과 절연한 채 암흑과 죽음의 역사를 반복하고 있지만, 최후에는 원초적 빛이 회복되어[54] 타락 이전의 아담이 누리던 '빛'의 날들로 되돌아간다는 것이다.

따라서 예수는 원초적인 빛, 그 순진무구한 '빛'의 상태를 회복하기 위해 이 끝에서 저 끝까지 온 세상에 빛을 발하는 '번개'로 이 세상에 온다 (「마태복음」 24.27; 「누가복음」 17.24). 이처럼 복음서들의 중심에는 빛으로 상징되는 예수가 자리하며, 복음서의 저자들은 예수에 의한 종말론적 희망의 성취를 이야기한다.[55] 암흑은 예수를 통해 다시 한 번 소멸된다는 것이다. 여기서 우리는 원초적인 빛의 회복자인 예수를 통해 그가

---

50) *Leviticus Rabbah* 20:2. *Genesis Rabbah* 20:12. *Numbers Rabbah* 4:8, 같은 책, *Midrash Rabbah*.

51) 이에 대한 논의는 Alon Goshen Gottstein, "The Body as Image of God in Rabbinic Literature," *HTR* 87:2 (1994), 171~195쪽을 볼 것. 그리고 이 글에 대한 비평 David H. Aaron, "Shedding Light on God's Body in Rabbinic Midrashim: Reflections on the Theory of a Luminous Adam," *HTR* 90:3 (1997), 299~314쪽을 볼 것.

52) *Leviticus Rabbah* 11:7, 앞의 책, *Midrash Rabbah*.

53) David H. Aaron, 앞의 글, 308쪽.

54) *Genesis Rabbah* 3:6, *Exodus Rabbah* 15:21, 앞의 책, *Midrash Rabbah*.

55) 플라톤의 불과 태양의 알레고리(「국가」 506d~517a)가 『신약』에 미친 영향에 대해 알아보려면 C. H. Dodd, *The Interpretation of the Fourth Gospel* (Cambridge: Cambridge UP, 1953), 139쪽을 볼 것. 「요한복음」과 「요한일서」에 나오는 빛의 상징에 대해서는 C. R. Koester, *Symbolism in the Fourth*

유대교의 신화적, 성서적 빛을 계승한다는 것을 알 수 있다(「이사야」 60.3~5).[56] 예수는 원초적인 빛이라는 의미에서 진정한 빛이기에 「요한일서」는 그를 '빛'이라 규정할 수 있었다. '존재와 지식의 궁극적 원리'를 규정하고, 세계를 구원한 '원초적 빛'은 절대사랑을 위해 절대희생을 감수했던, 즉 십자가 처형으로 실현된 '사랑의 빛'이다. 정의로운 인간 존재의 내면에는 빛이 있으며, 궁극적으로 그 빛은 사랑의 빛이다. 하이데거는 시선이 '사랑'에서 온다는 플라톤(『파이드로스』 250D)의 주장을 정확하게 해석했고, 플라톤의 이 사랑이 현상적, 세속적인 것에 대한 사랑에서 출발하여 변하지 않는 궁극적 원리를 향해 나아간다는 점을 지적했다.[57] 현상적인 것, 세속적인 것에 대한 사랑은 예수의 '아가페적' 사랑의 전제조건이며, 이것이 그가 강조한 '사랑의 빛'의 원리다. 아우구스티누스는 그런 빛을 '사랑'하는 사람은 모두가 그런 빛이 된다고 했다.

앞서 지적했듯이 인간의 눈은 선의 이데아와 결부된 태양을 닮았다. 그리고 빛의 원천인 태양은 곧 신성의 빛, 궁극적으로 예수가 표상하는 절대사랑의 빛과 결부되기 때문에 '악한 눈'이 되기 이전의 인간의 눈은 신성의 빛을 닮은 선한 눈이었던 것이다.

악한 눈

그러나 신성의 빛을 닮았던 인간의 눈은 라캉의 주장처럼 궁극적으로

Gospel (Minneapolis: Fortress Press, 1995), 123~154쪽을 볼 것. 그리고 C. H. Dodd, 같은 책, 201쪽 이하를 볼 것. 사실 빛과 불로 현현하는 신에 대한 성서적 언급은 무수하다. 가령 다음의 것들을 참조할 것. 「이사야」 30.26, 40.5; 「출애굽기」 24.17, 33.21; 「시편」 27.1, 4.6; 「요한복음」 1.5; 「요한일서」 1.5; 「디모데전서」 6.16; 「요한계시록」 1.16.

56) Thomas Fawcett, 앞의 책, 76~78쪽을 볼 것.
57) David Michael Levin, *The Philosopher's Gaze: Modernity in the Shadows of Enlightenment* (Berkeley: U of California Press, 1999), 423쪽 이하를 볼 것.

좋은 눈의 흔적은 어디에도 없는 "악한 눈"[58]으로 남아 있다. 이는 태양과 신이 창조적이면서도 파괴적이듯 그 속성을 이어받은 인간의 눈이 그것의 양면성을 닮았기 때문이다. 그 빛으로 최초의 생명을 창조하고, 풍요와 생산을 주관하는 '대지의 어머니'인 태양은 또한 그 빛으로 모든 생명을 파괴할 수 있다. 이러한 태양의 양면성은 태양신 아폴론을 통해 잘 드러나는데, 그의 화살은 생명을 주기도 하고 앗아가기도 한다. '달'(月)이 또 하나의 주요한 상징이었던 초기 동양의 신화에서 태양은 "항상 전쟁을 좋아하고" 강렬한 빛을 발산하는 "파괴적인 신"으로 등장한다. "격렬한 적도의 무더위 속에서 태양은 진실로 무시무시한 힘이었고, 사자나 흉측한 맹금에 비유되기도 했다."[59]

태양의 이러한 속성은 중국의 고대신화에서도 찾을 수 있다. 그 신화에 따르면, 상제(上帝) 제준(帝俊)의 부인이자 태양의 여신인 희화(羲和)가 열 개의 태양을 낳았는데, 요(堯) 임금 시절에 열 개의 태양이 동시에 출현하자 빛이 너무나 강렬하여 지상의 모든 생물이 소멸될 위기에 처했다. 그러자 요 임금은 '하늘의 궁수'인 예(羿)에게 화살을 쏘아 태양들을 떨어뜨리게 했고 그 결과 지금의 태양만이 남게 되었다.[60]

고대 그리스에서 태양은 하계(下界), 헬리오스는 하데스와 밀접하게 연관되었고, 종종 그 둘이 동일시되기도 했다. 이러한 연관관계를 통해 드러나는 태양의 어두운 속성은 문학작품들에도 뚜렷한 흔적을 남겼는데, 그 속에서 태양은 가장 악한 자들이 벌을 받는 지옥의 최하위 지역인 '타르타로스와 같은 것'으로 묘사되었다. 초창기 이슬람의 우주론도 이와

---

58) Jacques Lacan, *The Four Fundamental Concepts of Psycho-Analysis: The Seminar of Jacques Lacan Book XI*, Jacques-Alain Miller 편, Alan Sheridan 역 (New York: Norton, 1978), 115쪽.

59) 조지프 캠벨, 『신의 가면 II: 동양신화』, 이진구 역 (서울: 까치사, 1999), 108쪽.

60) 원가, 『중국신화전설』 I, 전인초 · 김선자 공역 (서울: 민음사, 1992), 376쪽, 435~449쪽을 볼 것.

비슷한 맥락에서 태양은 '지옥의 불'로 만들어진 것이라고 이야기한다. 또한 지옥의 불이 내뿜는 열, 그 불의 숨결은 '태양과 악마'로 이루어진 것이라고 이야기한다.[61]

이러한 이야기들을 깊은 암흑 속에도 빛이 있다는 역설을 보여준 것이라고 해석할 수도 있지만 그보다는 태양이 다른 속성, 하계에 존재하는 또 하나의 불인 '지옥의 불'의 속성, 크리스테바가 그의 제명으로 등장시킨 '검은 태양'의 속성을 지님을 이야기한 것으로 보인다. 연금술, 신비주의 철학의 전통에서 '검은 태양'은 빛을 삼키는 태양이므로, 그것은 죽음, 파괴, 세상의 종말을 상징한다. 크리스테바의 『검은 태양』의 부제는 '우울증과 우수(憂愁)'다.[62]

이러한 파괴적인 속성은 신의 경우도 마찬가지다. 고대 인도, 이집트의 경우처럼 고대 그리스의 신들도 그러하다. 그들의 사악한 욕망과 파괴적인 속성은 여러 신화나 작품을 통해 입증된다. 우주 질서의 회복자, '정의'의 궁극적인 실현자인 제우스도 여기서 자유롭지 못하다. 제우스의 고유한 무기인 '벼락'과 '천둥'은 다른 신들까지 몸서리치게 하는 공포 그 자체다.[63] 하물며 무력한 인간들에게는 두말할 나위가 없다.[64] 호메로스의 세계는 제우스의 '테러' 앞에서 두려움에 떨 수밖에 없는 수치스러운 인간들, '공포에 질려 어쩔 줄 모르는' 인간들에게 어떠한 비난이

61) Peter Kingsley, *Ancient Philosophy, Mystery, and Magic: Empedocles and Pythagorean Tradition* (Oxford: Clarendon Press, 1995), 55쪽.

62) Julia Kristeva, *Black Sun: Depression and Melancholia*, Leon S. Roudiez 역 (New York: Columbia UP, 1989).

63) 인간들과 신들에게 휘두르는 제우스의 천둥·번개가 그의 근본 무기로서 그리스 신화나 문학에서 어떻게 부각되고 있는가에 대해서는 Eva Parisinou, *The Light of the Gods: The Role of Light in Archaic and Classical Greek Cult* (London: Duckworth, 2000), 105~107쪽을 참조할 것.

64) Walter Burkert, 앞의 책, 126쪽. 그리스 신들이 힘을 과시하는 도구로 사용한 무기에 대해서는 Ruth Padel, *In and Out of the Mind*, 앞의 책, 152~157쪽을 볼 것.

나 냉소의 단어도 쏟아낼 수 없는, 때로는 전쟁과 공포가 전부일 수 있는 "전사(戰士)의 세계"다.[65] 인간들에게 모멸과 폭력을 행사하는 제우스와 그리스 신들의 파괴적인 속성[66]은 특히 그리스 비극 가운데 소포클레스의 비극작품에서 정점에 달한다.

인도 신화에서도 최고의 존재들은 "창조자이자 파괴자이며, 위안을 주는 자이자 억압하는 자"다.[67] 시바는 물론 주신 가운데 하나인 인드라는 벼락을 무기로 성채를 마구잡이로 파괴하는 폭풍의 신, 분노의 신이다. 아프리카의 루그바라족, 발레세족에게도 신은 선한 창조자인 동시에 악한 일을 행하는 무서운 존재이며, 이는 키위가족의 경우도 마찬가지다. 통가족에게도 신은 "번개로 사람과 나무를 치는 '노여운 자'"로 부각된다.[68] 사실 '노여운 자로서의 신'이라는 모티프는 모든 종교와 신화를 관통하는 공통요소다.

'분노의 신'으로 통칭되는 『구약』의 여호와는 폭풍우를 통해 그의 힘을 과시한다. "천둥은 그의 목소리이며 번개는 그의 '불' 또는 '화살'이다."[69] 『구약』에서 여호와가 행한 폭력에 초점이 맞추어지는 경우는 약 1,000여 건에 이른다. 그가 행한 폭력의 대부분이 궁극적으로 사랑과 평화의 공동체를 위한 것이라고는 하지만, 그것의 과도한 파괴성도 심각하다.[70] 이러한 여호와를 특징짓는 또 다른 이미지 가운데 하나가 바로 '전쟁의 신'[71] 또는 '전사'의 이미지다.[72] 『구약』의 초기 경전에서 신은 '용

---

65) Nicole Loraux, *The Experiences of Tiresias: The Feminine and the Greek Man*, Paula Wissing 역 (Princeton: Princeton UP, 1995), 77쪽.

66) Ruth Padel, *Whom Gods Destroy: Elements of Greek and Tragic Madness* (Princeton: Princeton UP, 1995), 177쪽 이하를 볼 것.

67) Heinrich Zimmer, *Philosophies of India*, Joseph Campbell 편 (Princeton: Princeton UP, 1969), 529쪽.

68) John S. Mbiti, 앞의 책, 36~37쪽.

69) Mircea Eliade, 앞의 책, *Myths, Rites, Symbols: A Mircea Eliade Reader*, II, 367쪽.

70) 임철규, 졸고, 「해방신학에 대하여」, 『왜 유토피아인가』 (서울: 민음사, 1994), 145쪽.

사'(勇士), '전사'로 묘사되며(「출애굽기」 15.3; 「이사야」 24.8), 「시편」
제24장 제8절은 그를 "강하고 능한 여호와/ 전쟁에 능한 여호와"라 칭한
다. 또한 「민수기」 제10장 제35절은 그를 대적을 물리친 '승리의 전사'로
부각시킨다. '전사', '만군(萬軍)의 주(主)'로서의 신이라는 개념은 고대
근동의 여러 민족이 공유했던 것이기도 하다. 그러나 여호와의 전투적인
이미지는 좀더 강렬하다. 그에게서는 피와 살육의 이미지가 한층 자연스
럽게 떠오른다. 자신이 "빛도 짓고 어둠도 창조하는", "평안도 짓고 악도
창조하는"(「이사야」 45.7) 존재라는 여호와의 자기규정에서도 알 수 있듯
이, 그는 아폴론처럼 생명을 주기도 하고 앗아가기도 하는 양면적인 존
재인 것이다.

　이러한 양면성은 흔히 창조와 풍요의 이미지로 특징지어지는 여신들
의 경우도 마찬가지다. 그 가운데 파괴력과 폭력성이 최고조에 달한 경
우는 기원전 2000년 무렵 근동의 도시국가였던 우가리트의 여신 아나트
다. 우가리트의 한 문헌에 따르면 아나트는 성교하는 도중 상대방의 성
기를 삼켜버린다. 그러한 행위를 통해 여신은 임신을 하게 되지만 상대
방의 성은 영원히 파괴된다. 또 다른 문헌들에 따르면 아나트는 병사들
을 죽여 그들의 피를 즐겨 먹었다고 한다. 아름다운 청년 전사 아크하트
도 아나트의 희생물이 되었다. 그 청년 전사는 아나트가 탐내던 활을 가
지고 있었다. 아나트는 온갖 술책으로 그것을 가지려 했지만 아크하트가
번번이 거부하자, 마침내 독수리를 시켜 그를 찢어 죽이게 했다.[73]

　또한 신들의 눈도 위협적이다. 제우스는 자신의 눈으로 무섭기 짝이

71) Norman Cohn, *Cosmos, Chaos and the World to Come: The Ancient
　Roots of Apocalyptic Faith* (New Haven: Yale UP, 1993), 134~135쪽,
　161~162쪽.
72) 이에 대해서는 Patrick D. Miller, "God the Warrior: A Problem in Biblical
　Interpretation and Apologetics," *Israelite Religion and Biblical Theology:
　Collected Essays* (Sheffield: Sheffield Academic Press, 2000), 356~364쪽을
　볼 것.

없는 천둥과 번갯불을 내리친다(아이스킬로스 『아가멤논』 469행). 포세이돈은 메가라의 왕 알카투스를 빛나는 눈으로 흐리어 그가 앞이나 뒤로 후퇴할 수 없도록 그의 몸을 마비시켜버린다(『일리아스』 XIII.435). 신의 파괴적인 눈은 고대 이집트에서 코브라의 모습으로 표현되었으며, 파라오나 신의 이마 중앙에는 '우라에우스 뱀'이 장식되어 있었다. '우라에우스 뱀'은 원래 라(레) 신의 왼쪽 눈이다. 이글이글 불타는 태양을 표상하는 이 눈은 지구를 파괴하는 것이 저지당하자 '우라에우스 뱀'으로 변형되었다. 인도 시바의 제3의 눈이 있는 자리이기도 한 이곳에서 "파괴적인 불꽃이 분노로 타오르며,"[74] 이 제3의 눈은 눈짓만으로 세계를, 그리고 신들을 재로 변하게 한다. 고대 수메르와 바빌로니아 신화에 나오는 신들도 흘깃 보는 것만으로 상대방에게 상처를 입히거나 상대를 죽일 수 있었다. 오시리스의 부인이자 호루스의 어머니인 이집트 여신 이시스도 한번 쳐다보는 것으로 말칸드로스 왕의 아들을 죽였다.[75] 『길가메시 서사시』에 나오는 메소포타미아 하계(下界)의 여신 에레슈키갈은 무서운 눈으로 사랑의 여신이자 '풍요의 여신'인 이난나를 죽인다. 이 여신은 인간의 사랑, 인간의 생명력을 무참하게 파괴해버리는 신들의 적의에 가득찬 파괴적인 눈의 속성을 대변한다.

 "번영의 도시 트로이에 수치스러운 파멸을 가져온 것"이 바로 "헬렌의 아름다운 눈"(에우리피데스 『헤카베(헤쿠바)』 43~44행)이었듯이, 태양, 신 (그리고 그 눈)의 파괴적인 속성만을 이어받았기에 라캉의 주장처럼 인간의 눈은 "좋은 눈의 흔적은 어디에도 없는" 본질적으로 파괴적인

73) Nannó Marinatos, *The Goddess and the Warrior: The Naked Goddess and Mistress of Animals in Early Greek Religion* (London: Routledge, 2000), 9~10쪽을 볼 것.
74) 조지프 캠벨, 앞의 책, 109쪽.
75) Carlin A. Barton, *The Sorrows of the Ancient Romans: The Gladiator and the Monster* (Princeton: Princeton UP, 1993), 93쪽.

"악한 눈"일지도 모른다. 단지 쳐다보는 것만으로 파괴적인 욕망과 공격성을 표출하여 상대방을 죽음에 이르게 하는 치명적인 해를 끼치는 이러한 '악한 눈'이 존재한다는 믿음은, 인간의 역사만큼이나 오래되었다.[76] 그것의 원형을 추적해보면 구석기시대까지 거슬러올라간다고 주장하는 학자도 있다.[77]

하지만 최초로 언급된 기록은 기원전 5000년 수메르인들이 진흙 서판 위에 설형문자로 쓴 문자판에 남아 있다. 이 문자판에는 위대한 신 에아가 악한 눈에 어떻게 맞섰는가에 대해 씌어져 있다. 거기에는 악한 눈과 관련하여 "악으로 인간을 괴롭히는 눈. 그 눈이 하늘에 접근하자 폭풍우는 어떤 비도 내려 보내지 않았으며, 땅에 접근하자 신선한 푸른 초목에는 더 이상 싹이 트지 않았으며…… 가축 우리에 접근하자…… 젖은 더 이상 넉넉하지 않았다"는 구절이 나온다.[78] 『구약』의 「잠언」 제23장 제6절에는 "악한 눈이 있는 자의 음식을 먹지 말라"는 명령이 있으며, 『구약』의 랍비들은 기원전 6세기 유대인들의 바빌론 유수의 원인을 악한 눈에 돌린다.[79] 가령 이삭, 야곱, 모세가 신에게 행한 일련의 질문 가운데 다음과 같은 구절이 있다.

야곱이 거룩한 자에게 축복이 있으라고 했습니다. 우주의 주인이시여, 저의 자손들은 어디에 있습니까? 이에 그분은 말씀하셨다. 악한 눈

---

76) 오세아니아 지역, 북남미의 원주민 사회, 아프리카의 사하라 사막지역에서는 나타나지 않는다는 점에서 그것은 인류 전체에 보편적인 현상이라고 할 수는 없지만 적어도 인도-유럽어와 셈어 계열의 세계에는 보편적인 현상이다.

77) Lawrence Distasi, *Mal Occhio: The Underside of Vision* (San Francisco: North Point Press, 1981), 111~116쪽.

78) Stephen Langdon, "An Incantation in the 'House of Light' against the Evil Eye," Alan Dundes 편, *Evil Eye: A Folklore Casebook*, (New York: Garland, 1981), 40쪽.

79) 이에 대해서는 Rivka Ulmer, *The Evil Eye in the Bible and in Rabbinic Literature* (Hoboken, N.J.: KTAV Publishing House, 1994), 24쪽.

이 그들을 통치했으며, 그들은 바빌로니아의 포로가 되었다.[80]

이 대화에서 신은 유대인들이 바빌로니아에 억류된 원인과 첫 성전 파괴의 원인을 악한 눈에 돌린다.[81]

악한 눈의 힘은 그것이 죽음의 가장 주요한 원인이라고 믿었던 과거 페르시아와 이슬람 국가들에서 잘 드러난다. 코란을 통해 알 수 있듯이 예언자 마호메트도 악한 눈의 존재에 대한 확고한 믿음을 가지고 있었다.[82] 이들은 모든 질병과 죽음의 원인을 악한 눈에서 찾았다.[83] 플루타르코스와 오비디우스(『변신담』 VII.635)는 흑해의 전설적인 테바이인들과 포세이돈의 자손이라 일컬어지는 원시종족 텔키네스인들을 거론하면서 그들이 단 한번의 눈짓으로 사람들을 죽일 수 있었다고 소개한다.[84]

기원전 5세기 무렵 그리스에서도 악한 눈에 대한 믿음과 두려움은 강렬했다. 고대 그리스의 문헌들은 악한 눈에 대한 믿음이 헤시오도스에서부터 시작해 지중해 동쪽 지역에서 1,000년이 넘게 지속되었음을 입증한다. 시인이자 비평가인 칼리마코스, 플라톤, 목가시인 테오크리토스, 앞서 언급한 플루타르코스, 일종의 소설 형식의 작품을 썼던 헬리오도로스도 악한 눈의 효과를 생생하게 묘사한다.[85] 정도의 차이는 있지만 그들이 묘사한 악한 눈은 대략 다음과 같은 특징을 가지고 있다. 악한 눈은 시기하는 마음에서 비롯된다. 악한 눈의 파괴적인 힘은 눈빛을 통해 또

---

80) *YALQLT II*, 997. Rivka Ulmer, 같은 책, 21쪽에서 재인용.
81) *YAQULT I*, 148. Rivka Ulmer, 같은 책, 24쪽에서 재인용.
82) Pierre Bettez Gravel, *The Malevolent Eye: An Essay on the Evil Eye, Fertility and the Concept of Mana* (New York: Peter Lang, 1995), 16쪽.
83) Rivka Ulmer, 앞의 책, 12쪽.
84) Carlin A. Barton, 앞의 책, 93쪽을 볼 것.
85) 이 저자들의 저서에서는 악한 눈에 대한 언급이 100회 이상 나온다. Peter Walcot, *Envy and the Greeks: A Study of Human Behavior* (Warminster: Aris and Phillips, 1978), 107~115쪽을 참조할 것.

는 시기하는 사람이 내뿜는 공기를 통해 전달된다. 그것은 사람에게 두통을 일으키고, 돌연히 병을 앓게 하고, 임신하지 못하게 하고, 특히 어린아이나 동물의 경우에는 죽음에 이르게 한다.

앞에서 첫번째로 거론했듯이, 예로부터 악한 눈과 시기하는 마음은 불가분의 관계를 가진 것으로 이해되어왔다. 북아프리카의 일부 지역, 그리고 많은 이슬람 국가에서 악한 눈을 '시기의 눈'으로 지칭한다.[86] 또한 '시기'를 뜻하는 고대 히브리어인 '아윈 라아(흐)'('ayin rā'ā(h))는 '악한 눈'을 뜻한다. 라캉이 악한 눈에 관해 가장 관심을 기울이는 것도 시기다.[87] 그에 따르면 악한 눈의 힘은 시기에서, 그리고 여기에 따르는 시기의 대상을 죽이고 고갈시키고 돌로 만들어버리려는 욕망에서 비롯된다. 라캉이 아우구스티누스 유년기의 경험을 통해 시기에 대해 이야기하는 대목을 보면, 아우구스티누스가 시기라는 감정을 매우 깊이 이해했음을 알 수 있다. 그는 악한 눈을 막기 위해 부적 20개를 사용하던 동료 아프리카인들을 통해 시기의 무서운 힘을 파악했던 것이다.[88] 악한 눈이 일으킨 여러 무서운 결과 가운데 라캉이 주목한 것은 그 시선으로 인해 동물들의 젖이 고갈되어버린 것이었다. 라캉의 논의는 거기서 멈추고 있지만, 젖을 고갈시킨다는 것에는 라캉이 생각했던 것보다 더 깊은 의미가 내포된 것 같다. 젖을 고갈시킨다는 것은 곧 생명의 원천을 고갈시킨다는 것이며, 이는 인간의 눈이 생명 자체를 앗아갈 정도로 악해질 수 있다

---

86) Pierre Bettez Gravel, 앞의 책, 7쪽.

87) 라캉은 시기(invidia)를 의미하는 라틴어 명사가 본다는 라틴어 동사 'videre'에서 유래한 것임을 밝히면서 시기와 봄의 불가분의 관계를 강조한다. Jacques Lacan, 앞의 책, 115~116쪽.

88) Peter Brown, *Augustine of Hippo: A Biography* (New York: Dorset Press, 1986), 23쪽. Shuli Barzilai, *Lacan and the Matter of Origins* (Stanford: Stanford UP, 1999), 192쪽을 볼 것. 아마도 라캉은 여러 문화권에 수천 년 동안 존재했던, 악한 눈에 대한 믿음을 아우구스티누스를 통해 우회적으로 접했던 것 같다. Jacques Lacan, 앞의 책, 115~116쪽. 그리고 Shuli Barzilai, 같은 책, 191~193쪽을 볼 것.

는 것을 의미하기 때문이다.

눈이 얼마나 파괴적인 것인가를 상징적으로 보여주는 인물이 바로 메두사다. 아테나는 자신의 사당에서 메두사가 포세이돈과 동침한 것에 분노한 나머지 메두사를 흉측한 모습으로 변하게 하였다. 메두사의 머리카락은 뱀들로 변해버렸고, 그녀의 얼굴도 흉측하게 변했다. 메두사는 후에 아테나와 공모한 영웅 페르세우스에 의해 죽음을 당한다. 이때 페르세우스는 아테나의 경고에 따라 그녀를 직접 보지 못하고 방패에 비추어 보아야만 했다. 그녀의 얼굴을 보고 그녀와 시선이 마주친 이들은 모두 돌로 변해버렸기 때문이다. '악한 눈'에 해당하는 고대 그리스어는 바스카노스(baskanos), 로마어는 파스키누스(fascinus)다. 이는 '호리는 이'라는 의미, 즉 인간을 포함하여 모든 종류의 생명을 호리어 "죽이는"[89] 힘을 가진 이를 의미한다. 사실 이 '호리는 이'의 궁극적 실체는 바로 메두사다.

그녀의 머리카락, 즉 뱀에 의해 흘린 한 방울의 피, 또는 그녀의 무서운 눈과 마주친 한 번의 시선은 죽음을 의미했다. 이 공포는 "이차적인 것, 즉 어떤 위험에 대한 의식이 초래한 두려움이 아니라 일차적인 것"[90], 베르낭의 말을 빌리면 "초자연적…… 원초적인 두려움의 차원으로서 느끼는 공포", "순수 공포"[91] 그 자체다. 그녀의 시선을 최초로 남성의 거세공포와 동일시했던 프로이트의 입장을 따른다면, 메두사의 악한 눈은 남성들을 성교불능 상태로 만든 순수 공포 자체, 남성을 거세하는 "죽음의

---

89) Jacques Lacan, 앞의 책, 118쪽.

90) Jean-Pierre Vernant, "Death in the Eyes," *Mortals and Immortals: Collected Essays*, Froma I. Zetlin 편역 (Princeton: Princeton UP, 1991), 117쪽.

91) Jean-Pierre Vernant, "L'Autre de l'homme: La face de Gorgo," *Le Racisme: Mythes et sciences*, M. Olender 편 (Brussels: Complex, 1981), 143쪽, "Death in the Eyes," 같은 책, *Mortals and Immortals*: 117쪽. "In the Mirror of Medusa, *Mortals and Immortals*, 144쪽.

얼굴 그 자체"[92]다. 여기서 악한 눈은 또 다른 생명의 원천인 정액을 고갈시키는 독약이기 때문이다.

그러나 원래의 메두사는 모성적인 여성성을 상징하는 생명과 풍요의 여인이었으며, 그녀를 "풍요로운 금빛 소나기"[93]라 불렀다. 그리스 비극 작가 에우리피데스에 따르면 메두사의 피는 파르마콘(pharmakon)이었다. 그의 작품 『이온』에서 아테나 여신은 죽음을 당한 메두사의 왼쪽 옆구리에서 나온 피 한 방울과, 오른쪽 옆구리에서 나온 피 한 방울을 아테네의 왕에게 준다. 전자는 죽은 이를 살릴 수 있는 약이었지만, 후자는 생명을 앗아가는 독약이었다(에우리피데스 『이온』 999행 이하). 풍요로운 금빛 소나기와 거세하는 이라는 이중적 이미지, 생명을 주는 약과 생명을 빼앗는 독약이라는 그 피의 이중성에서 알 수 있듯이, 메두사의 눈도 파괴적인 속성과 더불어 창조적인 속성을 함께했으리라 짐작해 볼 수 있다.

그러나 아티카 문명의 절정기에 있던 당시 그리스인들, 말하자면 남성들이 눈에서 창조와 재생의 상징성을 박탈하고 파괴적인 속성만을 '여성' 메두사에게 결부시킨 이래,[94] 메두사는 모든 풍요의 속성을 상실한 악한 눈의 전형적인 표상이나 순수한 '독약'으로 인식되고 있다. 이는 '악한 눈'과 여성 메두사를 동일시함으로써 '역사' 이래 여성을 폄하, 억압하는 남성중심 이데올로기를 정당화하기 위해 남성들이 조작한 것으로 보일 수 있다. 하지만 우리가 여기서 강조하는 것은 언제부터인가 인간의 눈은 신성의 빛을 닮았던 선한 눈을 잃은 채 악한 눈으로 남았다는 것이다. 그런 의미에서 메두사의 시선은, 인간의 눈이 전체적으로 '악한

---

92) Jean-Pierre Vernant, "In the Mirror of Medusa," 같은 책, *Mortals and Immortals*, 144쪽.

93) G. S. Kirk, *Myths: Its Meaning and Functions in Ancient and Other Cultures* (Cambridge: Cambridge UP, 1970), 150쪽.

94) Winifred Milius Lubell, *The Metamorphosis of Baubo: Myths of Woman's Sexual Energy* (Nashville: Vanderbelt UP, 1994), 125쪽.

눈'이라는 것을 포괄적으로 상징하기 위해 등장한 이미지라는 것이다. 역설적인 것은 실제로 순수한 독약으로서 '악한 눈'의 역사를 펼쳐온 것은 여성 메두사의 눈이 아니라, 메두사에게 악한 눈의 속성을 부여했던 바로 남성들의 눈이라는 것이다.

3 눈과 성기

눈과 성기의 관계

우리는 제2장에서 눈과 태양, 눈과 신의 관계, 태양과 신이 동시에 지닌 창조적이면서 파괴적인 양면성, 그리고 태양과 신의 양면성을 고스란히 이어받은 인간들의 눈이 지닌 속성에 대해 살펴보았다. 그 과정에서 우리는 '신성의 빛'을 담은 '선한 눈'과 본질적으로 다른 '악한 눈'과 조우해야만 했다. 악한 눈이 야기하는 위험에 대한 두려움 때문에 예로부터 지금까지 여러 예방 조치가 취해졌던 것은 잘 알려져 있다. 여기서 중요한 것은 악한 눈에서 오는 위험을 예방하기 위해 이용된 거의 모든 부적, 모든 몸짓이 성적인 성격을 띤다는 것이다. 여기서부터 눈과 성기의 관계가 자연스럽게 부각된다.

프로이트도 지적했듯이 고대 이집트를 비롯한 고대 국가들에서 악한 눈에 대한 공통적인 방어 수단은 남근 모양의 부적이었다.[1] 주로 뿔로 만들어진 이 남근 모양의 부적은 오늘날에도 가장 유행하는 부적이다. 고대 이집트를 비롯한 근동 국가들과 로마에서는 특히 어린아이들이 이 부적을 목에 걸고 다녔다. 거대한 남근을 가진 풍요의 신들인 프리아포스, 파스키누스, 그리고 무투누스 티투스(무티누스 티티누스)를 숭배했던 로마인들은 전쟁 승리를 기념하기 위한 가두행진에서 악한 눈을 방어할 목적으로 장군들의 전차 밑에 파스키누스 신의 남근상(phallus)을 매달았다.[2]

또한 그들은 남자의 정자를 주관하는 신 리베르를 기리기 위해 해마다 3월 17일에 거행되는 페스티벌에서는 남근상을 높이 치켜들고 행진했다

---

1) Sigmund Freud, *Introductory Lectures on Psychoanalysis*, *The Standard Edition of the Complete Psychological Works of Sigmund Freud*, J. Strachey 편역 (London: Hogarth Press, 1953~1974), XV: 164쪽. 이후 *SE*로 표시함.

2) Craig A. Williams, *Roman Homosexuality: Ideologies of Masculinity in Classical Antiquity* (New York: Oxford UP, 1999), 92쪽.

(아우구스티누스, 『신국』[神國] IV.11.6; VI.9; VII.21). 남근 모양을 한 로마의 보석은 악한 눈으로 말미암은 여러 피해를 예방하기 위한 것으로 해석될 수 있다.[3] 더 극적인 것은 인간의 모습을 한 작은 남근 둘이 눈동자를 반으로 톱질하는 모습을 보여주는, 기원전 1세기 로마의 한 작은 테라코타 입상[4]의 경우다. 이 입상은 악한 눈을 압도하는 남근의 힘이 얼마나 대단한가를 시각적 효과를 통해 극적으로 전달한다.

악한 눈의 출현을 예방하는 차원에서 사거리나 각 가정의 입구에 발기한 성기 모양의 기둥을 세우던 그리스인들과 마찬가지로 로마인들도 공적인 장소나 집의 출입구에 발기한 성기 모양의 그림, 조각, 전갈 등을 세워두었다.[5] 모든 그리스, 로마인이 즐겼던 목욕문화에서도 이러한 흔적을 찾아볼 수 있다. 로마인들은 악한 눈이 욕실에서 목욕을 한다든가 거기서 소요(逍遙)하는 이들의 미모를 시기하여 해를 가할 것이라고 믿었다. 이를 방지하기 위해 부적을 몸에 지니거나 욕실에 놓아두었는데, 이때 가장 많이 사용된 것이 그들의 목욕을 시중 드는 에티오피아 출신 흑인들의 남근상이었다.[6] 남근상을 부적으로 사용한 이 모든 행위의 이면에는 풍요를 기리는 목적도 있었겠지만, 가장 일차적인 목적은 악한 눈의 공격을 예방하기 위한 것으로 보인다.

남근 모양의 부적과 함께 흔하지는 않지만 둥근 구슬 모양이나 달걀, 편도 모양의 부적도 사용되었는데, 이 또한 악한 눈의 공격에 대비하기

---

3) Craig A. Williams, 같은 책, 92쪽.
4) Catherine Johns, *Sex or Symbol: Erotic Images of Greece and Rome* (Austine: U of Texas Press, 1982), 그림52를 볼 것. Craig A. Williams, 같은 책, 92쪽.
5) Paul Veyne, *The Roman Empire*, Arthur Goldhammer 역 (Cambridge: Cambridge UP, 1997), 177쪽.
6) John R. Clarke, *Looking at Lovemaking: Constructions of Sexuality in Roman Art 100 B.C.~A.D. 250* (Berkeley: U of California Press, 1998), 130~131쪽.

위한 것이었다. 고대 동방은 물론 서방에서도 달걀 모양이나 편도 모양이 여성 성기의 상징으로 쓰였다. 메두사의 머리가 남성 성기를 거세하려는 여성 성기를 상징한다는 점은 프로이트가 제기했다.[7] 그러나 프로이트가 "우리는 한 여성이 악마에게 자신의 음문을 보여주었을 때 악마가 어떻게 도망쳤는가를 라블레의 작품에서 읽는다"[8]고 지적했을 때 그는 다른 각도에서, 즉 악한 눈에 대한 음문의 방어적인 기능을 강조한 것이다. 로마의 정치가이자 학자인 플리니우스도 우박을 동반한 폭풍우가 발가벗은 여성의 월경 중인 음문을 보고 쫓겨난 장면을 기록했다(플리니우스, 『박물지』 28.77). 이처럼 남성이나 여성 성기 모양의 물건이 악한 눈에 대한 부적으로 사용되었다는 사실에는 중요한 의미가 내포되어 있다. 우리는 이에 대한 이해의 실마리를 눈과 성기의 상징적인 동일시에서 읽어낼 수 있을 것이다.

눈과 성기의 관계가 논의된 수많은 텍스트 가운데 이 둘의 관계가 가장 먼저 드러난 곳은 인도의 『베다』다. 그 가운데 『마하바라타』에는 현자 고타마의 아내와 불륜의 관계인 비의 신 인드라 이야기가 나온다. 인드라는 원래 1,000개의 눈을 가지고 있었는데, 격분한 고타마가 저주를 할 때마다 그 눈들이 음문으로 변했다고 한다. 이후 『베다』의 거룩한 경문(經文)의 가르침을 받게 되어 그 음문들이 다시 연꽃이나 태양과 같은 1,000개의 눈으로 변하긴 했지만, 그전까지 인드라는 '여성의 성기'를 가진 존재로 세상에 알려져 있었다.

이렇게 볼 때 눈과 성기의 관계는 처음부터 사전적인 것 이상이다. 아랍어의 남성 성기 이름들 가운데 '한쪽 눈을 가진다'는 뜻과 '한쪽 눈을 가진 자'라는 뜻을 포함한 것도 우연의 일치는 아니다.[9] 오이디푸스가

---

7) Sigmund Freud, *Medusa's Head*, SE XVIII: 273쪽.
8) *Sexuality and the Psychology of Love*에서 프로이트가 행한 언급은 Michael Camille, *The Gothic Idol: Ideology and Image-Making in Medieval Art* (Cambridge: Cambridge UP, 1989), 306쪽에서 재인용.

자신의 눈을 제거한 것이 근친상간에 대한 벌로서 자신의 성기를 거세한 것을 상징한다는 프로이트의 유명한 해석도, 많은 고대 그리스의 자료가 눈이 남성의 성기에 대한, 실명이 거세에 대한 상징임을 보여줌으로써[10] 더욱 힘을 얻는다. 고대 로마인들도 눈을 성기와 연관시키거나 동일시하는 경향을 보여주었다.[11] 성기(특히 남성의 성기)가 각별히 공격받기 쉽다는 점에서, 또한 각별한 힘을 가진다는 점에서 눈의 속성을 지닌다는 것이다. 로마의 역사가 타키투스에 따르면 "모든 결투에서 눈이 가장 먼저 정복되었다"(『게르마니아』 43.4). 메두사의 눈과 마주치면 단단한 돌로 변한다는 것이 발기뿐만 아니라 거세까지도 상징한다는 이유가 여기에 있다.

인도 신화에서는 힌두인들의 위대한 여신 데비라의 이야기가 눈을 끈다. 그 여신은 자신을 수태시킬 한 남성을 창조하고 알을 낳았는데, 그 알을 깨고 나온 아들들이 바로 브라마, 비슈누 그리고 시바 신이다. 음탕한 그 여신은 자신이 창조한 아들들에게 자신의 성적 욕망을 충족시켜줄 것을 요구했지만 그들은 어머니의 요구를 거부하고 도망쳤다. 그러나 그녀를 벗어날 수 없었던 시바와 비슈누는 여신을 속여 그녀가 가진 제3의 눈을 시바에게 주도록 했다. 그러자 그녀는 성적 힘과 욕망 모두를 상실하게 되었다. 여신의 성적 힘을 상징하는 제3의 눈, 즉 성기의 거세로 공격적인 성적 힘이 상실되었기 때문이다.

어머니 데비라에게서 제3의 눈을 물려받은 시바는 제3의 눈인 '링가',

9) Fedwa Malti-Douglas, *Woman's Body, Woman's Word: Gender and Discourse in Arabo-Islamic Writing* (Princeton: Princeton UP, 1991), 126쪽.
10) Georges Devereux, "The Self-Blinding of Oidipous in Sophokles: Oidipous Tyrannos," *Journal of Hellenic Studies*, 93 (1973), 36~49쪽을 볼 것.
11) 이에 대해서는 Carlin A. Barton, *The Sorrows of the Ancient Romans: The Gladiator and the Monster* (Princeton: Princeton UP, 1993), 96~97쪽을 볼 것.

즉 남근의 상징이다. 인도에서 이 신은 여전히 발기한 남근 모양의 기둥으로 자신을 표상하며, 그의 힘은 흔히 '링가'를 여성의 음문에 삽입하는 모습으로 현시된다.[12] 사실 인도에서 유가(瑜伽) 수행자는 그의 눈썹 사이에 보이지 않는 제3의 눈을 가진 것으로 통한다. 이 제3의 눈에 자신의 정액을 끌어당겨 모은 후 잠재적인 영적 에너지의 힘을 빌려 깨달음의 경지에 이른다는 것이다. 유대 카발라, 중세 기독교의 연금술처럼 정액의 저장 장소가 머리라는 믿음은 인도에서도 통용되었던 것이다. 아리스토텔레스가 정액이 가장 많이 있는 곳을 눈이라고 했지만(『동물의 발생』 747a), 유가 수행자들뿐만 아니라 누구나 정액을 저장하고 있다고 할 때, 정액의 저장 장소인 머리를 베는 것은 일종의 성적 거세 행위가 된다.[13]

여성 성기와 눈의 관계 또한 성기가 풍요의 상징으로 부각되면서 뚜렷하게 드러난다. 눈의 상징이기도 한 달걀 모양과 편도 모양의 물건이 고대부터 풍요의 상징으로 받아들여져왔다는 것은 잘 알려진 사실이다. 여성 성기와 같은 모양을 한 편도는 과거의 거의 모든 종교의식에서 풍요의 상징으로 등장하며, 북지중해 지역에서는 결혼식이나 세례식과 같은 행사에서 설탕을 입힌 편도를 나누어주는 관습이 지금까지 여전히 이어

---

12) 그러나 오늘날 인도에서 숭배되는 링가의 상징적 이미지는 남근으로서라기보다는 오히려 창조적인 에너지를 표상하는 빛의 불기둥이다. Heather Elgood, *Hinduism and the Religious Arts* (London: Cassell, 1999), 46쪽.

13) 인도의 경우처럼 남자들뿐만 아니라 여자들도 머리에 정액과 같이 생명을 낳는 액체의 씨앗을 저장한다는 생각을 받아들인다면 성기가 머리로 전치(轉置)된다는 프로이트식의 개념이 성립된다. 즉 거세라는 개념은 남녀 모두에게 적용된다. Wendy Doniger O'Flaherty, *Women, Androgynes, and Other Mythical Beasts* (Chicago: U of Chicago Press, 1980), 45~46쪽, 255~256쪽을 볼 것. 그리고 Wendy Doniger, *Splitting the Difference: Gender and Myth in Ancient Greece and India* (Chicago: U of Chicago Press, 1999), 227~228쪽을 볼 것.

져온다.[14] 우리는 이따금씩 풍요를 상징하는 것으로 알려진 자패(紫貝) 조가비로 눈을 표현한 선사시대의 조상이나 입상들의 발굴 소식을 접하게 되는데, 이것 역시 눈과 여성 성기의 상징적인 동일시를 증명해준다.

메두사만큼 잘 알려지지는 않았지만 풍요의 상징으로서 여성 성기와 관련하여 거론된 고대 그리스의 신화적 인물들 가운데는 바우보라는 여인이 있다. 바우보는 서로 다른 두 가지 면을 가진 여인이다. 메두사처럼 지옥의 헤카타와 연관된 '밤의 요괴'인가 하면, 딸 페르세포네를 잃은 후 식음을 전폐하고 비통해하는 데메테르를 재미있는 농담과 상스러운 몸짓으로 웃게 만들어, 다시 풍요의 여신이 되도록 한 인물이다.[15] 바우보는 치마를 끌어올린 후 데메테르를 향해 다리를 활짝 벌림으로써 여신을 웃게 만든다. 이때 그녀가 데메테르에게 보여준 것은 다름 아닌 자신의 성기, "얼굴 모양을 한 성기, 성기 모양을 한 얼굴"[16]이었다. 음문, 아니 '얼굴 모양을 한 성기'의 일그러진 웃음이 여신의 웃음을 자아낸 것이다. 일그러진 웃음을 짓는 음문으로 데메테르에게 갑작스러운 웃음과 함께 활기를 되돌려준 바우보는 여신을 '풍요'의 여신으로 복원시킴으로써 창조적 에너지의 표상이 된다. 음문이 웃음이고 웃음이 음문인 그녀 역시 또 하나의 데메테르가 되는 것이다.

---

14) Pierre Bettez Gravel, *The Malevolent Eye: An Essay on the Evil Eye, Fertility and Concept of Mana* (New York: Perter Lang, 1995), 91쪽.

15) 그러나 바우보의 정체는 사실 불투명하다. 바우보를 노파로 보는 학자가 있는가 하면(가령 Jean-Pierre Vernant, *Mortals and Immortals: Collected Essays*, Froma I. Zetlin 편역(Princeton: Princeton UP, 1991), 113쪽), 소녀로 보는 학자도 있다(가령 Nannó Marinatos, *The Goddess and the Warrior: The Naked goddess and Mistress of Animals in Eearly Greek Religion* (London: Routledge, 2000), 57쪽). 바우보에 대한 포괄적인 논의에 대해서는 Maurice Olender, "Aspects of Baubo: Ancients Texts and Contexts," David M. Halperin, John J. Winkler, Froma I. Zeitlin 공편, *Before Sexuality: The Construction of Erotic Experience in the Ancient Greek World* (Princeton: Princeton UP, 1990), 83~109쪽을 볼 것.

16) Jean-Pierre Vernant, 앞의 책, *Mortals and Immortals*, 114쪽.

남근을 뜻하는 그리스어 팔로스(phallos)의 다른 이름 가운데 하나가 바우본(baubon)[17]이라는 사실도 바우보가 상징하는 음문의 창조적인 가치를 부각시켜준다. 메두사와 바우보를 여성의 성적 힘을 구현하는 한 쌍으로 본 클레르도 두 여인을 비교하면서 메두사를 '음문의 모양을 한 얼굴'로, 반대로 바우보를 '음문으로 변한 얼굴'로 파악한다.[18] 그는 이렇게 역설한다.

바우보는 눈으로 변한 음문일 수 있으며, 반면 메두사는 음문으로 변한 눈일 수 있다······ 이렇게 볼 때 그들의 본질은 기능의 자리바꿈을 입증한다. 말하자면 눈이 음문으로, 또는 음문이 눈으로 자리바꿈한 것을 입증한다.[19]

바우보는 메두사와 함께 눈과 음문의 동일성을 상징적으로 보여주는 중요한 신화적 인물임이 틀림없다. 그러나 눈과 음문의 상징적인 동일성이 신화적 담론에만 국한되는 것은 아니다. 엘리아데는 투카노족(지금의 콜롬비아 아마조니아 지역 바우페스 강의 적도 부근 숲속에 살고 있는 종족)을 통해 눈과 음부가 상징적 동일성뿐만 아니라 실제적 동일성을 지닌 것임을 보여준다. 그들의 신화에 따르면 여성은 눈을 통해 임신하며, 그들은 아직까지 눈과 음부를 동일한 것으로 간주한다.[20]

성기의 변화——선한 눈에서 악한 눈으로

이처럼 눈과 상징적인 동일성이나 실제적인 동일성을 가진 성기도 제2

---

17) Jean-Pierre Vernant, 같은 책, 114쪽.
18) Jean Claire, *Méduse: Contributions à une anthropologie des arts du visuel* (Paris: Éditions Gallimard, 1989), 47쪽.
19) Jean Claire, 같은 책, 44~45쪽.
20) Mircea Eliade, *Occultism, Witchcraft, and Cultural Fashions: Essays in Comparative Religions* (Chicago: U of Chicago Press, 1976), 116쪽.

장에서 논의했던 눈과 마찬가지로 창조적이면서 파괴적인 양면성을 가진다. 오래 전부터 폭력적인 리비도의 실현 도구로 전락했지만, 원래는 성기도 '선한 눈'처럼 '신성의 빛'을 담고 있었다. 특히 선사시대에 그것은 생산과 풍요라는 창조적 속성으로 인해 생명의 원천으로 간주되었다. 그리고 성기에 대한 이러한 인식을 주도한 것은 역시 여성 성기였다. 매달 많은 피를 토하지만, 그 피 흘림을 스스로 치료하는 불가사의한 상처인 음문, 달이 차고 기울 때마다 피를 토하는 생리 현상이 아닌 우주론적 현상인 음문, 피를 토하나 죽지 않으며 피를 토하지 않고 열 달을 채우면 새 생명을 생산하는 신비 자체로서의 음문. 생명 창조의 원천인 이러한 음문을 가진 여성에 대한 놀라움과 숭배가 당시 남성들의 삶을 지배했으리라는 것이 단지 상상력의 산물만은 아닐 것이다.

　음문의 신비스럽고도 창조적인 속성에 대한 남성들의 놀라움과 숭배는 구석기시대 후반, 신석기시대를 거쳐 청동기시대까지 지속되었다. 이는 근래의 고고학적 발굴을 통해 드러난 중동, 이집트, 구(舊)유럽 그리고 인도-유럽 어족의 거주지역에 널리 퍼져 있던 여신을 포함한 여러 여성 입상으로 확인할 수 있다. 또 하나의 생명의 원천인 유방을 강조한 전통도 구석기시대를 거쳐 청동기시대에 이르기까지 지속되었지만, 대부분의 경우는 몸의 하부가 과장되게 강조되었고, 심지어 머리나 얼굴이 없는 경우도 빈번했다. 얼굴의 생략과 하부, 특히 음부에 대한 과장된 강조를 통해 우리는 당시 입상 제작자의 의도가 생명 창조의 중요성에 집중되었음을 가늠해볼 수 있다. 이는 신석기시대 유럽에서 가장 활발하게 제작된 여성 입상들 가운데 하나가 임신한 여신들(이른바 '대지의 여신' 또는 '어머니 대지의 여신')이었다는 사실에서 다시 한 번 확인된다.

　초기 신석기시대 여성 입상들을 살펴보면, 종종 남근이 그 입상의 목을 휘감고 있는 경우를 발견하게 된다. 이 남근은 여성이 지닌 재생의 힘과 다산의 힘을 북돋워주는 역할을 했으며, 이 시기의 남근상은 김부타스의 용어를 빌리면 "생명 에너지의 자극제"[21]의 표상이었을 것이다. 이를 통해 우리는 선사시대에는 남성 성기가 여성 성기와 함께 생산과 풍요라는 창조 작업을 공유했음을 알 수 있다. 그러나 이러한 공유의 시대는 역사시대가 도래하면서 막을 내리게 된다. 즉 인류의 역사가 역사시대로 들어서면서 여성에 대한 숭배는 종말을 고하고, 그와 함께 공유의 시대도 역사의 뒤편으로 사라져갔다. 이후의 시대는 현재까지 이어지는 이른바 남성중심주의 사회였으며 여성 성기의 창조적인 속성을 전유한 남성 성기만이 '특권'을 누리게 된다.

남성 성기가 지닌 '특권'의 경우 그것은 어느 나라의 경우보다 인도에서 각별한 위상을 지닌다. 우리가 제2장에서 거론했던 기독교의 경우와 마찬가지로 인도의 종교와 철학에서도 빛은 창조적인 것, 말하자면 '빛은 생명을 낳는 것', '빛은 생명을 낳는 힘'이다. 「찬도기야 우파니샤드」는 이 창조적인 '최고의 빛'을 궁극적으로 태양과 결부시키며,[22] 『리그베다』(I.115.1)는 이 태양을 모든 것의 '생명' 또는 아트만(ātman)이라고 말한다.

여기서 주목할 점은 정액이 창조적인 속성에서 태양, 신성, 아트만과 동질적인 것으로 간주된다는 것이다. 이 주제는 엘리아데가 집중적으로 다룬 주요한 주제 가운데 하나이기도 하다.[23] 『리그베다』(X10.12.1)에서는 조물주 프라자파티를 '황금빛 씨앗'[24] 즉 태양의 씨앗으로 이해하

---

21) Marija Gimbutas, *The Living Goddesses*, Miriam Robbins Dexter 편 (Berkeley: U of California Press, 1999), 37쪽.

22) *Chandogya Upaniṣad*, *The Principal Upaniṣad*, S. Radhakrishnan 편역 (India: Indus, 1994), III. 17. 7 (397쪽).

23) Mircea Eliade, "Spirit, Light, and Seed," 앞의 책, *Occultism, Witchcraft, and Cultural Fashions*, 93~119쪽을 참조할 것.

24) *The Vedas*, *A Sourcebook in Indian Philosophy*, Sarvepalli Radhakrishnan 과 Charles A. Moore 공편 (Princeton: Princeton UP, 1957), 24쪽.

며, 다른 한편 『브라마나』에서는 이 태양의 씨앗을 정액으로 이해한다. 따라서 정액은 태양의 현현이 된다.[25] 태양이 '생명을 낳는 자'라는 개념은 우리에게 아주 친숙하다. 일종의 '생성원리'로서의 신성이나 신, 태양빛, 아트만 그리고 정액이 우주 차원에서 동질적인 것들이라는 관념이 인도인들과 이란인들에 의한 독특한 사유의 산물임이 틀림없지만, 이와 같은 관념이 어느 정도 보편성을 지닌다는 점도 여러 경우를 통해 입증된다.

고대 이집트인들은, 생명은 빛이며 그 빛은 태양에서 또는 창조신의 남근에서 정액 형태로 흘러나오는 것이라고 믿었다. 이러한 인식은 티베트와 몽고, 마니교에서도 찾을 수 있다.[26] 몽고의 한 전설에 따르면 징기스칸의 시조는 어떤 신적 존재에서 나온 빛이 그 시조의 어머니 몸을 관통한 후 태어났다고 한다. 적도 부근의 바우페스 강가 숲속에 사는 데사나족은 인류가 태양빛에서 떨어진 정액의 방울들에서 탄생했다는 신화가 있다. 그 부족은 오늘날에도 태양빛을 정액과 동일시한다.[27] 고구려의 주몽 탄생 설화도 이 범주에 속한다. '태양의 아들' 또는 태양의 분신임을 말해주듯 '천제자'(天帝子)나 '일자'(日子)로 기록된 주몽은, 탄생설화에서 태양과 불가분의 관계를 맺고 있다. 잘 알려져 있듯이 주몽 탄생설화는 주몽의 어머니 유화가 갇혀 있던 방에 빛이 들어와 그녀를 비춘 후에 주몽을 잉태하게 되었다고 전한다. 우리가 태양빛인 정액의 신화적 의미를 받아들이지 않는다면. 주몽 탄생설화의 의미를 파악할 수 없을 것이다.

고대 그리스의 경우 플라톤과 아리스토텔레스는 물론 소크라테스 이전

25) *Jaiminīya Upaniṣad Brāhmaṇa*, 앞의 책, *The Principal Upaniṣads*, III. 10,4~5. Mircea Eliade, 앞의 글, "Spirit, Light, and Seed", 95쪽(주5)에서 재인용.
26) Mircea Eliade, 같은 글, "Spirit, Light, and Seed", 96쪽, 100쪽.
27) Mircea Eliade, 같은 글, 98쪽, 115쪽.

의 철학자들도 뇌에 저장된 정액이 척추를 지나 성기를 거쳐 자궁에 옮겨 진다고 보았다. 그들에게 정액은 '신성의 씨앗'을 보유한 것인데, 이 신성의 씨앗을 '태양의 씨앗'인 빛과 동일한 것으로 보아도 무방하다. 아리스토텔레스를 비롯한 일군의 그리스 철학자들은 정액이 남성의 머리에서 나온 것이므로 로고스라는 이성적 능력을 보유하며, 남성들은 이 능력을 자손들에게 전할 책임을 진다고 역설했다. 더 나아가 그들은 생명의 원천, 신성의 씨앗, 이성적 능력인 정액이 여성에 대한 남성의 우위를 확인해준다고 주장했다.[28] 아버지를 이데아와 정신, 어머니를 질료와 육체에 연결시켰던 아리스토텔레스를 비롯한 일군의 그리스 사상가들에게 남근은 "지성에 입각한 이성, 이 이성적인 힘의 원천"이었기 때문에 남근은 곧 로고스였다. 남근상도 그들에게는 단순한 물리적 실체가 아니라 "가시화된 로고스"[29]였다. 이집트인의 사유와 재현에서도 남근상은 "지금의 현실을 정신의 세계에 가까이 끌어당기는 바퀴의 비녀장이었다."[30]

「브라하다란야카 우파니샤드」에서는 정액을 태양의 씨앗인 빛의 현현이라기보다 오히려 '불멸', 즉 아트만의 매개물로 인식한다.[31] 정액을

28) Froma I. Zeitlin, *Playing the Other: Gender and Society in Classical Greek* (Chicago: U of Chicago Press, 1996), 109쪽 이하를 볼 것.

29) Jean-Joseph Goux, "The Phallus: Masculine identity and the 'Exchange of Women,'" *Differences: A Journal of Feminist Cultural Studies* 4:1 (1992), 49쪽. 『국가』와 『티마이오스』에서 '질료'로서의 모성 원리에 대한 '형상'으로서의 부성 원리가 우위라는 플라톤의 입장과 이에 대해 견해에 대해서는 Kaja Silverman, *World Spectators* (Stanford: Stanford UP, 2000), 11~15쪽을 볼 것.

30) Tom Hare, *Remembering Osiris: Number, Gender, and the Word in Ancient Egyptian Representational Systems* (Stanford: Stanford, 1999), 244쪽.

31) *Bṛhad-āraṇyaka Upaniṣad*, 앞의 책, *The Principal Upaniṣads*, III. 7. 23. (230쪽). 『우파니샤드 II』(서울: 한길사, 1996)의 95쪽에서 옮긴이(이재숙)는 '남성의 정액'을 의미하는 원어 '레타스(retas)'를 성기(性器)로 번역함으로써 원문의 중요한 의미를 놓치고 있다.

'자기실현'(아트만)이라는 '내적 빛'의 경험, 더 정확하게 말하면 '번쩍 발하는 번개처럼' 돌연히 열반의 경지를 가져오는 궁극적인 신성의 힘으로 간주한 것이다. 따라서 정액을 방출하지 않고 보유하는 것이 영적 성숙, 영적 깨달음을 위한 필수 요소가 된다. 잠재적인 영적 에너지로서 머릿속에 보유된 정액은 태양의 씨앗이라는 원초적인 신적 속성으로 인해 '아래'가 아니라 '위'로 향하는 에너지일 수밖에 없다. 「찬도기야 우파니샤드」가 "우리"의 영혼(정신)이 "세계의 문"이라는 태양, 그 태양빛을 향해 위로 올라간다고 말할 때,[32] '우리'란 바로 머릿속에 정액을 보유한 남성들인 것이다. 남성의 정액, 잠재적인 에너지에 의해 각성된 의식, '자기실현'이라는 '내적 빛'의 경험이 가능해지는 것이라면, 여성의 경우 내적 빛을 경험한다는 것이 근본적으로 불가능하며, 불가능할 수밖에 없다.

그러나 이렇게 '특권화'된 남성 성기는 역사가 진행되면서 폭력적인 에로스의 리비도적 실현의 도구로 전락하게 된다.[33] 여성 성기도 생산과 풍요의 원천만으로 기록되지는 않았다. 여성 성기의 역사를 살펴보면 그

---

32) *Chāndogya Upaniṣad*, 앞의 책, *The Principal Upaniṣads*, VIII. 6. 5. (500~501쪽)

33) 남성 성기의 부정적인 속성은 욕망을 뜻하는 그리스어 '에로스'의 문법적 성이 남성이라는 점에서 유추해볼 수 있다. 에로스는 사랑의 여신 아프로디테의 아들이지만, 때로는 아프로디테보다 먼저 태어난 신으로 묘사되기도 한다. 아프로디테와 결부되는 그리스어 아프로디시아(aphrodisia)는 욕망의 행위, 사랑의 행위를 의미한다. 그러나 그리스 신화, 시, 비극에서 보이는 욕망은 주로 극단적인 고통이나 광기와 결부된다. 호메로스의 『일리아스』 제14편 '유혹'의 장면에서는 제우스가 욕망의 힘에 굴복하여 아프로디테가 더 강한 신이 되었다. 아프로디테의 무서운 속성, 즉 공격적이고 폭력적인 속성은 여신이 제우스의 할아버지 우라노스의 절단된 성기의 정액에서 태어난 것에서도 알 수 있다. 그렇게 태어난 여신의 아들이자 여신을 호위하는 에로스도 본질적으로 무서운 속성을 가질 수밖에 없는 것이다. 에우리피데스의 『히폴리투스』를 비롯한 비극 작품들뿐만 아니라 사포를 비롯한 서정시인들의 시에서도 에로스는 "사회적, 도덕적인 질서에 아랑곳하지 않고…… 삶을 잔인하게 파괴하는 비도덕적인 힘"

것 또한 남성 성기와 마찬가지로 욕망을 실현하는 도구로 전락하면서 창조적 속성을 잃게 된 것을 알 수 있다. 거세의 두려움을 나타내는 '이빨을 가진 음부'(vagina dentata)——데리다의 '이빨을 가진 자궁'(matrice dentée)[34]——라는 용어는 음문의 파괴적인 속성을 보여주는 대표적인 예다. 월경 중 "피 흘리는 여성의 음부를 볼 때" 남성들이 여성 성기를 자신들의 성기를 거세하여 피로 물들일 수 있는 무서운 대상이라고 느낀다는 것은 "잘 알려진 사실"이다.[35] 프로이트는 메두사의 잘린 머리를 여성 성기("본질적으로 어머니의 성기")의 이미지로 보는데, 그에 따르면 뱀들로 덮인 메두사의 머리를 통해 남성들은 자신에게 있는 성적 속성이 여성에게 '결핍'되어 있음을, 즉 여성에게 음경이 결핍되었다는 것을 보며 자신에게도 그러한 '결핍'이 일어날 수 있다는, '거세불안' 또는 '거세공포'를 느낀다는 것이다.[36] 프로이트에게 여성 성기는 불안과 두려움을 주는 대상이다. 신비스러운 생산의 장소였던 것이 '이빨을 가진 음부'로 대체되면서 공포의 대상으로 바뀐 것이다. 월경 기간에 피를 토하는 여성의 음문이 생명의 원천으로서 '거룩한' 숭배의 대상이 되었던 선사시대와는 달리, 여성의 음문을 일정량의 독약을 생산하는 '기계'로 치부했던 중세시대도[37] 여성과 음문을 공포의 대상으로 보았다.

(Charles Segal, *Poetry and Myth in Ancient Pastoral: Essays on Theocritus and Virgil* [Princeton: Princeton UP, 1981], 81쪽)으로 등장한다. 플라톤의 주장대로 에로스의 작동이 근본적으로 욕망을 불러일으키는 이의 눈, 곧 시선을 통해 초래되는 것이라면(Claude Calame, *The Poetics of Eros in Ancient Greece*, Janet Lloyd 역 [Princeton: Princeton UP, 1999], 20~21쪽을 볼 것) 남성 성기는 '음욕'으로 가득 찬 '악한 눈'처럼 에로스의 리비도적 실현의 도구로서 역할을 계속하고 있다.

34) Jacques Derrida, *Glas*, John P. Leavey, Jr. 역 (Lincoln: U of Nebraska Press, 1986), 205쪽.

35) Géza Róheim, *The Eternal Ones of the Dream* (New York: International UP, 1945), 174쪽. Joseph Campbell, *The Masks of God: Primitive Mythology* (Harmondsworth: Penguin, 1976), 103쪽에서 재인용.

36) Sigmund Freud, *Medusa's Head*, SE, XVIII: 273쪽.

그러나 로마의 경우에는 지중해 문화권의 나라들, 특히 기독교, 유대교, 이슬람의 영향을 받았던 나라들과는 대조적으로 여성의 몸에 대해 이중적인 태도를 보여주었다.[38] 여성의 몸을 보는 것 자체를 나쁜 징조나 위험한 것으로 간주했던 지중해 문화권의 나라들과 달리, 로마에서는 여성의 월경을 질병, 특히 나병(플리니우스 『박물지』 28.44), 공수병, 이상고열을 치료하는 특별한 힘을 지닌 것, 또한 여러 농작물이나 과실에 해를 끼친 벌레들을 제거하는 힘을 가진 것으로 간주했다. 그러나 다른 한편 그것은 과일이나 곡물을 말라죽게 할 수 있는 독으로 치부되기도 했다. 또한 월경 중인 여성과 관계를 하는 것은 남성에게 치명적이라고 여겨졌다. 음문의 피에 들어 있는 독성이 남성에게 나병을 일으킨다는 것이었다. 로마에서 일반화되었던 이러한 금기는 중세시대까지 이어져 월경 중인 여성과 성관계를 하는 것은 치명적인 죄라는 인식을 낳았다. 중세 기독교도들은 남녀 할것없이 월경을 이브가 타락한 결과로 모든 여성에게 주어진 일종의 '저주', 그것으로 인한 육체적인 병이라고 생각했다. 간혹 월경을 여성의 몸을 자연스럽게 정화시키는 수단이라고 보는 의사나 신학자가 있기도 했지만, 대부분의 경우 월경의 피는 그것이 스치기만 해도 농작물이나 과일 등을 고갈시켜버리는, '악한 눈'과 같이 해를 끼치는 일종의 독약으로 받아들여졌다.[39]

여성 성기에 대한 부정적인 인식이 피를 흘리는 음부에만 국한되었던

37) Danielle Jacquart와 Claude Thomasset 공저, *Sexuality and Medicine in the Middle Ages*, Matthew Adamson 역 (Princeton: Princeton UP, 1988), 191쪽.

38) Amy Richlin, "Pliny's Brassiere," Judith P. Hallett과 Marilyn B. Skinner 공편, *Roman Sexualities* (Princeton: Princeton UP, 1997), 203~205쪽을 참조할 것.

39) Danielle Jacquart와 Claude Thomasset 공저, 앞의 책, 191쪽. 그리고 Irven M. Resnick, "Medieval Roots of the Myth of Jewish Male Menses," *HTR*, 93:3 (2000), 245~247쪽을 볼 것.

것은 아니다. 여성의 음부는 그 자체가 심연(深淵), 더 나아가 '지옥의
입'으로 여겨지기도 했다. 그리스어 아뷔소스(abussos)는 바닥이 없는
움푹한 곳을 의미하는데, 그리스도의 적들이 땅 위로 올라오기 전에 머
문 곳이기도 하다. 기독교적 전통에서 심연은 영원한 벌을 받게 되는 지
하장소이며, 초기 기독교에서는 고문실이나 지옥의 입으로 이해되었다.
지옥의 입은 「요한 계시록」(9.3~10)이 보여주듯이 연기와 냄새, 메뚜기
를 포함한 온갖 불순물을 토해내는 좁고 어두운 장소다. 여기서 여성의
음부는 지옥의 입과 연결되면서 무서운 입을 가진 일종의 '블랙 홀'로 그
려진다.[40]

　"비유컨대 모든 음부는 은밀한 이빨을 가지고 있다. 왜냐하면 남성은
그가 들어갈 때보다 더 작아져서 나오기 때문이다."[41] 이 주장은 '이빨
을 가진 음부'의 무서운 힘에 대한 남성 성기의 항복 내지 위축을 상징적
으로 해석해준다. 사르트르도 "전혀 의심할 바 없이 여성 성기는 하나의
입, 그것도 남성 성기를 먹어치우는 탐욕스러운 입이다"라고 규정하면서
성행위는 "남성의 거세다. 그러나 이는 무엇보다도 여성 성기가 구멍이
기 때문이다"라고 주장했다.[42] 그 구멍을 '음란한' 것으로 보는 이 가부
장적인 철학자는 여성 성기에 대해 원형적인 두려움과 혐오를 품은 남성
들을 대변한다.

　거세의 두려움은 언제나 자신의 정체성에 대한 위협과 결부된다. 남근
이 관련되는 한 거세의 공포는 상존하며,[43] 남근이 숭배대상이 될 때 그

---

40) 이에 대해서는 Tina Pippin, *Apocalyptic Bodies: The Biblical End of the World in Text and Image* (London: Routledge, 1999), 67~77쪽을 볼 것.
41) Camille Paglia, *Sexual Personae: Art and Decadence from Nefertiti to Emily Dickinson* (New York: Vintage Books, 1991), 13쪽.
42) Jean-Paul Sartre, *Being and Nothingness*, Hazel E. Barnes 역 (New York: Philosophical Library, 1956), 614쪽.
43) Eugene Monick, *Phallos: Sacred Image of the Masculine* (Toronto: Inner City Books, 1987), 16쪽.

러한 거세의 두려움도 극복된다. 로마의 페스티벌에서 처녀들이 남근상을 들고 행진했던 경우에서 이러한 숭배의 증거를 찾을 수 있다. 여기서 중요한 점은 거세의 두려움이 전적으로 머리에 존재하는 두려움, 남성들의 상상력에 따른 두려움이라는 것이다. 동시에 이는 본능적이며 존재론적인 두려움이다.[44] 따라서 남성 성기가 여성에게 숭배의 대상이 되지 않는 한 남성은 이 두려움을 극복할 수 없으며, 여성에 대한 두려움과 적대감도 피할 수 없다.

그러나 고대 그리스의 문학작품이나 신화에서 공격적이고 폭력적인 속성을 가진 것으로 인식되었던 남성적인 에로스를 플라톤이 진리(ta alēthē)를 직접적으로 지각하게 해주는 추동적인 에너지로 전환했듯이, 남성이 '지옥의 입'이나 거세의 힘을 상징하는 '이빨을 가진 음부'로 폄하하고 격하했던 여성 성기를, 바흐친은 '선한 눈'이라는 특별한 의미로 전환시킨다. 아니 그는 여성 성기를 사랑이라는 '신성의 빛'을 지닌 '선한 눈'으로 복원한다.

바흐친과 '하부'

바흐친은 그의 대표적 저서인 『라블레와 그의 세계』에서 중세의 지배계급인 상류 귀족사회의 문화, 이른바 '공식문화'와 피지배계급인 일반민중의 문화인 '비공식문화'를 대립의 축으로 설정하면서, 후자의 형식들 가운데 가장 중요한 것을 카니발이라고 규정한다. 카니발은 사람들이 1년 가운데 약 3개월을 바칠 정도로 그들의 삶에서 큰 비중을 차지했다.

---

44) 정신과 의사 스톨러(Robert Stoller)는 거의 모든 남성이 거세를 두려워하며, 이 두려움의 기저에는 남성의 정체성에 대한 위협이 자리한다고 말했다. Robert Stoller, "Facts and Fancies: An Examination of Freud's Concept of Bisexuality," *Women and Analysis*, Jean Strouse 편 (Boston: G. K. Hall, 1985), 343~364쪽.

축제는 중세의 지배적인 고급문화, 즉 교회와 국가의 공식문화와는 판이 하게 다른 세계관과 삶의 태도를 보여주었다. 바흐친이 카니발을 "공리 적이고 실용적인 모든 것에서 해방됨" 또는 "사람들을 지배하는 진리, 기 존 질서에서 한시적으로 해방됨"[45]이라고 규정했듯이, 카니발은 무엇보 다도 '해방'의 정신을 특징으로 한다.

축제가 진행되는 동안에는 억압적인 모든 공식적인 제도나 장치, 관 습, 금지, 제약 등이 중지된다. "신에 대한 충성과 외경"(83.140), '지옥' 에 대한 두려움 등과 같은 정신적 압박에서 해방될 뿐만 아니라 "사회- 성직상의 계급적 불평등을 비롯한 여러 형태의 불평등에서 유래된 모든 것이 정지된다."[46] 카니발은 '해방'과 더불어 '평등'정신의 구현이다. 이 축제는 "변화하지 않는 영구적인 것과 완결적인 모든 것에 대해 적대적" (10.33)이기에, 그것이 진행되는 동안 모든 공식적인 가치와 질서가 상대 화되고 전도되고 역전된다. 사회적 신분이나 계급에 따라 수직으로 구분 된 기존의 인간관계도 상류계급은 하류계급으로, 하류계급은 상류계급 으로 카니발 특유의 형식에 따라 유쾌하게 자리바꿈한다. 바흐친은 이를 "유쾌한 상대성"(11.34)이라 명명하며, 이 상대성 속에서 모두들 "새롭고 순수한 인간관계를 위해 다시 태어나기"(10.33) 때문에 비록 그것이 한시 적이라 하더라도 "유토피아 세계로 향하는…… 전이"(276.427), 그것도 부정과 위반을 전제로 한 창조적 전이가 된다고 보았다.

바흐친은 이와 같은 카니발의 정신과 세계관이 문학적으로 표현된 것

45) Mikhail Bakhtin, *Rabelais and His World*, Helene Iswolsky 역 (Cambridge/M.A.: MIT Press, 1968), 276쪽, 10쪽. 미하일 바흐친, 『프랑수아 라블레의 작품과 중세 및 르네상스의 민중문화』, 이덕형·최건영 역 (서울: 아 카넷 2001), 427쪽, 32쪽. 이후 인용문의 쪽수는 본문의 괄호 속에 표기함. 앞 의 쪽수는 영어번역판, 뒤의 쪽수는 한글번역판을 가리킴. 필자는 인용문들을 영역판을 토대로 번역하되, 한글번역도 참조했다.

46) Mikhail Bakhtin, *Problems of Dostoevsky's Poetics*, Caryl Emerson 편역 (Minneapolis: U of Minnesota Press, 1984), 123쪽.

이 '그로테스크 리얼리즘'이며, 라블레의 『가르강튀아와 팡타그뤼엘』이 바로 '그로테스크 리얼리즘'의 전형적 작품이라고 평가한다. 라블레의 작품에서는 "육체적 원리, 말하자면 먹고 마시고 배설하고 성생활을 하는 인간 신체의 이미지들이 주요한 역할을 하고 있다"(18.46). 바흐친은 이 '육체적 원리'를 "승리에 찬, 축제 원리"(19.48)로, 또한 이 '육체적 원리'를 '그로테스크 리얼리즘'의 기본 원리로 설정한다. 라블레는 공식문화가 표방한 가치들, 즉 물질적인 것이 아닌 정신적인 것, 현실적인 것이 아닌 이상적인 것, 육체적인 것이 아닌 영적인 것 등과 결부된 가치들을 탈중심화시켰다. 그는 우주의 중심을 지하로, 신체의 중심을 하부로 옮겨놓고 그것들을 찬양한다. 지하와 육체의 하부를 지향하는 그의 작품 경향은 "그로테스크 리얼리즘의 모든 형식에서 고유한 것"(370.572)이 되었고, 이러한 '그로테스크 이미지의 예술적 논리'에 따라 '육체의 하부'[47], 즉 '복부, 자궁, 성기'가 크게 부각되었던 것이다.[48]

따라서 카니발의 정신을 문학적으로 형상화한 '그로테스크 리얼리즘'은 '고상한 것들'과 '거룩한 것들' 모두를 하부로 '격하'(格下)하거나 '비하'(卑下)하는 것을 "근본적인 예술원칙"(370.572)으로 한다. 바흐친은 이에 대한 대표적인 사례로 가르강튀아가 프랑스에서 가장 성스러운 종탑인 파리 노트르담 사원의 종탑에 올라가 파리 시민들을 향해 오줌을 갈겨대는 에피소드를 들고 있다. 가르강튀아가 천상의 영적 세계를 상징

---

47) 바흐친의 저서 곳곳에 등장하는 러시아어 material'no-telesny niz가 위의 영어 번역판에는 'material bodily lower stratum'으로, 그리고 위의 한글번역판에는 영어번역판의 경우처럼 '물질, 육체적인 하부'로 번역했다. 필자는 이를 '육체의 하부'로 번역하기로 한다.

48) 영어번역판의 역자는 러시아어 cherevo를 '장'으로 번역하지만, 이 단어의 뜻은 소화와 생식기능을 전담하는 '복부/자궁'이다. 그리고 cherevo i fall도 '장과 남성의 성기'가 아닌 '복부/자궁과 남성의 성기'로 번역해야 한다. 한글번역판에도 이따금 혼동이 일어난다. Caryl Emerson, *The First Hundred Years of Mikhail Bakhtin* (Princeton: Princeton UP, 1997), 164쪽(주4)을 참조할 것. 바흐친이 특히 성기의 기능을 강조한다는 것을 유의할 필요가 있다.

하는 이 종탑에 올라가 가장 동물적인 배설행위를 함으로써 영적 세계를 비하한다는 것이다. 그는 오줌의 홍수로 파리 시민들을 익사시킨 다음 종탑에 매달린 종을 훔쳐서 그것을 고향에 보내 말의 고삐에 매달게 한다. 여기서 바흐친은 종을 남근으로 해석한다. 즉 라블레는 주인공의 배설 행위와 이 종의 상징성을 통해 중세의 모든 공식적인 가치와 이데올로기를 육체적이고 물질적인 차원으로 격하, 비하시킨다는 것이다.

그러나 이러한 비하나 격하 역시 카니발과 '그로테스크 리얼리즘' 모두에서 이중적인 속성을 보여준다. 세계를 향해 오줌을 내갈기고 분노를 내던지는 가르강튀아의 경우처럼, 세계에 대한 카니발적인 모욕이나 비하, 격하는 결국 새로운 창조를 위한 것이기 때문이다. 그리고 "비하하는 것은 어떤 것을 더욱더 훌륭하게 탄생시키기 위해 매장하는 것, 씨를 뿌리는 것, 그리고 그와 동시에 죽이는 것"(21.50)이라는 바흐친의 주장에서 볼 수 있듯이, 배설이라는 모욕과 비하가 비료가 되어 땅을 비옥하게 하고 새 생명의 성장을 촉진하기 때문이다. 말하자면 관념적이고 추상적인 가치의 세계에 매몰되어 구체적이고 실제적인 가치의 세계를 망각한 '상부' 사람들을 육체적인 인간, 살아 있는 인간으로 재생시키기 때문이다. 이 창조적인 재생의 역할을 하는 것이 바로 '하부'다.

'그로테스크 리얼리즘'에서 '하부'를 대표하는 것은 '지옥'과 '자궁'이다. 그러나 여기서 지옥은 영겁의 벌을 받은 자들의 영혼에 고통을 가하는 형벌의 장소인 기독교적 지옥과는 다르다. 중세의 카니발에는 사람들이 '지옥의 입'이라고 부르는 무대장치를 들고 행진하는 행사가 있었는데, 카니발이 무르익어갈 때쯤이면 모두들 한바탕 커다란 웃음을 터뜨리면서 불을 토하는 둥근 모양의 무대장치를 불 속으로 던져 태워버렸다. 이제 "수천 년의 세월에 걸쳐 인간 내부에서 싹트고 자라난 두려움"(94.155)의 상징인 기독교의 지옥을 라블레, 아니 바흐친이 '불의 감옥'[49]에서부터 "잔치이자, 유쾌한 카니발"(386.595)로 변모시킨다. '지옥의 입'은 이제 축제의 장소로 인도하는 문으로 변모한다. 여기서 중요한 점은 거세하는 무서운 이빨을 가진 '지옥의 입'이었던 여성의 자궁, 음부도 민중적 전통에서 카니발의 고장인 지옥, "풍요로운 자궁"(395.608)으로 유도하는 '지옥의 입'이 된다는 것이다.

마침내 우리의 주제로 돌아오게 된다. "민중적 전통에서 여성은 본질적으로 육체적 하부와 연관되어 있었으며", 이 "하부의 육화"(240.373)이기 때문이다. 바흐친에 따르면 라블레를 고취시킨 민중적 전통은 여성에 대해 적대적이거나 부정적이지 않았다. "여성을 죄의 육화, 육체의 유혹"(240.372)으로 '타자화'했던 '기독교의 금욕 전통'과는 달리 민중적 카니발의 전통은 "여성에 대해 전혀 적대적이지 않았으며, 부정적으로 접근하지도 않았다"(240.373). 바흐친은 오히려 "여성은 탄생을 주도하는 원리다. 여성은 자궁이다. 이것이 민중적, 희극적 전통에서 갖는 여성의 이미지다"(240.373)라고 말한다.

'탄생을 주도하는 원리인 여성'은 '하부' 정신을 반영하는 카니발이나 '그로테스크 리얼리즘'처럼 "양가적이다"(240.373). 그들의 자궁이나 음문도 양가적이다. 자궁은 "삼키고 먹어치우는"(338.525) 거세의 이빨이면서 거세를 통해 "그 속에서 낡은 것은 죽어가고 새로운 것은 풍성하게

---

49) 이에 대해서는 Peter Kingsley, *Ancient Philosophy, Mystery, and Magic: Empedocles and Pythagorean Tradition* (Oxford: Clarendon Press, 1995), 204쪽 이하를 볼 것. 제우스가 그의 전통적인 적인 티탄 거인들을 패배시킨 후 그들을 감금한 곳이 지하의 타르타로스였다(헤시오도스, 『신통기』, 715~735, 81~20). 그후 피타고라스와 그의 학파는 타르타로스를 불로 가득 찬 '제우스의 감옥'일 뿐만 아니라 영겁의 벌을 받는 자들의 영혼을 위해 예비해둔 형벌의 장소라고 해석했다. 그 학파의 영향 아래 '불의 지옥'이라는 관념은 유대교, 기독교, 그리고 이슬람의 문헌에 널리 등장하게 되었으며, 중세로 오면서 그리고 중세를 지나서도 기독교인들에게 '감옥'은 불로 가득 찬 지옥과 같은 것이 되었다. 이러한 지옥의 이미지는 바흐친의 저서에서도 드러나듯이 중세인들에게 "우울, 두려움, 그리고 위협의 궁극적인 집합체"가 되어 "교회 선전활동의 강력한 무기가 되었다"(395, 607).

태어나는"(339.525) '재생'과 '탄생'의 '비옥한 대지'다. 이 경우 거세는 "고차원적이고 영적이며 이상적이고 추상적인 모든 것을 비하시키는 것"(19, 48), 말하자면 '상부'의 돈 키호테가 표상하는 모든 추상적, 관념적 가치를 아래로 끌어내려 매장시키고, 이를 '하부'의 산초가 표상하는 가치인, "육체적 실체"(240.373)로 변형시키기 위한 전제가 된다. 바흐친은 '슬픈 모습의 기사'인 돈 키호테는 "보다 훌륭하고 위대한 인간으로 태어나기 위해 죽지 않으면 안 된다"(22.52)고 주장하면서, "절대적 하부는 항상 웃는다"(22.52)고 덧붙인다. 탄생과 재생의 원천인 자궁은, 아니 여성의 음문은 항상 웃는다. 딸을 잃고 비통에 잠겨 있던 '슬픈 모습'의 데메테르에게 자신의 치맛자락을 걷어올리고 '얼굴 모양을 한 음문'의 웃는 표정을 보여줌으로써 여신을 웃게 만들고 '풍요의 여신'으로 복원시켜준 저 바우보처럼 자궁은 '슬픈 모습의 기사들'을 '비하'함으로써 그들을 새롭게 재생시키는 '대지의 어머니'다.

이렇게 볼 때 여성 성기의 근본원리는 바로 자궁의 원리다. 그리고 창조와 재생, 풍요를 근본원리로 하는 자궁의 토대는 바로 사랑이다. 여기서 자궁은 우리가 제2장에서 논한 '선한 눈'의 원리를 그대로 이어받는다. 바흐친은 '자연'에 관한 괴테의 글을 소개하면서 다음과 같은 구절을 인용한다.

자연의 왕관은 사랑이다. 오직 사랑으로만 우리는 자연에 가까이 갈 수 있다……. 자연은 사랑의 술잔에 입술을 한번 갖다 대는 것으로 고통받는 전체의 삶을 치유한다(256.398~399).

여기서 괴테의 자연은 카니발이 되살려낸 지하, 하부, 즉 자궁과 닮았다. 비하, 격하 또는 부정을 통해 관념적이고 추상적인 가치와 인간을 죽이고, 그것들을 다시 '살아 있는' 구체적인 가치와 인간으로 재생시키는 카니발은 궁극적으로 사랑의 실현을 전제로 한 것이다.

바흐친은 질투, 위선, 무익한 열정, 관념적이고 추상적인 사고방식, 허구적 영웅주의나 이상주의에 가득 찬 중세의 갈리아 지방 남성들의 "육체적 무덤"이 바로 여성이었으며(240.374), 이를 통해 라블레가 여성을 모든 변화와 창조의 원천으로 파악했음을 지적한다. 창조의 주체는 늘 '상부'에 있는 것으로, 다시 말해 절대적 존재로서 창조의 주체는 늘 천상에 있는 것으로 인식되었다. 그러나 바흐친은 라블레를 통해 이를 '지하'로 끌어내린다. 즉 창조의 주체는 '하부'에 있으며, 그것이 여성의 '자궁'이라는 것이다.

카니발이 갖는 전도(顚倒)의 논리에 따라 하부가 상부로 뒤바뀌면서 자궁이 창조의 주체가 되고 더 나아가 절대 존재가 된다. 신화학자 캠벨은 지적한다.

우리는 언제나 신을 일종의 사실로 생각하며 신이 실재한다고 생각한다. 그러나 신이란 단지 초월과 신비를 상징하는 우리 자신의 관념에 지나지 않는다. 중요한 것은 그것의 신비다……. 신은 모든 에너지의 의인화일 뿐이며, 그 이상의 어떤 것이 아니다. 그러나 그 에너지는 이 세상에 다양한 모습으로 나타난다.[50]

사랑을 통해 변화와 재생, 창조를 주도하는 자궁이 생명 에너지의 총체라면 우리는 이를 신적 존재라고 부를 수도 있을 것이다.

바흐친의 『라블레와 그의 세계』에서 "육체는 이미 하나의 상징이 되었다."[51] 그것도 아주 중요한 상징이 되고 있다. 그리고 이러한 상징을 통해 여성의 음문은 선사시대에 그것이 가졌던 위상을 되찾게 된다. 이제 우리의 눈길은 남성을 거세하는 이빨 달린 자궁이 아니라, 사랑을 토대로

---

50) 조지프 캠벨, 「신화의 세계」, 과학세대 역 (서울: 까치, 1998), 23쪽, 164쪽.
51) Galin Tihanov, *The Master and the Slave: Lukács, Bakhtin, and the Ideas of Their Time* (Oxford: Clarendon, 2000), 273쪽.

자신의 품 안에서 모든 것을 변화 · 재생시키고 창조하는 '대지의 어머니'로서의 자궁에 머문다. 히브리어에서 '자궁'을 의미하는 레헴(rehem)과 '자비'를 의미하는 라하밈(rahamim)은 하나의 공통된 어원을 가진다.[52] 이스라엘과 함께 토라를 공유했던 모세는 '선한 눈'을 가진 선지자였으며, 『구약』의 랍비들에 따르면 토라는 선한 눈을 가지고 가르치지 않으면 안 된다. 여기서 선한 눈은 곧 아낌없이 주는 사랑의 눈, 자비의 눈이다. 그리고 이 선한 눈은 바로 눈으로 변한 바우보의 그 음문이다. 바흐친은 "하부가 인류의 진정한 미래다"(378.584)라고 단언한다. 그런 의미에서 그에게 비친 라블레는 "소설가이자 궁극적으로는 역사철학자다."[53] 바흐친이 그렇게 단언할 수 있었던 것은 아마도 모든 창조적인 가치를 하부가 포함하고 있고, 그 하부를 통해 모든 창조적 가치가 실현될 수 있기 때문이리라.

52) Avishai Margalit, *The Ethics of Memory* (Cambridge/M.A.: Harvard UP, 2002), 189쪽.
53) Craig Brandist, *The Bakhtin Circle: Philosophy, Culture and Politics* (London: Pluto Press, 2002), 143쪽.

4 성상논쟁

비잔틴 제국의 성상파괴운동

비잔틴 제국의 역사는 330년에 로마 제국의 마지막 황제라고 할 수 있는 콘스탄티누스 1세가 제국의 수도를 로마에서 자신의 이름을 딴 콘스탄티노플로 옮기면서부터 시작되었다. '후기로마 제국', '동로마 제국', '중세의 로마 제국'이라고도 불리는 이 제국은 콘스탄티누스 11세 통치 때인 1453년에 투르크인들의 침략으로 멸망하기 전까지 역사상 지상에서 가장 종교적인 국가를 건설했던 것으로 보인다.

그곳에서는 신이 곧 우주의 유일한 힘이었고, 그러한 신에게서 권위를 부여받은 황제는 지상에 하나뿐인 합법적 통치자였다. 또한 비잔틴인들은 그리스도를 사랑하는 황제, 교회와 올바른 신앙의 보호자인 황제가 통치하는 제국의 주민인 자신들을 '새로운 이스라엘 백성', '선민'이라고 생각했다.[1] 기도와 성지순례가 일상화되었고 도처에 성상들이 세워졌다. 이슬람과의 전투를 위해 출정하는 군인들은 스스로를 "거룩한 정통신앙의 옹호자"라고 규정했고, 전장에서 보내는 하루는 기도와 트리사기온(Trisagion)[2]의 노래로 시작하여 기도와 트리사기온의 노래로 마무리되었다. 성직자들이 모든 전장에 동행했고, 그곳에서도 어김없이 엄숙한 예배가 거행되었다. '그리스도의 군인'인 병사들의 군가도 찬송가였다.[3]

그러나 무엇보다도 비잔틴 제국을 종교국가로 규정해주는 가장 중요한 특징은 바로 보편화되고 일상화된 성상숭배였다. 이 제국의 신민들에

---

1) Mark Whittow, *The Making of Byzantium, 600~1025* (Berkeley: U of California Press, 1996), 136쪽.
2) "거룩한 신이여, 거룩하고 강한, 거룩하고 영원히 죽지 않는 신이여, 우리에게 자비를 베풀어 주시옵소서"라고 세 번 되풀이하는 성가의 한 부분.
3) Jaroslav Pelikan, *Imago Dei: The Byzantine Apologia Foricons* (Princeton: Princeton UP, 1990), 26쪽.

게 예수와 성모 마리아, 성인들을 재현한 성상(聖像)은 그들을 영적 세계로 인도하는 일종의 관문 같은 것이었다. 교회의 둥근 천장에 자리한 예수의 성상과 그 아래에 자리한 성모 마리아와 성인들의 성상은 마치 그들의 육신이 거기에 있는 것처럼 숭배되었다. 비잔틴인들에게 성상은 각 개인을 영적 세계로 인도할 뿐만 아니라, 그들의 육신의 병을 치유하며 위기에 처한 나라를 구하는 힘이었다.

콘스탄티노플에서 약 120킬로미터 떨어진 곳에 니케아라는 도시가 있었는데, 이 도시에서 325년에 기독교 교회의 교조와 법령의 기초를 놓은 최초의 공회의가 열렸다. 727년에 이 거룩한 도시를 이슬람 군대가 포위했을 때, 비잔틴인들은 바로 그 공회의에 참석했던 교부 318명의 성상을 들고 성벽 주위를 행진했다. 이처럼 성상이 이슬람의 잦은 침략에서 그들을 지켜줄 것이라는 확고한 믿음이야말로 초기 비잔틴을 규정해준 가장 큰 특징이었다. 전장에는 군대와 함께 성상들이 배치되었고, 610년에 헤라클레이오스 황제의 함대는 돛대에 성모 마리아 상을 세우고 출정했다. 각 도시가 위험에 처할 때마다 도시 주위에 성상을 세웠고, 요새의 바깥벽에는 성화를 그렸다.[4] 727년에 비잔틴인들이 이슬람의 가공할 만한 공격들을 막아내고 니케아를 사수했을 때, 승리의 주역으로 칭송받은 것도 바로 성상이었다.

이처럼 성상숭배가 곧 신앙의 절대적인 가치였던 비잔틴 제국은 서기 726년 레오 3세(재위 717~741)가 벌인 성상파괴운동으로 새로운 국면을 맞이하게 된다. 수도 콘스탄티노플에 위치한 소피아 성당의 서쪽 방면에 황궁으로 향하는 청동대문이 있었고, 그 대문 위에는 황금으로 장식한 커다란 예수 성상이 있었는데, 레오 3세가 바로 이 성상을 파괴하라고 명함으로써 성상파괴의 포문을 열었던 것이다. 이로 인해 제국은

---

4) Mark Whittow, 앞의 책, 140쪽. 그리고 Alain Besançon, *The Forbidden Image: An Intellectual History of Iconoclasm*, Jane Marie Todd 역 (Chicago: U of Chicago Press, 2000), 114쪽을 참조할 것.

100여 년 이상 동안이나 격심한 내분과 '역사적' 성상논쟁, 즉 예수가 신적 존재라면 과연 그를 인간의 형상으로 재현하는 것이 가능한가라는 문제를 둘러싼 격렬한 논쟁에 빠져든다.

성상파괴에 대한 시민들의 반응은 격렬했다. 그 작업을 지휘한 황제의 사관은 그 자리에서 살해되었고, 시민들의 시위와 군대의 폭동이 이어졌다. 당시 황제의 제국령이었던 유럽 지역에서 일어난 반발도 이에 못지 않았다. 그들은 성상을 위해 목숨이라도 내놓을 태세였다. 결국 라벤나 총독이 반란을 일으켜 곧 평정되기는 했다. 하지만 이 반란 역시 황제가 예수의 성상을 파괴하는 것에 대한 총독의 지극히 개인적인 격분과 반감에 따른 것이었지 정치적 동기가 숨어 있었던 것은 아니었다.

그러나 레오 3세의 의지는 단호했다. 730년에 그는 최고의 관직자들과 성직자들의 회합인 황제 자문회의를 열고 성상을 금지하는 칙령을 내렸다. 그 칙령에 따라 전역에 걸쳐 성상들이 파괴되기 시작했다. 그 칙령에 서명을 거부했던 총대주교가 파면되고, 칙령을 거부하고 성상을 숭배한 사람들에게는 세금부과와 재산몰수 등의 박해가 가해졌다. 그러나 멀리 떨어진 이탈리아까지 성상파괴를 강요할 수는 없었고, 교황 그레고리우스 2세는 공개적으로 성상파괴를 비난했다. 레오 3세는 교황을 체포하기 위해 함대를 파견했는데, 함대가 이탈리아로 가는 도중에 침몰되고 말았다. 그러나 그레고리우스 2세가 죽어버렸기 때문에 더 이상의 조치는 필요하지 않았다. 그러나 새로운 교황 그레고리우스 3세도 성상을 훼손하는 자들은 모두 파문에 처할 것이라는 포고를 내림으로써 단호한 태도로 황제에 맞섰다. 이에 대한 보복으로 레오 3세는 그리스화된 남부 이탈리아 속주인 시칠리아, 칼라브리아 등지와 더불어 발칸의 여러 지역 교구를 로마의 관할에서 콘스탄티노플 총대주교 관할로 옮겨버렸고, 교황이 보낸 사절을 투옥시켰다.[5]

---

5) 레오 3세의 성상숭배에 대한 대대적인 공격과 그의 성상파괴에 대한 저항 등에

레오 3세의 뒤를 이은 그의 아들 콘스탄티누스 5세(재위 741~775)의
재위 기간에 성상파괴 운동은 절정에 달한다. 레오 3세가 황제 자문회의
를 통해 성상금지령을 내렸던 것에 반해, 콘스탄티누스 5세는 38명의 주
교가 참석한 754년의 종교회의를 통해 성상파괴를 재가했다. 이 종교회
의는 예수의 재현 불가능성이라는 주제를 다루었고, 이를 위해 성서와
교부신학의 문헌에서 인용된 수많은 문구를 통해 성상과 성상숭배 일체
가 예수의 신성과 모순된 것이고, 오히려 우상숭배와 맥을 같이한다는
결론을 내림으로써 성상파괴의 정당성을 입증해주었다. 황제는 자신을
지지하는 성상파괴론자들을 주교에 임명했고, 심지어 이들을 위해 새로
운 주교 자리를 창설하기까지 했다. 성상파괴를 촉진하기 위해 그것의
정당성을 알리는 선전활동과 저술활동이 강화되었고, 이와 동시에 총대
주교 게르마누스와 다마스쿠스의 요안네스 파문, 수도원 폐쇄와 소유토
지 몰수, 반대세력 체포 등등의 정치 억압이 이어졌다.

종교회의의 결정에 따라 도처에서 성상들이 파괴된 대신 그 자리에 황
제상이 세워졌다. 즉 무엇보다도 황제, 그리고 황제로 대표되는 제국에
대한 찬양만이 예술의 주제가 될 수 있었다. 콘스탄티누스 5세는 성상과
성유물에 반대했을 뿐만 아니라 그후 성인숭배와 성모 마리아 숭배도 금
지했다. "콘스탄티누스 5세의 급진정책이 그의 죽음으로 중단되지 않았
더라면, 비잔틴 제국의 생활은 완전히 바뀌었을 것이다."[6]

아버지 콘스탄티누스 5세의 뒤를 이은 레오 4세(재위 775~780)의 갑
작스러운 죽음으로 그의 아들 콘스탄티누스 6세가 열 살의 나이로 제위
에 오르자 성상숭배가 다시 활기를 띠기 시작했다. 이는 어린 황제의 어

대해서는 Warren Treadgold, *A History of the Byzantine State and Society*
(Stanford: Stanford UP, 1997), 352~355쪽을 볼 것.

6) Mark Whittow, 앞의 책, 136쪽. 콘스탄티누스 5세의 성상파괴운동과 그에 대한
반격 등 상세한 역사적 배경에 대해서는 Michael Angold, *Byzantium: The
Bridge from Antiquity to the Middle Ages* (New York: St. Martin's Press,
2001), 77~84쪽을 볼 것.

머니 이레네가 섭정을 했기 때문에 가능한 것이었다. 앞서 레오 4세는 그의 짧은 재위 기간에 기본적으로 성상에 대한 적대적인 입장을 고수했지만, 성모 마리아 숭배는 허용했다. 그리고 콘스탄티누스 5세가 후반기에 취한 수도사에 대한 적대적인 노선도 거두어들였는데, 이 또한 그의 아내 이레네의 영향을 받은 것이었다. 그리스 아테네 출신인 이레네는 여느 아테네인들과 마찬가지로 열렬한 성상옹호자였으며, 성상파괴를 묵인할 수 없었다. 추방되었던 수사들이 수도원으로 복귀해 다시 성모 마리아 상에 대한 숭배가 가능해졌다. 제국을 직접 통치한 최초의 여성이자 제국의 실질적인 권력자였던 이레네가 어린 아들을 대신하여 국사를 맡으면서 성상숭배는 결정적으로, 그러나 아주 신중하게 천천히 부활하기 시작했다. 레오 4세 시절의 총대주교는 사임되었고 대신 이레네의 비서인 타라시오스가 784년 총대주교로 선출되었고, 그녀의 뜻을 관철시키기 위한 종교회의가 준비되기 시작했다. 787년 총대주교 타라시오스가 의장을 맡고 약 350명의 주교와 다수의 수도사가 참석한 니케아 공의회에서 성상파괴를 공인했던 754년 종교회의의 결정이 이단으로 규정되었고, 절대 다수의 찬성으로 다시 성상숭배가 공인되었다. 이 종교회의의 결과 성상은 본격적으로 신앙의 대상이 되었는데, 이는 이레네가 개입한 결과였다.

비잔틴 제국 신민들은 이레네가 정치 권력을 위해 아들을 살해하고, 정치·경제적으로 실책을 범하고, 로마 교황청에서 '로마 황제'라는 직함을 받고 프랑크의 왕이 된 샤를마뉴와 결혼설이 나온 것에 대해 실망하고 경악하여 그녀를 실각시켰다. 그후 두 명의 황제를 거쳐 레오 5세(재위 813~820)가 제위에 올랐을 때 다시 성상파괴운동이 시작되었다. 이 황제에게는 성상파괴론자였던 레오 3세와 콘스탄티누스 5세가 위대한 황제의 전범(典範)이 되었다. 그는 성상옹호론자인 총대주교 니케포루스를 추방했고, 반대자들을 무자비하게 탄압했다. 그러나 그는 그가 전범으로 여기던 황제들과는 달리 광범위한 지지를 얻을 수 없었다. 레오 5

세를 살해하고 왕위에 오른 미카일 2세(재위 820~829) 때 성상숭배에 대한 박해가 중단되고 총대주교를 비롯한 추방자들이 복귀했지만, 그의 아들이자 후계자인 테오필루스(재위 829~842)가 제위에 오르자 또다시 성상파괴가 시작되었다. 그러나 테오필로스 재위 기간에 이루어진 성상 파괴운동은 단지 그에게 충성하는 몇몇 사람들이 주도한 것이었고, 그의 사망으로 성상파괴는 중지되었고 종말을 고했다.

테오필로스가 죽었을 당시 그의 아들이자 후계자인 미카일 3세(재위 842~867)는 겨우 세 살이어서, 황태후 테오도라가 제국을 통치하게 되었다. 그녀에게 최우선의 과제는 전역에 걸쳐 진행되던 성상파괴를 중단시키고 성상숭배를 부활시키는 것이었다. 이레네의 경우처럼 여성의 주도 아래 성상숭배가 다시 한 번 확고한 위상을 가지게 되었던 것이다. 843년 3월의 한 종교회의에서 성상숭배의 재건이 엄숙하게 선포되었다. 100여 년 동안 비잔틴 제국을 극심한 분열의 위기에 몰아넣었던 성상파괴운동을 중단시키고, 분열의 종결을 주도한 인물은 다름 아닌 두 여성이었다. 그 가운데 테오도라는 843년의 종교회의를 통해 성상파괴를 종식시킨 업적으로 오늘날까지 성인(聖人)으로 추앙받고 있다.

지금까지 '성상파괴 위기의 시대'(711~843)[7]라고 부르는 기간에 일어난 사태를 대충 요약해보았다. 그렇다면 레오 3세는 어떤 동기와 이유로 청동대문 위에 있던 성상, 그것도 다름 아닌 예수의 성상을 파괴함으로써 향후 약 100여 년 동안 종교국가 비잔틴을 대대적인 분열과 그에 따른 위기로 몰고 갔는가를 고찰할 차례가 된 것 같다.

'선민'으로서의 자부심에 가득 찬 비잔틴인들은 전쟁에서 패배하는 등의 어려운 시련에 부딪칠 때마다 그것이 그들의 잘못에 대한 신의 벌이

---

7) 게오르크 오스트로고르스키, 『비잔티움 제국사 324~1453』, 한정숙과 김경연 공역 (서울: 까치, 1999), 115쪽.

라고 생각했다. 즉 이슬람이 그들에게 치욕적인 패배를 안겨주도록 신이 허용할 수밖에 없었던 것은 그들이 신의 뜻을 저버린 결과이므로, 신의 뜻에 충실하면 다시 은총을 받으리라는 것이었다. 7세기부터 9세기까지 비잔틴 제국의 역사는 신이 혐오하는 이슬람 세력을 몰아냄으로써 신의 은총을 확인하려는 시도의 연속이었다. 페르시아가 시리아와 이집트, 팔레스타인을 정복한 것, 무엇보다도 예루살렘을 상실하고 성십자가를 제거한 것 등을 신의 노여움을 보여준 역력한 계시로 받아들였다. 그리고 이에 대항하여 헤라클레이오스 황제가 펼친 전쟁은 성전(聖戰)의 성격을 띤 것이었다. 최종적으로 비잔틴 제국이 승리를 거두었을 당시의 어떤 연대기에는 기독교 성서가 다른 종교 경전보다 교리가 탁월하기 때문에 승리한 것이라고 기록되어 있다.[8]

한편 최종적인 승리를 거두기까지 일어난 과정은 끊임없는 전쟁과 더불어 신의 노여움에 대해 해석하는 과정이기도 했다. 630~640년대에 그들이 경험한 치욕적인 패배의 원인을 기독교 내에서 일어난 불화, 이를테면 예수의 단성론(單性論)을 지지한 입장과 그렇지 않은 입장 사이의 불화에 대한 신의 노여움으로 해석했다. 696년 이슬람이 카르타고를 함락한 것, 그후 일시적인 탈환에 이은 698년 재함락, 그로 인해 아프리카 속지를 상실하고 708년 아나톨리아에서 패배한 것, 아모리온의 주요 요새 함락, 소아시아 지방의 비옥한 영토에 대한 이슬람의 점진적인 정복, 그리고 그곳을 기점으로 한 제국의 수도에 대한 공격 등등, 이 모든 것을 그들의 잘못에 대한 신의 분노로 받아들였다. 720년대에 이슬람의 공격이 다시 시작되고, 723~724년에 남부 아나톨리아의 이코니온이 정복되었으며, 726년에는 대규모 화산폭발로 테라의 에게 해 제도가 사라져버렸다. 이 또한 신의 분노였다.

---

8) *Chronikon Paschale*: 727~728. Mark Whittow, 앞의 책, 401쪽(주5)에서 재인용.

이런 와중에 제위에 오른 레오 3세는 신이 분노한 첫번째 원인을 당시 널리 유행하던 성상숭배에서 찾았던 것 같다. 앞서 살펴본 대로 성상숭배는 비잔틴인들의 신앙생활에 절대적인 것이었으며, 그들의 삶 속에 깊이 뿌리를 내리고 있었다. 더구나 그가 제위에 오를 무렵에는 도를 넘어 성화(聖畵)마저 숭배되고 있었다. 심지어 세례식에서 그것이 대부모로 사용될 정도였다. 기독교에 대한 유대인들의 주된 비난도 십계명 가운데 두번째 계명인 우상숭배에 대한 것이었고, 이 비난을 신의 분노와 연관시켜 정당화하려는 기독교인들도 늘어갔다. 실제로 많은 사람이 계속되는 이슬람의 승리와 비잔틴의 패배를 이슬람의 성상거부와 비잔틴의 성상숭배를 결부시키기도 했다.[9]

726년에 테라의 에게 해 제도를 날려버린 화산폭발은 황제에게 엄청난 충격을 준다. 마침내 그는 이 폭발을 성상숭배에 대한 신의 결정적인 분노의 신호로 해석했다. 그뿐만 아니라 당시 "거의 대부분의 사람들이 화산폭발을 의심의 여지 없이 신이 분노한 신호라고 믿었다."[10] 따라서 레오 3세가 시작한 성상파괴를 교회가 신의 뜻을 저버리고 서서히 이교도적 우상숭배로 되돌아가는 것에 대한 반작용, 즉 '진정한 종교'를 회복하고자 했던 운동으로 해석할 수 있다. 성상파괴운동을 주도했던 레오 3세는 이런 맥락에서 스스로를 종교개혁자라고 자처했다. 그는 "유대인들의 왕인 히스기야는 800년 후에 성전으로부터 '청동 뱀'을 제거했고, 나는 그로부터 800년 후에 교회에서 우상들을 제거했다"고 말한 것으로 전해진다.[11] "레오 3세는 자신이 모든 우상숭배에서 신의 집을 보호하라는 신의 부름을 받은 사제(司祭)──왕, 신의 백성, 즉 로마 제국의 목자(牧

9) S. Blair, "What is the Date of the Dome of the Rock?", J. Raby와 J. Johns 공편, *Bayt al-maqdis: Abd al-Malik's Jerusalem* (Oxford: Oxford UP, 1992), 81~85쪽. Mark Whittow, 앞의 책, 142쪽.
10) Warren Treadgold, 앞의 책, 352쪽.
11) 교황 그레고리우스 2세가 레오 3세에게 보낸 서신에서 인용된 것임. Christoph

者) 또는 신이 임명한 새로운 모세──라고 생각했다."[12]

이러한 점에서 그의 성상파괴 동기가 일차적으로 종교적인 것이었음을 알 수 있다.[13] 또한 이러한 성상파괴의 종교적 배경은 그의 출신 배경과 연결된다.

그는 북시리아의 게르마니카 출신이었다. 이 도시는 여러 세대에 걸쳐 단성론을 신봉하는 주교들의 영향 아래 있었고, 날로 커져가는 이슬람 세력의 영향을 받고 있었다. 여기서 우리는 레오 3세가 성상을 우상으로 간주하고 이를 금지하는 이슬람의 영향을 받았으리라는 짐작을 해보게 되는데, 실제로 당대의 사람들은 레오 3세를 사라센인처럼 생각하는 자라고 불렀다.[14] 한편 당시의 많은 종교 지도자는 레오 3세와 콘스탄티누스 5세(재위 741~775)가 이슬람과의 전쟁에서 승리한 것을 두고 그들이 신의 뜻을 올바르게 읽고 성상을 파괴하여 신의 축복을 받았다고 해석했다. 따라서 754년에 열렸던 종교회의에 참석한 주교들은 그 황제들을 우상숭배를 타파하기 위해 그리스도가 보낸 사도(使徒)에 비유

Schönborn, O. P. *God's Human Face: The Christ-Icon*, Luthar Krauth 역 (San Francisco: Ignatius Press, 1994) 145쪽에서 재인용. 이 구절의 출처는 「열왕기하」제18장 제4절임.

12) Christoph Schönborn, O. P., 앞의 책, 145쪽.

13) 성상파괴운동의 원인과 근원을 정치적, 종교적 그리고 다른 사회적 요인 등에서 찾는 기존의 여러 주장과는 반대로 "성상파괴운동은 그 근원이 모호한 복합적인 실체"(10쪽)라고 주장하면서 그것은 본질적으로 신학과, 예술 재현에서 미학적 이론과 결부된 운동이었다고 주장하는 도발적인 저서 Charles Barber, *Figure and Likeness: On the Limits of Representation in Byzantine Iconoclasm* (Princeton: Princeton UP, 2002)에도 주목할 필요가 있다. 그러나 우리의 주제는 이러한 주제와는 별개의 것이기에 이에 대한 검토는 하지 않기로 한다.

14) 게오르크 오스트로고르스키, 같은 책, 123쪽. 726년에 시작된 레오 3세의 성상파괴운동은 이미지들을 금하는 칙령을 내린 이슬람의 통치자 야지드(Yazid, 720~724)의 사례에서 영향을 받았다는 등의 여러 주장이 나오고 있다. 이 점에 대해서는 J. M. Hussey, *The Orthodox Church in the Byzantine Empire* (Oxford: Clarendon Press, 1990), 34쪽, 36쪽을 볼 것.

했던 것이다.

한편 레오 3세가 기독교 역사상 처음으로 점화한 성상파괴의 불씨를
테오도라가 소멸하기까지는 분열과 위기의 시대인 동시에 격렬한 논쟁
의 시대이기도 했다. 레오 3세와 그의 아들 콘스탄티누스 5세를 중심으
로 한 성상파괴론자들과 이에 반대하는 총대주교 게르마누스와 교황 그
레고리우스 2세를 중심으로 한 성직자들 사이에 벌어진 격렬한 논쟁이
이 기간에 비잔틴 제국을 위기의 시대로 몰아갔던 것이다. 레오 3세와
성상파괴론자들의 논리는 모세의 십계명 중 두번째 계명, 성경에 반복해
서 등장하는 우상숭배에 대한 신의 경고와 종교적 이미지에 대해 강력하
게 반대했던 초대 교회 교부들의 선례를 기조로 삼았다. 그들은 그들과
성상파괴론자들 사이의 갈등을 모세와 아론의 갈등에 비유하면서, 자신
들이 모세이고 적대자들을 아론이라고 주장했다. 비잔틴 연구의 한 권위
자가 지적했듯이, 사실 성상숭배를 우상숭배와 동일시하면서 이를 배격
하고 초대 교회 교부들의 선례를 따랐던 성상파괴론자들의 주장이 성상
옹호론자들의 주장보다 '역사적 진실'에 더 충실한 것이었다.[15]
초대 교부들 가운데 한 명인 알렉산드리아의 클레멘스는 예술과 미에
대해 이해가 깊은 신학자였지만, 이미지들을 금지하는 두번째 계명을 더
중요한 것으로 간주함으로써 인간이 숭배하는 성상이나 인간이 창조한
것 가운데 신을 닮은 것은 허용될 수 없다고 주장했다. 신은 눈에 보이지
않으며 무한한 존재다. 신은 하나의 그림 속에 틀지을 수 있거나 '한정'
될 수 있는 존재가 아니다. 초대 기독교 교부 가운데 가장 과학적인 사유
를 했던 아테네의 아테나고라스는 신성에 대한 예술 재현을 전례 없는

---

15) Cyril Mango, *The Art of the Byzantine Empire, 312~1453* (Englewwod
   Cliffs, N. J.: Prentice-Hall, 1972), 150쪽. 그리고 Georges Florovsky,
   Collected Works (Belmont, Mass.: Nordland, 1972-), II: 105쪽. Jaroslav
   Pelikan, 앞의 책, 54~55쪽.

날조된 것이라고 주장하면서, 그러한 재현의 결과물이 단지 "흙, 돌, 나무, 잘못 적용된 기술"에 지나지 않는다고 비난했다.[16] 예수가 신이라면 그를 인간의 형상으로 재현하는 것은 불가능하며 용납될 수 없다는 것이 성상파괴론자들, 특히 콘스탄티누스 5세의 논리였다. 9세기까지 초기 비잔틴 시대가 '예수론의 세기'라고 일컬어지는 것에서 알 수 있듯이, 그 시대는 예수가 정확하게 무엇이며, 신과 인간이 어떻게 그 안에서 하나가 되는지에 대해 신학적 논쟁을 열띠게 전개하던 때였다. 레오 3세가 예수의 성상을 파괴함으로써 시작되었던 성상논쟁은 '예수론'과 본질적으로 결부되었던 것이다.[17]

---

16) Jaroslav Pelikan, 같은 책, 55~57쪽을 볼 것.
17) 다마스쿠스의 요안네스가 예수의 '육화'(肉化)를 통해 성상파괴론자들의 주장을 반박하고 성상문제를 구원의 문제와 연결시킴으로써 그들의 입지를 약화시켰지만, 그들의 내적 딜레마도 심각한 것이었다. 가령 성상숭배가 우상숭배와 같은 것이라는 것을 그들 자신과 제국 신민들에게 어느 정도까지 납득시킬 수 있는가, 예수의 성상을 금지하면서 황제의 초상화와 "황제, 그의 궁정이나 그의 세속적인 세계일반이 등장하는 장면들"을 인정하는 것은 모순이 아닌가, 예수와 성모 마리아, 성인들의 성상을 이교도의 우상들과 같은 차원에 놓는 것이 과연 타당한 것인가와 같은 딜레마에 직면했던 것이다(Gerhart B. Ladner, "Origin and Significance of the Byzantine Iconoclastic Controversy," *Images and Ideas in the Middle Ages: Selected Studies in History and Art* 〔Rome: Edizioni di Storia e Letteratura, 1983〕, I: 51쪽. 그리고 이에 대한 광범위한 논의에 대해서는 Cyril Mango, 앞의 책, 149~199쪽을 볼 것). 그리고 이에 못지않은 또 하나의 딜레마는 여러 세기를 통해 기독교 교회 전체가 생산해냈던 종교적 이미지들 모두를 순수에서 '일탈'한 것이라고 무차별적으로 매도한다는 것이 현실적으로 이해될 수 있는가 하는 것이었다. 후자의 딜레마를 해결하기 위해 성상파괴주의자들은 그들의 교회를 장식할 때 "동물, 식물, 장식물의 재현"을 다시 도입했고(Gerhart B. Ladner, 위의 글, 51쪽), 성상에 대한 부정적인 태도와는 달리 예수의 십자가에 대해서는 보편적인 지지를 요구할 수 있는 입장을 도출해냈다. 십자가에 관해 일컬어진 것과 비길 만한 것이 성상에도 있는가라고 반문하면서 십자가를 "신의 권능"이라 일컬었던 성 바울로의 주장, 아니 "주 예수 그리스도의 십자가 외에 어떠한 것도 자랑하지 않도록" 한 신의 말씀(「고린도전서」 1.8; 「갈라디아서」 6.14)을 들려주는 바울로의 주장을 소개함으로써 그들의 입지를 강화시켰다. 그리하여 그들은 모세의 계명을 비롯하여

우리는 신을 재현할 수 있다. 우리는 인간의 모습을 한 그를 대면한 적이 있기 때문이다. 따라서 그는 감각의 대상이며, 우리는 우리의 눈을 통해 지각한 그의 모습을 재현할 수 있다. 성상논쟁에서 레오 3세와 콘스탄티누스 5세의 가장 강력한 적수였고, 당대 최고의 신학자였던 시리아 출신의 다마스쿠스의 요안네스는 인간의 몸으로 이 세상에 온 신의 모습, 이른바 '육화'(肉化)를 근거로 예수 성상의 정당성을 옹호했다.[18] 예수는 눈에 보이지 않는 신이기 때문에, 그를 재현한 이미지, 즉 성상을 거부하고 이에 머리를 숙이지 않는 것은 예수의 육화를 거부하고 그 앞에 머리를 숙이지 않는 것과 같은 것이었다.[19] 요안네스의 목적은 성상 숭배를 우상숭배와 동일한 것으로 간주했던 성상파괴론자의 주장을 논박하기 위한 것이었다.[20] 신의 '말씀이 육신이 되었다'는 사상, 즉 신이 인간이 되었다는 성 요한의 유명한 말은 비잔틴 신학의 중심에 자리하고 있었다.[21] 알렉산드리아의 성 아타나시우스가 "우리가 신이 되도록 하기 위해 그(예수)는 인간이 되었다"[22]고 강조했을 정도로 비잔틴인들에게

이미지들을 금하는 여러 성서적 언급과 초대 교부들의 주장을 바탕으로 오직 예수와 그의 신성을 인간의 형상으로 재현한다는 것이 불가능하다는 것에 초점을 두고 그들의 성상반대 논리를 정당화하려 했던 것이다.

18) Saint John of Damascus, *On the Divine Images: Three Apologies against Those who Attack the Divine Images*, David Anderson 역 (Crestwood, N.Y.: Saint Vladmir's Seminary Press, 1980), 16쪽.

19) Saint John of Damascus, 같은 책, 28쪽, 40쪽.

20) 다마스쿠스의 요안네스의 입장에 대한 포괄적 논의는 Jaroslav Pelikan, *The Christian Tradition: A History of the Development of Doctrine, The Spirit of Eastern Christendom (600~1700)* (Chicago: U of Chicago Press, 1974), II: 117~133쪽을 참조할 것.

21) 「요한복음」 1.1,14. "태초에 말씀이 계시니라 이 말씀이 하나님과 함께 계셨으니 이 말씀이 곧 하나님이시니라…… 말씀이 육신이 되어 우리 가운데 거하시매 우리가 그 영광을 보니……."

22) Athanasios, *De Incarnatione* 54. Robert W. Thomson 편 (Oxford: Oxford Press, 1971), 268쪽. 시각의 중요성을 강조한 아타나시우스의 견해에 대해서는 Georgia Frank, *The Memory of the Eyes: Pilgrims to Living Saints in*

예수의 육화는 특별한 의미를 가진 것이었으며, 육화를 재현하는 것은 너무나 당연한 것이었다. 869년에 콘스탄티노플에서 개최된 종교회의는 성상논쟁에 종지부를 찍으려는 듯이 다음과 같이 선언했다.

> 우리는 주님의 성상을 숭배하지 않으면 안 되며…… 복음서에 바치는 것과 똑같은 경의를 표하지 않으면 안 된다. 왜냐하면 모두가 복음서한을 통해 구원에 이르듯이 글을 아는 자와 모르는 자 모두가 그림이 주는 회화적인 효과에서 은전(恩典)을 얻기 때문이다…… 따라서 그리스도의 성상에 경의를 표하지 않는다면, 그는 주님이 재림할 때 그 모습을 알아보지 못할 것이다.[23]

이 마지막 구절은 예수가 재림할 때 그 모습을 알아볼 수 있도록 모두가 그를 재현한 성상을 미리 볼 것을 강조하고 있다. 기독교적인 전통에서 언제나 우위에 있는 감각은 청각이었다. 그러나 우리는 여기서 시각이 청각과 대등한 반열에 오른 것, 어쩌면 시각이 청각보다 더 중시된 것에 주목하게 된다. 이는 다마스쿠스의 요안네스가 '육화'를 근거로 하여 모든 감각 가운데 시각을 "가장 고귀한 감각"으로 '신성시'한[24] 데서 이미 예상되었던 것이다. 마침내 성상이 우상이라는 낙인에서 구원된 것이다.

Christian Late Antiquity (Berkeley: U of California Press, 2000), 110~111쪽을 참조할 것.

23) Hans Betting, *Likeness and Presence: A History of the Image before the Era of Art*, Edmund Jephcott 역 (Chicago: U of Chicago Press, 1994), 150쪽에서 재인용.

24) Saint John of Damascus, 앞의 책, 25쪽.

빛으로부터의 빛

성상파괴의 논리적 근거가된 『구약』의 우상에 대한 여러 경고를 통해 알 수 있듯이 『구약』은 시각에 대해 적대적인 전통을 보여준다. 『구약』의 신 여호와가 모세에게 준 두번째 계명은 "너를 위해 새긴 우상을 만들지 말고, 위로 하늘에 있는 것이나 아래로 땅에 있는 것이나 땅 아래 물 속에 있는 것의 아무 형상도 만들지 말라"(「출애굽기」 20.4)는 경고였다. 이 경고는 「신명기」 제4장 제15~18절에서도 반복된다. 『구약』을 통틀어 거의 모든 선지자가 이미지를 우상과 결부시켰고, 이에 대한 숭배를 통렬하게 비난했다. 「열왕기하」 제10장 제30절에서 여호와는 우상, 즉 이미지를 숭배하는 바알의 사제들을 살해했던 예후를 칭찬했다.[25] 시각 매체인 이미지가 금지된 것은 모든 구상예술(representative art)도 금지된 것을 뜻한다. 일찍이 구상예술을 금지했던 문화란 없었다. 일신교 문화는 "전혀 이미지를 가지지 않으며, 어떠한 표상적 이미지나 신성의 이미지도 가지지 않는다"[26]는 주장과, "예언적 일신론은 예술에 적대적이며, 필연적으로 예술에 모순적이다"라는 주장[27] 모두 구상예술 자체를 금지한 유대교의 전통을 잘 설명해준다. 문학과 음악예술을 선호하고, 회화, 조각, 건축 등의 구상예술을 폄하하는 것도 어쩌면 '시각의 유혹'에 저항함으로써 그들의 일신론을 견지하고자 하는 유대인들의 '역사적' 몸부림일 것이다.[28]

---

25) 이미지에 대한 부정적인 평가와 경고는 이 밖에 도처에 있다. 가령 「호세아」 8.4; 「예레미야」 10.4; 「이사야」 2.20; 「민수기」 33.52 등.

26) David Freedberg, *The Power of Images: Studies in the History and Theory of Response* (Chicago: U of Chicago Press, 1989), 54쪽.

27) Hermann Cohn, *Religion of Reason out of the Sources of Judaism*, Simon Kaplan 역 (Atlanta: Scholar's Press, 1995), 53쪽.

28) Hermann Cohn, 같은 책, 346쪽. 한편 유대인은 성상에 적대적이라는 전통적 견해에 도전하는, 즉 근대 이전의 유대교의 문화는 성상에 적대적이 아니었음을

이미지가 눈, 곧 시각의 매체라면, 말은 귀, 곧 청각의 매체다. 유대인들의 성서인 『구약』은 무엇보다도 '말씀'을 강조한다. 「창세기」 제1장에는 "주(여호와)께서 말씀하시기를"이라는 구절이 각 절의 첫머리마다 등장한다. 가령 "빛이 있어라 말씀하시자 빛이 있었던" 것처럼(「창세기」 1.3), 신의 말씀을 통해 만물이 창조되었고, 그가 빛과 어둠을 구별하여 빛을 낮, 어둠을 밤이라 칭하자 아침이 되고 밤이 되었듯이(「창세기」 1.4~5), 그가 이름을 부여함으로써 만물은 존재로서의 실체를 가지게 되었다. 여기서 '이름'은 바로 존재의 전제조건이 된다.

고대 근동에서 이름이 없다는 것은 존재하지 않음을 가리킨다. 창조 이전의 상태를 이집트의 한 창조신화는 "어떤 것도 이름을 가지지 않았을 때"라고 표현했고, 메소포타미아의 창조신화는 "위로는 하늘에 이름이 붙여지지 않았고, 아래로는 땅에 이름이 붙여지지 않았을 때……"라고 표현했다. 창조와 이름을 짓는 것과는 불가분의 관계일 뿐만 아니라 이름을 부여한 자는 작명한 생물이나 물건을 지배했다."[29]

이처럼 창조는 목소리로 이루어진다. 신이 별들에게 이름을 부여했듯이 아담은 동물들에게 이름을 부여함으로써 그들을 지배하는 힘을 얻게 되었다(「창세기」 2.19~20; 「시편」 147.4). 이처럼 『구약』에서 말은 창조의 원리로 부각되며,[30] 『구약』의 여호와는 '말씀'이기도 하다. 그는 '보이는' 존재가 아니라 '들리는' 존재다. '들리는' 존재이기 때문에 그를 본

강력하게 주장하는 학자도 있다. 특히 Kalman P. Bland, *The Artless Jew: Medieval and Modern Affirmations and Denials of the Visual* (Princeton: Princeton UP, 2000)을 볼 것.

29) 배철현 역주, 「타르굼 옹켈로스 창세기」 (서울: 한남성서연구소, 2001), 115쪽 (주11).

30) 「시편」 33.6. "신의 말씀으로 하늘이 이루어졌고, 그 많은 형상이 그 입의 기운으로 이루어졌다." 그리고 「이사야」 55.1을 참조할 것.

사람이 아무도 없으며, 보았다 하더라도 신을 보았기 때문에 죽음을 면할 수 없다.[31]

그런데 여호와는 모세에게만은 모습을 보여주었다고 전해진다. 여호와가 아론과 미리암에게 나타나 "그(모세)는 나의 형상을 보게 될 것이다"라고 말한 뒤(「민수기」 12.8), 모세에게 나타나 직접 말씀을 전했던 것이다. 아브라함에게 나타났던 모습대로(「창세기」 제18장 이하) 천사의 모습을 한 채 모세에게 나타나 음식을 먹고 걸어다니고 대화를 나누었을지도 모른다. 아니면 에스겔에게 나타났던 모습대로(「에스겔」 1.26 이하) 사람의 형상을 하고 광채를 발하는 장엄한 자태로 모세에게 나타났을지도 모른다. 「출애굽기」 제34장 제5절에는 그가 영광의 구름 속에서 내려와 모세를 대면했다고 기록되어 있다. 모세는 여호와의 말을 직접 뚜렷하게 들었는데도 신의 얼굴을 직접 볼 수는 없었다. 여호와가 모세에게 "네가 내 얼굴을 보지 못하리니 나를 보고는 살 자가 없음이니라", "네가 내 등을 볼 것이요. 얼굴은 보지 못하리라"(「출애굽기」 33.18~23)고 단언했기 때문이다.

『구약』의 신은 인간에게 창조자의 가장 내면적인 모습인 '얼굴'을 결코 허용하지 않는다. 그가 허용한 것은 다가갈 수 없는 저 위쪽의 피안에서 들려오는 목소리뿐이다. 그의 목소리만 허용되기에 그를 본 자는 아무도 살아남지 못한다. 헤겔이 주장한 것처럼, 유대인들에게 신이라는 존재는 "언제나 그들 밖에 있는, 언제나 그들에게 보이지 않는, 그리고 언제나 그들에게 느껴지지 않는 존재"[32]다. 말하자면 전적으로 초월적이고, 전적으로 외적인 '타자'다. 그는 욥을 애타게 하고 분노하게 하고 절망하게 했던 '초월적 로고스'다. 그의 얼굴을 볼 수 없기에 그는 재현할 수 없는 '말씀' 그 자체다. 말씀 자체로서 '초월적 로고스'는 『신약』으로

---

31) 「출애굽기」 34.20; 「미가」 6.8; 「사사기」 13.22; 「요한복음」 1.18.
32) G. W. F. Hegel, *Early Theological Writings*, T. M. Knox 역 (Philadelphia: U of Pennsylvania Press, 1971), 193쪽.

이어져 「요한복음」 제1장 제1절은 "태초에 말씀이 있었으며, 이 말씀은 신과 함께 있었고, 이 말씀이 곧 신이다"라고 되어 있다. 이어서 이 복음서는 이 신을 예수라고 규정했다. 그리하여 예수는 말씀 그 자체가 된다. 또한 "믿음은 들음에서 비롯되며, 들음은 그리스도의 말씀에서 비롯된다"(「로마서」 10.17)는 구절에서도 알 수 있듯이, 여전히 들음을 강조함으로써 청각에 결정적인 중요성을 부여한다.

이미지에 대한 말의 우위, 다시 말해 눈의 매체인 이미지에 대한 귀의 매체인 말의 우위는, 사실 한 종족의 종교인 유대교를 어떤 의미에서 보편적인 종교로 격상시킨 이슬람교에서 좀더 철저하게 부각된다. 예수가 신의 아들임을 거부하고, 그를 영원한 '아버지'의 유한한 이미지, 사도의 한 사람이나 사제로 인식하는 이슬람교는 예수를 단순히 '신으로부터의 말씀'이라고 정의 내린다.[33] 이처럼 청각, 즉 말씀이 강조된 유대교와 이슬람교에서 기독교의 가장 중요한 핵심인 예수의 '육화'는 별 의미를 가지지 않는다. 유대교와 이슬람교의 근본적인 특징은 인간 존재와 신의 절대적 차이의 인식이며, 이러한 차이의 인식이 성상을 포함한 여러 이미지 금지의 근간을 이룬다. 무한한 것을 재현하는 것은 불가능하기 때문이다.

그러나 기독교는 예수의 육화를 가장 핵심적인 교리로 설정함으로써 그들과 견해를 달리하게 된다.[34] 『신약』의 「요한일서」 제1장 제1절은 "태초부터 있었던 생명의 말씀에 관해 우리는 우리의 귀로 들었고, 우리의 눈으로 보았고…… 우리의 손으로 만졌노라"고 적고 있다. 이는 '말씀'으로서의 예수가 인간에게 육체를 가진 실체로 도래했음을 의미한다.

---

33) 이에 대해서는 Keith Ward, *Religion and Revelation: A Theology of Revelation in the World's Religions* (Oxford: Clarendon Press, 1994), 176~181쪽을 볼 것.
34) 「골로새서」 1.15. "그(예수)는 눈에 보이지 않는 신의 형상(이미지)이다." 그리고 「고린도후서」 4.4. "그리스도는 신의 형상이다."

부활한 예수는 그를 '의심하는' 도마에게 "네 손가락을 이리 내밀어 나의 손을 보라"(「요한복음」 20.27)고 했다. 도마에게 육체의 상처를 보여주었던 예수는 이를 통해 초대 기독교 교부들에게 '육체의 실체', 즉 '육화'를 입증해주었다. 예수의 '육화'는 재현할 수 없는 신, 초월적 로고스의 시각적 재현이다. 따라서 예수는 '들리는' 존재이면서 '보이는' 존재인 것이다. 이는 「요한일서」 제1장 제5절에 있는 "신은 빛"이라는 규정에서 더욱 뚜렷해진다. '신은 빛'이므로 시각을 통해 인지될 수 있고, 그 결과 성상으로 형상화될 수 있는 것이다. 제1차 니케아-콘스탄티노플 공의회 이후 채택된 신조(信條)에서 예수는 '빛으로부터의 빛'으로 일컬어졌다.[35] 성상옹호론자들의 종국적인 승리는 아마도 그들이 초월적 로고스로 나타난 『구약』의 신이 아니라 "세상에 와서 모든 사람에게 비치는", "진정한 빛"(「요한복음」 1.9)으로 규정된 『신약』의 새로운 개념에 더 충실했기 때문일 것이다.

'육화'와 성상

성상파괴운동의 종말과 성상숭배의 부활을 가능하게 했던 예수의 육화, 그것의 본질은 무엇이며, 당시 비잔틴 제국의 성상옹호론자들에게 그것은 어떤 의미를 가진 것이었으며, 그것이 오늘날 우리에게 던져주는 함의는 무엇인가.

예수의 육화, 그것의 진정한 본질은 십자가 위에서 처형당한 그의 죽음에서 찾을 수 있다. 그의 죽음은 '절대적 사랑을 위한 절대적 자기희생'을 표상한다. 그의 육화는 바로 이 '절대적 사랑을 위한 절대적 자기희생'의 구체적 표현에 지나지 않는다. 이리가라이는 기독교인들이 예수육화의 가장 중요한 메시지를 망각했다고 지적한다. 예수는 신의 육화

35) 이에 대해서는 Jaroslav Pelikan, 앞의 책, 114~115쪽을 볼 것.

다. 그녀는 예수가 말씀으로 인간을 치유했던 것이 아니라 그의 '손길'로 치유했음을 상기시킨다. 그의 신성은 곧 그의 육화인 것이다.[36] '신성' (神性)이란 도대체 무엇인가. 인간에게 '절대적 사랑을 위한 절대적 자기 희생'을 보여준 그의 육체적 죽음, 그리고 죽음이 내포한 창조적인 가치들이야말로 곧 '신성'이 아닌가. 저기 위쪽에서 '들려오는' 추상적이고 초월적인 로고스가 여기 아래서 '보이는' 구체적인 프락시스로 현현하는 것이 곧 육화가 아닌가.

많은 종교에서 그러하듯이 기독교 전통에서도 창조 행위는 '분리'의 행위다. 『구약』 제1장 제1~8절에서 알 수 있듯이, 창조 원리로서 여호와의 '말씀'은 분리를 전제로 모든 것을 창조했다. 그의 말씀에 따라 모든 것이 창조되었고, 그의 말씀에 의해 낮과 밤이 분리되었듯 그렇게 모든 것이 나뉘었다. 이스라엘인과 이방인 사이의 분리도 마찬가지다. 그러나 『구약』의 초월적 말씀이 육화의 상징인 빛으로 탈바꿈한 『신약』에서는 빛이 세상을 분리시킨 것이 아니라 통합시킨다. 그리하여 요한은 빛을 모든 사람에게 똑같이 비치는 빛이라 했던 것이다. 물론 요한이 말한 그 빛은 '아가페'의 진정한 표상인 예수[37]를 상징한다. 예수의 거룩한 빛은 어떠한 차별도 없이 모두를 고루 비추는 사랑의 빛인 것이다. 『신곡』의 마지막 편에서 단테가 오랜 여정 끝에 직접 대면하게 된 신의 비전, 그 비전의 중심에 '영원한 빛'으로 일컬어지는 예수의 얼굴이 자리한다. 그 얼굴은 "태양과 다른 모든 별을 움직이는 사랑"으로 인간의 모든 상상력을 압도하지만, 동시에 인간의 모든 욕망과 의지를 움직이는 궁극적인 변화의 힘이기도 하다.[38] 그 얼굴은 '신이 곧 사랑'(「요한일서」 4.8~16)

---

36) Luce Irigaray, *Marine Lover of Friedrich Nietzsche*, Gillian Gill 역 (New York: Columbia UP, 1991), 181쪽.

37) 이에 대해서는 Paul S. Fiddes, *The Creative Suffering of God* (Oxford: Clarendon Press, 1988), 170~173쪽. Peter Carnley, *The Structure of Resurrection Belief* (Oxford: Clarendon Press, 1987), 339~361쪽을 볼 것.

임을 구체적으로 보여주기 위해 '무한한 고통'을 당하는 인간의 모습으로 우리에게 나타난 것이다.

「요한복음」 제13장 제34절에는 그가 우리를 사랑하기 위해 자신을 바친 것처럼 우리도 그렇게 하라는 요청이 기록되어 있다. 예수는 우리에게 '분리'를 하나로 통합시키는 빛과 같은 존재가 되라고 요청한다. 제2장에서 이 땅 위의 "모든 이는 자기가 사랑하는 존재와 똑같은 존재가 된다. 그대가 땅을 사랑하는가? 그대는 땅이 될 것이다. 그대가 신을 사랑하는가? ……그대는 신이 될 것이다"라는 성 아우구스티누스의 전언을 소개했다.[39] 그리고 그가 '신성의 빛'이라고 일컬었던 예수의 빛을 사랑한다면 우리도 '신성의 빛'이 된다고 강조했다. 예수가 인간의 모습으로 이 세상에 온 것은 바로 우리가 그런 빛이 되도록 하기 위함이었다. 그렇기에 그는 우리에게 '궁극적인 변화의 힘을 보여주는 얼굴'을 요청한다. 앞에서 우리는 "우리가 신이 되도록 하기 위해 그(예수)는 인간이 되었다"는 성 아타나시우스의 말을 거론했다. 더 나아가 그는 "그(예수)는 우리가 눈에 보이지 않는 신의 정신을 인식할 수 있도록 인간의 육체를 빌려 나타났다"[40]고 주장했다. 그 '신의 정신'은 다름 아닌 '절대적 사랑을 위한 절대적 자기희생'의 정신이다.

비잔틴인들에게 예수의 성상은 이 육화의 정신을 구현한 것이었으므로 그들의 삶에서 절대적인 것이었다. 성상파괴운동에 대한 그들의 목숨을 건 투쟁은 그것이 구원 문제와 결부되기 때문이다. 예수의 성상은 그가 육화되었음을 뜻하는 상징적인 표상이었으며, 이는 곧 아타나시우스와 아우구스티누스 등이 강조했듯이, 인간도 신적 존재가 될 수 있음을 상징하는 표상이었다. '절대적 사랑을 위한 절대적 자기희생'은 예수의

---

38) Dante Alighieri, *Paradiso*, Allen Mandelbaum 역 (New York: Bantam Book, 1986), Canto XXXIII, 145행 (303쪽).
39) 제2장 주46을 볼 것.
40) Athanasios, 앞의 책, 268쪽.

'아가페' 정신의 본질이며, 그가 십자가에서 죽은 것은 이 정신을 구현한 세계사적 사건이었다. "예수를 기억한다는 것은 그의 십자가를 기억하는 것이다. 왜냐하면 기독교인들에게 십자가는 예수에 대한 기억의 핵심이었기 때문이다."[41] 비잔틴인들에게 예수의 성상을 숭배한다는 것은 십자가에서의 죽음이 구현한 정신을 기억하는 것이었다. 그리고 그들은 그러한 정신을 기억하고 실천한다면 자신들도 신격화되어 구원받을 것이라고 확신했다. 성상은 그들의 이러한 확신을 상기시켜주는 것이었기 때문에 성상파괴는 그들의 믿음을 근저에서 뒤흔든 거대한 도전이었다. 비잔틴인들에게 "성상을 기독교적 삶에서 배제하는 것은 신이 인간이 되었다는 것, 그리고 인간이 신이 될 수 있다는 것을 부인하는 것이었다."[42] 성상은 우상이 아니라 신의 인간화, 인간의 신격화를 표상한 것이었기 때문이다.

오늘날 우리에게 예수의 성상은 비잔틴 제국의 성상논쟁처럼 복합적인 반응, 또는 들뢰즈와 가타리의 용어를 빌리면 '선별적 반응'[43]을 요구한다. 그의 십자가에서의 죽음과 죽음을 재현한 얼굴은 아주 전복적인 성격으로 다가오는데, 이는 그의 얼굴이 지배체제의 권력으로 인해 희생된 신의 얼굴이기 때문이다. 예수가 신의 왕국이 도래할 것이라고 했을 때, 이를 확신한 많은 사람들은 기존의 정치체제가 전복될 것이라고 믿었다.

예수는 당시 유대교의 다른 종교적 지도자들과 많은 공통점을 가지고 있었다. 그런데도 그는 많은 방식에서 그들과 달랐다. 예수를 그들

---

41) Peter Carnley, 앞의 책, 286쪽.
42) Eric D. Perl, 위 글, 40쪽.
43) Giles Deleuze와 Felix Guattari 공저, *A Thousand Plateau: Capitalism and Shizophrenia*, Brian Massumi 역 (Minneapolis: U of Minnesota Press, 1987), 177쪽. 질 들뢰즈/펠릭스 가타리, 『천개의 고원』, 김재인 역 (서울: 새물결, 2001), 339쪽.

과 아주 뚜렷하게 구별시켜주는 점이 있다면, 그것은…… 그가 백성들의 삶에 사회적, 정치적으로 깊이 관여했다는 것이다…….[44]

예수가 당시의 사회적, 정치적 문제에 대해 어떻게 반응했는가 하는 점은 기독교 내에서 가장 첨예한 논쟁을 불러일으킨 문제 가운데 하나다. 그런데 그가 영혼의 구원만을 내세운 지도자가 아니었음은 확실해 보인다. 예수에 관한 연구 가운데 가장 주목받는 저서인 『역사적 예수—지중해 지역의 한 유대인 농민』[45]과 『예수—혁명적 전기(傳記)』에서 크로산은 C.E. 30~150년 사이의 정경(正經) 안의 복음서들과 정경 밖의 복음서들에서 522번에 걸쳐 언급된 예수에 대한 내용들을 구조적으로 검토한 후, 예수를 지중해 지역의 한 혁명적 유대인 농민으로 부각시켰다.[46]

이 역사적인 예수는 당시 사회의 근본적인 억압 구조에 의문을 제기하고, 지배세력에 대한 비판과 이에 대한 투쟁의 불길을 점화시켰던 모습으로 다가온다. 그가 말하는 앞으로 올 신의 통치는 지상의 삶을 떠난 초월적 세계에 국한된 것이 아니었다. 약소민족의 정복, 학살, 착취와 억압을 전제로 한 로마 제국의 세계화에 대한 팔레스타인 농민들의 숱한 저

---

44) Marcus J. Borg, *Jesus: A New Vision. Spirit, Culture, and the Life of Disciples* (San Francisco: Harper, 1991), 79쪽.

45) John Dominic Crossan, *The Historical Jesus: The Life of a Mediterranean Jewish Peasant* (San Francisco: Harper, 1991); *Jesus: A Revolutionary Biography* (San Francisco: Harper, 1994).

46) 2002년 12월 26일 문화방송 저녁 9시 뉴스에서 최근 이스라엘과 영국의 고고학자들이 1세기경의 이스라엘인들의 유골을 기초로 하여 예수의 얼굴을 컴퓨터 그래픽으로 재현해냈다는 소식이 보도된 바 있다. 이 보도에 따르면 153센티미터의 키, 50킬로그램의 몸무게, 황갈색 피부에 넓고 투박한 얼굴, 툭 튀어나온 코, 그리고 짧은 곱슬머리의 예수는 평범한 농부의 모습을 연상시키는 것으로 전해진다. 이것이 예수의 실제 모습이었는가에 대한 찬반의 논쟁은 계속되고 있지만, 우리는 이를 예수가 농부였다는 것을 암시해주는 또 하나의 사례로 고려할 수 있다.

항운동, 그리고 굶주림과 고통에 가득 찬 백성들의 삶에 침묵과 무관심으로 일관하던 성전의 제사장들과 학자들에 대한 불 같은 분노는 그의 혁명적 성격을 잘 보여준다. 크로산의 주장에 대한 찬반 논쟁은 계속되고 있지만,[47] 예수가 가난과 폭력, 여러 형태의 억압 등 당시의 복합적인 사회, 경제, 정치 상황에 초연하지 않았음은 확실해 보인다. 「마태복음」 제25장 제35절 이하에서 알 수 있듯이 그가 선포한 신의 왕국은 '가난한 자들'을 위한 나라였고, 여기서 우리는 그가 스스로를 가난한 사람들과 동일시함을 알 수 있다.

『신약』에서 가난한 자들을 지칭하는 단어 가운데 가장 흔히 쓰이는 단어는 그리스어 프토코스(ptochos)다. 『신약』 전체를 통해 25번 등장하는 이 단어는 단순히 경제적으로 궁핍한 자들만을 뜻하는 것이 아니다. 프토코스라는 단어는 궁핍한 사람들뿐만이 아니라 문맹인 사람들, 육체적으로나 정신적으로 온전하지 못한 사람들, 아녀자, 세리, 죄인, 창녀까지도 포괄한다.[48]

이처럼 사회적으로 버림받은 천민들, 즉 암하레츠('am h'aretz: 땅의 사람들)가 예수가 지칭한 '가난한 자들'이다. 그가 선포한 신의 왕국은 이들을 위한 나라였던 것이다. 따라서 예수는 당시의 모든 사회, 정치 권력구조와 충돌할 수밖에 없었으며, 현대적인 개념에서 구조나 제도를 언급하지는 않았지만, 그의 비판은 거의 언제나 '집단적'인 대상을 겨냥한 것이었다. 그는 가난한 자들을 억압하는 지배체제 이데올로기로 작용하던 당시 유대교의 율법(가령 안식일 율법), 로마인들의 비호 아래 수탈을

---

47) 이에 대해서는 Michael Welker, "Who is Jesus Christ for us today?" *HTR* 95: 2 (2002), 139~142쪽. 그리고 C. Stephen Evans, *The Historical Christ and the Jesus of Faith: The Incarnational Narrative as History* (Oxford: Clarendon, 1996), 39~40쪽을 볼 것.

48) 이에 대해서는 임철규, 졸고 「해방신학에 대하여」, 『왜 유토피아인가』 (서울: 민음사, 1994), 112~122쪽을 볼 것.

일삼던 부유한 성직 귀족 사두 개인들의 중추기관인 예루살렘 성전체제 등과 함께 정의에 무관심한 바리새인, 가난한 자들과의 부의 공유를 거부하는 부자, 권력을 휘두르는 정치 지배자 모두를 정면으로 비판했다. 그가 죄의 개인적 측면을 무시한 것은 아니었는데도, 그의 일차적 비판은 언제나 집단, 사회, 구조 측면에 집중되었고, 결국 그는 정치선동가라는 죄목으로 죽었다. 그는 일개 정치범으로 십자가 위에서 처형되었다.[49] 예수의 죽음은 십자가 위의 그가 '나사렛 예수 유대인의 왕'(「요한복음」 19.19; 「마가복음」 15.26)으로 호명되었던 것에서 알 수 있듯이 로마 당국에 의한 정치적 처형으로 간주되었다. 항상 '가난한 자들'의 편에 서 있었고, 세리와 죄인의 친구라 불렸던 예수의 삶은 그 자체로 체제전복적인 성격을 띨 수밖에 없었던 것이다.

우리는 십자가에서 처형된 이후 기독교인들이 예수의 얼굴을 기억하고 그의 이름으로 카이사르 상에 대한 경배를 거부했던 것에서 그 전복성을 다시 한 번 확인할 수 있다. 우리는 이를 비잔틴의 성상논쟁에서도 확인할 수 있다. 즉 황제에 대한 성상옹호론자들의 저항은 성상파괴에 대한 저항인 동시에, 성상을 대신한 황제상에 대한 저항이기도 했던 것이다. 예수라는 이 '슈퍼스타'[50]의 얼굴, 십자가에서 처형당한 것으로 기억되는 이 정치, 종교 권력에 의한 희생자의 얼굴은 다른 모든 성상, 모든 권력과 권위의 이미지에 대한 영속적인 도전이 될 수밖에 없었다.[51]

---

49) 당시 십자가 위에서의 처형은 보통 두 범주의 사람들, 즉 체제전복적이고 선동적인 정치범과 상습적으로 도전하는 노예들에게만 한정되었다. Marcus J. Borg, "Why was Jesus killed?", Marcus J. Borg와 N.T. Wright 공저, *The Meaning of Jesus: Two Visions* (New York: HarperSanFrancisco, 1999), 88~89쪽을 볼 것.

50) Giles Deleuze와 Felix Guattari 공저, 앞의 책, 176쪽. 질 들뢰즈/펠릭스 가타리, 앞의 책, 338쪽.

51) David F. Ford, *Self and Salvation: Being Transformed* (Cambridge: Cambridge UP, 1999), 208쪽.

레비나스는 "마치 주인이 나에게 말하는 것처럼, 얼굴의 현상(apparition)에는 어떤 명령이 자리한다"[52]고 토로하지만, 십자가에서 처형당한 예수 얼굴의 현상은 우리에게 다양한 형태의 실천적인 행동을 요구하기에, 그 것은 명령적이면서 전복적인 것이 된다.

예수의 육화를 인정하지 않는 유대교나 이슬람교는 성상의 존재이유 자체를 거부한다. 그들에게 예수의 성상은 또 하나의 우상에 지나지 않는다. 유대교와 이슬람교와 같은 일신교적인 입장에서 볼 때, 성상은 신에 대한 도전의 한 형태이므로 철저한 배척의 대상이 될 수밖에 없으며, 이는 기독교 이외의 다른 종교의 이미지에 대해서도 마찬가지다. 그리고 여기서 유대교와 이슬람교의 배타성이 나온다. 다양한 성상의 존재가 허용되는 종교에서는 존재할 수 없는 배타성이다. 다수의 신과 다양한 종류의 성상이 존재하는 불교나 힌두교의 경우 배타성은 존재하지 않는다.

그러나 기독교는 이 사이에서 딜레마에 빠지게 된다. 그것이 근간으로 삼는 일신론과 기독교의 정수라 할 수 있는 '육화'의 교리가 서로를 위태롭게 하기 때문이다. 그러나 바로 이러한 모순이 역설적으로 기독교를 살아 있게 한다. 지젝이 지적하듯이 "기독교는 '모든 다른 성상을 말소하는 궁극적 성상', 말하자면 고통받는 그리스도의 성상을 도입함으로써 일종의 '종합'을 성취한다."[53]

사실 불교나 힌두교도 '말씀'을 강조한다는 점에서는 유대교, 이슬람교와 일치한다. 불교에서 강조하는 것은 이른바 '말씀'에 해당되는 '법신'(法身)이지 '육신'(肉身)이 아니기 때문이다. '법신'이 곧 '육신'이라는 '불이문(不二門)의 교리'가 강조된다 하더라도 이 교리가 현실이라는 '고통'의 세계에서 통용되기에는 너무나 고차원적인 관념의 놀이에 그치고 만다. 불교에는 기독교가 '해방신학'의 경우에서 보여준 '실천의 신학'과

---

52) Emanuel Levinas, *Éthique et infini: dialogues avec Philippe Nemo* (Paris: Fayard, 1982), 93쪽. 방점은 필자가 한 것임.
53) Slavoj Žižek, *On Belief* (London: Routledge, 2001), 131쪽.

같은 이념이 본질적으로 존재하지 않기 때문이다. 모든 종교가 본질적으로 관념적일 수밖에 없는 것은 '저기 위쪽'에서 '들리는' 말씀에 근거하기 때문이다. '보이지 않는' 목소리는 볼 수 없음으로 인해 항상 신비 그 자체로 남으며, 인간들을 끝없이 목마르게 한다. 이러한 갈증의 고리를 끊었던 것이 바로 예수의 '육화'이며, '육화'의 정신이 극명하게 표출된 것이 십자가 위에서의 죽음이다. 이 죽음으로 종교는 추상적인 관념의 틀을 깨고 역사라는 실천의 '바다'로 뛰어들게 되었다. "그 속에서 우리가 난파당하고 마는 바다"와 같은 역사[54]의 한가운데서 '육화'는 마침내 우리의 눈앞에 '신성의 빛'을 쏟으면서 종교의 본질을 구체화하고 있다. '신성의 빛'은 '저기 위쪽'의 '보이지 않는' 목소리의 실체를 보고자 갈망하는 인간들의, 눈들의 처절하고도 강렬한 울부짖음에 대한 시각적인 응답이다. 예수의 성상은 눈이 확인한 육화의 실체를 다시 확인해주는 눈의 매체나 다를 바 없다.

---

54) Norman O. Brown, *Apocalypse and/or Metamorphosis* (Berkeley: U of California Press, 1991), 161쪽.

5 낭만주의, 리얼리즘, 모더니즘 그리고 포스트모더니즘

서구 문학과 예술의 기본원리를 눈과의 관계를 통해 규정해보고자 할 때, 낭만주의가 눈에 대한 부정이라면 리얼리즘은 눈에 대한 긍정, 모더니즘이 눈에 대한 회의(懷疑)라면 포스트모더니즘은 눈에 대한 절망이라고 할 수 있을 것이다. 시각은 서구의 사유를 특징짓는 대표적인 감각이다. 월터 J. 옹은 다음과 같이 지적한다.

　다양한 감각들을 이용하는 데, 그리고 그 감각들을 개념적 장치에 연관시키는 방식에서 각각의 문화는 매우 상이한 방식을 보여준다. 잘 알려진 대로 고대 히브리인들과 그리스인들이 청각에 부여한 가치는 매우 상이했다. 히브리인들은 이해(理解)를 청각을 통해 얻는 것으로 생각했던 반면에, 그리스인들은 시각을 통해 얻을 수 있는 것으로 생각했다.[1]

　'청각'이 '진리'에 대한 지배적 비유로 등장한 히브리적 전통과 달리 서구 철학에서는 '시각'이 지배적인 비유로 등장한다는 주장[2]은 서구 철학이 그리스의 시각중심적인 전통을 계승함을 말해준다. 이러한 철학적 전통 내에서 그것의 시각중심적인 사유에 대한 최초의 문제 제기는 20세기에 이르러서야 나타난다. 20세기에 특히 일군의 프랑스 철학가들을 중심으로 전개된 시각중심적인 사유에 대한 거부와 도전의 움직임은 서구 철학의 시각중심주의에 던져진 최초의 의문이었다.[3] 그러나 좀더 엄격한 의미에서 말하자면, 시각중심의 서구 사유에 대해 처음으로, 그

---

1) Walter J. Ong, *The Presence of the Word: Some Prolegomena for Cultural and Religious History* (Minneapolis: U of Minnesota Press, 1981), 3쪽.
2) Hannah Arendt, *The Life of Mind: One-Volume Edition* (New York: Harcourt Brace Jovanovich, 1979), 119쪽.
3) 이에 대한 본격적인 연구는 Martin Jay, *Downcast Eyes: The Denigration of Vision in Twentieth-Century French Thought* (Berkeley: U of California Press, 1993)에서 이루어진다.

것도 대대적인 방식으로 의문을 제기하고 도전했던 것은 문학에서 비롯된 낭만주의다.

따라서 시각과 관련하여 서구 문학사나 예술사를 고찰해보고자 할 때, 낭만주의는 그것이 가진 전환점으로서의 가치를 통해 가장 적절한 출발점을 제공한 것으로 보인다. 하지만 낭만주의가 왜 전환점으로서 가치를 가지는지를 이해하기 위해서는 낭만주의에 이르는 과정을 설명해야 할 것이다. 물론 그것의 출발점은 고대 그리스다.

눈을 통해 본 낭만주의 전사(前史)

고대 그리스·로마

고대 그리스는 "이미지들의 문화"[4]라는 표현에서 알 수 있듯이 시각예술의 요람지였다. 구상예술인 조각, 특히 남성의 건장한 나신을 재현한 조각의 발달, 시각예술 최고의 형식인 연극의 발달, 과학에서 광학과 기하학에 대한 강조, 그리고 '보이는' 모든 것에 대한 철학적 물음 등등의 여러 현상은 그리스인들의 사유가 무엇보다도 시각에 근거함을 보여준 실례다. 그러나 이보다 더 우리의 관심을 끄는 것은 고대 그리스 문화를 지배했던 이른바 '수치의 문화'다.

E. R. 도즈가 처음으로 사용한 '수치의 문화'라는 표현은 호메로스의 서사시 『일리아스』의 세계를 특징짓는 용어다.[5] 루카치가 "시작도 없고

---

4) James Whitley, *The Archaeology of Ancient Greece* (Cambridge: Cambridge UP, 2001), 195쪽.

5) E. R. Dodds, *The Greeks and the Irrational* (Berkeley: U of California Press, 1951), 17~18쪽, 28쪽 이하. 에릭 R. 도즈, 『그리스인들과 비이성적인 것』, 주은영, 양호영 공역 (서울: 까치, 2002), 32쪽, 33쪽 이하. 죄의 문화가 부모의 또는 공적인 사회적 시선이나 윤리적 기준을 내면화하고 이에 맞추어 살고자 한 문화라면, 호메로스 시대를 포함하여 고대 그리스 사회 전체를 죄의 문화가 지배한 시대로 보아야 한다고 주장하는 학자들도 있다. 죄의 문화라는 기준으로 호

끝도 없다"[6]고 지적한 대로 『일리아스』의 내러티브 자체는 별로 중요하지 않다. 왜냐하면 트로이 전쟁은 좀더 중요하고 거룩한 것, 즉 아킬레우스의 운명적인 삶이 펼쳐지는 배경에 지나지 않기 때문이다. 이 서사시의 주인공은 그 시대의 주요한 문화적 이상, 곧 영웅적 삶을 표상한다. 호메로스가 전하는 영웅시대의 주인공들은 언제나 엄청난 역설과 대면하게 되는데, 그것은 영광과 명예의 추구가 반드시 전투에서 죽음을 전제로 한다는 것이다. 이것은 아킬레우스가 당면한 딜레마이기도 했다. 영웅적인 주인공은 전투에서 죽을 수밖에 없다. 그러나 그의 죽음은 그가 전투에서 이룬 업적을 통해 칭송받고 이를 통해 그는 영광과 명예라는 보상, 즉 영원히 죽지 않는 일종의 불멸을 얻게 된다. 『일리아스』에서 사르페돈은 '우리가 죽지 않는다면?'이라고 묻는다. 그렇다면 우리는 영광과 명예를 추구하려 하지 않을 것이다. 전투에서 고귀한 가치들을 구성하는 것은 바로 영웅들의 운명인 죽음 그 자체다(XII. 310~328). 아무도 죽지 않는 세계에서 영웅적인 가치는 존재할 수 없으며, 영웅시대는 바로 영웅들의 죽음을 담보로 하는 고귀한 가치를 요구한 시대였다.

예거는 모든 문화가 이와 같은 일종의 귀족주의적 이상과 더불어 출발한다고 지적했지만,[7] 호메로스가 쓴 『일리아스』의 시대는 가히 영웅시대의 전형이라 할 만하다. 이러한 호메로스의 세계에서 인간의 최고 선은 티메(time), 즉 사회적 존경을 얻는 데 있었다. 아킬레우스의 삶도 이 티메의 추구로 규정될 수 있다. 호메로스의 주인공들에게 가장 중요한 것은 신에 대한 두려움이 아니라 사회가 그들의 행위를 어떻게 규정

메로스 시대와 고대 그리스를 구분할 수는 없으며, 그것은 구분의 문제가 아니라 정도의 문제라는 것이다. 이에 관한 그리고 두 문화에 관한 포괄적 논의에 대해서는 Douglas L. Cairns, *Aidōs: The Psychology and Shame in Ancient Greek Literature* (Oxford: Clarendon Press, 1993), 27~47쪽을 볼 것.

6) 루카치, 『소설의 이론』, 반성완 역 (서울: 심설당, 1985), 69쪽.

7) Werner Jaeger, *Paideia: The Ideals of Greek Culture*, Gilbert Highet 역 (New York: Oxford UP, 1970), I: 57쪽.

하고 평가하는가였다. 그들의 내면에서 들려오는 양심의 목소리가 그들의 행위를 지배한 것이 아니라 타인의 시선, 즉 "공적인 눈"[8]이 그것을 지배했던 것이다. 타인의 공적인 눈에 부끄럽지 않은 삶, 수치 없는 삶이 호메로스의 주인공들이 갈구한 영웅적인 삶이었다. 호메로스 시대에 수치의 문화가 추구한 도덕적 윤리는 '자기'라는 관념이 확고하게 뿌리내린 그리스 비극, 특히 에우리피데스가 쓴 『메데이아』의 경우처럼, 비극적 주인공의 목소리가 강하게 대두된 고전주의 시대에도 여전히 통용되던, 어떤 의미에서 그리스 문화 전체를 관통하는 지배적인 규범이었다. 타인의 시선을 무엇보다도 중시했던 그리스인들의 삶의 에토스는 이처럼 시각적인 것에 터하고 있었다.

베르낭에 따르면 첫째 고대 그리스인들에게 "인간의 본성은 어떤 의미에서 본다는 것 그 자체였다."[9] 제1장에서 지적한 대로 그들에게 본다는 것과 안다는 것은 같은 것이었다. 둘째 "본다는 것과 산다는 것도 같은 것이었다." 살아 있다는 것은 타인의 눈, 시선의 대상이 되는 동시에 "태양, 바로 그 빛을 바라본다는 것"이었다. 죽는다는 것은 "볼 수 있는 능력을 상실한다는 것"을 뜻하기 때문이었다.[10] 호메로스는 이미 보는 것을 땅 위에 존재하는 것과 동일시했다(『오디세이아』 XIV.44). 고대 그리스에서 죽은 자는 그가 보지 못하기 때문에 지하의 하데스 신과 하나가 되는 것으로 여

---

8) Andrew Stewart, *Art, Desire, and the Body in Ancient Greece* (Cambridge: Cambridge UP, 1997), 14쪽.
9) Jean-Pierre Vernant, "Introduction," Jean-Pierre Vernant 편, *The Greeks*, Charles Lambert와 Teresa Lavender Fagan 공역 (Chicago: U of Chicago Press, 1995), 12쪽.
10) Jean-Pierre Vernant, "Introduction," 앞의 책, 12쪽. Charles Segal, "Spectator and Listener," Jean-Pierre Vernant 편, 앞의 책, *The Greeks*, 192쪽. 레지스 드브레, 『이미지의 삶과 죽음』, 정진국 역 (서울: 시각과 언어, 1994), 22쪽: "그리스 사람들에게 산다는 것은, 우리처럼 숨쉰다는 것이 아니라 본다는 것이었고, 죽는다는 것은 시력을 잃는다는 것을 뜻했다. 우리는 '그는 마지막 숨'을 거두었다고 말하지만, 그들은 '그는 마지막 눈길'을 거두었다고 말한다."

겨졌고, 사실 고대의 주석자들은 하데스를 '보지 못하는 자'(a-idēs)[11] 또는 "눈에 보이지 않는 자들을 위한 장소"[12]로 해석했다. 인식은 보아야만 가능하기 때문에 볼 수 있는 자만이 인식의 주체가 될 수 있다.

소포클레스의 『오이디푸스 왕』은 인간의 눈, 그것의 궁극적인 한계를 적나라하게 보여준 작품인 동시에(『오이디푸스 왕』은 제7장에서 따로 다룰 것이다), 본다는 것이 인식과 지식의 근원 또는 지식 자체임을 보여준 작품이다. 플라톤은 『파이드로스』에서 "모든 인간의 영혼은 저마다 대(문자) '존재'를 바라보는 구경꾼(tetheatai onta)"이라고 적고 있다(249E). 그에게 인간의 눈은 욕망의 근원인 동시에 대존재, 즉 절대진리인 이데아를 '바라보는' 지식의 근원인 것이다. 데모크리토스의 지적대로 철학은 시작에서부터 신플라톤주의에 이르기까지 천상의 신비를 '올려다보고', '깊은 곳에' 숨겨진 무언가를 지각하는 작업이었다. 아낙시만드로스에서부터 아낙사고라스와 데모크리토스에 이르는 기원전 6세기~기원전 5세기의 이오니아 학파의 철학자들에게도 세계는 하나의 스펙터클, 이성의 체계적인 적용을 통해 이해되는 어떤 질서의 광경이었다.[13]

이렇듯 고대 그리스인들에게 '본다는 것'은 인간이 세계를 이해하는 데 가장 중요한 능력이므로, 그들은 모든 감각 가운데 시각에 최고의 가치를 부여했던 것이다. 감각을 불신하는 플라톤조차 『티마이오스』의 마지막 부분에서 시각을 감각 가운데 가장 고귀한 감각이라 칭하면서(47A~C), 자연계에 대한 가장 명확한 지식은 시각에서 나오며, 인간은 시각을 통해 제반 지식과 지혜를 얻는다고 했다. 플라톤은 또한 눈이 "모든 감각기관 가운데 태양을 가장 많이 닮았다"고 했다(『국가』 508B). 그

---

11) Deborah Tarn Steiner, *Images in Mind: Statues in Archaic and Classical Greek Literature and Thought* (Princeton: Princeton UP, 2001), 150쪽.
12) Rush Rehm, *The Place of Space: Spatial Transformation in Greek Tragedy* (Princeton: Princeton UP, 2002), 3쪽. 그리고 298쪽(주18)을 볼 것.
13) Charles Segal, 위 글, 192쪽.

에게 '빛의 원천'인 태양은 '선'의 이데아와 결부되었으므로, 그러한 태양을 가장 많이 닮은 눈은 '선'의 이데아를 지향하는 신적 속성을 내포한 것으로 평가되었다. 아리스토텔레스도 시각을 고도로 발전된 최고의 감각이라고 했다. 그에 따르면 최고의 자리에 시각이 있고, 청각, 후각, 미각, 촉각이 그 뒤를 잇는다. 이따금 청각이나 촉각을 최고의 감각으로 평가하는 등 혼란된 모습을 보이기도 하지만(『감각에 관하여』 I.437A 3 이하), 이성적 능력이나 인식능력에서는 시각이 모든 감각 가운데 최고의 감각이라고 평가함으로써 기존의 일관성을 유지한다(『형이상학』 80A). 철학자 헤라클레이토스도 일찍이 눈을 "귀보다 더 정확한 증인"[14]이라고 했는데, 이를 서구 전통에 대한 정확한 공식화로 간주할 수 있을 것이다. 그러므로 시각을 토대로 했던 그리스인들의 철학적 사유와 문화가 그후 서구 사회의 모태가 되었다고 할 때, 그들이 남긴 최고의 유산은 이성적 사유와 담론이 될 것이다.

이른바 '합리주의'라는 용어는 소크라테스 이래 유럽을 지배한 어떤 사유의 유형을 일컫는 말인데, 여기에는 소크라테스의 가르침이기도 한 다음과 같은 세 가지 주장이 담겨 있다. 첫째, 이성(그리스인들이 이성적 담론, 로고스라고 일컬었던 것)은 진리의 도구다. 둘째, 이성은 현실(실재)의 본질적인 특성이다. 셋째, 이성은 개개인을 구원하는 수단이다. 고대 그리스인들에게 드넓은 우주와 인간의 삶을 주도하는 원리가 '로고스'였다는 통설에 대해, 도즈는 특히 에우리피데스의 비극작품들, 가령 『메데이아』, 『히폴리투스』, 『바커스 여신도들』 등에 대한 분석을 통해 그것이 '파토스'였다는 것을 설득력 있게 제시했다.[15] 하지만 고대 그리스인

---

14) Hans Blumenberg, "Light as a Metaphor for Truth: At the Preliminary Stage of Philosophical Concept of Formation," David Michael Levin 편, *Modernity and the Hegemony of Vision* (Berkeley: U of California Press, 1993), 46쪽에서 재인용.
15) E. R. Dodds, 앞의 책, 특히 186~187쪽. 에릭 R. 도즈, 앞의 책, 141~142쪽.

들의 위대한 유산인 로고스라는 이성적 능력 또는 담론이 그들이 최고의 가치를 부여했던 경험적이고 구체적인 시각을 통한 실증적이고 투명한 사유의 결과였다는 점에 대해서는 이견이 필요하지 않을 것이다. 니체가 「소크라테스와 비극」이라는 글에서 소크라테스에 대해, 비극을 종언시킨 자일 뿐만 아니라 "과학의 사자(使者)"[16]라 일컬었던 것도 이러한 각도에서 이해되어야 할 것이다.

로마는 가히 그리스의 적자라 할 만하다. 우선 종교적인 면에서 그들은 그리스의 다신교를 거의 그대로 전승했는데, 이는 구상예술의 번성으로 이어졌다. 제4장에서 논의했듯이 일신교적 문화가 귀의 매체인 '말씀'과 이것의 표상인 음악, 서정시를 권장하고 눈의 매체인 성상 등의 구상예술을 배척하는 반면, 다신교적 문화는 시각중심적인 구상예술의 번성을 보여준다. 이처럼 로마가 시각중심적인 문화를 이룬 것이 그리스의 다신교적 종교와 조각, 건축, 회화 등의 다양한 구상예술의 영향이었던 것과 마찬가지로, 루크레티우스를 비롯한 로마의 철학자들이 시각을 최고의 감각으로 규정한 것도 그리스적 사유의 영향에 따른 것이었다. 신전을 비롯하여 바실리카, 웅장한 건축건물, 검투사들의 피가 난무하던 원형극장 등은 로마 제국이 '스펙터클 문화'의 표상, 시각중심적인 문화의 전형임을 보여준다.

로마의 원형극장은 때때로 대지에 발을 붙이고 하늘을 응시하는 '거대한 눈'에 비유되었고, 거기서 벌어지던 검투는 검투사들이 바로 그 '거대한 눈' 앞에서 그들의 존재가치를 부각시키는 수단이었다. 로마인들은 용기나 미덕을 육체적인 힘, 정력이나 강인하고 격렬한 행동과 결부시켰다.[17] 그들은 이러한 모델을 검투사들에게서 찾았던 것이다. 검투사들은

---

16) Friedrich Nietzsche, *Sämtliche Werke: Kritische Studienausgabe*, Giorgio Colli와 Mazzino Montinari 공편 (Munich: Deutscher Taschenbuchverlag, 1980), I: 545쪽.

관중의 수많은 눈 그리고 원형극장이라는 '거대한 눈' 앞에서 싸워야 했고, 그것을 통해 그들의 존재를 평가받고 명예를 확인했다. 로마인들은 그들에게 가장 중요한 것들 가운데 하나였던 명예, 그것의 전형을 검투사에게서 발견했던 것이다. "고대 로마인들, 특히 공화정 시기의 로마인들을 압도했던 것은 무사(武士)문화의 가치였다"[18]는 주장이 나온 것도 무리가 아니다. 그들은 호메로스 시대, 즉 '수치의 문화' 시대에 활약하던 영웅들의 경우처럼 다른 사람들이 자신들의 행동을 어떻게 보는가를 그들의 용기와 명예를 평가한 기준으로 삼았다. 로마의 장군 베스파시아누스가 "절망보다 더 무서운 것은 아무것도 없다"[19]고 말한 것은, 그가 '골수에 불이 날' 정도로 용감하게 전투에 임해도 그의 행동이 정당하게 평가받지 못할 수도 있다는 절망적인 두려움을 토로한 것이다.[20] 로마의 지배계급이 일반 사람들과 달리 '귀족'의 특권을 누린 것은 귀족계급이라는 출신 때문만이 아니었다. 그것은 국가에 많은 공헌을 했기 때문이다. 그들은 호메로스의 영웅시대의 주인공들처럼 명성, 즉 국가에 공헌한 그들의 업적이 세인들의 기억에 남아 그들의 존재가 영원히 기억될 일종의 불멸성을 추구했다. 그 명성은 다름 아닌 남성다운 용기(virtus)를 기반으로 하고 있었다.[21]

로마인들에게 존재한다는 것은 다른 사람들에게 '보인다는 것'이었다. 키케로는 시칠리아와 킬리키아에서 복무한 것을 후회했다. 왜냐하면 바

---

17) Carlin A. Barton, *Roman Honor: The Fire in the Bones* (Berkeley: U of California Press, 2001), 42쪽을 볼 것.

18) Carlin A. Barton, 같은 책, 13쪽.

19) Carlin A. Barton, 같은 책, 53쪽에서 재인용.

20) 고대 로마인들이 명예를 최고의 덕목으로 삼고 이의 모든 공적 척도가 되는 '수치' 없는 삶에 대해 얼마나 집착했던가에 관해서는 Carlin A. Barton, 같은 책, 18~23쪽을 볼 것.

21) Peter J. Holliday, *The Origins of Roman Historical Commemoration in the Visual Arts* (Cambridge: Cambridge UP, 2002), 3쪽.

로 그로 인해 도시에 있는 많은 사람에게 주목받지 못했기 때문이었다. 호라티우스의 말을 빌리면 그는 "도시 중앙의 대광장과 모든 연단이 주목하는 훌륭한 사람"[22]이 되기를 원했다. 즉 타인에게 주목받는 대상이 되는 것이 로마인들의 존재이유였다.

로마를 대표하는 스토아 철학도 형상이나 본질을 그들의 추구대상으로 삼았던 플라톤이나 아리스토텔레스의 '상층'의 철학과, '심층'을 추구하던 소크라테스 이전의 자연철학과 달리 들뢰즈가 심도 있게 논의한 대로 '표면'의 철학이었다. 스토아 철학자들의 추구 대상은 바로 우리가 살고 있는 세계의 표면, 이 표면의 세계, 즉 우리의 눈으로 지각되고 인식된 대상들, '사건들로 가득 찬' 세계였던 것이다. 플라톤의 '이데아'를 "사물들의 표면에서 발생하는 이차적인 존재로 전락시킴"[23]으로써 스토아 철학은 서구 사유의 중심을 모든 사건과 그 의미의 장소인 표면으로 끌어내렸다. 그리고 이러한 사건과 의미가 펼쳐진 전형적인 장소가 바로 원형극장이었다.

원형극장이라는 표면 세계는 '거대한 눈'이라는 상징적인 명칭이 암시하듯이 '바라봄'과 '보임'의 중심지였고, 이를 통해 용기와 명예가 평가된 장소였던 것이다. 수치스럽지 않을 삶과 행동이 로마 제국의 모든 철학자가 추구한 가장 최고의 덕목 가운데 하나였던 것은 사실이지만, 그중에서도 스토아 학파의 철학자들이 이 덕목의 실천에 가장 철저했던 것 같다. 이는 스토아 학파의 철학자들이 그들의 삶에서 "무사가 되려는 노력을 결코 중단하지 않았다"[24]는 사실을 통해 확인된다. 눈앞에서 일어난 사건과 그것의 의미를 철학적 사유의 대상으로 삼았던 스토아 철학자들은 철학의 칼을 '표면'에서 휘둘렀던 무사다. 표면의 철학을 강조하는

---

22) Horatius, *Epistulae* 1.16.57. Carlin A. Barton, 앞의 책, 58쪽에서 재인용.

23) Gilles Deleuze, *Logique du Sens* (Paris: Les Éditions de Minuit, 1969), 16쪽. 질 들뢰즈, 『의미의 논리』, 이정우 역 (서울: 한길사, 1999), 55쪽.

24) Carlin A. Barton, 앞의 책, 128쪽.

그들에게 이 세계는 시각적일 수밖에 없었다. 그들에게 이 세계는 '바라봄'과 '보임'의 원형극장이었기 때문이다.

중세

중세에는 청각이 시각보다 더 중요한 감각이었다는 것이 통설이다. 그리고 이는 다분히 페브르의 권위에 기인한다. 그는 그의 한 탁월한 저서에서 16세기는 청각과 후각, 촉각이 시각보다 더 발달했던 시기임을 강조하면서, 청각이 16세기의 지각세계라면, 시각은 17세기의 지각세계라고 주장했다.[25] 그는 당시의 시에 나타난 여러 유형의 이미지의 빈도를 근거로 당시의 시는 결코 '시각의 시'가 아니었다고 결론 내린다. 가령 피에르 드 롱사르의 경우에는 키스와 같은 행위도 청각적 요소에 의해 시사된 적이 있다는 것이다. 바르브는 그의 『역사심리학』에서 페브르의 입장을 정리하면서 다음과 같이 말한다.

그렇다고 해서 페브르가 16세기의 사람들이 훌륭한 시각을 가지지 못했다고 생각하는 것은 아니다. 단지 16세기 사람들과 환경의 관계에서 우리가 일반적으로 사용하는 것보다 귀를 더 많이 사용하고 눈을 더 적게 사용했다는 것을 의미할 뿐이다. 16세기의 프랑스 사람들이 '시각의 지체(遲滯)'를 앓고 있다는 페브르의 진단도 이러한 맥락에서다. 더욱이 그는 16세기의 지각세계를 청각의 세계라고 부르면서 이에 대한 증거로 근대 음악의 대두를 언급한다. 16세기의 지각세계와 비교해볼 때 17세기와 20세기의 지각세계는 시각의 세계이며, 현대 과학의 대두는 이 세계와 밀접하게 관련되어 있다.[26]

---

25) Lucien Fevre, *The Problem of Unbelief in the Sixteenth Century: The Religion of Rabelais*, Beatrice Gottlieb 역 (Cambridge/M.A.: Harvard UP, 1982), 432쪽. 뤼시앙 페브르, 『16세기의 무신앙 문제 - 라블레의 종교』, 김응종 역 (서울: 민음사, 1996), 549쪽.

르 고프의 "인공조명이 턱없이 부족했던 이 세계(중세)에서 밤은 위협과 위험들로 가득 차 있었다…… 더욱이 건물 대부분이 목재로 이루어진 세계에서 인공조명은 화재의 원인이 될 수 있었기 때문에 위험하기까지 했다"는 설명과, 성직자들과 영주들이 사용했던 커다란 촉광, 호롱불 같은 "빛은 세력가들의 독점물이었다"[27]는 지적을 감안해볼 때, 우리는 그들이 왜 청각에 더 비중을 둘 수밖에 없었는가를 어렴풋이나마 유추해볼 수 있게 된다.

그러나 이러한 지적들만을 근거로 중세를 반시각적이라고 규정할 수는 없다.[28] 감각 가운데 가장 현혹적인 '눈의 음욕'(『참회록』 X.35)에 대한 성 아우구스티누스의 경계에도 불구하고, 사실 중세 기독교 문화는 눈과 시각에 대해 그리 적대적이지 않았다. 이는 유대교나 이슬람교와 달리 기독교의 가장 핵심적인 교리가 예수의 '육화'였다는 점에서 기인한다. 인간의 몸으로 이 세상에 온 신의 모습을 시각적으로 재현한 것은 너무나 당연한 것이었고, 이로부터 눈의 매체인 성상들이 보편화되었으며, 예식도 유대교의 예배와는 달리 매우 시각적이었다. 글을 모르는 이들에게 성서에 나온 이야기를 알려주고, 성인들과 순교자들의 삶을 보여주기 위해 성상을 위시한 스테인드글라스, 프레스코화, 목판화 등을 널

---

26) 제베데이 바르브, 『역사심리학』, 임철규 역 (서울: 창작과비평사, 1983), 40쪽. 그 밖에 많은 학자들이 중세의 반시각적 경향을 강조했다. 가령 같은 아날 학파의 르 고프가 "르네상스인들과 대조적으로 중세인들은 어떻게 보는가를 알지는 못했지만, 항상 듣고 들었던바 모두를 믿을 준비가 되어 있었다"고 주장할 때 그는 그의 선배 페브르의 입장을 따르고 있다. Jacques Le Goff, *Time, Work, and Culture in the Middle Ages*, Arthur Goldhammer 역 (Chicago: U of Chicago Press, 1980), 91쪽. 그리고 Donald M. Lowe, *History of Bourgeois Perception* (Chicago: U of Chicago Pres, 1982), 24쪽을 볼 것.

27) Jacques Le Goff, *Medieval Civilization*, 400~1500, Julia Barrow 역 (Cambridge: Cambridge UP, 1988), 178쪽.

28) 동의하지 않는 대표적 학자는 Martin Jay와 Michael Camille 등이다. Martin Jay, 앞의 책, 36~43쪽. 그리고 Michael Camille, *Gothic Art: Glorious Visions* (New York: Harry, 1996)를 볼 것.

리 이용했다. 이는 중세에 시각적인 재현이 얼마나 일반적이고 보편적인 것이었는지를 여실히 보여준다.[29]

「요한일서」 제1장 제5절에 나오는 성 요한의 "신은 빛이다"라는 규정 이후 기하학과 광학이론이 신의 섭리를 조명하는 데 이용되었다는 사실도 눈여겨볼 만한 점이다. 중세학자 캐밀에 따르면, 13세기는 감각 재편성의 시기이자 아리스토텔레스의 영향 아래 시각이 가장 강력하고 고귀한 감각으로 자리매김되던 시기였다. 이는 사상가들과 예술가들의 자연관찰에 대한 관심의 증대를 통해, 그리고 종교예식에서 보인 화려한 이미지들의 시각적인 광경을 통해 확인된다.[30] 중세 후반에는 '이미지 폭발'[31]이라는 표현이 통용될 정도로 시각 재현이 폭주한 시기였다는 점을 간과해서는 안 된다. 중세의 사유도 시각적이라는 것을 증명해준 가장 구체적인 사례는 그 시대의 이른바 '궁정풍의 사랑'이 "시각중심적인 담론"[32]으로 규정될 수 있다는 점이다. 연인들끼리 서로 주고받는 사랑의 '시선'들의 내용이 바로 그 '궁정풍의 사랑'의 중심을 이루기 때문이다.

중세인들에게 시각은 실제적인 힘이기도 했다. '악한 눈'이 그들의 가축에게 해를 가하지 않을까 걱정하던 농부들에게도, 눈의 힘은 너무 강하기 때문에 눈은 자국을 남길 만큼 힘이 강하다고 믿었던 토마스 아퀴나스에게도 시각은 실제적인 힘이었다. 그러나 토마스 아퀴나스에게 이런 물리적 힘보다 더 중요한 것은 지적 인식으로서 가지는 시각의 힘이었다. 그에게 본다는 것은 단순한 감각작용을 넘어선 보다 고차원적인 인식작용이었기 때문이다. '눈의 음욕'을 경계했던 성 아우구스티누스에게도 시각은 정신 행위, 영적 빛이 육체적 빛으로 현현하거나 방출된 것

---

29) Martin Jay, 앞의 책, 41쪽.
30) Michael Camille, 앞의 책, 308쪽.
31) Michael Camille, *The Gothic Idol: Ideology and Image-Making in Medieval Art* (Cambridge: Cambridge UP, 1989), 219쪽.
32) Michael Camille, 앞의 책, Gothic Art, 167쪽.

으로 인식되었다.[33] 이러한 점에서 그들은 여전히 플라톤의 후예들이다.

르네상스

'말씀'을 강조하는 성서의 전통에 비추어보면, 중세의 지배적인 감각이 청각이었다는 것은 당연하다. 그러나 우리는 그 시대가 청각적인 만큼이나 시각적임을 주장했다. 특히 중세 후기에 나타난 시각 재현의 폭주는 뒤따른 르네상스 시대의 전주곡으로 이해할 수 있다. 역사학자 호이징가는 "쇠퇴하는 중세 정신의 근본적인 특징 가운데 하나가 시각의 우세인데, 이것은 사유의 감퇴와 밀접하게 결부된 우세다. 사유는 시각 이미지의 형식을 취한다"[34]고 말했다. 르네상스라는 "근대의 시발에는 시각의 적극적 특권화가 수반되었다."[35] 아마도 르네상스 시대를 중세와 구분해주는 가장 특징적인 현상 가운데 하나를 거론해야 한다면, 그것은 바로 그 시대가 전적으로 시각중심적이었다는 사실일 것이다.

이러한 시각의 부상(浮上)은 이미 13세기부터 조짐을 드러내고 있었다. 가령 문서를 사용하여 소식을 전하거나 정보를 알리고 이것들을 보관하는 일이 유행하기 시작했다는 점에서 이를 확인할 수 있다. 교황 인노켄티우스 3세(재위 1198~1216)가 1년에 수천 통의 편지를 보냈던 반면, 교황 보니파키우스 8세(재위 1294~1303)는 5만 통이나 되는 편지를 보냈던 것으로 알려진다. 또한 1220년대 말에 영국의 대법관청이 문서

---

33) Janet Soskice는 그의 "Sight and Vision in Medieval Christian Thought," Michael G. Brennan과 Martin Jay 공편, *Vision in Context: Historical and Contemporary Perspectives on Sight* (New York: Routledge, 1996), 31~32쪽에서 아우구스티누스의 이런 양면성이 감각에 대해 중세기독교가 보여준 '중심적인 양면성'의 선례가 되었음을 지적하고 있다.

34) Johan Huizinga, *The Waning of the Middle Ages*, F. Hopman 역 (New York: Doubleday, 1954), 284쪽; 『중세의 가을』, 최홍숙 역 (서울: 문학과지성사, 1988), 346쪽.

35) Martin Jay, 앞의 책, 69쪽.

들을 봉인하기 위해 1주일 동안 사용한 밀랍의 양은 평균 약 1.6킬로그램이었지만, 1260년대 말에는 약 14.5킬로그램으로 급상승했다.[36] 이는 정보의 통로이자 수단이던 귀가 눈에 자리를 양보하기 시작했다는 것을 보여준다.

14세기에 접어들 무렵에는 과학과 기하학에 대한 관심이 다시 떠올랐다. 단테의 『신곡』을 살펴보면 「천국편」에서 「지옥편」과 「연옥편」에는 나타나지 않던 기하학적 비유가 등장함을 알 수 있다.[37] 중세 지식인들이 수학을 이론적으로 높이 평가하면서도 그것의 실제적인 적용에 대해서는 회의적이었던 반면, 르네상스 지식인들은 수학, 그 가운데 특히 기하학에 대한 높은 관심과 그것의 실제적인 적용에 대해 적극적인 태도를 보였다. 우리는 르네상스 시대의 시각 재현양식을 대표하는 원근화법을 흔히 사실주의적 또는 자연주의적이라고 한다. 여기서 사실주의적이거나 자연주의적이라는 것은 기하학적으로 정확하다는 것을 의미한다.

셰익스피어가 원근화법을 "화가의 최고의 기술"(소네트 28.8)이라고 했을 때의 '최고의 기술'도 기하학적인 정확성을 가리킨 것이었다. 기하학적 비례에 따라 2차원의 평면에 3차원의 공간을 옮겨놓는 원근화법은 르네상스 시대의 과학적 사유가 낳은 독특한 산물이다. 사실 원근화법은 시각경험을 그대로 반영하는 수단이 아니라, 공간을 수학화하고 도식화하는 개념적인 수단이다. 그러므로 그것은 "공간에 대한 우리의 의식을 '외면화'한 것"[38]이다. 원근화법은 회화 대상인 시각의 장(場)을 기하학

---

36) Alfred W. Crosby, *The Measure of Reality: Quantification and Western Society, 1250~1600* (Cambridge: Cambridge UP, 1997), 133쪽.
37) 「천국편」의 제33장과 마지막 장에서 '영원한 빛'인 신을 대면한 단테는 신과 인간의 관계를 간파할 수 있는 자신의 능력을 원을 정사각형으로 만들 수 있는 기하학자의 능력에 비유한다. Dante Alighieri, *The Divine Comedy: Paradiso*, Charles S. Singleton 역 (Princeton: Princeton UP, 1975), 186~187쪽, 376~379쪽.
38) James Elkins, *The Poetics of Perspective* (Ithaca: Cornell UP, 1994), 24쪽.

적 선을 따라 균등하게 배열하고, 인간의 눈높이에서 모든 선이 수렴되는 하나의 소실점을 중심으로 설정함으로써, 그것을 시각 재현의 공간으로 재조직했다는 점에서 "현실 자체가 회화적이라는 개념"[39]을 선도했으며, 르네상스 시대에 시각의 우위에 대한 가장 확실한 근거가 된다. 르네상스 시대는 여러 시각적 도구의 발명을 통해서도 그 시대의 시각적인 특징을 드러냈다.

17세기 초의 망원경과 현미경의 발명, 그 뒤를 이은 굴절망원경의 발명과 그것의 개량, 신기술을 이용한 안경의 개량과 일반화, 인쇄활판의 발명, 정교한 인쇄기구의 발명 등. 이 모든 현상을 통해 우리는 17세기가 분명 푸코가 표현한 대로 "거의 배타적으로 시각에 특권을 부여하던"[40] 시대였음을 알 수 있다.

이러한 견해는 당시 사상가들과 예술가들의 직접적인 주장을 통해서도 확인된다. 비록 타소를 비롯한 몇몇 시인들이 눈이 내뿜는 욕망의 빛을 통해 사랑이 전달된다는 페트라르카의 전통적인 사랑의 토포스와 달리 사랑은 귀를 통해 전달된다고 주장함으로써 청각의 기능을 더 우월한 것으로 평가하고, 화가 티치아노, 신플라톤주의자 피치노 등이 시각과 청각을 동등한 것으로 평가하기도 했지만, "예술사에서 하나의 획기적인 사건"[41]이었던 원근화법에 대해 쓴 책 『회화론』을 집필한 알베르티는 눈을 신과 동일시했다. "시각이 가장 고귀한 감각"[42]이라고 했던 화가 뒤

39) Patrick A. Heelan, *Space-Perception and the Philosophy of Science* (Berkeley: U of California Press, 1983), 102쪽. 그리고 Michael Ann Holly, *Past Looking: Historical Imagination and the Rhetoric of the Image* (Ithaca: Cornell UP, 1996), 85쪽을 볼 것.
40) Michel Foucault, *The Order of Things: An Archaeology of the Human Sciences*, Alan Sheridan 역 (New York: Vintage, 1973), 133쪽.
41) Alfred W. Crosby, 앞의 책, 183쪽.
42) Wolfgang Stechow, *Northern Renaissance Art, 1400~1600: Sources and Documents* (Englewood Cliffs, N.J.: Prentice-Hall, 1966), 111쪽에서 재인용.

러만큼이나 시각을 격찬했던 레오나르도 다 빈치는 이렇게 말했다.

눈은 천문학의 교사다. 그것은 우주지리학을 만들며, 인간의 모든 예술에 대해 충고를 던지고 그것을 바로잡는다. 눈은 사람들을 세계의 여러 곳으로 이끌며, 수학의 왕자다. 눈은 건축, 원근화법과 성화(聖 畵)를 창조했으며 항해술을 발견했다.[43]

그에게는 더 이상 시각의 기만적 속성, '눈의 음욕'에 대한 모든 중세적 경고가 들리지 않는다. 그에게는 그의 눈이 내적 자아와 외부세계를 연결해주는 "영혼의 창문"[44]이기 때문이다.

『위대한 회복』에서 "나는 오직 눈에 대한 믿음만을 받아들인다"[45]고 했던 베이컨(Francis Bacon)이 『신기관』에서는 "첫번째 지위를 가진" 눈 역시 다른 감각들과 마찬가지로 오류를 범할 수 있다고 함으로써 시각의 한계를 시사했지만,[46] 이러한 인식이 그의 시각에 대한 믿음을 철회시켰던 것 같지는 않다.

망원경과 같은 광학기술에 매료되었던 데카르트도 시각을 "감각 가운데 가장 고귀하고 가장 포괄적인 감각"[47]이라고 했다. 시각에 대한 이러

---

43) Samuel Y. Edgerton, Jr., "From Mental Matrix to Mappamundi to Christian Empire: the Heritage of Ptolemaic Cartography in the Renaissance," David Woodward 편, *Art and Cartography: Six Historical Essays* (Chicago: U of Chicago Press, 1987), 15쪽에서 재인용.

44) Leonardo da Vinci, *Treatise on Painting*, A. P. McMahon 편역 (Princeton: Princeton UP, 1956), 30쪽. 앞서 지적한 셰익스피어의 소네트 24에서도 나타나 있듯이 눈이 '영혼의 창문'이라는 모티프는 르네상스 시대에도 보편적인 것이었다.

45) Martin Jay, 앞의 책, 64쪽에서 재인용.

46) Francis Bacon, *Novum Organum*. Joseph Devey 편 (New York: American Dome 1902), 2.31; 212.

47) René Descartes, *Discourse on Method, Optics, Geometry and Meteorology*, Paul J. Olscamp 역 (Indianapolis: Hackett,1965), 65쪽.

한 태도는 『굴절광학』에서도 견지된다. 그러나 이 저서에서 데카르트는 감각경험의 가변성과 경험이 초래한 착각에 대해서도 지적한다. 그에 따르면 "우리의 상상력, 감각, 그 어느 것도 오성의 개입 없이는 우리에게 어떠한 확신을 심어줄 수 없다."[48] 우리가 시각이라 일컫는 것은 대상에 대한 단순한 감각적 경험이 아니라, 우리의 마음 속에 존재하는 상징적인 '재현'[49]이라는 것이다. 이는 이미지들이 감각을 거쳐 마음에 옮겨진다는, 즉 이미지를 토대로 하는 아리스토텔레스의 인식론에 대한 부정이다.

데카르트는 그의 『방법서설』에서 유럽을 여행하면서 보낸 젊은 시절을 회고하면서, 당시 자신은 무대에서 연기하는 배우보다 그것을 지켜보는 관객이 되고 싶었다고 했다. 그는 보기를 원했던 것이다. 그러나 여기서 연극을 보는 데카르트의 눈은 단순히 연극을 볼 수 있는 일종의 도구로서의 물리적인 눈이 아니다. 그것은 연극을 보고 그것의 의미를 읽어내는 내적인 눈이다. 그것은 보이는 것에 의미를 부여하는 능동적인 눈이다. 단순히 보기만 하는 물리적 눈은 내적인 눈, 즉 '보는 영혼'을 위한 가시적 도구, 기계적이고 수동적인 용기(容器)에 불과하다. 따라서 그는 『굴절광학』에서 "보는 것은 눈이 아니라 영혼(정신)"[50]이라고 했다. 라캉이 그의 첫 세미나에서 의식적으로 반복했듯이, 데카르트적 '주체'는 근원적으로 눈이다.[51] 데카르트의 '생각하는 주체'는 곧 '보는 주체'인 것이다. 물론 보는 주체는 사유하는 주체다.

---

48) René Descartes, 같은 책, 31쪽.

49) Richard Rorty, *Philosophy and Mirror of Nature* (Princeton: Princeton UP, 1979), 45쪽.

50) A. C, Crombie, "Expectation, Modelling and Assent in the History of Optics II Kepler and Descartes," *Studies in History and Philosophy of Science*, 22:1 (1991), 112쪽에서 재인용.

51) Jacques Lacan, *The Seminar of Lacan: Book I, Freud's Papers on Technique*, 1953~1954, John Forrester (New York: Norton, 1988), 80쪽: "눈은 흔히 그렇듯이 여기서 주체를 상징하고 있다. 과학 전체가 주체를 눈에 환원시키는 것에 의거하고 있다……."

종교개혁과 반종교개혁

그러나 르네상스 이후의 이러한 시각중심적 사유는 16세기의 종교개혁을 거치면서 커다란 반발에 부딪히게 된다. 루터가 이성을 '악마의 갈보'[52]라고 부른 데서 알 수 있듯이, 종교개혁가들은 이성의 능력에 대해 매우 회의적이었다. 그들에게 신은 이성적 능력으로 파악할 수 있는 존재가 아니었기 때문에 이성의 표상인 시각에 대한 그들의 강한 회의는 일면 당연한 것이었다. 프로테스탄티즘은 귀의 매체인 '말씀'의 종교이기 때문이다. 종교개혁가들은 거의 100여 년 동안 비잔틴 제국을 격심한 내분의 상태로 몰아갔던 성상파괴주의자들과 마찬가지로 성상숭배를 우상숭배와 같은 것으로 간주하고, 크리스테바가 지적하듯이 눈의 매체인 "이미지 그리고 재현형식이나 대상에 반대하는 실제의 전쟁을 시작했다."[53] 교회에 있는 모든 형태를 가진 대상, 심지어 석유 램프까지 '우상'으로 간주하고, 이를 제거하는 이른바 '파괴 의식'[54]을 자행한 이 '실제의 전쟁'은 다름 아닌 이성적 능력의 표상인 눈에 대한 전쟁이었다.

'기념물과 증거'로 간주되는 한 "십자가와…… 성인들의 이미지들과 같은" 종교적 "이미지들은 묵인되어야 한다"고 주장했던[55] 루터, 성서이야기나 역사적 사건들을 묘사한 종교회화는 그것들이 "숭배를 야기하지 않는 한…… 교회 밖에" 배치될 수 있을 것이라고 했던 츠빙글리, 그리고

---

52) Marcus Nordlund, *The Dark Lantern: A Historical Study of Sight in Shakespeare, Webster, and Middleton* (Göpteborg Sweden: Acta Universitatis Gothoburgenesis, 1999), 112쪽을 볼 것.

53) Julia Kristeva, *Black Sun: Depression and Melancholia*, Leon S. Roudiez 역 (New York: Columbia UP, 1989), 121쪽.

54) Lee Palmer Wandel, *Voracious Idols and Violent Hands: Iconoclasm in Reformation Zurich, Strasbourg, and Basel* (Cambridge: Cambridge UP, 1995), 193쪽, 26쪽. 이 저서는 종교개혁 당시의 '성상거부 또는 파괴운동'에 대해 가장 포괄적으로 다룬 대표적 저서 가운데 하나다.

55) Martin Luther, *Luther's Works*, Conrad Bergendoff 역 (Philadelphia: Muhlenberg, 1955~), XL: 88~91쪽을 볼 것.

모세의 두번째 계명은 그것이 숭배대상이 되지 않는 한 신의 이미지를 제외한 다른 이미지를 금지한 것이 아닐 수 있음을 암시했던[56] 칼뱅의 경우에서 알 수 있듯이, 성상이나 시각예술에 대한 그들의 반대는 그것의 성격이나 그 범위에서 다소 차이를 보여준다. 그러나 성상숭배에 대한 그들의 반대는 한결같고 단호했다. 급진적인 입장을 가졌던 츠빙글리와 카를슈타트는 모든 이미지를 우상으로 간주하고, 수많은 성상과 성화, 성모 마리아 상, 심지어 십자가까지 제거하거나 파괴했다.[57] 칼뱅은 첫번째 계명도 두번째 계명과 마찬가지로 신의 이미지뿐만 아니라 모든 이미지를 엄격히 금지하는 것이라고 주장함으로써 그들과 입장을 같이했다. 이 점에서는 루터도 마찬가지였다.

성상숭배 금지에 대한 그들의 확고한 자세는 개혁을 통해 무엇보다도 신의 '말씀'을 충실하게 그리고 올바르게 전하고자 했던 그들의 목적에서 기인한다. 그들에게 교회를 가득 메운 성상들과 성화들, 그리고 그 밖의 여러 시각 재현물은 예배의 순수성을 방해하는 우상들의 난무(亂舞)에 지나지 않았다. 성 아우구스티누스의 '눈의 음욕'에 대한 강력한 비판을 그들의 반시각적 사유의 원천으로 삼았던 그들에게 이 난무는 눈의 음욕적 산물이었던 것이다. 그러므로 그들의 예배형식은 청각적일 수밖에 없었다.

---

56) John Calvin, *Institutes of the Christian Religion*, Henry Beveridge 역 (Grand Rapids, Mich.: Eerdmans, 1989), I: 92~93쪽. 주요 종교개혁자들과 이미지 문제에 대해서는 David Steinmitz, *Calvin in Context* (New York: Oxford UP, 1995), 53~63쪽을 볼 것.

57) 성상에 대해 종교개혁자들이 표명한 강한 불신의 배경뿐 아니라, 특히 성상파괴운동에 가장 급진적이었던 카를슈타트의 견해와 그의 극단주의에 반대하는 루터의 입장에 대해서는 Carlos M. N. Eire, *War against the Idols: The Reformation of Worship from Erasmus to Calvin* (Cambridge: Cambridge UP, 1986), 58~71쪽을 참조할 것.

정의상 종교개혁의 전통은 언어 양식을 중심으로 하는 것이었기 때문에, 시각적인 것은 배제되었다…… 예배의 중심에는 '말씀'이 있었으며, 다른 어떠한 것의 개입도 적절하지 못했다. 후진(後陣), 제단, 건축, 회화, 이 모든 것이 사라지지 않으면 안 되었다. 왜냐하면 거기에는 하나의 중심, 즉 '말씀'이 있었고, 평신도와 성직자 모두 이에 종속되어 있었기 때문이다. 성찬식에는 간단한 친교의 식탁이면 충분했다…… 모두가 오직 듣는 것에 집중했다. 다른 감각—시각, 미각, 후각—은 어떠한 자리도 차지하지 못했다.[58]

종교개혁가들, 특히 시각보다 청각을 높이 평가했던 칼뱅과 칼뱅주의자들의 눈에 대한 부정적인 입장의 기저에는 인간의 눈에 한번도 나타나지 않았기 때문에 재현할 수 없는 신을 시각적으로 재현하려는 인간의 오만에 대한 모세의 경고와 함께 인간의 눈이 지닌 한계를 지적한 성 바울로의 가르침이 깔려 있었다. 우리는 「고린도후서」 제4장 제18절에서 "우리가 보고 있는 것은 보이는 것이 아니요 보이지 않는 것이니, 보이는 것은 잠깐이요 보이지 않는 것이 영원하다"는 유명한 구절을 접할 수 있다. 우리의 눈은 변하지 않는 진정한 실체를 보는 것이 아니라 덧없고 변하기 쉬운 존재나 현실만을 포착하면서도 이를 진정한 실체로 착각한다는 것이다. 이러한 지적을 통해 바울로는 눈의 이성적 능력을 통박한다. 칼뱅은 믿음이 눈을 감게 하고 귀를 뜨게 한다고 했다. 청각만이 구원의 영원성을 담보할 수 있다는 것이다.

종교개혁에 대한 로마 가톨릭 교회의 반격으로 전개된 반종교개혁운동은 성상, 성화 등 시각 이미지의 재현을 다시 강화했다. 그 결과 시각의 권위가 회복되었다. 르네상스 문화를 '환상(phantasma)의 문화'라고

---

58) John Dillenberger, *Images and Relics: Theological Perceptions and Visual Images in Sixteenth-Century Europe* (New York: Oxford UP, 1999), 190쪽. 그리고 Lee Palmer Wandel, 앞의 책, 197쪽을 볼 것

규정하고 그것이 소멸된 원인을 종교개혁에서 찾는 쿨리아노는 종교개혁가들, 특히 제네바 칼뱅주의자들과 런던 청교도들이 "환상적인 것들은 내적 의식이 조작하는 우상에 지나지 않는다"고 믿었기 때문에 "상상적인 것에 대한 전반적 검열을 가했다"[59]고 주장한다. 종교개혁가들이 상상적인 것을 우상숭배적인 것과 같은 것으로 치부함으로써 르네상스 문화를 파괴했다는 쿨리아노의 일면 도발적인 주장은 어떤 면에서 그 도박성만큼의 날카로움을 보여준다.

제4장에서 유대교, 이슬람교와 같은 일신론적 종교문화는 기본적으로 청각적이라는 점을 밝혔다. 말씀에 터한 그들의 종교는 구상예술이 아닌 문학, 특히 시와 음악을 활성화시켰다. 르네상스 시대에 구상예술, 특히 회화, 조각, 연극 등이 돋보인 것은 시각이 당시에 가장 중요한 감각으로 부각되었기 때문이다. 사실 상상의 산물인 우상은 눈이 상상적인 기능을 가지지 않는 한 존재할 수 없으며, 그렇게 조작된 우상을 찬미한 것도 눈이었기 때문이다. 청각 매체인 '말씀'을 배타적으로 강조했던 프로테스탄티즘과 달리 '말씀'과 더불어 시각 매체인 이미지도 중시했던 가톨릭 교회의 반종교개혁과 함께 모습을 드러낸 예술양식, '시각의 광기'[60]로 일컬어지는 '파토스적'이고 현란한 바로크 예술양식이 "가톨릭 교회에 의한 반종교개혁의 독자적 양식"[61]이라 규정된 것도 이러한 맥락에서 이해할 필요가 있다.

가톨릭 교회는 성상, 성화, 십자가 이외에도 화려하고 눈부신 성당, 각종 대회, 축제, 가면, 장관을 이루는 분수 등의 '볼거리'를 통해 '시각문

---

59) Ioan P. Couliano, *Eros and Magic in the Renaissance*, Margaret Cook 역 (Chicago: U of Chicago Press, 1987), 193쪽.
60) Martin Jay, 앞의 책, 47쪽. Jay에 따르면 이 용어는 Maurice Merleau-Ponty에 의해 그의 저서 *The Visible and the Invisible*, Calude Lefort 편, Alphonse Lingis 역 (Evanston, Ill.: Northwestern UP, 1968), 75쪽에서 처음 사용되었다.
61) Michael A. Mullett, *The Catholic Reformation* (London: Routledge, 1999), 196쪽.

화'를 창조했다. 가톨릭 교회가 이처럼 다양한 시각 재현을 중시할 수밖에 없었던 것은 시각 매체인 여러 이미지를 성서의 가르침을 전달하는 수단으로 중시할 수밖에 없었기 때문이고, 「요한일서」의 '신은 빛'이라는 규정을 프로테스탄트보다 더 중요하게 해석하기 때문이다. 우리가 가톨릭 교회의 반종교개혁적인 특징을 시각 복귀에서 찾는 것도 이러한 이유다. 물론 이때의 시각 복귀란 제이가 일컬었던 "과학적 이성의 지배적 시각질서"[62]나 앞서 알베르티, 다 빈치, 데카르트 등이 찬미했던 고귀한 감각으로서의 시각 복귀를 의미하는 것은 아니다. 바로크 예술에서 시각적 재현이란 '과학적 이성의 지배적 시각질서'의 전복이라는 점, 그리고 르네상스 고전주의가 표방했던 기하학적인 규칙성, 수학적 질서의 원칙에서 급진적으로 이탈한 것이라는 점에서 이전의 시각체계에 대한 일종의 도전이라 할 수 있다. 그런데 바로 여기서 그것과 포스트모던한 감수성의 연결고리를 찾을 수 있게 된다.

계몽주의 시대

18세기, 계몽주의 시대는 가히 시각의 시대라 할 만하다. 대부분의 계몽주의 철학자들이 시각을 가장 고귀한 감각으로 평가했는데, 여기서 우리는 데카르트와 시각을 "우리의 모든 감각 가운데 가장 포괄적인 감각"[63]이라고 했던 로크의 영향을 엿볼 수 있다. 더 나아가 로크는 "사유는 눈과 같은 것"[64]이라고 했다. 비록 데카르트는 착각을 일으키는 기능 때문에 시각에 대해 부분적으로 불신하기도 했지만, 기본적으로 그와 로크는 투명성과 이성적 능력의 기반이 되는 시각을 높이 평가할 수밖에 없었다.

18세기의 포스트모더니스트로 불리는 스턴(Laurence Sterne)은 그의

---

62) Martin Jay, 앞의 책, 47쪽.
63) John Lock, *An Essay concerning Human Understanding*, Peter H. Nidditch 편 (Oxford: Clarendon Press, 1979), II.ix.9 (146쪽).
64) John Lock, 같은 책, I.i.i (43쪽).

작품 『트리스트럼 섄디』(*Tristram Shandy*)에서 시각과 촉각의 상대적 중요성을 비교하면서 "모든 감각 가운데 눈이…… 영혼과 가장 빠른 교섭을 가진다"[65]고 주장했다. 우리는 스턴의 이러한 발언에서 18세기가 시각의 시대였음을 다시 한 번 확인하는 동시에, 당시의 담론에서 촉각이 차지하는 무게가 상당했음을 유추해볼 수 있다. 사실 일부 철학자들은 시각보다 촉각을 더 높이 평가했다. 가령 거리와 깊이에 대한 지각을 가능하게 하는 것은 시각이 아니라 촉각이라고 주장함으로써 시각의 보조 감각으로서 촉각의 지위를 재정립하고, 이에 더 깊은 신뢰를 표명했던 버클리, 촉각은 인식의 기능에서 '다른 감각들의 스승'이라고 했던 콩디야크, 촉각을 "가장 심원하고 가장 철학적인 감각", '최상의 감각'이라 했던 디드로, 촉각만이 우리에게 공간과 형태의 개념을 제공하므로 조각이 미의 진정한 심판관이라고 한 헤르더 등이 그러하다.[66] 하지만 이들의 사유가 18세기를 대변한다고 할 수는 없을 것 같다. 18세기, 더 구체적으로 말하면 계몽주의시대를 전체적으로 조명해볼 때, 그것의 큰 흐름은 아무래도 시각중심적이었다고 할 수밖에 없기 때문이다.

50여 년 전 호르크하이머와 아도르노의 공저 『계몽의 변증법』이 출간된 이후, 우리는 더 이상 18세기가 사회, 정치, 철학적으로 위대한 진보의 시대였다는 기존의 입장에 순순히 동조할 수 없게 되었다. 계몽주의가 표방하던 이성의 '빛', 그 합리주의에 대해 톰슨(E. P. Thompson)에서 푸코에 이르는 일군의 이론가들이 그것의 해방적인 기능만이 아니라 지배적이고 통제적인 기능까지 밝히면서 이면을 드러냈고, 우리는 더 이

---

65) Laurence Sterne, *The Life and Opinions of Tristram Shandy, Gentleman*, *I. 431.* James A. Work 편 (Indianapolis: Bobbs-Merrill, 1940), V. vii.361쪽에서 재인용.

66) Ann Jessie Van Sant, *Eighteenth-Century Sensibility and the Novel: The Senses in Social Context* (Cambridge: Cambridge UP, 1993), 83~93쪽. 그리고 Robert E. Norton, *Herder's Aesthetics and the European Enlightenment* (Ithaca: Cornell UP, 1991), 203~221쪽을 참조할 것.

상 계몽주의의 도구적, 이데올로기적 기능을 무시할 수 없게 되었다. 그런데도 그 시대가 무엇보다도 이성의 시대였다는 것에 대해서는 이론의 여지가 별로 없어 보인다.

계몽주의시대 이전에도 줄곧 빛은 이성적 능력이나 이를 기반으로 하는 지식에 대한 중요한 비유들 가운데 하나였지만, 18세기에는 그 시대 자체가 '빛의 세기'라 널리 일컬어진 것에서 알 수 있듯이 일종의 시대적 비유가 되어 있었다. 또한 태양을 우주의 중심으로 보았던 코페르니쿠스와 갈릴레이의 우주론, 1703년에 출간된 뉴턴의 『광학』, 그리고 여러 사상가의 글에 등장하는 빛 이미지들의 사용 빈도가 입증하듯이, 빛은 18세기 인식론의 주요한 배경이었다. 즉 "모든 지식은 감각에서 나오며, 모든 감각 가운데 최고의 감각은 시각"이라는 신념이 18세기 인식론의 배경을 이루었던 것이다.[67] 이것의 구체적인 일례로 실명한 이들에 대한 탈신성화 작업을 들 수 있다.

호메로스에서 비극에 이르는 그리스 문학과 『구약』에 등장하는 실명의 대부분은 신들이 정한 금기 사항을 위반한 경우에 받게 되는 벌이었다. 그러나 소포클레스의 『오이디푸스 왕』에 등장하는 예언자 테이레시아스처럼, 실명의 대가로 보통 눈뜬 이들이 갖지 못하는 내면의 눈, 말하자면 미래를 예견할 수 있는 신성의 눈을 부여받은 경우도 있었다. 특히 그에게 현실에 대한 통찰력을 준 것은 물리적인 눈이 아니라 '상상력의 눈'이라고 했던 블레이크[68]를 비롯하여, 그들 스스로를 시적 재능을 소유하지 않은 이들보다 더 많은 것을 꿰뚫어보는 각자(覺者) 또는 예언자라고 생각했던 낭만주의 시인들에게, 실명이란 '상상력의 눈'을 가능케 하는 내적

67) Peter Hulme과 Ludmilla Jordanova, "Introduction," *The Enlightenment and Its Shadows*, Peter Hulme과 Ludmilla Jordanova 공편 (London: Routledge, 1990), 3~4쪽.
68) John Richard Watson, *English Poetry of Romantic Period* (London: Longman, 1985), 19쪽에서 재인용.

비전의 원천이었으며, 실제 눈먼 시인들이 직접적인 칭송의 대상이 되기도 했다.

가령 호메로스, 오시안, 밀턴 등이 역사상 가장 위대한 시인으로 칭송되었다. 워즈워스는 밀턴을 영국 시인의 위대한 전범(典範)으로 칭송했고, 프랑스에서도 샤토브리앙, 위고 등이 그를 가장 위대한 시인 가운데 한 사람으로 추앙했다.[69] 그러나 18세기의 담론에서 실명은, 자연스러운 현상이며 과학적으로 설명할 수 있는 것이 됨에 따라 합리적인 치료가 가능해졌다. 18세기 초에는 실명의 원인이 되는 백내장을 제거하는 효과적인 기술이 발달되어 수술이 성공적으로 이루어졌고, 이러한 의학적 성공의 의미는 단순한 과학적, 의학적 의미를 넘어선 것이었다. 실명한 눈을 치료를 통해 복원할 수 있게 되었다는 것은 정신 현상, 즉 관념들이 본유적이거나 신적이거나 이상적인 근원을 가지는 것이 아니라 감각적 경험에서 형성되는 것임을 입증하는 것이었다. 즉 지식은 감각적인 경험의 소산이라는 것, 본다는 것은 안다는 것의 전제조건이라는 것, 더 나아가 본다는 것이 곧 안다는 것임을 확인해주었다.[70]

제임슨은 리얼리즘과 모더니즘의 발생을 실용적인 것을 지향하는 부르주아지의 대두, 계몽주의운동과 연관시켜 설명하면서 후자, 즉 계몽주의운동이 문학의 모방 전통에서 중요한 이유를 그것이 "모든 형식에서 신성한 것을 뿌리 뽑는…… 뚜렷한 과업"을 가지고 "비신비화"의 작업을 진행시켰기 때문이라고 했다.[71] 그러나 실명에 대한 과학적인 접근이 보여주듯이 계몽주의운동이 주도했던 이 '비신비화'와 '탈신성화' 작업은

---

69) 호메로스, 밀턴 등이 낭만주의와 신고전주의 화가들, 특히 앵그르, 들라크루아 등의 회화에서 어떻게 찬미되고 있는가에 대해서는 Nicholas Mirzoeff, *Bodyscape: Art, Modernity and the Ideal Figure* (London: Routledge, 1995), 48~51쪽을 볼 것.

70) William R. Paulson, *Enlightenment, Romanticism, and the Blind in France* (Princeton: Princeton UP, 1987), 10~11쪽.

71) Fredric Jameson, "Beyond the Cave: Demystifying the Ideology of

곧 그 시대의 인식론적 배경이 시각이었음을 증명해준 것이기도 했다.

18세기는 또한 푸코가 그의 여러 저서에서 논했듯이, 지배세력이 피지배세력을 통제하고 관리하는 수단으로 여러 시각 장치를 작동시킨 시대였다. 푸코는 대표적인 저서 『감시와 처벌』에서 권력의 시선이 어떻게 사회 전체로 파급되고, 실제로 그것이 어떻게 권력기구로 작동하는가에 대한 예로 벤담(Jeremy Bentham)이 창안한 원형교도소(panopticon)를 들고 있다. 잘 알려진 대로 원형교도소는 간수가 그것의 한가운데에 설치된 중앙 탑에서 교도소 전체를 감시할 수 있도록 설계되어 있다. 간수는 죄수들을 볼 수 있지만 죄수들은 간수를 볼 수 없는 구조인 것이다. 죄수들은 간수에게 "보이지만" 그들은 결코 간수를 "보지 못한다."[72] 이 장치는 그들로 하여금 라캉의 용어를 빌리자면 권력이라는 '대타자' (Other)에게 항상 자신들이 보인다는 것, 즉 권력의 시선의 표적이 된다는 것을 느끼도록 만든다.[73] 이 경우 그들을 감시하는 대상의 실제성은 중요하지 않다. 중요한 것은 사회 구성원들이 그런 장치를 통해 감시의 시선을 '내면화'하게 하고 '자기통제'를 강화하게 되는데, 이것이 권력의 입장에서 볼 때 대단히 효율적인 관리라는 점이다.

푸코에 따르면 "자유를 발견한 계몽주의가 규율을 발명했다."[74] 칸트는 철학을 이성적 비판으로 이해했다. 푸코의 지적 여행도 여기서 출발한다. 그러나 이성을 통해 자율성을 구하려는 계몽주의의 기획을 비판적으로 수용하는 과정에서 그는 이성이 "통제와 지배"를 위한 '도구'로 이용될 수 있다는, 아니 이용된다는 것을 발견했고 이에 전율했다.[75] 이성의 빛에 의

Modernism," *The Ideologies of Theory. Essays 1971~86* (Minneapolis: Minnesota UP, 1988), II: 127쪽.

72) Michel Foucault, *Discipline and Punish: The Birth of the Prison*, Alan Sheridan 역 (New York: Vintage Books, 1979), 200쪽.

73) Michel Foucault, 같은 책, 201쪽.

74) Michel Foucault, 같은 책, 222쪽.

75) Michel Foucault, "What is Enlightenment?," *Foucault Reader*, Paul

해 실현된 '해방'이라는 계몽주의의 기획이 원형교도소처럼 볼 수 없는 눈의 감시를 통해 궁극적으로는 규율 사회, 통제 사회로 나아가게 되는 단초를 역설적이게도 그는 이성의 세기인 18세기에서 찾았던 것이다. 이런 점에서 볼 때, 이성의 세기이자 시각의 세기였던 18세기는 감시와 통제의 수단으로서의 시각이 본격적으로 '사회화'되었던 시대이기도 했다.

낭만주의

다시 우리의 출발점으로 돌아왔다. 낭만주의에 이르는 이 여정에서 우리는 종교개혁의 경우를 통해 미리 시각에 대한 반대 움직임을 접할 수 있었다. 그러나 그것은 엄격히 말해 부분적이고 한시적인 것이었다. 앞서 지적했듯이 지금까지 살펴본 시각중심적인 전통에 대한 총체적인 반대 움직임을 낭만주의에서 찾을 수 있다. 낭만주의 시각에 대한 반대는 총체적이면서도 지속적인 것이었다. 그것은 시각중심적인 사유의 전통에 가해진 최초의 총체적이고 결정적인 반격이었다.

이러한 반격은 워즈워스가 그의 자서전적인 장시 『서곡』에서 눈을 우리의 "정신을 절대적으로 지배할 수 있는", "우리의 감각들 가운데 가장 폭군적인 감각"[76]으로 규정한 데서 잘 드러난다. 그에게 눈은 상상적인 '비전'으로 탈바꿈하지 않으면 안 될 폭군적인 감각인 것이다. 젊은 시절 워즈워스는 "가까이 있건 멀리 있건, 미세한 것이건 거대한 것이건/ 모든 바깥 형상 속에 숨어 있는 미묘한 차이를 늘 찾아 헤매는……" 눈을 가지고 있었다. 그리고 그 눈은 "그 힘이 잠들 수 있는 어떠한 표면도 발견할 수가 없었다."[77] 그의 젊은 날들을 지배한 휴식 없는 눈의 활동과 역할이

Rabinow 편 (New York: Pantheon, 1984), 32~50쪽.

76) William Wordsworth, *The Prelude or Growth of A Poet's Mind*, Ernest De Selincourt 편 (Oxford : Clarendon Press, 1968), II.172~173행 (438쪽).

77) William Wordsworth, 같은 작품, III.157~159행, 164행 (80쪽).

그로 하여금 눈을 '우리의 감각들 가운데 가장 폭군적인 감각'이라 부르게 한 것이다. 이후 그는 독립적인 객관세계에 주관적인 독단을 행사하는 눈이 그의 창조적인 삶에 미칠 해악에 대해 깊이 염려했다. 『서곡』의 제10편은 프랑스 혁명에 대한 희망이 절망으로 바뀐 이후 좌절감에 휩싸인 그가 "생생하지만 깊지 않은 즐거움"을 가져다 준 눈의 표피적이고 독단적인 관찰에 더 이상 종속될 수 없었던 이유를 보여준다. 그런 상태를 지속하기에는 그가 "삶에 너무 힘차게, 너무 일찍이/ 여러 상상력이 찾아드는 것"을 막을 수 없었기 때문이다.[78]

콜리지도 시각에 대한 고도의 불신을 드러낸다. 이 점에서는 워즈워스와 일치하지만 워즈워스가 청각을 높이 평가했던 반면,[79] 그는 촉각을 최고의 감각으로 평가했다. 그는 감각을 상위감각(시각과 청각)과 하위감각(후각, 미각, 촉각)으로 나누고 그 가운데서도 시각을 최고의 감각으로 간주한 기존의 입장에 반대했다. 시각을 상상력과 동일시하고, 눈을 상상력의 토대가 되는 중요한 감각기관으로 간주한 미학 사상가들에게도 반대했다. 그는 바깥 세계에 대한 인식을 가능하게 하는 최초의 감각이 시각이 아닌 촉각이라고 했는데, 이는 일면 정확한 지적이다. 감각은 촉각, 미각, 시각 등의 순서로 발달하기 때문이다. 콜리지는 "우리가 받는 최초의 교육, 어머니에게서 받는 최초의 교육은 촉각에 의한 것이다"라고 말하면서, "시각 그 자체는 오직 촉각의 끊임없는 상기로 얻어진다"고 주장했다.[80] 사실 궁극적인 것은 촉각일지도 모른다. 사랑의 행위

---

78) William Wordsworth, 같은 작품, XI.189행 (440쪽), 251~253행 (444쪽).
79) 워즈워스는 시각이 살아 움직이는 자연의 흐름을 간파하기보다는 오히려 그 흐름을 정지시킨다는 것을 깨닫고, "사물의 정수를 꿰뚫어보기" 위해서는 시각의 활동에 지치고 들뜬 마음을 "정화시키고 안정시키는," 말하자면 '잠들 수 있게 하는' 그런 "조화의 힘"을 가진 청각에 기대어 "인간의 삶의 조용하고 슬픈 음악 소리"를 들을 것을 그의 시 「틴턴 사원」에서 토로한다. William Wordsworth, "Tintern Abbey," *Poetical Works*, Ernest de Selincourt 편 (London: Oxford Press, 1969), 49행, 93행, 48행, 91행 (164쪽).

에서 시각이 중요하긴 하지만, 사랑의 최종적인 완성은 언제나 촉각을 통해서이기 때문이다.

시각에 대해 불신한 것은 블레이크도 마찬가지다. 앞서 우리는 현실에 대한 통찰력을 준 것이 육체의 눈이 아니라 '상상력의 눈'이었다는 그의 주장을 접했다. 그가 장시 「예루살렘」에서 "나는 나의 위대한 과업으로부터 휴식하지 않노라. 그 과업이란…… 내면으로 향하는 불멸의 눈을 열어 사유의 세계, 즉 영원을 꿰뚫어보는 것"[81]이라고 했다. 이때 내면으로 향하는 '불멸의 눈'이 바로 '상상력'이라는 눈일 것이다. 이처럼 영국의 낭만주의 시인들이 일제히 표출한 시각에 대한 불신의 배경을 추적해보면, 그들 모두가 신교도였다는 데 초점이 맞추어진다. 그들은 역시 신교도였던 밀턴을 그들의 전범(典範)으로 여겼고, 위대한 시인 밀턴의 눈에 대한 불신의 배경에는 성 아우구스티누스가 있었다.

아우구스티누스는 천국을 정복하려는 천문학자들의 호기심을 힐책하면서, 그들을 그물에 걸린 먹이를 탐하는 거미에 비유하고, 그러한 호기심을 '음욕의 눈'이라 불렀다. 눈의 음욕에 대한 아우구스티누스의 강도 높은 비판이 17세기 종교개혁가들의 반시각적 사유에 미친 영향에 대해서는 앞에서도 지적했다. 밀턴도 『실낙원』에서 눈의 부정적인 속성을 강조하면서, '음욕의 눈', '관능적 욕망의 눈'을 사탄의 눈과 동일시한다.[82] 밀턴의 『실낙원』 가운데 특히 제4권에서 두드러지게 강조된 것은 청각 매체인 목소리다. 여기서 고요한 호수의 수면에 비친 자신의 이미지에

---

80) Samuel Taylor Coleridge, *Philosophical Lectures*, Kathleen Coburn 편 (New York: Philosophical Library, 1949), 115쪽.

81) William Blake, *Jerusalem: The Emanation of the Giant Albion*, Morton D. Paley 편 (Princeton: Princeton UP, 1991), I:5.17~19 (136쪽).

82) Regina Schwartz, "Through the Optic Glass: Voyeurism and Paradise Lost," Valeria Finucci와 Regina Schwartz 공편, *Desire in the Renaissance: Psychoanalysis and Literature* (Princeton: Princeton UP, 1994), 150~162쪽을 볼 것.

매혹당한 이브에게 위험을 일깨워준 것은 바로 천상의 목소리다. 그 목소리가 사탄의 유혹에 빠진 이브를 나르키소스의 운명에서 구해준다. 천상의 목소리가 "나에게 경고를 보내지 않았더라면, 나는 지금 나의 눈을 거기(자신의 이미지)에 고정시킨 채 부질없는 욕망으로 인해 날로 수척해져"[83] 마침내 죽게 되었을 것이라는 이브의 고백을 통해 밀턴은 시각 매체인 이미지를 압도한 청각 매체인 '말씀'의 힘을 보여준다. 눈에 대한 아우구스티누스의 비판 인식이 밀턴을 거쳐 영국의 낭만주의 시인들에게 흡수될 수 있었던 것은 시각을 폄하하고 청각 매체인 '말씀'을 강조하던 종교개혁가들과 마찬가지로 그들도 본질적으로 신교도였기 때문이다. 물론 그들의 종교가 그들의 반시각적 태도를 설명할 최종적인 근거가 될 수는 없다. 그러나 그것이 영국 낭만주의 시인들의 반시각적 사유를 규명하는 데 매우 중요한 요소라는 사실은 확실해 보인다.

밀턴에게 언제나 바깥을 향한 육체의 눈은 진정한 실체를 보지 못한다. 진정한 실체를 볼 수 있는 것은 언제나 내면을 향한 눈이며, 이러한 눈을 가지는 것은 오직 신의 은총으로만 가능하다는 것이다. 이러한 밀턴의 사유는 앞서 지적했듯이 아우구스티누스의 그것과 꼭 닮았다.[84] 아우구스티누스와 마찬가지로 밀턴도 진정한 실체를 보는 능력은 천상의 빛에 의해 가능해진다고 말한다.

> 그대, 천상의 빛이여
> 마음 속에 빛나라, 그리고 마음의 모든 능력을 비추어라
> 거기(마음)에 눈을 심고, 거기서 모든 안개를 말끔히 거두어내라
> 인간의 눈에는 보이지 않는 것들을 내가 보고 말할 수 있도록.[85]

---

83) John Milton, *Paradise Lost: A Poem in Twelve Books*, Merritt Y. Hughes 편 (New York: Odyssey Press, 1962), IV.465~467행 (97쪽).

84) Charles Taylor, *Sources of the Self: The Making of the Modern Identity* (Cambridge/M.A.: Harvard Up, 1989), 139쪽

밀턴의 내면의 눈에 대한 이러한 강조를 꼭 그의 실명과 관련시킬 필요는 없을 듯하다. 그가 내면의 눈을 강조하는 것은 육체적인 감각인 시각을 믿지 못하기 때문이다. 사물을 보고 인식하는 시각의 허구성을 깨달았기 때문이다. 그는 이미 『실낙원』의 시작에서부터 "내 마음 속의 어둠을 비추어 밝게 하라"[86]고 노래한다.

이 내면의 눈은 워즈워스에게는 '내면으로 향하는 눈', 블레이크에게는 '상상력의 눈'이 된다. 낭만주의 시인들은 이 내면화된 비전을 통해 눈의 독단적이고 폭군적인 힘에서 인간을 구원할 수 있다고 보았던 것이다. 그리고 이러한 사유의 근원지는 밀턴이었다. 블룸은 그의 대표적인 저서 『영향의 불안』에서 "이제는 시인들을 자율적인 자아로 보는 것을 그쳐야 한다······ 모든 시인은 저마다······ 다른 시인 또는 시인들과 변증법적인 관계에 얽힌 존재"[87]라고 규정하면서 "시적 역사가 시적 영향과 구별될 수는 없다"[88]고 했다. 계속해서 그는 밀턴의 영향 아래 있는 워즈워스를 비롯한 대부분의 낭만주의 시인들과 다수의 현대 시인이 밀턴에서 해방되어 자신만의 '상상적 공간'을 넓히기 위해 노력했지만, 여전히 그들은 선배 시인의 사유체계 안에 머무른다고 지적한다. 그렇다면 종교개혁과 마찬가지로 아우구스티누스의 영향을 받았던 밀턴이 그의 신교도 후예들, 즉 영국의 낭만주의 시인들에게 물려준 시각적 눈에 대한 불신은 시적 영향, 시적 변증법의 어쩌면 당연한 귀결이었을 것이다.

좀더 적극적으로 접근해보자. 낭만주의 시인들이 표방한 이 '내면의 눈', '마음의 눈'이란 도대체 무엇인가. 사실 낭만주의라는 문학 현상은

---

85) John Milton, 앞의 책, *Paradise Lost*, III.51~55행 (62쪽).
86) John Milton, 같은 책, I.22~23행 (6쪽).
87) Harold Bloom, *The Anxiety of Influence: A Theory of Poetry* (London: Oxford UP, 1973), 91행.
88) Harold Bloom, 같은 책, 5행.

너무나 복합적이라 실체를 파악하기가 쉽지 않다. '낭만주의적'이라는 말도 너무나 많은 의미를 거느리느라 더 이상 정상적인 '언어기호의 기능'을 수행하지 못한다. '낭만주의'를 '사유의 복합체'로 이해할 수밖에 없고, 그것의 특징적인 현상도 복합적일 수밖에 없을 것이다.[89] 그런데도 그것의 범유럽적인 보편성을 규정해준 공통분모를 찾아야 한다면, 그것이 고전주의(이 경우 17세기 중엽에서 18세기 말까지의 신고전주의)에 대립되는 문학운동이라는 것, 상상력을 시의 창조적 능력으로, 자연을 유기적인 전체로, 상징과 신화를 시적 양식의 주요한 요소로 인식했다는 점을 꼽을 수 있을 것이다.[90] 이 공통분모들 가운데서도 낭만주의의 특징을 부각시키는 가장 기본적인 요소는 바로 상상력이다.

여기서 상상력은 곧 이미지를 창조하는 능력이며, 이는 상상력에 대한 전통적인 개념이기도 하다. 낭만주의의 특징은 상상력을 여러 정신능력 가운데 하나가 아니라 바로 정신의 본질로 보았다는 것이다. 그리고 여기에는 본질적으로 능동적인 정신은 단순히 현실을 복사하는 것이 아니라 그것을 구조화한다는 칸트의 전언이 자리하고 있었다.

로티의 표현을 빌리자면 정신은 단순히 자연의 거울이 아니라는 것,[91] 즉 정신이란 반사광에 의해 사물을 비추는 수동적인 '거울'이 아니라, 스

---

89) 낭만주의에 대한 여러 학자의 다양한 이론들을 포괄적으로 소개하고 논의한 글로는 Michael Löwy와 Robert Sayer 공저, *Romanticism Against the Tide of Modernity*, Catherine Porter 역 (Durham: Duke UP, 2001), 제1장 "Redefining Romanticism," 1~56쪽을 볼 것.

90) 임철규는 졸고 「낭만주의와 유토피아」, 『왜 유토피아인가』 (서울: 민음사, 1994), 315~372쪽에서 이 문제를 다루면서 낭만주의를 일정한 역사적 산물, 말하자면 "엄격한 의미에서 유럽의 낭만주의는 무엇보다도 프랑스 혁명과 산업혁명을 경험한 문학세대의 반응으로서 그들의 세계관과 직접적으로 연관된 구체적인 역사적 현상"이라고 규정했다. 이는 이 글의 주제와는 별개의 논지다.

91) '자연의 거울'이라는 용어는 '정신은 자연의 거울이 될 수 없다'는 그의 인식을 보여준 대표적 저서에서 따온 것이다. Richard Rorty, *Philosophy and the Mirror of Nature* (Princeton: Princeton UP, 1979).

스로의 빛으로 사물을 비추는 능동적인 '램프'라는 것이다.[92] 미첼이 상상력을 "단순한 시각화를 초월하는 의식의 힘"[93]이라고 규정한 것도 이런 견지에서다. 이성이 아니라 상상력을 인간정신의 본질로 간주했던 낭만주의 시인들에게 "진리란 발견되는 것이 아니라 창조되는 것"이며,[94] 상상력은 이러한 창조의 역할을 담당하는 인간의 고유한 능력이었다.

모든 대상에 대한 인식은 감각작용을 기반으로 한다. 어떤 대상에 대한 인식이 가능해지기 위해서는 우선 그것을 보거나 듣거나 만지는 등등의 감각작용이 전제되어야 하기 때문이다. 앞서 제1장에서 우리는 이러한 관계를 강조하면서 아울러 인식작용의 한계에 대해서도 살펴보았다. 잠시 다시 읽어보기로 하자.

우리가 어떤 것을 '안다'고 할 때, 그것은 항상 이 '안다'는 부분에 속하지 않는 '알지 못하는' 부분에 대한 배제를 수반한다. 언제나 부분밖에 파악하지 못하는 것, 이것이 모든 인식작용의 한계다. 언제나 부분만을 파악하면서도 언제나 부분을 전체라고 규정하는 것이 인식작용의 모순이며, 이러한 모순이야말로 인식작용의 숙명적인 한계인 것이다.

대상의 일부를 떼어내어 일부가 그것의 전체인 양 '틀짓는 것'이 이성

---

92) '거울'과 '램프'는 아브람스(M. H. Abrams)가 그의 고전적 저서의 제명으로 등장시키면서 낭만주의의 특징과 차별성을 규정하기 위해 사용한 용어다. *The Mirror and the Lamp: Romantic Theory and the Critical Tradition* (Oxford: Oxford UP, 1953).

93) W. J. T. Mitchell, "Visible Language: Blake's Wond'rous Art of Writing," Morris Eaves와 Michael Fischer 공편, *Romanticism and Contemporary Criticism* (Ithaca: Cornell UP, 1986) 49쪽.

94) Richard Rorty, *Contingency, Irony, and Solidarity* (Cambridge: Cambridge UP, 1989), 7쪽.

의 작용이며, 이것은 이성의 이름으로 행해지는 일종의 난동이다. 상상력은 바로 이 난동에 대한 도전이다. 이성의 세계는 틀을 갖춘 규격의 세계, 논리의 세계다. 이 세계는 "우리를 숨 막히게 하고 고갈시키며 억압한다." 낭만주의의 존재이유는 바로 "해방의 힘을 약속하는" 계몽주의 이성에서 인간을 해방시키는 데 있다.[95]

낭만주의자들에게는 이러한 이성의 세계를 특징짓는 감각이 바로 시각이다. 워즈워스가 그의 『서곡』에서 눈은 "살아 움직이는 사유를 찬탈하며" 그런 눈에 비친 이미지를 "영혼이 없는 것"이라고 했을 때,[96] 그는 이성의 눈이 규격화한 세계를 힐난한 것이다. 상상력은 눈이 찬탈한 살아 있는 사유, 틀짓기 이전의 사유를 복원하려 한다는 점에서 일면 창조적이며, 틀짓기에 끊임없이 도전하고 이를 해체하려 한다는 점에서 전복적이기도 하다. 따라서 어떤 비평가는 데리다의 '차연'(差延, différance)을 워즈워스의 시 「불멸을 깨닫는 노래」에 등장하는 어린아이와 동일시한다.[97] 데리다의 '차연'은 그 어린아이뿐만 아니라 상상력의 또 다른 이름이라 일컬어도 무리가 없다.

좀더 깊이 들어가보자. 워즈워스의 「불멸을 깨닫는 노래」에 등장하는 중요한 상징 가운데 하나는 '빛'이다. 그 빛은 여기서 '천상의 빛'으로 일컬어진다. 워즈워스는 첫번째 연에서 "초원, 숲, 시내, 대지, 그리고 일상의 모든 광경"이 '천상의 빛'의 옷을 입었던 그때를 회상한다. 이어 4연에서는 "환상의 빛은 어디로 사라졌으며/ 그 영광과 꿈은 지금은 어디 있는가"라고 노래하면서[98] 빛의 상실을 한탄한다. 그 다음 5연에서는 "대

95) Charles Taylor, 앞의 책, 116쪽.
96) William Wordsworth, 앞의 책, *The Prelude*, 6.454~455 (204쪽).
97) Mark Edmundson, *Literature against Philosophy, Plato to Derrida: A Defence of Poetry* (Cambridge: Cambridge UP, 1995), 81쪽.
98) William Wordsworth, "Ode, Intimations of Immortality from Recollections of Early Childhood," Ernest De Selincourt 편, *Poetical Works* (Oxford: Oxford UP, 1969), 460쪽 (1~2행, 56~57행).

지에서 사라져간"(18행) 그 "영광의 구름을 추적하는"(64행) 어린아이를 등장시킴으로써 빛의 상실을 더욱 부각시키는 동시에 아이가 '천상의 빛'과 결부되어있음을 암시한다. 그 아이가 태어난 "장엄한 궁전"(84행), "고향"은 "천국"이며, 더 나아가 그 고향이 곧 '신'이라는 규정을 통해(65행) 이 어린아이는 천상의 빛을 입은 존재가 되는 것이다.

제2장에서 논의한 대로 『구약』에 대한 유대교 랍비들의 주석에 따르면, 태초에 신이 광채로 옷을 입고 온 세상을 비추었을 때, 온 세상은 빛의 영광 속에 있었으며, 아담은 태양보다 더 밝게 빛났다. 태초의 인간 아담은 신에 의해 빛의 몸으로 창조되었으며, 아담도 신처럼 빛이 되었다. 「창세기」에 언급되지는 않았지만 아담의 타락은 원초적인 빛의 은혜, 순진무구한 상태를 상실한 것이었다. 상실로 인해 아담은 육체의 몸이 되었고, 그 몸은 단지 본래의 신성한 빛을 반영할 수 있을 뿐이다. 그때 이래 인간들은 그 신성한 빛과 절연된 채 육체의 몸으로 살아오지만, 육체의 몸으로 사는 인간들의 삶은 언제나 원초적 빛의 날들로 되돌아가려는 동경으로 가득 차 있다. 우리는 그 빛의 상태를 아담이 분별의 눈을 뜬 후 선과 악 등의 이분법으로 구별하기 이전의 상태, 부분으로 전체를 틀짓기 이전인 의식의 순수상태라고 할 수 있다. 그리고 이러한 상태가 곧 어린아이에 의해 표상되는 순진무구의 상태. 워즈워스가 찬탄하는 '천상의 빛'은 이 순진무구의 빛인 것이다. 이는 『순진무구와 경험의 노래』에서 동심의 세계를 '경험'에 의해 타락하기 이전의 상태, 에덴적 순진무구의 상태로 규정한 블레이크에게서도 마찬가지다.

부분으로 전체를 틀짓기 이전의 순수상태, 이 의식의 순진무구함은 독일의 초기 낭만주의자들의 글에 반복해서 등장하는 카오스의 개념과도 닮았다. 독일 낭만주의의 대표적 이론가인 슐레겔과 노발리스에게 카오스는 "모든 인식의 전제조건인, 재현할 수 없는 현존이다…… 달리 말하면 카오스는 좀더 고차원적인 형이상학, 체계적인 사유 이전의 원초적인 의식이다."[99] 그리스 신화에서 카오스는 이 세상에 모든 것이 존재하기 이전의 원초적 상태, 시작도 끝도 어떠한 방향도 없이 무한히 펼쳐진 거대한 심연이다. 탈레스가 우주의 근원적인 실체나 근원적인 원리를 물이라고 했을 때 아낙시만드로스가 그것을 '정함이 없는' 실체라고 규정했듯이, 이 정함이 없는 '혼돈'의 상태가 카오스인 것이다. 헤시오도스에 따르면 카오스에서부터 대지, 하계인 타르타로스, 욕망인 에로스, 그리고 어둠 등의 모든 것이 차례로 창조되었다(『신통기』116~120행). 이 카오스가 불교에서는 회매(晦昧)라는 이름으로 등장한다.

불교의 『수능엄경』(首楞嚴經)에 나오는 이 '회매'라는 단어는 보일 듯 말 듯 아주 희미하게 깜박이는 여명의 빛을 의미한다. 회매는 카오스와 마찬가지로 모든 것이 존재하기 이전의 원초적 상태, 모든 것이 정해지기 이전의 혼돈 상태를 일컫는 개념이다. 그리고 『수능엄경』에는 이 회매에서부터 허공, 어둠, 사물, 망상 그리고 몸이 차례로 생성되었다고 씌어져 있다.[100]

따라서 카오스(회매)를 문학적, 철학적으로 규정하자면 그것은 모든 것이 이분법적으로 틀지어지기 이전의 의식상태, 말하자면 "체계적인 사유 이전의 원초적 의식상태"다. 이러한 카오스가 니체에게서는 '놀이'라는 개념으로 등장한다. 니체는 세상이 이 놀이로 이루어진 것이라고 보았다. 그는 이러한 놀이 개념의 근원을 소크라테스 이전의 철학자들, 특히 헤라클레이토스와 아낙사고라스에서 찾는다. 헤라클레이토스는 이 세상의 구성원리를 "제우스의 놀이"에서 찾았고, 오직 예술가들과 어린 아이들의 놀이만이 모든 도덕적 구속이나 속성에서 벗어나 있다고 주장했다.[101] 아낙사고라스는 존재에 대한 목적론적 견해를 거부하고, '자유

99) Azade Seyhan, "Fractal Contours: Chaos and System in the Romantic Fragment," Richard Eldridge 편, *Beyond Representation: Philosophy and Poetic Imagination* (Cambridge: Cambridge UP, 1996), 133쪽.
100) 이운허(李耘虛) 번역 『수엄경주해』(首楞嚴經註解) (서울: 동국역경원, 1974), 52~53쪽은 '회매'를 밝은 성품이 미혹되어 무명(無明)의 상태로 변한 것으로 해석하는데, 나의 입장은 그의 생각과는 전혀 다르다.

의지'를 최고의 정신이라 했으며, 니체도 그들처럼 절대 자유는 "어린아이의 놀이나 예술가의 놀이충동"처럼 목적에서 자유로운 것이라고 주장했다.[102] 니체의 이러한 '놀이' 개념은 데리다의 차연으로 이어진다. 사실 데리다도 초기의 저작들에서 '차연' 대신 '놀이'라는 용어를 사용했다. 그는 1966년의 글에서 "니체적인 긍정", 말하자면 도덕적 규범, 진리, 근원 등의 형이상학적인 틀짓기의 세계가 존재하지 않는 '놀이'의 세계에 대한 긍정을 표방했다.[103] 이 '정함이 없는' 놀이의 세계가 '원초적 카오스'의 세계다. 워즈워스의 시에 등장하는 어린아이가 '차연'과 동일시되는 것도 바로 이 아이가 규격의 세계, 논리의 세계를 초월하는 '놀이'의 주인공이기 때문이다.

워즈워스는 「불멸을 깨닫는 노래」에서 이러한 놀이의 주인공을 둘러싼 '찬란한 비전'(73행)에 대해 노래하는데, 이것은 다름 아닌 '초월적 상상력'이다. 이 초월적 상상력은 규격화된 개념의 틀에 종속되지 않는, 칸트의 "생산적 인식의 능력"이며,[104] 정확성과 증거를 거부하는 니체의 "이질적이고 비논리적인 힘, 즉 환상의 힘"이다.[105] 상상력은 '신성의 빛'을 반영하는 어린아이의 세계, 즉 놀이 세계를 환기시키고, 이성이라는 이름으로 전체를 부분들로 난도질하여 개념의 틀에 가두어버리는 규격의 세계를 끊임없이 전복하고 해체하려 한다는 점에서, 곧 차연이며 놀이의 동인(動因)이다. 워즈워스는 부분들로 틀지어진 전체를 다시 유기적 전체로 복원시키는 것이 진정한 '철학'의 의무라고 생각했다. 따라

---

101) Friedrich Nietzsche, *Werke*, Karl Schlechta 편. (Munich: Hanser, 1956), III, 376쪽.

102) Friedrich Nietzsche, 같은 책, III: 413쪽.

103) Jacques Derrida, *Writing and Difference*, Alan Bass 역 (Chicago: U of Chicago Press, 1978), 292쪽.

104) Immanuel Kant, *Werke*, Ed. Wilhelm Weischedel 편 (Darmstadt: Wissenschaftliche Buchgesellschaft, 1983), VIII: 414쪽.

105) Friedrich Nietzsche, 앞의 책, *Werke III*: 362쪽.

서 그에게는 '신성의 빛'을 반영하고, 이를 '추적하는' 어린아이가 "가장 훌륭한 철학자"(110행)가 된다. 죽음을 앞둔 무렵에 한 지인에게 보낸 편지에서 블레이크는 '진정한 인간은 바로 상상력'(The Real Man The Imagination)[106]이라고 했다. 블레이크가 예수를 흔히 '상상력'과 동일시했기 때문에[107] 그에게 '진정한 인간'이란 여기서 예수를 가리킨 것이지만, 한편 어린아이를 가리킨 것이라고 할 수 있다. 진정한 인간은 '가장 진정한 철학자'인 바로 어린아이인 것이다. 어린아이의 가장 고유한 속성이자 가장 고유의 놀이는 바로 상상력이다. 낭만주의는 상상력의 놀이다. 낭만주의의 시각에 대한 부정의 논리는 바로 여기에 있다.

리얼리즘

낭만주의가 상상력을 최고의 정신으로 간주하고 눈을 부정했다면, 리얼리즘은 시각의 전통적인 권위를 복원시킨다. 낭만주의가 '눈에 대한 부정'을 근본원리로 한다면, 리얼리즘은 '눈에 대한 긍정'을 근본원리로 하기 때문이다. 리얼리즘이 재현하는 객관적 대상은 낭만주의의 경우처럼 초월적 상상력이 불러일으키는 선험적인 '순진무구'의 상태도, 눈이 포착할 수 없는 신플라톤주의적인 이상미나 초월적인 미도, 노발리스와 슐레겔이 동경하던 중세, 즉 신흥 부르주아지 사회의 안티테제인 선험적 고향도 아니다. 리얼리즘적인 전망에 포착되는 대상들은 오직 감각적인 눈이 지각하는 물리적 실체, 말하자면 인간의 구체적인 삶, 일체의 구체적인 사물, 그 이상도 이하도 아니다. 바로 그 표면이다. 맥건은 '낭만주

---

106) 블레이크가 George Cumberland에게 1827년 4월 12일자로 보낸 편지. William Blake, *The Poetry and Prose of William Blake*, David V. Erdman 편, Harold Bloom 주석 (New York: Doubleday, 1965), 707쪽.

107) 이에 대한 포괄적 논의는 Kathleen Raine, "Jesus the Imagination," *Blake and Tradition* (London: Routledge and Kegan Paul, 2002), II: 189~210 쪽에서 이루어지고 있다.

의적 이데올로기', 즉 의식, 상상력, 예술 등이 "역사와 문화의 파멸에서 인간을 해방시킬 수 있다"는 "엄청난 환상"을 낭만주의 허위의식[108]이라 부르고, 이를 마르크스와 엥겔스가 날카롭게 비판했던 '독일 이데올로기'와 동일시하면서, 현실 문제에 직면했을 때의 실패를 은폐하기 위한 커다란 자기기만이라고 지적했다.

리얼리즘은 이러한 낭만주의 허위의식의 거부에서 출발한다. 왜냐하면 해방은 마르크스가 지적했듯이 "역사적 행위이지 정신적 행위가 아니기 때문이다."[109] 들뢰즈가 "발생하는 모든 것과 일컬어지는 모든 것은 표면에서 일어나고 표면에서 일컬어진다…… 의미는 표면에 나타나고 표면에서 노닌다"[110]고 했을 때의 표면들, '사건들로 가득 찬 역사적 세계'야말로 리얼리즘이 재현하는 대상들이다. 이 표면들과의 관계를 떠나서는 인간을 파악할 수 없다. 그러므로 이 표면들을 관찰하고 이해해야 한다는 것이 리얼리즘의 기본전제다. 리얼리즘적인 전통에서 '보는 것'이 중시되었던 것은 보고자 하는 욕망이 바로 "세상을 알고자 하는 욕망과 부합"되었기 때문일 것이다.[111] 플로베르의 "나는 하나의 눈이다"[112]라는 언급은 그 시대에 시각이 차지하는 위상을 정확하게 반영한다.

사실 하나의 문학사조는 대개 그것을 대표하는 문학 장르와 아주 밀접한 관계를 가진다. 가령 낭만주의에서 서정시가 대표적 장르였다면, 리얼리즘에서는 소설이 '주요한 매체'다. 소설이 부르주아 계급의 삶을 반

---

108) Jerome McGann, *The Romantic Ideology: A Critical Investigation* (Chicago: U of Chicago Press, 1983), 137쪽.

109) Karl Marx, "The German Ideology," Karl Marx와 Friedrich Engels 공저, *Collected Works* (New York: International Publishers, 1975), V: 38쪽.

110) Gilles Deleuze, *Logique du Sens* (Paris: Les Éditions de Minuit, 1969), 158쪽. 질 들뢰즈, 『의미의 논리』, 이정우 역 (서울: 한길사, 1999), 237~238쪽.

111) Peter Brooks, *Body Work: Objects of Desire in Modern Narrative* (Cambridge/M.A.: Harvard UP, 1993), 99쪽. 피터 브룩스, 『육체와 예술』, 이봉지 · 한애경 공역 (서울: 문학과지성사, 2000), 201쪽.

112) Martin Jay, 앞의 책, *Downcast Eyes*, 112쪽에서 재인용.

영하는 문학 표현이었다는 것은 잘 알려진 사실이다. 헤겔의 "근대 중산계급의 서사시"[113]라는 규정에서 잘 드러나듯이 소설은 중산계급의 출현과 역사를 같이했다.[114] 리얼리즘의 주요한 매체인 19세기 소설은 부르주아 계급의 구체적인 삶과 그들의 이데올로기, 그리고 그들의 모순과 한계 등을 관찰하고 재현한 문학 장르였던 것이다. 이러한 역사적 배경에서 출발한 리얼리즘 소설이 겉으로 드러난 여러 형태의 '표면'을 철저히 관찰하고 '표면'을 충실히 재현하는 것을 근본원리로 했던 것은 일면 당연하다. 찰스 디킨스가 그의 작품 『우리 공통의 친구』에서 이러한 재현을 '거대한 거울'[115]이라 했던 것, 스탕달이 이를 '큰길을 따라 여행하는 거울'[116]이라 했던 것, 그리고 졸라가 거울의 이미지를 눈의 이미지와 결부시킨 것[117]도 이러한 맥락에서였다.

'거울'에 재현된 '현실'이란 곧 이를 분석적으로 관찰한 눈의 반영물이다. 리얼리즘 작가가 관찰하는 눈은 객관적인 역사가의 눈과 닮았다. 디킨스는 소설가를 연대기 작가에 비유했고,[118] 조지 엘리엇(George Eliot)은 소설가를 '자연사가'(natural historian)라 했다.[119] 역사가로서

---

113) G. W. F. Hegel, *Aesthetics*, T. H. Knox 역 (Oxford: Oxford UP, 1975), II: 1092쪽.

114) 헤겔을 좇아 소설을 '부르주아지의 서사시'로 일컬었던 루카치의 소설이론에 대해서 임철규는 졸고 「루카치와 황금시대」, 『왜 유토피아인가』 (서울: 민음사, 1994), 169~197쪽에서 본격적으로 논의했다.

115) Charles Dickens, *Our Mutual Friend* (New York: New American Library, 1980), 24쪽.

116) Stendhal, *Scarlet and Black*, Margaret R. B. Shaw 역 (Harmondsworth: Penguin, 1965), 365쪽.

117) Lilian R. Furst, All is True: *The Claims and Strategies of Realist Fiction* (Durham: Duke UP, 1995), 8~9쪽.

118) Charles Dickens, "Preface," *Barnaby Rudge* (Harmonsworth: Penguin Books, 1986), 39~41쪽.

119) George Eliot, *Selected Essays, Poems and Other Writings* (Harmonsworth: Penguin Books, 1990), 111~112쪽.

의 작가는 개인의 삶과 사회현상들을 분석적인 관찰자의 눈으로 조망하고 기록한다. 여기서 중요한 것은 사회분석가의 자세이며 사실에 가까운 표현은 이것의 결과다.

그러나 사실에 가까운 표현이 단순히 표면에 대한 치밀한 관찰의 결과인 것만은 아니다. 그것은 파편화된 표면 뒤에 숨은 사회원리와 역사법칙 같은 총체성을 조망하려는 원근법적 시각의 결과이기도 하다. 표면에서 사라진 총체성을 조망하려는 리얼리즘적인 시각은 19세기 리얼리즘 소설에서 전지적 화자, 즉 모든 것을 보고 모든 것을 파악하는 천리안을 가진 화자로 대변되는데, 그는 치밀하게 관찰된 디테일에 대한 논평을 통해 이러한 총체적인 비전을 전달하는 매개자 역할을 한다. 따라서 리얼리즘은 어떤 의미에서 이상주의와 반드시 배치되는 개념이 아닐 수도 있다. 조지 엘리엇의 남편이자 철학자였던 루이스(G. E. Lewes)의 표현을 인용하자면, "리얼리즘은 모든 예술의 근간이며, 리얼리즘의 반의어는 이상주의가 아니라 가식주의다."[120]

하지만 후기 리얼리즘과 자연주의에서 객관적인 역사가인 작가의 눈은 의사의 실험적 눈으로 변모한다. 졸라가 그의 논문 「실험소설」에서 의사와 작가의 유사성을 강조하면서 당시의 생리학자 베르나르(Claude Bernard)가 발전시킨 '실험의학'의 방법론이 자신의 문학뿐만 아니라 발자크와 플로베르의 문학, 즉 리얼리즘의 그것과 같은 것이라고 했다. 베르나르는 1865년에 실험이 "과학적 의학의 토대"[121]라면서 '실험병리학'이 병을 연구하는 데 과학적 분석과 방법을 가능하게 하는 의학의 기초라고 주장했다. 그의 실험병리학은 인간의 몸과 유사한 조직을 가진

---

120) G. H. Lewes, "Realism in Art: Recent German Fiction," *Westminster Review*, 70 (1858), 493쪽.
121) Claude Bernard, *An Introduction to the Study of Experimental Medicine*, Henry Copley Greene 역 (N. P: Henry Schuman, 1949 [1927]), 204쪽.

동물에게 인위적으로 병을 일으킨 후 그것의 원인과 증상, 과정을 조사하고 이를 토대로 그 질환을 규명한 것이다. 그는 관찰이 현상을 수동적으로 지켜보는 것이라면, 실험은 현상을 능동적으로 창조하고 규정하는 것이라고 했다. 실험은 관찰의 결과를 통해 하나의 '가정'을 제시하게 된다는 것이다.[122] 이러한 그의 주장은 관찰자는 자연에 귀기울인 반면, "실험자는 자연과 정면으로 대면하고 자연으로 하여금 스스로의 베일을 벗게 한다"[123]는 언급에서 잘 드러난다.

졸라는 베르나르의 실험병리학적 모델을 소설에 적용하면서 "나의 뜻을 분명하게 하고, 그 뜻에 과학적 진실의 엄밀성을 부여하기 위해" '의사'라는 말을 '소설가'로 대체할 필요가 있다고 했다.[124] 다소 과장된 표현일 수도 있지만, 세상을 바라보는 작가의 태도가 환자를 대하는 의사의 그것과 같아야 한다는 이러한 입장이 그에게만 국한된 것은 아니었다. 그와 같은 시대에 살았던 리얼리즘 작가들, 가령 '생리학의 아버지'라 일컬어지는 발자크, 플로베르, 디킨스, 의사 출신인 체호프, 엘리엇 그리고 발자크와 디킨스에서부터 '모든 것을 알고 있지만 그럼에도 자비로운 의사' 이미지를 차용한 헨리 제임스[125] 등도 유사한 견해를 표명했다.

당시 루앙 의과대학의 해부학과 과장이자 유명한 의사였던 아버지의 영향으로 해부학과 생리학에 깊은 관심과 조예가 있었던 플로베르는 소

---

122) Claude Bernard, 같은 책, 88~89쪽. Lawrence Rothfield, *Vital Signs: Medical Realism in Nineteenth-Century Fiction* (Princeton: Princeton UP, 1992), 124~125쪽. Dianne F. Sadoff, *Sciences of the Flesh: Representing Body and Subject in Psychoanalysis* (Stanford: Stanford UP, 1998), 88~89쪽, 102쪽을 참조할 것.
123) Claude Bernard, 같은 책, 55~56쪽, 221~224쪽..
124) Emile Zola, "The Experimental Novel," *The Experimental Novel and Other Essays*, Belle M. Sherman 역 (New York: Haskell House, 1963), 3쪽.
125) Lawrence Rothfield, 앞의 책, 164~165쪽.

설 『보바리 부인』을 집필했을 당시 자신은 인간의 삶을 "의학적인 시선으로" 조명하고 있었다고 토로했다. 자신의 소설들은 "해부용 메스의 끝"으로 집필되었다는 농담조의 발언도 잘 알려져 있다.[126] 졸라가 거론했던 '실험의학', 즉 '임상의학'은 그와 플로베르를 비롯한 동시대의 리얼리즘 작가들에게 "전문적 정확성이라는 이데올로기"를 제공했다.[127] 대상에 대한 과학적이고도 분석적인 정확성은 환자에 대한 의사의 전문적 정확성 같은 것이 되어야 한다는 졸라의 주장은 "사실의 권위 외에 어떠한 권위도 인정하지 않는다"[128]는 임상의학의 정신 그 자체다. 바로 이러한 정신이 리얼리즘의 기본원리인 것이다. 리얼리즘은 허구의 반대인 선험적인 진실보다 경험적인 사실성을 더 중시하기 때문이다.

임상의학의 이러한 실험정신뿐만이 아니라 19세기 초에 등장한 사진도 리얼리즘에 많은 영향을 미쳤다. 영화가 20세기의 리얼리즘적인 재현양식을 대표한 시각장치였다면, 사진은 19세기의 리얼리즘적인 재현양식을 대표한 시각장치였다. 사진은 현실의 한순간을 일어난 그대로 기록한다는 점에서 리얼리즘의 정신을 대변한다. 당시에는 은판사진기를 즉각 세상의 '거울'이라 불렀다.[129] 어느 영화비평가의 지적대로 사진의 출현으로 "인간의 눈은 오랫동안 누려온 권위를 잃게 되었다. 이제 인간의 눈 대신 사진기라는 기계의 눈이 본다. 심지어 어떤 면에서는 더욱 확실하게 본다. 사진은 눈의 승리이자 눈의 무덤이다."[130] 사진은 오랫동안 서구의 시각적인 규범이었던 원근법에 대한 일종의 확인이라는 점에서

---

126) Jann Matlock, "Censoring the Realist Gaze," Margaret Cohen과 Christopher Prendergast 공편, *Spectacles of Realism: Gender, Body, Genre* (Minneapolis: Minnesota Press, 1995), 51~53쪽을 볼 것.

127) Lawrence Rothfield, 앞의 책, xiv쪽.

128) Emile Zola, 앞의 글, 44쪽.

129) Martin Jay, 앞의 책, 126쪽.

130) Jean Louis Comolli, "Machine of the Visible," Teresa de Lauretis와 Stephen Heats 공편, *The Cinematic Apparatus* (New York: St Martin's Press, 1980), 123쪽.

눈의 '승리'이지만, 그것이 오히려 인간의 눈보다 현실을 더 정확하게 그리고 자동적으로 '본다'는 점에서 눈의 '무덤'인 것이다.

19세기에 사진이 가졌던 시대적인 영향력에 대한 논의들은 주로 그것이 인상주의 화가들에게 미친 영향에 국한된 경우가 많다. 그러나 앞서 지적했듯이 그것이 리얼리즘 작가들에게 미친 영향도 무시할 수 없다. 화가들의 눈에 직접 비친 현실, 즉 표면을 철저히 재현했다는 점에서 인상주의는 자연주의, 말하자면 졸라 계통의 리얼리즘과 일치한다. 그러므로 플로베르는 회화의 인상주의와 문학의 자연주의를 똑같이 투박한 물질주의라고 했다.[131] 졸라가 동시대의 많은 화가, 그 가운데서도 특히 인상주의 화가들과 나눈 폭넓은 교유와 영향에 대해서는 이미 많은 미술사가와 문학비평가가 확인했다.[132] 졸라 스스로도 자신이 세잔과 특별한 사이였고, 드가, 르누아르, 마네, 모네, 피사로와도 각별한 사이였음을 피력했으며, 그는 마네의 유명한 초상화 모델이기도 했다.[133] 졸라가 파악한 대로 인상주의는 시각을 통해 관찰된 외면적 현실, 즉 표면을 순간적으로 포착하여 그 순간의 '인상'을 캔버스에 그대로 재현하는 예술양식이었다. 인상주의의 이러한 기제는 바로 사진예술의 그것이다. 표면에 대한 충실이라는 사진의 근본원리는 보이는 대로 재현하는 인상주의 화가들의 원리가 되었다. 인상주의 화가들의 제1회 전시회가 사진작가의 작업실에서 열렸다는 점도 이러한 영향관계를 짐작할 수 있게 해준다.

계속해서 그것의 영향력은 리얼리즘 작가들에게로 이어졌다. '인상주

---

131) Adrianne Tooke, *Flaubert and the Pictorial Arts: From Image to Text* (Oxford: Oxford UP, 2000), 47쪽.
132) William J. Berg, *The Visual Novel: Emile Zola and the Art of His Times* (University Park, Pennsylvania: Pennsylvania State UP, 1992), 12~17쪽, 161~188쪽을 볼 것. 그리고 Jesse Matz, *Literary Impressionism and Modernist Aesthetics* (Cambridge: Cambridge UP, 2001), 46~47쪽을 참조할 것.
133) William J. Berg, 같은 책, 13쪽을 볼 것.

의'가 프랑스적 현상이었던 것은 사실이지만, 19세기 중엽 전체 유럽에서 사진예술의 위상을 감안해볼 때, 그 영향력이 프랑스 리얼리즘 작가들에만 국한된 것이 아니었음은 분명하다.[134] 졸라가 사진에 대해 깊은 관심을 가지고 있었고, '1900년의 전람회'에 출품된 사진 가운데 다수를 구입했다는 사실은[135] 시사하는 바가 크다. 플로베르는 훗날 사진을 일종의 예술로 인정하게 되지만, 초기에는 그것을 '글쓰기'에 대한 위협, '새로운 경쟁자'로 간주했으며, '사실상 위협적인 존재'로 인식했다.[136] 그의 사진에 대한 민감한 반응 그 자체가 그것의 영향력을 역설적으로 반증한 것인지도 모른다.

러시아 리얼리즘을 대표하는 톨스토이는 어떤 점에서 가장 시각적인 작가였다.[137] 러시아 소설에 정통한 어느 학자에 따르면, 도스토예프스키와 프로이트에게 결정적인 대립이 '의식적인 것'과 '무의식적인 것'이었다면, 톨스토이에게 그것은 '눈에 띄는 것'과 '눈에 띄지 않는 것'이었다.[138] 1908년 2월 21일자 일기에서 톨스토이는 "나에게는 전 세계가 시각적이다"[139]라고 적고 있다. 그에게는 본다는 것이 가장 중요한 것이었

---

134) 가령 19세기의 영국 소설가 토머스 하디는 그의 소설에서 그가 열망하는 모델을 인상주의 회화에서 발견했다. 그는 그의 저널에서 "인상파의 영향력은 강력하다. 그것은 미술보다 문학에서 한층 더 시사적이다……"라고 말하고 있다. Carol T. Christ 와 John O. Jordan, "Introduction," Carol T. Christ와 John O. Jordan 공편, *Victorian Literature and the Victorian Visual Imagination* (Berkeley: U of California Press, 1995), xxi쪽에서 재인용.

135) Rhonda Garelick, "Bayadères, Stèrèorama, and Vahat-Loukoum: Technological Realism in the Age of Empire," Margaret Cohen과 Christopher Prendergast 편역, 앞의 책, 319쪽 (주31).

136) Adrianne Tooke, 앞의 책, 55쪽, 171쪽.

137) 이에 대해서는 Thomas Seifried, "Gazing on Life's Page: Perspectival Vision in Tolstoy," *PMLA* 113: 3 (1998), 436~448쪽을 볼 것.

138) Gary Saul Morson, *Hidden in Plain View: Narrative and Creative Potentials in 'War and Peace'* (Stanford: Stanford UP, 1987), 200쪽.

139) Thomas Seifried, 앞의 글, 437쪽에서 재인용.

으므로, 이 세상은 눈에 보이는 경우에만 인식될 수 있는 것이었다. 즉 그의 인식의 전제조건은 바로 보는 것이었다. 그는 서구 회화에 정통했고, 어린 시절의 교육을 통해 원근화법을 숙지하고 있었다. 그러나 더 주목할 만한 것은 그가 사진의 시대에 속하는 인물이었으며, 당시 러시아에서 사진에 가장 많이 찍힌 인물들 가운데 한 사람이었다는 것이다.[140] 그의 글에서 접하게 되는 사물에 대한 정확한 묘사, 마치 눈앞에 펼쳐진 듯한 생생한 재현은 아마도 그가 '보이는' 그대로의 표면을 충실히 기록한다는 사진의 근본원리를 숙지했기 때문일 것이다.

사진술이 발명된 이후, 채 1년도 지나지 않아 미국의 소설가 포는 탐정소설이라는 장르를 '발명'하고, 일련의 단편소설들을 발표했다. 또한 그는 사진에 관한 논문들도 잇달아 발표했으며, 그 가운데 한 논문에서 "근대과학의 가장 괄목할 만한 승리"를 보여준 것이 사진이라고 했다. 그에게 사진은 현실에 접근하는 데 언어를 대신하는 완벽한 재현형식, 지시대상과 "완전한 동일성"을 성취하는 형식이었다.[141]

이는 디킨스에게도 마찬가지였다. 영국문학사에서 최초의 탐정으로 간주되는 인물은 디킨스의 소설 『황량한 집』의 주인공 버킷인데, 디킨스가 활동했던 빅토리아 시대의 영국인들에게 탐정은 사진기처럼 완벽하게 보는 인물이었다. 디킨스는 사진에 정통했을 뿐만 아니라[142] 『황량한 집』의 출간과 동시에 사진에 대한 글들도 발표했다. 이 소설이 발표되기 전에 그가 주간하는 저널에 실린 한 평론에서 "눈은 위대한 탐지기다"라는 실제 탐정의 말을 인용했으며,[143] "탐정의 경험은 그를 다른 사람들의

---

140) Thomas Seifried, 같은 글, 444쪽.
141) Edgar Allen Poe, "The Daguerreotype," *Alexander's Weekly Magazine*, January 15, 1840. Ronald R. Thomas, "Making Darkness Visible: Capturing the Criminal and Observing the Law in Victorian Photography and Detective Fiction," Carol T. Christ와 John O. Jordan 공편, 앞의 책, 136쪽에서 재인용.
142) Ronald R. Thomas, 같은 글, 144쪽.

눈에는 보이지 않는 발자국으로 인도한다"[144]는 말을 남기기도 했다.

사실 『황량한 집』은 사진의 출현 이후에 집필된 것이지만, 그것의 시대 배경은 사진술의 발명에서 약 10년을 거슬러올라간다. 여기서 우리는 탐정의 눈과 사진기의 눈, 이 둘 사이의 유사성을 증명하려는 디킨스의 의도를 읽을 수 있다. 그에게 탐정의 눈과 사진기의 눈은 거의 동일한 것이었다. 『황량한 집』이 출간된 직후에 발표된 논문에서는 만일 우리가 정확하게 보는 '훈련이 되어 있다면'(『황량한 집』의 탐정 버킷처럼) 쳐다보는 것만으로 범인을 알아낼 수 있을 것이라고 주장하기도 했다.[145] 그후에 발표된 글에서도 디킨스는 사진의 업적에 대해 놀라움을 금치 못하고 있는데, 그에게 사진은 거의 마법에 가까운 예술이었다. 자신의 저널에 유사한 입장을 가진 평론가들의 글을 싣기도 했는데, 그들은 사진작가는 별도의 노력이 없어도 "일찍이 어떠한 화가도 만들어내지 못했던 이미지들, 모든 성, 모든 연령대 인간의 수많은 이미지를 만들어냈다"고 주장함으로써 디킨스의 사진에 대한 관심과 기대를 확인해주었다.[146]

'마법적 예술', 즉 사진은 19세기 리얼리즘 작가들에게 임상의학의 실험원리와 마찬가지로 표면에 대한 정확한 관찰과 그것의 충실한 재현이라는 원리, 실제 이미지의 완벽한 재현이라는 이데올로기를 설파했다. 이는 사진기가 "19세기의 다양한 담론에 다양한 방식으로 개입함으로써" 보는 행위를 변화시켰을 뿐만 아니라, "주요한 사회적, 미적, 철학적,

---

143) W. H. Willis와 Charles Dickens, "The Modern Science of Thief-Taking," *Household Words 1* (13 July 1850): 371. Ronald R. Thomas, 같은 글, 144쪽에서 재인용.

144) W. H. Wills와 Charles Dickens, 같은 글, 369쪽. Ronald R. Thomas, 같은 글, 144쪽에서 재인용.

145) Charles Dickens, "The Demeanor of Murderers," *Household Words 13* (14 June 1856): 503. Ronald R. Thomas, 같은 글, 145쪽에서 재인용.

146) Henry Morely와 W. H. Wills, "Photography," *Household Words 7* (19 March 1853): 54~55. Ronald R. Thomas, 같은 글, 145쪽에서 재인용.

형이상학적 범주와 상호관계에도 영향을 미쳤다"[147])는 주장을 통해서도 재차 확인된다. 그러나 리얼리즘 작가들은 표면을 충실하게 재현한 사진의 권위에 매혹되면서도, 한편으로는 거기서 플로베르와 마찬가지로 '글쓰기'에 도전하는 '위협적인 존재'의 모습을 보아야만 했다. 그 매혹 속에서 "상상력이라는 내면의 눈을 제거하려는"[148]) 사진의 이면도 보아야 했던 것이다. 보들레르는 「1859년의 살롱」에서 사진은 현실에 대한 상상적인 비전을 제공할 수 없으며, '외면적 현실' 이외에는 아무것도 재현할 수 없다고 격렬하게 비판했다.[149])

또한 그전에 플로베르는 사진이 상상력이나 예술가의 창조적인 재능이 배제된 단순한 '복사'에 불과하다고 주장함으로써 그것의 한계를 지적했다.[150]) 은판사진이 발명되자 경탄을 금치 못했던 러스킨조차 자연이 아니라 사진의 표면을 모방하려는 화가들의 기계적 사실주의에 대해 우려를 표명하면서, '표면을 꿰뚫는 상상력'이야말로 문학과 미술의 고유

---

147) Lindsay Smith, *Victorian Photography, Painting, and Poetry* (Cambridge: Cambridge UP, 1995), 3쪽.
148) Nancy Armstrong, *Fiction in the Age of Photography: The Legacy of British Realism* (Cambridge/M.A.: Harvard UP, 1999), 251쪽.
149) Charles Baudelaire, "The Salon of 1839," *Charles Baudelaire: Selected Writings on Art and Literature*, P. E. Charvet 역 (Harmondsworth: Penguin Books, 1972), 297쪽. "예술은 날이 갈수록 자존을 잃어가고, 외면적 현실 앞에 무릎을 꿇고 있으며, 화가는 그가 상상하는 것을 그리는 것이 아니라 보이는 것만 그리는 것에 점점 경도되어가고 있다." 벤야민에 따르면 보들레르는 "상상력의 활동영역을 축소시키는" 은판사진술에 대해 깊은 위협과 두려움을 느꼈다. Walter Benjamin, *Illuminations*, Hannah Arendt 편, Harry Zohn 역 (New York: Schocken Books, 1969), 186쪽. 발터 벤야민, 『발터 벤야민의 문예이론』, 반성완 편역 (서울: 민음사, 1983), 156쪽. 사진의 사실주의적 강점에 매혹당하면서도 이에 대한 위협을 누구보다도 깊이 경험했던 인상주의의 대표적인 화가 마네의 경우에 대해서는 Donald Kuspit, *Psychostrategies of Avant-Garde Art* (Cambridge: Cambridge Up, 2000), 31~32쪽을 볼 것.
150) Adrianne Tooke, 앞의 책, 47쪽, 56쪽.

한 특성이라고 주장함으로써 "표면에 드러난 진실 이상의 본질적인 진실"에 이르게 하는 것은 상상력이라는 점을 강조했다. 이는 러스킨과 마찬가지로 시각을 가장 지적인 감각으로 보고, 시각적 상상력을 높이 평가했던 소설가 하디의 입장이기도 했는데,[151] 그에 따르면 "복사하고 기록하는 수준의 리얼리즘은 예술이 아니었다."[152]

리얼리즘 작가들의 이와 같은 태도는 인간의 눈을 대신한 사진기의 기계적 눈이 재현한 '현실'이라는 것이 과연 정확한 현실인가에 대한 그들의 회의와 사진기의 출현으로 상처 입은 그들의 예술가로서 갖는 '자존감'을 반영한다. 시각에 대한 믿음과 시각을 통한 표면에 대한 정확한 관찰과 충실한 재현이 시종일관 그들의 일관된 예술원리이기는 했지만, 눈이 지각한 '현실', 그 표면만이 진정한 현실인가에 대한 회의를 감출 수는 없었던 것이다. 그들의 눈, 즉 작가의 눈은 사진기의 '기계적 눈'과 임상의학의 '과학적 눈' 이상을 필요로 하는 것이었고, 그것은 곧 표면의 이면을 볼 수 있는 상상력이라는 '내면의 눈'이었다. 문학작품 속에 재현된 현실은 이미 이 내면의 눈이 형상화한 것일 수밖에 없기에 니체의 진단처럼, "예술에서 리얼리즘은 하나의 환상"일지도 모른다.[153] 졸라 계통의 자연주의와 리얼리즘 사이의 차이는 표면에 대한 강조의 차이다. 표면에 대한 정확한 관찰과 이것을 토대로 하는 충실한 재현이라는 예술원리를 공유하지만, 자연주의가 겉으로 드러난 현실, 즉 표면을 유일한 현실로 간주한 반면, 리얼리즘은 그것이 유일한 현실이 아닐 수도 있다는 반성적인 입장도 포기하지 않는다. 그러나 이 둘 사이의 간격이 낭만주의와의 그것만큼 넓지는 않다. 그들은 인간의 눈에 대한 신뢰를 결코

---

151) J. B. Bullen, *The Expressive Eye: Fiction and Perception in the Work of Thomas Hardy* (Oxford: Clarendon Press, 1986), 특히 65~71쪽을 볼 것.

152) Florence Hardy, *The Life of Thomas Hardy* (London: Macmillan, 1930), 229쪽을 볼 것.

153) Friedrich Nietzsche, *Gesammelte Werke*, Musarionausgabe (Munich: Musarion Verlag,1920~29), XI: 80쪽.

철회하지 않기 때문이다.

모더니즘

19세기 말엽에서 20세기 초엽에 이르는 기간에 여러 특별한 형태의 예술로 등장했던 모더니즘에 대한 규정과 평가는 그것의 다양한 형태만큼이나 다양하다. 그러나 그것의 시작이 보들레르와 함께였다는 점에 대해 특별한 이견이 있을 것 같지는 않다. 보들레르가 표면이라는 외면적 현실 자체만을 재현하고 상상적인 비전을 배제하는 사진 예술에 대해 극도의 거부감을 표출했다는 점은 앞에서도 지적했다. 모더니즘은 이러한 기조, 즉 눈이 표면을 정확히 관찰하고 관찰을 토대로 하는 충실한 재현을 강조한 리얼리즘의 예술원리를 거부한 데서 출발한다. 모더니즘의 가치를 드높였던 야수파, 입체파, 다다, 초현실주의 등의 이른바 아방가르드적 예술 유파들도 '사진에 대한 반동'을 근본기조로 하기 때문이다.[154] 이런 점에서 볼 때 모더니즘이 보들레르와 말라르메 등이 대표하는 상징주의에서 시작되었다고 보아도 별 무리는 없을 듯하다. "전 우주는 상상력이 상대적 장소와 가치를 부여할 기호와 상징의 보고(寶庫)에 지나지 않는다"[155]고 했던 보들레르는 상징주의의 기본원리를 보여준 그의 시 「상응」에서 우리 주위의 모든 대상을 '상징의 숲'이라고 노래했다. 상징주의 시인들의 내면적 풍경에 대한 전주곡과도 같은 이러한 인식에서 시각적 경험이 차지할 자리는 없어 보인다.

상징주의 시인들, 특히 말라르메에게 지대한 영향을 미쳤던 이들로 철

---

154) Pierre Cabanne, *Dialogue with Marcel Duchamp* (New York: Viking, 1977), 94쪽. Donald Kuspit, *The Cult of the Avant-Garde Artist* (Cambridge: Cambridge UP, 1993), 31쪽에서 재인용.

155) Charles Baudelaire, "Salon de 1859," *Œuvres complètes* (Paris: Pléiade, 1954), 1035쪽.

학자 쇼펜하우어와 헤겔을 들 수 있다. 쇼펜하우어는 인간들이 추구하는 초월 세계의 이상적인 형태는 감각이나 논리적 사유를 통해 접근할 수 있는 것이 아니라고 했다. 그것은 오직 예술가들의 상상력을 통해 직관적으로 이해될 수 있을 뿐이라는 것이다. 그리고 이러한 이해에 이르기 위해 예술가는 시각적 경험의 대상인 물질 세계에서 철저하게 자유로워야만 한다고 했다. 헤겔도 물질적인 존재에서 자유로운 '자기 부정'이야말로 플라톤적 이데아의 세계에 도달하기 위한 필연적인 단계라는 인상을 심어주었다. 플라톤의 이데아와 같은 인간의 경험을 초월하는 이상적인 세계, 그러한 신비에 대한 추구가 상징주의 시인들의 궁극적인 목표였다. 따라서 시각적 경험을 통한 사물들의 충실한 재현은 그들에게, 특히 말라르메에게는 아무런 의미가 없는 것이었다. 말라르메는 양친의 가톨릭 신앙을 거부하는 대신, 시에서 형이상학적 가치의 본질을 찾고자 했다.[156)

상징주의 시인들의 이런 태도는 자연주의가 '과학'이 되었다면, 상징주의는 '종교'가 되었다는 주장을 통해서도 확인할 수 있다. 그들의 목적은 "대상을 묘사하는 것이 아니라 대상이 만들어낸 효과를 묘사하는 것",[157) 즉 하나의 구체적인 대상을 재현하는 것이 아니라 구체적인 대상이 암시하는 '관념들'을 묘사하는 것이었다. 그들에게 진정으로 존재하는 것은 오직 '순수관념'들뿐이었다. 그러나 그 관념들은 감각으로는 지각할 수 없는 것이기에 언어를 통한 상징의 추구가 불가피했던 것이다.

---

156) Richard Candida Smith, *Mallarme's Children: Symbolism and the Renewal of Experience* (Berkeley: U of California Press, 1999), 19~20쪽. 사르트르도 다음과 같이 말했다. "자신의 손으로 신을 죽인 후에도 말라르메는 여전히 신적 보증을 원했다. 그가 모든 초월의 근원을 제거하긴 했지만 시는 초월적인 것으로 남지 않으면 안 되었다."(Jean-Paul Sartre, *Mallarmé: La lucidité et sa face d'mbre*, Arlette Elkaim-Sartre 편 [Paris: Gallimard, 1986], 152쪽)

157) Stephane Mallarmé, *Mallarmé: Selected Prose Poems, Essays, and Letters*, Bradford Cook 역 (Baltimore: Johns Hopkins UP, 1956), 831쪽.

모든 예술에서 상징은 창조적 상상력의 산물이다. 낭만주의시대에 대두한 '창조적 상상력'이라는 관념은 상징주의와 이후 여러 형태의 모더니즘을 거쳐 '현대'예술에 '중심적'인 것이 되었다.[158] 창조적 상상력이 예술 창조의 근본원리가 되고, 그것의 영향력이 강화되면서 현실이라는 개념도 가변적인 것이 될 수밖에 없었다. 모더니즘, 특히 그것의 또 다른 이름이라 할 수 있는 아방가르드는 리얼리즘이 규정한 현실을 철저히 의문시했다. 그것은 리얼리즘이 규정한 물리적 현실, 말하자면 시각으로 지각한 표면적 현실만을 유일한 현실로 인정할 수 없었던 것이다.

상징주의에 이어 등장한 표현주의도 그들의 예술적 현실은 객관적이고 과학적인 관찰의 대상인 물리적 '표면'이 아니라 창조적 상상력으로 투영된 우주적인 '신비'나 표면 아래 자리한 '본질'의 세계가 그 예술적 현실이라고 했다. 그러므로 내적 비전, 순간적 인상이 아닌 '정신'(Geist)에 천착할 수밖에 없었다. 모든 존재가 분리되기 이전의, 일체가 하나였던 원초적인 우주적 고향(Urheimat)에 대한 그들의 동경도 이러한 관심사를 잘 반영해준다. 파편화되고 일상화된 경험 너머에 있는 잃어버린 '전체'에 대한 비전을 달성하려는 정신이야말로 아방가르드의 대표 격이라 할 수 있는 표현주의운동의 근간을 이루었던 것이다.

표현주의를 대표한다고 할 수 있는 칸딘스키는 예술에서 총체성의 결여, 총체적인 우주 배경의 부재가 예술의 영적 쇠퇴의 징후라고 보았다. 그는 당시의 예술가들에게 창조의 전체와 일체가 될 것, 순수지각의 형태인 '내적 비전'을 신장할 것을 촉구했다. 그에게 예술은 "영적 암흑"에서 자아를 치유할 수 있는 "내적 인식의…… 길"이었다.[159] 따라서 표현주의의 일차적 과제는 과학적, 물질주의적인 세계관과 상응하는 예술 양식, 즉 자연주의나 리얼리즘에서 탈피하는 것이었다. '가시적'인 것을 표

---

158) Charles Taylor, 앞의 책, 419쪽.
159) Wassily Kandinsky, *Concerning the Spiritual in Art*, M. T. H. 역 (New York: Dover, 1974), 13쪽, 14쪽.

현하는 재현예술을 물질주의와 동일시했던 표현주의 예술가들에게 중요한 것은 '비가시적'인 것의 추구였기 때문이다. 그들에게 비가시적인 것은 눈으로 볼 수 없고 언어로 표현할 수 없는 유일한 현실, 우주적 '신비' 자체를 의미했다. 그들의 신비에 대한 동경은 주체와 객체, 인간과 신이 분열되기 이전, 그 둘이 하나의 형상을 하고 있던 마법적 현실에 대한 동경이었다. 표면의 배후나 내부에 숨어 있는 이 신비를 드러내는 것, 즉 '비가시적인 것'을 '가시적인 것'으로 전환시키는 것이 그들의 주요한 예술원리였던 것이다.

한편 칸딘스키에게는 두려움, 기쁨, 슬픔과 같은 일상적인 감정이 아니라 "말로 표현할 수 없는 좀더 고차원적인 감정", 그러므로 "예술만이 간파할 수 있고", "예술만이 표현할 수 있는" 감정이 바로 '신비'에 속하는 것이었다. 그는 이러한 신비의 감정을 "내면적 진실"이라 했고[160], 브르통은 칸딘스키의 그런 감정을 "가장 깊은 욕망"[161]이라 했다. 이런 점에서 볼 때 표현주의 형이상학적 신비는 그후 초현실주의에서 강조되었던 이성에서 예술과 삶을 자유롭게 하는 본능, 그 '가장 깊은 욕망'이 자리한 '잠재의식'까지 아우르는 것이라고 하겠다. 스트린드베리 등 대표적인 표현주의자들의 작품에서 드러나듯이 "잠재의식의 가장 깊은 곳에서 분출하는 영혼의 상태와 격렬한 감정"이야말로 그들이 보여주고자 한 '현실'이었기 때문이다.[162] 그들은 감각적인 눈으로 간파할 수 없는 내면의 현실을 가시화하려 했던 것이다.

또 하나의 대표적인 아방가르드인 초현실주의의 경우, 예술을 통해

---

160) Kandinsky, 앞의 책, 9쪽.

161) Andre Breton, *Surrealism and Painting* (New York: Harper and Row, 1972), 357~358쪽.

162) Ulrich Weisstein, "Introduction," *Expressionism as an International Phenomenon* (Paris and Budapest: Didier and Akademiai Kiado, 1973), 23쪽. Peter Nicholls, *Modernisms: A Literary Guide* (Berkeley: U of California Press, 1995), 142쪽에서 재인용.

표현하고자 했던 '현실'도 감각적인 눈을 통해 지각할 수 있는 물리적인 현실이 아니었다. 초현실주의에서 그것은 "현실 그 자체보다 더 현실적인 것, 현실보다 더 의미가 있는 어떤 것,"[163] 즉 '무의식'이었다. 따라서 그 주제 면에서 상징주의와 표현주의가 형이상학적인 반면에, 초현실주의는 좀더 형이하학적이었다는 평가가 가능해지는 것인지도 모른다. 초현실주의에 대한 바타유의 견해를 거론하면서 어느 비평가가 바타유의 초현실주의는 '이상주의적 상부'보다 '물질주의적 하부'를 특징으로 한다고 했을 때 그가 명명한 '물질주의적 하부'[164]가 초현실주의의 '현실'이었다.

표현주의와 초현실주의의 차이를 구태여 찾아야 한다면, 전자가 주로 독일적 예술현상이었고, 후자가 주로 프랑스적 예술현상이었다는 점이다. 오히려 그들은 내면적이고 주관적인, 따라서 추상적이고 비역사적이고 비이성적인 예술경향을 공유한다는 점에서 별 차이가 없다고 할 수 있다. 그런데도 초현실주의가 보여준 무의식의 집착을 간과할 수는 없다. 프로이트의 '현실원칙'을 포기했던 상징주의의 유산을 이어받은 초현실주의에서 현실이라는 '타자'는 무의식이었다. 사실 초현실주의는 프로이트의 이론을 받아들인 "유일한…… 아방가르드"였다.[165] 초현실주의는 이 무의식, 이 무의식의 신비성을 강조함으로써 이성이 가장 탁월한 인간의 속성이라는 서구의 전통적인 믿음을 부정한 것이다. 그들은 이 이성을 눈으로 종종 표상했는데, 유독 초현실주의 작품에서 눈이 자주 등장한 것은 아마도 이러한 이유일 것이다.

이 공격의 대상인 이성은 초현실주의에서 눈으로 이따금 표상되었다. 데 키리코, 마그리트, 달리 등의 회화작품과 바타유의 『눈 이야기』등에

---

163) E. H. 곰브리치, 『서양미술사 하』, 최민 역 (서울: 열화당, 1981), 593쪽.
164) Hal Foster, *The Return of the Real: The Avant-Garde at the End of the Century* (Cambridge/ M.A.: MIT Press, 1996), 144쪽.
165) Peter Nicholls, 앞의 책, 281쪽.

서 중요한 모티프가 된 눈은 제3장에서 논의한 대로 성기를 상징하기도 하다. 이처럼 성기를 상징하는 눈의 모티프를 보여준 여러 작품들 가운데 가장 대표적인 것으로 달리와 부뉴엘의 「안달루시아의 개」를 꼽을 수 있다. 이 영화는 한 남성이 한 여성의 눈을 면도칼로 도려내는 장면으로 시작된다. 이 장면에 대한 해석이 분분한 것이 사실이지만, 정신분석에 대한 부뉴엘과 달리의 관심도를 고려할 때[166] 이 장면에 나오는 면도칼은 프로이트적 팔루스, 그것이 뚫고 들어가는 여성의 눈은 여성의 성기를 상징한 것이 분명해 보인다. 그러나 동시에 눈에 가한 무자비한 폭력은 서구의 오랜 시각중심적인 전통에 대한 강한 거부의 몸짓으로도 읽힌다.[167]

소포클레스의 『오이디푸스 왕』(이 작품은 제7장에서 다룰 것이다)에서 오이디푸스의 실명과 바타유의 『눈 이야기』(이 작품은 제9장에서 다룰 것이다)에서 신부(神父)의 뽑힌 눈이 남근 '거세'의 상징만이 아니라 시각에 특권을 부여해오던 서구의 이성중심적인 사유에 대한 비판으로도 읽힐 수 있듯이. 물론 이러한 반시각적 태도가 방금 살펴본 초현실주의에만 국한된 것은 아니다. 상징주의의 순수관념, 표현주의 내면의 현실 등도 궁극적으로는 시각에 대한 회의의 결과였다. 이들에 대한 논의를 통해 드러나는 모더니즘의 특징은 바로 리얼리즘의 대표적인 감각인 시각과 그것이 표상하는 실증적, 구체적, 이성적 사유에 대한 회의와 거부의 움직임이다. 1940년대에 레비 스트로스가 초현실주의자들과 맺었던 교분을 굳이 강조하지는 않는다 하더라도[168] 그의 이른바 '야성적 사유', 아니 '야성'이 모더니즘의 아방가르드적 성격을 규정하는 데 필수적인

---

166) Ian Gibson, *The Shameful Life of Salvador Dali* (New York: Norton, 1998), 245쪽.

167) Martin Jay, 앞의 책, *Downcast Eyes*, 262쪽.

168) Jacqueline Chénieux-Gendron, *Surrealism*, Vivian Folkenflik 역 (New York: Columbia UP, 1990), 122쪽.

요소라는 점[169]에 대해 특별한 이견이 제기되지는 않을 것이다. 모더니즘은 야성에 대한 강조를 통해 이성을 절대시하던 전시대의 인식론에 대한 깊은 회의를 토로한다. 모더니즘의 시기 전체를 19세기와 구별시켜주는 특징적인 현상으로서 '인식론적 불확실성', '아노미적 회의'가 거론되는 것도[170] 이 때문이다.

이러한 모더니즘적 현상은 피카소로 대표되는 입체파 회화와 카프카로 대표되는 모더니즘 문학을 통해 가장 잘 드러난다. 입체파 회화는 원근화법을 토대로 하는 전통적인 재현원리를 해체시켰다는 점에서 르네상스 이래 가장 중요하고 가장 급진적인 예술 혁명으로 평가된다. 르네상스 초기부터 19세기 후반까지 서구의 시각 재현을 지배했던 원근화법은 이차원의 표면에 삼차원의 공간을 재현하려는 회화 기법이었지만, 그것의 함의가 회화에만 국한되는 것은 아니었다. 원근화법이 재현한 '고전적'이거나 '사실주의적'인 공간은 곧 뉴턴의 공간이며, 뉴턴적 공간과 마찬가지로 기하학적 원리의 지배를 받는다. 그것은 뉴턴의 운동 법칙, 그의 기계적 세계관을 반영하는 공간재현의 모델인 것이다. 입체파 회화는 이러한 공간을 해체함으로써 기존의 현실인식에 결정적인 변화를 가져왔다. '현실'의 얼굴이 하나가 아니라는 것을 보여주었기 때문이다. 이

---

169) 바타유가 '원시문화에 대한 탐구'가 초현실주의 주요한 아니 '가장 결정적'인 특징이라고 규정했듯이, 초현실주의자들은 오세아니아, 북아메리카, 멕시코, 카리브 해안, 그리고 아프리카 종족들의 '이국적' 삶에 깊은 흥미를 갖고, 서구의 '이성적' 사유를 전복시키기 위해 그 비서구 종족들의 환상적, 마법적 그리고 신화적 사유, 말하자면 '야성적 사유' 내지 '원시성'을 이상화했다. 그들의 그러한 경향은 특히 모스(Marcel Mauss), 레비 스트로스 등의 인류학자의 영향에 크게 힘입었다. 이런 점과 초현실주의의 '원시문화에 대한 탐구'에 대해서는 Louise Tythacott, "Introduction. Surrealism and ethnologie: subversive ideologies," *Surrealism and the Exotic* (London: Routledge, 2003), 1~15쪽을 볼 것.

170) Richard Murphy, *Theorizing the Avant-Garde: Modernism, Expressionism, and the Problem of Postmodernity* (Cambridge: Cambridge UP, 1998), 44쪽.

는 아인슈타인의 상대성이론이 보여주었던 것이기도 하다.

상대성이론이 우주에는 절대 정지상태인 것은 아무것도 없다는 것을 밝힘으로써 뉴턴적 절대시간, 절대공간의 개념을 전복시켰다. 아인슈타인은 관찰자에 따라 시간과 속도가 다르게 관찰된다는 사실을 과학적으로 증명함으로써 시간이 모든 사람에게 동일한 것이 아니며, 절대적일 수 없다는 사실을 보여주었다. 시간과 공간을 측정할 동질적이고, '객관적'인 표준이 없기 때문에 현실이라는 것도 관찰자의 위치, 관찰자의 관점에 따라 각기 다른 얼굴, 말하자면 지극히 주관적인 얼굴을 가지게 된다는 것이다. 아인슈타인이 누구보다도 "전형적인 모더니스트"[171]라고 불린 것도 이 때문이다. 우연의 일치였을까.[172] 피카소가 「아비뇽의 처녀들」(1907)을 세상에 내놓은 즈음에 아인슈타인은 상대성이론을 구축하고 있었다.

피카소의 이 작품은 아인슈타인의 주장을 그대로 전하는 최초의 현대적 그림이었으며, 그것이 몰고 온 반응은 경악 그 자체였다. 마티스, 조르주 브라크, 아폴리네르 등 피카소의 작품에 가장 익숙했던 이들조차 이 작품에 하나의 작품이라는 기존의 개념을 적용할 수 없다는 견해를 피력했을 정도였다. 드 만이 보들레르의 모더니티 시도를 니체의 과거 부정 또는 망각의 시도와 동일시하면서, 모더니티를 '과거의 무자비한 망각'[173]이라고 했듯이, 이 그림에서 피카소는 과거의 전통을 철저히 망

---

171) Thomas Vargish와 Delo E. Mook, *Inside Modernism: Relativity Theory, Cubism, Narrative* (New Haven: Yale UP, 1999)

172) 아인슈타인의 상대성이론과 입체파 간의 관계에 대해서는 Thomas Vargish 와 Delo E. Mook, 같은 책, 12쪽을 볼 것. 아인슈타인보다 오히려 보어(Niels Bohr)가 피카소의 회화에 깊은 관심을 가졌으며, 피카소에게서 자신의 것과 같은 성질의 정신을 발견했던 것으로 전해진다. 아인슈타인은 피카소의 초기 회화들에 관심을 보였지만, '입체파', '추상화' 같은 단어들이 그에게 특별한 의미를 주지는 못했던 것으로 전해지기도 한다. Arkady Plotnitsky, *Complementary: Anti-Epistemology after Bohr and Derrida* (Durham: Duke UP, 1994), 92쪽을 볼 것.

각하고 있다. 피카소는 규범적인 얼굴을 무자비하게 일그러뜨리고, 예술적 구도를 헝클어버림으로써 원근화법을 토대로 한 전통적인 재현의 원리를 철저하게 파괴한 것이다. 그는 자신의 그림에 대해 "파괴의 총화"라고 말했다.[174] 이 파괴의 대상은 곧 감각적인 눈이 지각한 '현실' 그리고 그것을 마치 유일한 '현실'인 양 절대시하는 시각중심적인 사유인 것이다. 그의 회화적 '파괴'는 그러한 현실, 그러한 현실을 구축하는 논리 인식에 가하는 증오의 표현이었다. 그의 회화세계에서 그는 모든 "대상이나 존재의 창조자"이며,[175] 거기서 그의 무한한 예술적 환상이 펼쳐진다.[176] 그는 "우리에게 현실에 대한 의식을 준 모든 표현형식은 망막의 현실에서 가장 멀리 떨어져 있다. 예술가의 눈은 보다 높은 현실을 본다. 자신의 작품은 보다 높은 현실을 불러일으킨다"[177]고 했다. 그에게 망막에 비친 대상으로서의 현실이 유일하거나 절대적일 수는 없다. 그것은 관찰자가 어떻게 인식하는가에 따라 달라질 수 있는 주관적이고 상대적인 것이다. 모더니즘은 탈뉴턴 시대의 미학, 말하자면 '복수성' 또는 '상대성의 미학'[178]이다. 그리고 피카소는 이러한 상대성의 미학을 구체화시킨 모더니즘의 전형이라 할 만하다.

이러한 아방가르드적 '상대성의 미학'을 구현한 또 한 명의 대표적 모더니스트로 카프카를 꼽을 수 있다. "모더니즘 소설의 아인슈타인"[179]이

173) Paul de Man, "Literary History and Literary Modernity," *Blindness and Insight: Essays in the Rhetoric of Contemporary Criticism* (Minneapolis: U of Minnesota Press, 1983), 156쪽, 147쪽.

174) Pablo Picasso, *Picasso on Art: A Selection of Views*, Dore Ashton 편 (New York: Viking, 1972), 8쪽.

175) Pablo Picasso, 같은 책, 82쪽.

176) Donald Kuspit, *Psychostrategies of Avant-Garde Art*, 앞의 책, 180~181쪽을 볼 것.

177) Pablo Picasso, 앞의 책, 82~83쪽.

178) Andrew Hewitt, *Fascist Modernism: Aesthetics, Politics, and the Avant-Garde* (Stanford: Stanford UP, 1993), 34쪽.

라고도 불리는 카프카도 아인슈타인이 상대성이론을 주장하던 당시에 프라하에 살고 있었으며, "1910년부터 1912년까지…… 그들은 서로 교분을 맺었고, 자주 같은 살롱에 드나들었다"고 전해진다.[180] 아인슈타인이 카프카에게 직접적인 영향을 미쳤을 것이라는 식의 추리를 감행하지 않더라도, 카프카의 문학세계, 특히 그의 단편 『변신』을 통해 드러난 그의 인식세계가 과학자의 그것과 유사하다는 사실은 확실해 보인다.

1915년에 출간된 『변신』은 주인공 그레고어 잠자가 악몽에서 깨어나 자신이 거대한 벌레로 변한 것을 발견한 것으로 시작된다. 악몽이 바로 현실이 된 것이다. 이후의 현실도 악몽이 된다. 악몽이 현실이 되고 현실이 악몽이 됨으로써 그들 간의 경계는 무너지게 된다. 현실과 악몽 간의 경계짓기는 삶과 죽음 간의 경계짓다. 벌레로서의 삶이란 곧 인간으로서의 삶이 끝났다는 것이며 그의 삶 자체가 바로 죽음이 되는 것이다. 삶이 곧 죽음이기에 애초부터 구원이란 불가능하다. '그'가 아니라 '그것'으로 불리는 '잠자'는 인간으로서 죽음을 의미하는 하나의 사물로 전락하고 만다. 이처럼 삶이 죽음이고, 죽음이 바로 삶이기에 이 둘 사이의 경계도 무너진 것이다. 카프카는 현상의 표면을 근거로 어떤 대상을 고정된 하나의 실체, 하나의 '현실'로 개념화하는 것을 용납할 수 없었다. 그가 인간을 벌레로 변신시킨 것은 바로 이에 대한 반발이었다.

표현주의에 자주 등장하는 '그로테스크'는 이른바 '이성'으로 표상되는 인간에 대한 탈이상화와 탈미화 작업의 주요한 전략이며, 서구의 이성중심주의를 해체하는 전략적 기법이기도 하다.[181] 우리의 내면의 깊은 곳에 자리하고 있는 야성적 사유의 산물인 그로테스크한 정신은, 인간은 절대

---

179) Thomas Vargish와 Delo E. Mook, 앞의 책, 48쪽.
180) Peter Pesic, *Seeing Double: Shared Identities in Physics, Philosophy and Literature* (Cambridge/ M.A.: MIT Press, 2002), 127쪽. 작품 『심판』 등 카프카의 문학작품 세계가 아인슈타인 양자(量子)이론 세계에 얼마나 가까운가에 대해서는 같은 저자, 같은 책, 127~131쪽을 볼 것.
181) 초현실주의도 "서구의 이성중심적인 오랜 철학적 전통"을 거부하고, "비서구

벌레가 아니다가 아니라 인간이 벌레일 수도 있고 벌레가 인간일 수도 있다는 '상대성'을 허용함으로써 모든 절대적인 경계를 허문다.[182] 여기에 뉴턴적인 '절대성'이 설자리는 없어 보인다. 모더니즘은 이러한 존재론적 조건, 릴케가 그의 『두이노 비가』 제7편에서 "내면을 떠나 세계가 존재할 곳은 어디에도 없으리라"고 했던 현대인간의 '존재론적' 조건에 대한 다양한 응답에 불과한지도 모른다. 조이스를 비롯한 이른바 '의식의 흐름'을 서술한 작가들의 작품들도 그러할 것이다. 모더니즘은 내면으로 가는 여행이며, 이곳은 우리의 눈이 거할 수 없는 곳이다. 우리의 눈은 숙명적으로 외부로, 외부의 표면 현상을 향할 수밖에 없기 때문이다. 루카치는 아방가르드의 주도적인 경향을 "일찍이 없었던 리얼리즘의 강력한 청산"이라고 했다.[183] 그러나 그것이 인간의 눈이 가장 중요하며, 그것도 '외면'으로 향하기 때문에 더욱 중요하다는 리얼리즘의 근본정신에 대한 청산이라는 점에서 지금까지 살펴본 응답들의 의미는 보다 깊어지는 것이다.

포스트모더니즘

제1장에서 논의한 대로 인식의 역사는 전체를 부분으로 난도질하고,

적, 비이성주의적, 비규범적 철학과 예술의 영감"에 귀를 기울인 사조로 평가 받고 있다. Jacquéline Chenieux-Gendron, 앞의 책, 115쪽을 볼 것.

182) 카프카는 인간존재와 동물(또는 벌레)들 간에는 차이가 없는 것이 아닌가, 인간은 또 하나의 동물에 지나지 않는 것이 아닌가 하는 등, 많은 의문을 여러 작품 속에 제기하였다. 가령 『심판』에 등장하는 개는 타락한 인간의 이미지로 부각되고 있다. 인간존재와 동물 간의 관계에 대한 카프카의 인식에 대해서는 Ritchie Robertson, "Kafka as Anti-Christian: "Das Urteil," "Die Verwandlung," and the Aphorisms," James Rolleston 편, *A Companion to the Works of Franz Kafka* (Columbia, SC: Camden House, 2002), 107~108쪽을 참조할 것.

183) Georg Luckàcs, "Es geht um den Realismus," Hans-Jurgen 편, *Expressionismusdebatte: Materialien zu einer marxistischen Realismuskonzeption* (Frankfurt: Suhrkamp, 1973), 193쪽.

부분을 전체로 절대화하는 '틀짓기'의 역사다. 이것이 인식작용의 본질이자 한계이며, 피할 수 없는 숙명인 것이다. 포스트모더니즘을 이야기할 때 자주 등장하는 '파편화'라는 용어는 곧 이러한 인식작용과 그것이 펼치는 다양한 틀짓기 현상을 지칭하는 것으로 보인다. 포스트모더니즘에 등장하는 그 유례를 찾아볼 수 없을 정도의 다양한 형태의 예술과 문화적 표현들은 이와 같은 인식의 파편화 현상, 의식의 다양한 분열현상의 표상인 것이다. 포스트모더니즘의 이러한 파편화 현상은 어떤 의미에서 우리가 모더니즘의 특징으로 규정했던 '상대성'의 경우와 궤를 같이하는 것으로 볼 수 있다. 그러나 포스트모더니즘은 상대성이라는 현상을 '다변화'한 것, 그것도 '표면적으로' 다변화한 것에 불과하다. 표면적인 다변화의 폭주가 포스트모더니즘에 대한 이해에 걸림돌이 되는 것은 사실이지만, 표면에 한정된 것이라는 점에서 어쩌면 그것은 가장 단순한 이해를 요하는지도 모른다.

　　포스트모더니즘을 논할 때마다 흔히 거론되는 이들은 리오타르, 제임슨, 보드리야르 등이다. 제임슨이 포스트모더니즘을 후기자본주의의 독특한 문화현상이라고 보는 반면, 리오타르는 모더니즘과 포스트모더니즘의 차이를 연대기적 차이가 아니라, '분위기'나 '태도'의 차이라고 본다.[184] 리오타르에게 포스트모더니즘은 이성에 대한 공격이다. 그의 이른바 '보편적 이성' 또는 '도구적 이성'에 대한 공격은 곧 계몽주의의 이성중심주의와 이의 유산인 모든 추상적 가치들에 대한 공격이다. 앞서 지적한 대로 계몽주의 철학자들은 모든 감각 가운데 투명성과 이성적 능력을 담보하는 시각을 가장 중요시했다. 그리고 이러한 평가의 근저에는 지식이 감각에서 나온다는 전제가 깔려 있었다. 시각을 높이 평가한다는 점에서는 리오타르도 이들과 다르지 않다.

184) Jean-François Lyotard, "Rules and Paradoxes and Svelte Appenx," *Cultural Critique*, 5 (1986~87), 209쪽.

그러나 그가 높이 평가한 시각은 계몽주의가 표방하는 보편적 진리, 정의 등과 같은 추상적 가치에 결부된 가장 '이성적'인 감각으로서의 시각이 아니다. 그는 경험, 감각, 이미지보다 텍스트와 담론에 치중하는 텍스트 중심주의를 거부했으며, 추상과 개념보다 감각과 경험을 더 높이 평가했다. 그의 시각에 대한 옹호는 감각 자체에 대한 옹호인 것이다. 리오타르는 자신의 작업을 "눈의 옹호"[185]라고 했다. 이러한 발언은 플라톤이 이데아에 최고의 가치를 부여하고, 감각적 경험의 놀이터인 표면적 현상을 격하시킨 이래 서구 철학이 자행해온 감각에 대한 폄하의 부당성을 지적하고 감각적 경험과 그것이 표상한 가치들에 대한 재평가의 필요성을 제기하려는 의도로 읽힌다. 포스트모더니즘이 '거대서사(메타 서사)에 대한 불신'[186]이라는 규정도 초기의 이와 같은 문제의식과 논의에서 발전된 것이다.

거대서사란 인간의 역사를, 인간사회를 또는 그 둘 모두를 포괄적이거나 총체적으로 설명하고자 하는 이론을 가리킨다. 종교라는 이름의 거대서사가 있었고, 과학이라는 이름의 거대서사가 있었으며, 계몽주의라는 이름의 거대서사가 있었다. 그리고 정신분석학과 마르크스주의라는 거대서사가 있었다. 이들이 담보하는 것은 진보의 신화, 즉 역사의 보편적 목표——구원, 객관적 진리, 계몽, 자기인식, 해방 등등——를 상정하고 이를 향해 나아가는 직선적인 진보의식이다. 여기서 리오타르가 불신하는 거대서사의 가장 가까운 예는 계몽의 정신을 이어받은 헤겔과 마르크스가 될 것이다. 그들의 유산을 청산한다는 것은 다름 아닌 총체적 이론과 보편적인 이념을 해체한다는 것이다. 모든 '소서사'를 하나의 체계 속에 통합시키는 거대서사, 개개인의 요구를 전체 요구에 통합시키는 보편적 이념의 해체다.

---

185) Jean-François Lyotard, *Discours, figure* (Paris: Klincksieck, 1971), 11쪽.
186) Jean-François Lyotard, *The Postmodern Condition*, Geoff Bennington와 Brian Massumi 공역 (Minnesota: U of Minnesota Press, 1984), xxiv쪽.

이러한 해체는 역사의 보편적 의미의 배제, 역사에서 보편적 목표의 폐기다. 리오타르는 마르크스의 '해방의 서사'를 신뢰하지 않는다. 아니 신뢰할 수 없다. 그의 포스트모더니즘은 바로 보편성, 거대서사가 표상하는 "총체성에 대한 전쟁"[187]이다. 모더니즘이 보편성을 원리로 하는 거대서사라면 그의 포스트모더니즘은 '복수성'이나 '다수성', 즉 '차이'를 원리로 하는 '소서사'인 것이다. 소서사들을 통합할 수 있는 하나의 절대적인 진리는 존재하지 않는다. 오히려 이러한 소서사들을 논리적이고 체계적으로 설명하고 통합할 수 있는 절대 진리나 거대서사야말로 일종의 환상일지도 모른다. 보편적인 이성이나 이념이 아니라 특정한 이성이나 이념, 다수의 진리 또는 정의가 존재할 뿐이다. 리오타르가 언어는 일련의 서로 다른 언어 게임으로 고려되어야 한다는 비트겐슈타인의 언어이론을 토대로 담론의 절대적 이질성을 강조한 것도 그가 전체주의적 사유의 주요한 근원으로 파악한 거대서사의 폭력에서 소서사가 표방한 다변적 가치, 그 이질적 가치를 보호하기 위한 것이다. 포스트모더니즘은 가치의 이질성과 인식의 다양성, 즉 차이를 옹호한다. 그런데도 소서사의 국소성, 감각성, 표면성을 특징으로 하는 포스트모더니즘의 세계에 모더니즘이 추구하던 진지성이 설자리는 없어 보인다.

제임슨은 그가 후기 자본주의의 문화적 현상들이라 규정한 여러 징후를 통해 포스트모더니즘의 진지성의 부재를 지적한다. 그에 따르면 포스트모더니즘의 가장 중요한 형식적인 특징은 '깊이의 부재'[188]다. 그것의 단순한 표면성이나 천박성의 이면에는 모더니즘의 가장 본질적인 요소인 내면성이나 주관성의 배제가 자리한다. 그리고 내면성이나 주관성의 배제는 곧 주체의 부재, 주체의 없음을 함축한다. 이글턴은 이 점을 지적

---

187) Steven Best와 Douglas Kellner 공저, *Postmodern Theory: Critical Interrogations* (New York: Guilford Press, 1991), 171쪽.
188) Fredric Jameson, *Postmodernism, or The Cultural Logic of Late Capitalism* (Durham: Duke Up, 1991), 9쪽.

하고 있는데, 모더니즘이 주체의 현존을 특징으로 한다면, 포스트모더니즘은 그것의 부재를 특징으로 한다. 주체의 소외를 이야기할 때는 소외당할 주체라도 있었지만, 이제는 더 이상 소외될 주체조차 없다.[189] 제임슨에게 이러한 주체의 죽음은 "자율적인 부르주아적 개체(monad), 자아, 개인의 죽음"[190]을 의미한다. 단일 개체로서 주체의 죽음은 다름 아닌 주체의 파편화다. 그는 모더니티에서 포스트모더니티로 전환하는 것을 '문화적 병리' 현상의 변화 속에서 찾으며, 그러한 전환의 근거가 되는 현상으로 '주체의 소외'에서 '주체의 파편화'[191]로 변화한 것을 거론한다.

이른바 포스트모더니즘 시대에 데카르트적인 주체, 즉 자율적인 인식의 주인으로서의 이성적 주체는 더 이상 존재하지 않는다는 것이다. 그가 라캉의 '분열'(Spaltung) 개념을 통해 살펴본 포스트모더니즘 예술의 텍스트 속에는 '의미-효과'로서 기의를 상실한 단지 잡다한 기표의 분열증적인 연결이 있을 뿐이었다. '차별화'의 논리가 지배하는 콜라주의 형식이 눈에 띄는 예술적 텍스트들의 파편화[192] 현상은 주체의 정신분열증적 파편화의 반영이다. 그가 든 예로 이른바 '언어시'(language poetry)의 하나인 「중국」은 그의 해석대로 초강대국으로 등장한 사회주의 국가가 펼친 거대한 실험의 흥분을 노래한 것처럼 보이지만, 그러한 의미의 효과를 파악하기란 어렵다. 의미가 연결되지 않는 단편들, 즉 다양한 기표의 파편들만이 불연속과 불협화음 속에서 난무한다. 제임슨은 이러한 글쓰기를 '정신분열증적 글쓰기'[193]라고 한다.

그가 또 하나의 포스트모더니즘적 징후로 꼽는 '감정의 퇴조'도 이러

---

189) Terry Eagleton, *Against the Grain* (London: Verso, 1986), 132쪽.
190) Fredric Jameson, 앞의 책, *Postmodernism*: 15쪽.
191) Fredric Jameson, 같은 책, 14쪽.
192) Fredric Jameson, 같은 책, 26~31쪽.
193) Fredric Jameson, 같은 책, 29쪽.

한 주체의 죽음을 전제로 한다. 그에 따르면 이 감정의 퇴조는 모더니즘적 "불안에서 해방되는 것뿐만 아니라 다른 모든 종류의 감정에서 해방되는 것"[194]이기도 한데, 여기서 모든 감정에서 해방되는 것이란 모든 기억에서 해방되는, 따라서 탈현실화되는 "특별한 종류의 도취상태"[195]다. 이러한 도취상태에 있다는 것은 '자기'가 없다는 것이며, 자기가 없다는 것은 사실적이고 개별적인 주체가 없다는 것이다. 이와 함께 독특한 개인적 스타일이나 역사의식도 사라진다. 이러한 것들의 사라짐과 함께 포스트모더니즘의 주요한 예술 형식인 혼성모방이 등장한다. 혼성모방은 자신만의 눈으로 이면의 깊이를 가늠해보고자 하는 개별적인 주체가 사라진 시대의, '깊이'의 현상학을 부인하는 '표면'의 예술형식이다.[196]

포스트모더니즘에서 표면에 대한 집착을 읽어낸 제임슨은 이 표면의 예술형식의 구현자로 워홀을 꼽는다. 그는 반 고흐의 작품 「농부의 신발」과 워홀의 「다이아몬드 가루 구두」를 비교하면서 전자에서는 과거의 '객관세계'(지난날 농촌의 가난과 비참한 삶)를, 말하자면 내적 진실이나 '보다 광대한 현실'을 읽을 수 있지만, 후자에서는 작품의 표면과 틀을 벗어나 확장되는 그 어떠한 진실도 읽을 수 없다고 주장한다. 반 고흐나 모더니즘 시대의 작품들에서는 정치적 열망이나 아노미와 소외의 고통을 극복하고자 하는 유토피아적 비전을 읽을 수 있지만 워홀의 작품에서는 단지 '깊이의 부재'를 읽을 수 있을 뿐이다. 워홀 스스로도 "만일 당신이 앤디 워홀에 대한 모든 것을 알고 싶다면, 내 그림의 표면을 보라…… 거기에 내가 있다. 그 이면에는 아무것도 없다"[197]고 말한다. 그의 표면에는 수프 캔, 지폐, 브릴로 상자 등과 같은 일상적인 소비재, 마

---

194) Fredric Jameson, 같은 책, 15쪽.
195) Fredric Jameson, 같은 책, 16쪽.
196) Fredric Jameson, 같은 책, 16쪽 이하.
197) Gretchen Berg, "Andy: My True Story," *Los Angels Free Press*, 3월 17일, 1967, 3쪽.

릴린 먼로, 마오쩌둥과 같은 유명인들, 신문방송에 오르내리는 사건이나 사고, 인체의 일부분 등과 같은 소재가 사진과 실크 스크린 기법을 통해 나열되어 있다.

이러한 소재의 천박성과 무한한 복제를 가능하게 하는 기계적 기법을 통해 그는 예술가의 익명성을 보장하는 동시에 개성을 제거하며, 이미지의 반복적인 나열을 통해 이미지 자체의 개성이나 특징을 소멸시키고, 그것을 죽은 이미지로 전락시킨다. 우리에게 친숙한 마릴린 먼로 시리즈의 경우도 먼로의 이미지 하나하나가 반복적으로 나열되어 있다. 나열된 이미지들 간에는 어떠한 차이도 없다. 동일한 이미지들의 기계적인 반복만이 있을 뿐이다. 반복성은 베르그송이 강조하듯이 기계적인 것의 전형적인 특징이다. 이 기계적인 반복에는 "기의의 고갈과 감정의 차단"[198]이 있을 뿐이다. 워홀은 "내가 이렇게 그림을 그리는 것은 나 스스로가 기계이기를 원하기 때문이다", 더 나아가 "나는 모두가 기계였으면 한다"고 했다.[199] 그에 따르면 회화는 그것이 있는 그대로를 의미한다. 거기에 어떠한 숨겨진 의도나 기의는 없다. 단지 표면이 있을 뿐이다. 바르트는 워홀의 그림과 같은 "대중 예술이 원하는 것은 대상을 탈상징화하여" 그 이미지에서 모든 상징적 의미를 제거하는 것이며, 거기서는 예술가도 "자기 작품의 표면에 지나지 않는다"[200]고 했다.

자율적인 주체로서 예술가의 의도를 부정하면서 예술가도 하나의 기계임을 보여주려는 워홀의 이면에 숨은 어떤 깊은 의미들을 읽어내는 작업도 우리에게 필요하겠지만, 이상의 논의에서 볼 때 일단 그의 발언은 모더니즘의 유산 일반에 대한 선전포고로 읽힌다. 예술, 특히 문학은 인

---

198) Hal Foster, "Death in America," Annette Michelson 편, *Andy Warhol* (Cambridge/M.A.: MIT Press, 2001), 72쪽.

199) Kynaston McShine, "Warhol in His Own Words," *Andy Warhol, A Retrospective* (New York: Museum of Modern arts, 1989), 457쪽, 23쪽.

200) Roland Barthes, "That Old Thing, Art," Paul Taylor 편, *Post-Pop* (Cambridge/M.A.: MIT Press, 1989), 25~26쪽.

간의 병든 의식을 치유하고, 잠든 의식을 깨우며, 고정된 틀에 갇힌 의식을 흔들어 변화에 대한 인식을 가져오는 '치유적' 기능을 가지고 있다는 것이 모더니스트들, 더 나아가 리얼리스트들까지도 공유했던 믿음이었다. "워홀의 예술은 예술이 가진 치유의 힘에 대한 믿음에 종지부를 찍고 있으며," 그의 예술은 예술에 대한 환멸을 유도하는 "환멸의 예술"이 된다. 어쩌면 그의 예술은 이러한 환멸을 조장한다는 점에서 "최초의 진정한 포스트모더니스트 예술"[201]이라는 명칭을 부여받는지도 모른다.

보드리야르는 워홀의 면로가 "원형의 죽음과 재현의 종언을 동시에 보여준 것"이라면서 그것이 워홀의 의도였다고 지적했다.[202] 보드리야르에 따르면 포스트모더니즘은 실체 또는 원형의 죽음, 재현의 종언을 특징으로 한다. 포스트모더니즘 시대에는 기호나 이미지가 현실(실체)을 완전히 대체하기 때문이다. 그는 원형이 사라지고 재현이 불가능해진 상황에서 기호와 현실의 구분이 모호해지는 현상을 '기호현실'이라 부른다. 기호현실의 이미지는 그것의 원형과는 "전혀 무관한 채" "순수 시뮬라크르 자체"[203]가 된다. 시뮬라크르(simulacre)는 원래 존재하지 않는 대상을 엄연히 존재하는 것처럼 보여주기 위해 이미지화한 것을 가리킨다.

디즈니월드는 이러한 시뮬라크르의 전형이다. 들뢰즈는 이를 복사물과 구별하면서 복사물이 원형으로서의 모델을 상정하고 그것과 유사성을 가지는 반면, 시뮬라크르는 유사성을 전제로 하지 않음은 물론 "복사물이나 모델에 대한 개념 자체를 의문시한다"[204]고 주장했다. 시뮬라크르는 원형이나 실체의 그림자에 지나지 않는다. 그러나 그것은 원형이나

201) Donald Kuspit, *The Cult of the Avant-Garde Artist* (Cambridge: Cambridge UP, 1993), 66쪽.
202) Jean Baudrillard, *Simulations*, Paul Foss 역 (New York: Semiotext(e), 1983), 136쪽.
203) Jean Baudrillard, *Simulacres et simulation* (Paris: Galilée, 1981), 17쪽.
204) Gilles Deleuze, "Plato and the Simulacrum, Rosalind Krauss 역, *October* 27 (1983), 5쪽.

실체를 지워버리는 가공할 만한 그림자다. 보드리야르는 이 가공할 만한 그림자들이 '재현'을 대체하며, 우리 역시 현실보다 더 현실적으로 보이는 여러 이미지의 유회(遊回)에 현혹되어 스스로를 잃고 표류하는 그림자에 불과하다는 진단을 내린다. 모든 기의에서 해방된 기표들이 끝없는 유회를 펼치는 놀이터, 그러므로 더 이상 의미나 가치 따위는 존재하지 않는 세계,[205] 이것이 보드리야르가 규정한 포스트모더니즘 시대의 세계상이다.

현란한 이미지들의 바다 속에서 실체들이 익사하는 가운데 "지시대상을 가지지 않는, 아니 공허하고 무의미하고 부조리하고 불가해한 기호들만이 우리를 흡수하는"[206] 이러한 상황에서 주체의 존재 근거도 익사한다. 재현대상이 존재하지 않는다면 재현 주체도 존재하지 않는다. 주체는 객체라는 존재를, 객체는 주체라는 존재를 전제로 할 수밖에 없기 때문이다. 이것이 바로 보어(Niels Bohr)가 우리에게 가르쳐준 '상보성의 원리'다. 지시대상을 잃어버린 기호들의 유회 속에서 주체의 죽음은 필연적이다. 제임슨이 지적하듯이 지시대상이 사라져버릴 때 과거, 즉 역사는 "방대한 이미지들의 집합체"[207]가 된다. "이미지가 실체를 대신하고 시간은 끊임없는 현재들로 파편화된다."[208] 이는 곧 역사의 죽음이다. '이미지 문화의 승리'가 "대(문자)역사 자체의 청산을 의미하는 것은 아니지만," 그것은 적어도 "근대적 역사의 청산을 의미하는 것으로 보인다."[209]

---

205) Jean Baudrillard, *La Transparence du mal: essai sur les phénomènes extrêmes* (Paris: Galilée, 1990), 13쪽, 17쪽.
206) Jean Baudrillard, *Seduction*, Brian Singer 역 (New York: St Martin's Press, 1990), 74쪽.
207) Fredric Jameson, 앞의 책, *Postmodernism*, 18쪽.
208) Fredric Jameson, "Postmodernism and Consumer Society," *The Antiaesthetic: Essays on Postmodern Culture*, Hal Foster 편 (Port Townsend/WA.: Bay Press, 1983), 125쪽.

워홀의 먼로 이미지처럼 역사적 주체에서 기계적 기호로 전락한 인간, 데카르트의 이성적인 주체로부터 라캉의 정신분열증적인 주체로 전락한 인간은 "더 이상 거울로서의 자기 자신을 생산할 수 없다. 그는 순수 스크린……이 되고 있다."[210] 주체의 '거울'에서 '스크린'으로 전락한 것은 정신이야말로 '자연의 거울'(로티의 용어를 빌리자면)——객관적 인식작용을 통해 현실을 정확하게 반영하는 재현의 거울[211]——이라는 오랜 철학 전통의 종언이기도 하다. 기계적인 인간들, 순수 스크린에 불과한 인간들에게서 사회를 변화시킬 만한 능동적 동인을 찾는다는 것은 불가능하다. 그러므로 우리는 필연적으로 '역사의 종언'을 향할 수밖에 없다는 것, 이것이 바로 보드리야르의 전언이다. "포스트모더니즘의 노스트라다무스"[212], 보드리야르의 이 음울한 허무주의를 둘러싼 우려와 비판의 목소리를 간과해서는 안 되겠지만, 그의 진단이 포스트모더니즘에 대한 일면의 진실을 보여준다는 점도 간과되어서는 안 될 것이다.

기계의 눈에서 인간의 눈으로

제임슨은 리오타르의 『포스트모던 조건』 영역판에 부친 서문에서 포스트모던을 '재현의 위기', 말하자면 리얼리즘적 인식론의 위기라고 적절하게 규정했다.[213] 포스트모더니즘은 재현에 ████ 아니 재현할

209) Scott Durham, *Phantom Communities: The Simulacrum and the Limit of Postmodernism* (Stanford: Stanford UP, 1998), 17쪽.
210) Jean Baudrillard, *The Ecstasy of Communication*, Sylvere Lotringer 편, Bernard Schutze와 Caroline Schutze 공역 (New York: Semiotext(e), 1988), 27쪽.
211) Richard Rorty, 앞의 책, *Philosophy and the Mirror of Nature*, 12~13쪽.
212) N. Zurbrugg, *The Parameters of Postmodernity* (London: Routledge, 1993), 21쪽.
213) Jean-François Lyotard, 앞의 책 *The Postmodern Condition*, viii쪽.

수 없다는 것이 더 정확한 표현일 것이다. 모든 현실이 가상현실이 되는 포스트모던 시대는 재현대상과 재현 주체가 모두 사라져버림으로써 재현 자체도 존재할 수 없는 시대다. 포스트모더니즘의 재현대상을 전제로 하는 리얼리즘과 모더니즘의 차이는 바로 여기에 있다. 리얼리즘과 모더니즘은 그들 사이를 메울 수 없는 간격에도 불구하고 모두 재현의 대상을 상정하기 때문이다. 한편 표면을 강조한다는 점에서는 리얼리즘과 포스트모더니즘이 하나의 카테고리에 묶이게 된다. 리얼리즘과 포스트모더니즘은 모두 표면을 강조한다. 그러나 포스트모더니즘이 표면을 부유(浮遊)하는 기호나 이미지를 강조한다면, 리얼리즘은 재현대상으로서 표면에 자리한 구체적, 역사적 현실을 강조한다. 전자의 강조가 표면에 대한 '집착'이라면, 후자는 표면에 대한 '관심'이다.

리얼리즘은 표면에 대한 관심에서 출발한다. 그것은 우리 눈들의 경험대상인 구체적 현실에 대한 관심에서 출발하여 현실의 모순을 극복하려는 노력을 통해 궁극적으로 인간에 대한 사랑으로 향한다. 우리의 윤리도 표면에 대한 사랑에서 출발한다. '윤리적'이라는 의미를 가진 영어·독어·불어 등의 단어(ethic, ethik, éthique)는 모두 그리스어 에토스(ethos)를 연원으로 한다. '성격'을 의미하는 이 '에토스'는 호메로스 시대에는 '동물들의 서식지'를 가리키는 것이었다. 야생동물들이 밤이 되면 잠들기 위해 찾아드는 곳, 즉 자연이라는 표면을 의미하는 것이었다. 표면은 윤리가 거하는 곳이다. 타자에 대한 사랑은 타자가 거하는 표면에 대한 사랑을 전제로 한다. 우리가 자연을 사랑하는 것은 우리와 같은 생명체들이 그곳에 거하기 때문이다.

리얼리즘은 표면에 대한 사랑이다. 이 사랑은 우리의 눈을 통해 지각된 모든 표면적 대상을 출발점으로 한다. 레비나스는 '사물들이 얼굴을 가질 수 있는지'를 묻고, 얼굴을 가질 수 있다고 대답한다. 표면이 사건과 의미의 장소임을 강조하는[214] 들뢰즈는 그의 공저 『천개의 고원』에서 "입뿐만 아니라 가슴, 손, 온몸, 도구까지도 '얼굴화'된다"고 한다. 더 나아가 그는 우리를 둘러싼 모든 것, 즉 우리 몸 전체와 그것을 둘러싼 배경과 대상들까지도 얼굴화된다고 주장한다.[215] 모든 표면이 '얼굴화'된다는 것이다.

물론 이러한 얼굴화에는 물신화된 상품의 역할을 하는 얼굴, 다른 얼굴들을 흡수하고 그들을 권력에서 배제하는 억압적인 정치 도구의 기능을 하는 얼굴(가령 백인의 얼굴, 예수의 얼굴, 전형적인 유럽인의 얼굴, 정치의 얼굴 등)도 포함된다. 들뢰즈에게 이러한 얼굴은 부정적인 얼굴화[216], 즉 '전제적(專制的) 기호화(記號化)'와 '권위주의적 주체화(主體化)'의 예들이다. 그런데도 표면이 얼굴화된다는 것의 기본적인 의미는 레비나스가 심도 있게 논의한 대로 관심과 사랑의 대상이 된다는 것에 있다.

레비나스에게 얼굴은 "타자로서의 인간"이 이웃이라는 "하나의 거룩한 얼굴"[217]의 형태로 나타나는 것이므로 그것은 접근할 수 있고 도덕적인 실천을 가능하게 하는 대상이 된다. 레비나스의 용어를 빌리면 타자는 "바로 나의 맥박"[218], 나의 무한한 책임의 대상이다. 리얼리즘이 사랑하는 대상은 인간에게서 얼굴화된 모든 표면으로 확장된다. 포스트모더니즘이 리얼리즘과 마찬가지로 표면을 강조하는데도 그들의 강조가 단순한 집착에 그치고 만 것은 리얼리즘이 보여준 이러한 관심과 사랑이 빠져 있기 때문이다. "주체가 공간",[219] 즉 기호나 이미지가 되어버린 포

---

214) 주110을 볼 것.
215) Gilles Deleuze와 Felix Guattari 공저, *A Thousand Plateaus*, Brian Massumi 역 (Minneapolis: U of Minnesota Press, 1987), 174~175쪽, 181쪽. 질 들뢰즈/펠릭스 가타리, 『천개의 고원』, 김재인 역 (서울: 새물결, 2001), 334~335쪽, 345쪽.
216) Gilles Deleuze, 같은 책, 176쪽 이하. 질 들뢰즈, 같은 책, 336쪽 이하.
217) Emmanuel Levinas, *Totality and Infinity: An Essay on Exteriority*, Alphonso Lingis 역 (Pittsburgh: Duquesne UP, 1969), 291쪽.
218) Emmanuel Levinas, 같은 책, 113쪽.
219) Hal Foster, 앞의 책, *The Return of the Real*, 165쪽.

스트모던 상황은 '관심'과 사랑의 주체가 존재할 근거마저 지워버린다. 리얼리즘의 눈이 관심과 사랑을 담은 인간의 눈이라면, 포스트모더니즘의 눈은 '기계의 눈'이다. 기계의 눈은 죽음의 눈이다. 그러므로 눈의 죽음은 주체의 죽음이다. 데카르트의 이성적인 주체는 라캉이 반복해서 주장하듯이 근원적으로 눈이다.[220] 그의 '생각하는 주체'(cogito)는 다름 아닌 '보는 주체'(video)이기 때문이다. 주체의 죽음은 관심과 사랑의 죽음, 더 나아가 역사의 죽음을 의미한다. 관심의 주체, 창조의 주체는 더 이상 존재하지 않기 때문이다. 몬로의 그 기계적인 눈은 이렇게 포스트모더니즘의 허무주의적인 세계관을 반영한다.

독일의 문예이론가 지마는 "이데올로기적 메타 서사의 부흥은 어느 시대나 가능하다"고 말한다.[221] 이 주장에는 '부흥'이라는 단어를 통해 알 수 있듯이 메타 서사가 내포하는 해방, 진보, 평등의 가치가 더 이상 이 시대 담론의 주제가 아니라는 점이 전제되어 있다. 이러한 전제를 통해 우리는 일면 정확한 그의 시대인식과 함께 그의 한계도 발견하는데, 그것은 그가 여전히 서구중심적인 사유의 틀에서 벗어나지 못한다는 점이다. 아시아, 아프리카, 라틴아메리카 등 이른바 '제3세계'의 문학 담론에서는 여전히 메타 서사가 논의의 중심을 이루기 때문이다. 그들에게 표면은 기호의 공간이 아니라 역사의 공간이며, 그것을 바라보는 그들의 눈은 기계의 눈이 아니라 '인간의 눈'이다. 이리가라이는 우리가 예수가 육화된 중요한 의미를 망각했다고 지적한다. 그녀는 예수가 말씀으로 인간들을 치유했던 것이 아니라 그의 '손길'로 치유했음을 떠올린다.[222] 예수는 그의 사랑을 추상적인 말씀이 아니라 구체적인 '접촉'으로 증명했다. '인간의 눈'은 '접촉의 눈'이다. 데리다는 가장 최근의 한 저서에서 "우리의 눈이 접촉하는 그때는 낮인가 밤인가?"라는 이해할 수 없는 물

---

220) 주52를 볼 것.
221) 페터 지마, 『데리다와 예일학파』, 김혜진 역 (서울: 문학동네, 2001), 297쪽.
222) 제4장 주36을 볼 것.

음을 던진다. 눈은 낮에는 모든 것을 볼 수 있고 모든 것을 접촉할 수 있다. 그러나 육체 구석구석이 의사의 손과 도구로 눈에 드러난다고 해서 우리가 우리의 가장 깊은 내면성과 접촉할 수 있을까? 우리가 보고 우리가 접촉하는 모든 것은 결코 그 자체가 아니다. 그것은 하나의 표면, 가로지르기가 불가능한 하나의 한계로 머무를 수밖에 없다.

데리다는 "'나의' 심장(마음)은 무엇보다도 타자의 심장이다. 따라서 나의 심장 안에는 나의 심장보다 더 큰 심장이 있다"[223]고 말한다. 그에게 심장은 이른바 '절대적 애도'의 장소, 영원히 전유할 수 없는 분리의 장소다. 이러한 전유불가능성을 그는 밤에 비유하고 있는 듯하다. 예수는 이 전유불가능성을 해체시킨 전범(典範)이다. 그렇기 때문에 그는 빛이다. 그의 십자가에서의 죽음은 표면에 대한 관심이 어떠한 것인가를 보여준 결정적인 사건이다. 모든 표면의 대상이 자신의 '바로 맥박'이었던 예수의 그 절대적 사랑을 위한 절대적 자기희생은 '인간의 눈'을 가진 이들이 추구하는 궁극적인 가치다. 그가 잉태된 장소가 여성의 자궁이며, 그가 태어난 장소가 '동물들의 서식지'라는 사실은 얼마나 '표면적'이며 얼마나 '윤리적'인가. 리얼리즘은 바로 이러한 표면적인 사건, 이러한 윤리적인 사건을 지향한다. 리얼리즘이 여전히 제3세계를 포함한 주변부 국가들에서 문학예술의 담론의 중심에 있는 것은, '인간의 눈'이 이러한 표면의 유산을 포기할 수 없었고 포기할 수 없기 때문이다.

---

223) Jacques Derrida, *Le toucher, Jean-Luc Nancy* (Paris: Galilée, 2000), 325쪽.

6 영혼의 풍경화

'해석학'(hermeneutics)이라는 단어는 전령(傳令)의 신 헤르메스(Hermes)의 이름에서 유래한다. 그는 그리스 신들의 사자(使者)였다. 그의 임무는 신이 인간에게 보내는 전언(傳言)을 '해석'하여 인간들이 '이해'할 수 있도록 번역하는 것이었다. 예술작품을 분석하고 비평하는 이들 모두는 어떤 의미에서 이 헤르메스의 후예들이다. 수용이론가들이 강조하듯이 예술작품은 "그 고유의 의미를 가지지 않는다. 그것은 말하지도 않는다. 단지 응답할 뿐이다."[1] 그리고 이 응답은 신의 전언이 전령의 신 헤르메스들을 통해 전달되듯이 인간 헤르메스들을 통해 주어진다.

가다머에 따르면 "예술작품은 도전을 던지고, 대답——그 도전을 받아들이는 사람만이 줄 수 있는 대답——을 요구한다. 그 대답은 그 도전을 받아들인 자, 그 자신의 것이어야 하며 능동적으로 주어져야 한다."[2] 예술의 역사는 예술의 도전을 받아들인 능동적인 헤르메스들이 '해석'의 공간에 다양한 대답을 제공해온 역사다. 한 사람의 헤르메스가 그 공간에 어떤 대답을 내놓으면 또 다른 헤르메스는 다른 대답을 내놓는, 다양한 대답이 연속되는 역사다. 니체는 사상가를 대자연(Nature)이 쏜 화살에 비유했다. 그 화살은 한 장소에 고정된 채 머물지 않는다. 그것이 땅에 떨어지면, 이를 발견한 또 다른 사상가가 그것을 주워 다른 어딘가를 향해 쏘아올리기 때문이다.[3] 예술작품의 응답이나 예술이 요구하는 대답은 니체가 말한 이 화살의 움직임과 속성이 닮았다.

헤르메스는 자신의 몸을 여러 빛깔로 변화시키는 요술쟁이다. 따라서 그의 '해석'의 빛깔 또한 다양하다. 그것은 니체의 화살처럼 다양한 지점

---

1) Jonathan Culler, *The Pursuit of Signs: Semiotics, Literature, Deconstruction* (Ithaca: Cornell UP, 1981), 54쪽.

2) Hans-George Gadamer, *The Relevance of the Beautiful and Other Essays*, Nicholas Walker 역, Robert Bernasconi 편 (Cambridge: Cambridge UP, 1986), 26쪽.

3) Gilles Deleuze, *Nietzsche and Philosophy*, Hugh Tomlinson 역 (New York: Columbia Press, 1983), ix쪽.

들을 향해 나아간다. 그는 신들의 사자답게 전령의 지팡이를 지니고 있었으며, 그의 보호 아래 있는 지상의 모든 사자도 그와 같은 지팡이를 지녔던 것으로 전해진다.[4] 하이데거는 헤르메스를 해석학의 수호천사라고 했으며,[5] 그리스어로 사자는 천사, 날개를 지닌 천사를 의미하는 것이었다. 이 장의 목적은 필자인 '나' 또한 한 사람의 능동적인 헤르메스가 되어 그의 지팡이를 들고 선사시대부터 현대에 이르는 다양한 예술작품들에 등장하는 눈의 모습을 통해 각 시대의 정신이나 세계관을 해석해보려는 데 있다. 그것은 곧 다양한 '빛깔'을 띤 '해석'의 '나래'를 펼쳐 보이는 작업이 될 것이다. 예술작품에 등장하는 눈의 표정들은 그것을 형상화한 예술가들의 "의식의 밑바닥"(라캉의 용어를 선택하면)[6]을 반영해주는 램프, 밑바닥이 표면으로 드러난 일종의 영혼의 풍경이기 때문이다.

선사시대

2000년 9월 프랑스 남서부 도르도뉴 지방의 퀴삭 동굴에서 기원전 약 28000년에서 30000년까지 거슬러올라갈 수 있을 것으로 추정되는 선사시대의 암각화가 발견되었다. 동굴 안의 암벽에는 수미터에 걸쳐 말, 들소와 여성의 모습이 새겨져 있었다. 이 동굴의 그림들은 1988년 오스트리아의 갈겐베르크 마을에서 발견된 이른바 「갈겐베르크의 비너스」와 더불어 지금까지 발견된 최고(最古)의 동굴미술로 간주된다. 지금까지 발견된 여성 입상(立像)들 가운데 가장 오래된 「갈겐베르크의 비너스」가 말해주듯이, 구석기시대에는 여성 입상이 대규모로 제작되었다. 여성 입

---

4) Walter Burkert, *Greek Religion*, John Raffan 역 (Cambridge/M.A.: Harvard UP, 1985), 156쪽, 158쪽.
5) Martin Heidegger, *On the Way to Language*, Peter D. Hertz 역 (New York: Harper Collins, 1982), 29~30쪽, 121~122쪽을 볼 것.
6) Jacques Lacan, *The Four Fundamental Concepts of Psychoanalysis*, Jacques Alan Miller 편, Alan Sheridan 역 (New York: Norton, 1978), 83쪽.

상의 대규모 제작은 신석기시대에도 지속되었는데, 이를 통해 여성이 선사시대를 두루 걸쳐 존경과 숭배의 대상이었음을 알 수 있다. 생명을 잉태하는 음문의 신비와 이를 생산하는 음문의 힘에 대한 숭배를 뜻하는 것인데, 이는 청동시대에도 마찬가지였다. 구석기시대 입상의 모델은 숭배대상인 여성들, 그러한 여성들의 상징이자 투영인 '풍요'의 여신들이었다.[7] 퀴삭 동굴의 암각화에서 발견된 여성들도 「갈겐베르크의 비너스」와 마찬가지로 그러한 숭배대상의 형상화로 보인다. 신석기시대에 유럽에서 제작된 여성 입상들의 대부분도 '대지의 여신'이나 '어머니 대지'로 일컬어지는 풍요의 여신이었다.[8]

이러한 여성 입상들의 공통적인 특징은 「갈겐베르크의 비너스」와 기원전 25000년경의 「빌렌도르프의 비너스」를 포함한 200여 개의 비너스 상에서 드러난 것처럼, 몸통과 유방 그리고 엉덩이를 강조한 것이다. 음문을 표상하는 기호들, 가령 V자나 삼각형[9]의 기호도 간혹 보이지만, 그것이 구석기시대의 보편적인 표현형식이었던 것으로 보이지는 않는다.[10] 즉 구석기시대의 여성 입상의 공통점은 그것들 대부분이 임신한 여성의 모습을 형상화한 것인데, 이는 집단 전체의 요구, 즉 출산을 통해 종족의 확장과 유지를 담보하려는 집단 욕망의 상징적인 표출이 나타난 결과로 보인다.

그러나 이보다 더 우리의 관심을 끄는 점은 그것들의 대부분이 머리나

---

7) Lloyd Laing과 Jennifer Laing 공저, *Ancient Art: The Challenge to Modern Thought* (Dublin: Irish Academic Press, 1993), 96쪽.

8) Marija Gimbutas, *The Living Goddesses*, Miriam Robbins Dexter 편 (Berkeley: U of California Press, 1999), 15쪽.

9) Marija Gimbutas, 같은 책, 38쪽에 따르면, 삼각형은 선사시대에서 현대에 이르기까지 생명과 재생을 의미하는 대표적인 상징으로 이어져오고 있다. 이러한 상징의 형태는 구석기 후기(기원전 30000년경)부터 시작된 것으로 보여진다.

10) Paul G. Bahn과 Jean Verut 공저, *Journey Through the Ice Age* (Berkeley: U of California Press, 1997), 187쪽.

얼굴을 가지고 있지 않다는 것이다.[11] 물론 머리나 얼굴을 생략할 정도의 동체(胴體)에 대한 유별난 강조가 출산을 통해 종족을 유지하려는 집단적 욕망의 절실함을 반영해주는 것이라는 해석을 다시 한 번 반복할 수도 있을 것이다. 사실 이것이 이 분야의 전문가들이 공유하는 해석이기도 하다. 그러나 강조와 생략이 같은 것일 수는 없다. 이는 분명 다른 각도에서 접근해야 하는 문제다. 입상들이 얼굴을 가지고 있지 않다는 것은 곧 입상들이 눈을 가지고 있지 않다는 것을 의미한다. 눈은 모든 지각과 인식의 근원이다. 눈이 없다는 것은 지각과 인식의 근원이 사라짐을 의미한다. 그렇다면 얼굴이 생략된 까닭은 구석기인들에게 자신의 존재, 자신의 경험을 개념화하는 논리적 사유가 존재하지 않았다는 것을 의미하는 것은 아닌가. 육체와 분리된 채 그 자체로 존재하는 영혼이나 의식이라는 것이 그들에게 존재하지 않았다는 것, 아니면 육체를 하나의 전체로 인식할 수 있는 영혼이나 의식이 존재하지 않았다는 것을 의미하는 것은 아닌가.

독일의 철학자 스넬은 아주 오래 전에 발표되었지만 여전히 문제적인 글에서 호메로스의 『일리아스』를 다루면서 그 시인이 사용하는 어휘들을 토대로 당시의 인간 개념에 대해 논했다. 그에 따르면 당시 인간의 육체는 하나의 추상적인 전체로서가 아니라 개별적인 여러 기능의 집합체

---

11) 물론 머리나 얼굴이 없는 것이 여성 입상에만 국한되는 특징은 아니다. 후기 구석기 시대의 것으로 추정되는 에스파냐 동부 미네테다의 암각화에서도 머리가 없는 인간 형체들이 발견되었고, 터기 서부 아나톨리아 고원지대 부근의 한 신전에서도 머리가 없는 인간의 모습이 그려진 벽화가 발견되었다. 기원전 6150년경의 것으로 추정되는 이 벽화는 독수리에게 먹히고 있는 인간의 모습을 묘사하고 있는데, 이는 아마도 죽은 이를 표현하고 있는 것처럼 보인다. 그 신전은 '어머니 대지의 여신'에게 바쳐진 것이었고, 따라서 풍요제가 이곳에서 열렸던 것으로 보이기 때문이다. 풍요제가 죽음과 부활을 기조로 한다는 점을 고려할 때, 암각화를 제작한 이는 독수리에게 먹히고 있는 인간의 모습을 통해 인간의 죽음은 불가피하지만, 그 죽음은 부활을 전제로 한다는 것을 강조하고 있는 듯하다.

로 인식되었다. 마음이나 영혼도 각 기관들의 개별적인 표현의 집합체였다. 생각하는 마음이 일어나는 기관, 느끼는 마음이 일어나는 기관 등이 따로따로 존재했고, 영혼과 육체에 대한 일반적인 구별도 존재하지 않았다. 아킬레우스가 자신의 심장에게—마치 그 심장이 자신과 별개의 대상인 것처럼—말을 거는 모습에서 알 수 있듯이(XVIII.5), 통합된 자아라는 개념도 존재하지 않았다.[12] 다시 말해『일리아스』에는 우리가 '자기의식'이나 '자아의식'이라 일컬을 만한 어떤 개념도 존재하지 않는다는 것이다.[13] 스넬은 그리스적 사유의 출발점을 여기서 찾고 있다. 그는 그리스적 사유는 여기서부터 점차 데카르트적 또는 칸트적 자아의 개념으로 발전한 것이라고 주장한다. 그러나 여기서 주목을 끄는 것은 그가 주장한 그리스적 사유의 발전과정이 아니라 바로 그가 묘사한 호메로스 시대의 인간 개념이다. 바로 거기서 저 선사시대의 사람들을 보게 되기 때문이다.

그렇다면 여전히 남는 문제는 그들이 인류에게 논리적 사유가 등장하기 이전 시대를 살았던 비논리적인 존재들이었는가 하는 점이다. 데카르트적인 또는 칸트적인 자아 개념에 익숙한 우리로서는 그렇게 주장할 수도 있다.[14] 그러나 인류가 전논리적, 주술적 사유에서부터 논리적 사유를 향해 발전의 길을 걸었다는 레비 브륄(Lucien Lévy-Bruhl) 같은 인류학자의 주장이 이미 논리적 설득력을 상실했다는 점은 잘 알려진 사실이

12) Bruno Snell, *The Discovery of the Mind*, T. G. Rosenmeyer 역 (New York: Harper and Row, 1960), 8~19쪽. 브루노 스넬,『정신의 발견 ─ 서구적 사유의 그리스적 기원』, 김재홍 역 (서울: 까치, 1994), 23~47쪽.

13) 스넬의 주장의 장점과 한계에 대해 포괄적으로 다룬 글로는 Christopher Gill, *Personality in Greek Epic, Tragedy, and Philosophy* (Oxford: Clarendon Press, 1996), 29~41쪽을 볼 것.

14) 논리적 사유는 돌도끼를 발명한 호모 에렉투스(homo erectus)에서 부터 시작되었으며, 추상적인 개념을 통해 사유하는 능력도 그들로부터 시작되었음을 진지하게 논의한 글로는 박동환,「호모 에렉투스의 돌도끼에 얽힌 철학사」,『동양의 논리는 어디에 있는가』(서울: 고려원, 1993), 45~62쪽을 볼 것.

다. 적어도 각각의 시대나 각각의 문명을 논할 때, 그때의 논리적 사유라는 것은, 그 논리 자체의 형식 문제이지 논리/비논리의 문제가 아니기 때문이다. 죽음이라는 공포에 대한 지각이 두려움을 낳고 이 두려움을 극복하기 위해 부활이라는 소망이 생겨난 것이며, 이를 확인해줄 예술, 종교 의식의 한 형태로 등장한 것이 풍요제였다. 열악한 환경 아래 도처에 벌어진 죽음들을 목격하면서 종족의 지속에 대한 위험을 지각했기 때문에 종족보존이라는 소망이 생겨났으며, 이를 확인해줄 예술 행위의 한 형태로 제작한 것이 여성 입상이었던 것이다. 풍요제나 여성 입상은 그들의 논리적 사유의 결과물이다.

따라서 그들의 입상에 모든 지각과 인식의 근원인 눈이 존재하지 않았다는 것이, 그들에게 자신들의 존재와 경험을 개념화하는 논리적 사유가 존재하지 않았다든가, 영혼 또는 의식 따위가 존재하지 않았다는 것을 의미하지는 않는다. 그것은 오히려 그들에게 미적 의식이나 미적인 것에 대한 욕망이 존재하지 않았다는 것, 그것이 아주 미미했다는 것을 의미하는 것으로 보인다. 눈은 미적 지각, 미적 인식의 가장 근원적 감각이기 때문이다. 그것이 미미했다는 것은 미적 욕망보다는 종족보존에 대한 집단적인 욕망이 그들에게 훨씬 더 절실했다는 의미다.

이집트[15]

고대 이집트는 파라오의 국가였다. 모든 것은 그들을 위해 존재했고, 예

---

15) 역사시대와 함께 본격적인 눈의 역사도 시작된다. 그러나 본격적인 논의에 앞서 하나의 가설을 제시하고자 한다. 그것은 어느 시대, 어느 지역을 불문하고 영적, 신비적, 주술적 세계관이 지배적인 경우, 전쟁이나, 내란이나 기근 등으로 인한 혼란과 고통의 시기인 경우, 또는 사회적인 전환기의 경우 눈들도 긴장에 가득 찬 듯한 과장된 모습으로 등장하며, 실증적이고 과학적인 세계관, 휴머니즘에 입각한 합리적 세계관이 지배적인 경우, 평화와 번영의 시기인 경우, 또는 사회적 안정을 구가하는 경우 눈들도 자연스럽고 온화한 모습으로 등장한다

술도 그들을 위해 존재했다. 그들에 대한 숭배와 그들이 가진 권력의 신성화야말로 "이집트 문화의 가장 중요한 특징 가운데 하나"[16]였다. 그들의 공식 역사에 따르면 원래 이집트는 신들의 통치 아래 있었다고 한다. 최초의 통치자는 이집트 최고의 신인 태양신 레(라)였다. 이후 그의 후손들이 통치하다가 그들의 후예이자 신적 존재인 파라오가 통치를 이어받았다. 따라서 파라오는 신들의 합법적인 계승자, 신의 아들 또는 태양신 '레(라)의 아들'로 간주되었으며,[17] 호루스 신과 동일시되기도 했다.[18]

　고대 이집트인들은 신도 자신들처럼 마아트(ma'at)라 일컬어지는 우주의 대(문자) 원리에 종속되어 있고, 이에 따라 살아간다고 생각했다. 마아트는 본래 '대(문자)진리'를 의인화한 여신을 가리키는 것이었는데, 이것이 일반적으로 인간과 우주 전체를 지배하는 대진리, 대원리라는 의미가 되었다. 그들에게 마아트란 "창조라는 질서의 과정과 그 과정 속에서 인간의 위치를 점검하고 이를 지켜주는 것"이었다.[19] "질서의 표상"이기도 한 "마아트에 따라 행동하는 자들은 정의를 실천하고 진리를 말해주며, 집단의 선을 위해 행동한 자들이었다."[20] 태양신 레처럼 파라오들

　　는 것이다. 물론 이 가설이 절대적인 것은 아니며, 간혹 이 가설이 적용되지 않는 경우도 접하게 될 것이다. 이는 이 가설이 아주 포괄적인 동시에 아주 대략적이라는 점에서 기인한다. 여러 경우들에 이 가설을 적용하게 되겠지만, 그것이 각 시대의 특성을 규정하는 것이 되지 않을 것이다. 이 가설은 논의 전개의 편의를 위한 것이지 각 시대를 규정하기 위한 틀로 제시된 것이 아니기 때문이다.

16) I. A. Lapis, "The Culture of Ancient Egypt," I. M. Diakonoff 편, *Early Antiquity* (Chicago: U of Chicago Press, 1991), 196쪽.

17) Norman Cohn, Cosmos, *Chaos and the World to Come: The Ancient Roots of Apocalyptic Faith* (New Haven: Yale UP, 1993), 12쪽.

18) Siegfried Morenz, *Egyptian Religion*, Anne E. Keep 역 (Ithaca: Cornell UP, 1992), 34쪽.

19) Jon Davies, *Death, Burial and Rebirth in the Religions of Antiquity* (London: Routledge, 1999), 34쪽.

20) Claude Traunecker, *The Gods of Egypt*, David Lorton 역 (Ithaca: Cornell UP, 2001), 97쪽. '참된', '의로운', '질서정연한'이라는 뜻을 가진 '마아'(ma'a)

도 이러한 '마아트의 주인'이었으며, 마아트를 지키고 이를 실행한 자들이었다. 사실 고대 이집트어에는 '종교'에 해당하는 단어가 없었다. 그들에게 종교란 넓은 의미에서 "마아트의 실현"이었기 때문이다.[21] 파라오는 자신이 지상에서 마아트의 정신을 구현한다면 신들은 그 대가로 자신의 땅을 번영케 할 것이라고,[22] 그들이 죽은 후에는 하늘로 올라가 자신들의 아버지인 레와 함께 살며 마아트에 따라 지상에서 행한 왕의 의무를 그곳에서도 영원히 계속하게 될 것이라고 믿었다. 따라서 그들의 생명, 그들의 삶에 끝이라는 것은 없었다. 그들에게는 내세를 향한 길이 마련되어 있었던 것이다.

이집트인들은 불멸이라는 관념과 현세에서 행한 바에 따라 내세에서 대가를 치르게 된다는 관념을 가졌던 최초의 민족이었다. 파라오와 그의 권력에 대한 신성화 또는 신격화와 함께 이집트 문화를 특징짓는 또 하나의 중요한 요소로, 그들이 가진 내세에 대한 강렬한 집착을 꼽을 수 있다. 그들의 내세관을 추적해볼 수 있는 가장 오래된 텍스트는 『피라미드 텍스트』다. 대략 기원전 2425~2300년의 것으로 추정되는 이 텍스트는 구왕국의 제5, 6왕조 파라오들의 피라미드 내부 벽에 기록된 것으로, 파라오들이 내세에 이르는 것을 도와주기 위해 헬리오폴리스의 사제들이 편찬한 것이었다.

"오 왕이여, 그대는 죽어서 이 세상을 떠나는 것이 아니라, 살아서 이 세상을 떠나는 것이다"[23]라고 적혀 있는 이 텍스트는 분명 파라오 사후

에서 연유된 어휘를 포함하여 '마아트'를 포괄적으로 소개하는 글로는 Tom Hare, *Remembering Osiris: Number, Gender, and the Word in Ancient Egyptian Representational Systems* (Stanford: Stanford UP, 1999), 29~33쪽을 볼 것. 그리고 Claude Traunecker, 같은 저서, 96~97쪽을 참조할 것.

21) Jan Assmann, *The Search for God in Ancient Egypt*, David Lorton 역 (Ithaca: Cornell UP, 2001), 1쪽, 4쪽.

22) Norman Cohn, 앞의 책, 13쪽.

23) Raymond O. Faulkner, *The Ancient Egyptian Pyramid Texts* (Oxford: Oxford UP, 1969), I: 40쪽, §213.

에 전개될 불멸의 삶에 대해 이야기한다. 하지만 불멸의 삶에 대한 믿음이 파라오에게만 국한되었던 것은 아니다. 이에 대한 믿음은 모든 이집트인에게 보편화되었던 것처럼 보인다.[24]

이러한 보편적인 믿음은 죽음에서 부활하여 사자(死者)들의 심판자가 된 오시리스 신에 대한 그들의 열광적인 숭배를 통해 확인된다. 그들은 최고 신 레의 아들인 파라오가 사후에 오시리스 신으로 다시 태어난다고 믿었다. 『피라미드 텍스트』는 "그(오시리스)는 그대들을 위해 하늘의 문을 열어주노라. 창공의 문을 그대들을 위해 활짝 열어주노라. 그 문을 통해 그대들이 하늘로 올라가 신들의 대열에 합류하게끔 그대들을 위해 길을 마련하노라"[25]고 적고 있다. 파라오에게만이 아니라 일반인들에게도 오시리스가 그렇게 중요했던 것은 그가 자신을 따르는 이들에게 내세에서 부활함을 보장하리라 믿었기 때문이었다. 대진리, 대질서의 여신 마아트도 "오시리스와 하나가 되기 위해서는 그 순수한 삶을 살아야 한다고 주장한 것"으로 전해진다.[26] 사후에 그들의 영혼이 도덕적 심판을 받고 그에 따라 내세에서 행복이 결정된다는 믿음은 그들의 가장 중요한 문학 유산인 『사자의 서(書)』에 잘 드러나 있다. 인간의 사후 운명에 대해 이야기한 이 책은 현세의 삶이 어떠했는가——이집트인들의 경우에는 얼마만큼 마아트에 순응하며 삶을 어떻게 살았는가——에 따라 내세의 행복이 결정된다고 이야기한 최초의 책이기도 하다.

이러한 내세관은 고대 이집트 문화를 규정한 특징이자 그것을 동시대의 메소포타미아 문화와 구별해준 근본적인 차이가 되었다. 메소포타미아인들에게 인생은 일종의 여행, 그 여행의 끝에는 죽음만이 기다리는 비통한 여행이었고, 불멸이란 신들에게만 허락된 것이었다. 그리고 인간

24) Henri Frankfort, *Ancient Egyptian Religion: An Interpretation* (New York: Harper and Row, 1961), 88~123쪽을 볼 것.
25) Raymond O. Faulkner, 앞의 책, I: 281쪽, §667A.
26) Jon Davies, 앞의 책, 34쪽.

에게 보편적인 운명으로서 죽음을 부여한 이들도 신들이었다. "그것이 아무리 잔인하다 하더라도" 메소포타미아인들에게는 엄연히 "죽음은 (피할 수 있는) '악'이 아니라 (피할 수 없는) '운명'이었다."[27]

따라서 그들에게는 부활을 약속하는 오시리스와 같은 신이 존재할 수 없었다. 『길가메시 서사시』에서 보이듯 인간이란 얼굴을 돌리는 모든 곳에서 그들이 두려워하는 '죽음'을 직면하게 되는, '바람'과 같은 무상한 존재다. 따라서 그들의 행복은 철저하게 현세적인 것이었다. 그들은 철저한 비관주의자이면서 철저한 향락주의자였던 것이다.[28] 그들은 일상적이고 감각적인 즐거움을 추구했으며 거기서 행복을 발견했다. 그들의 예술작품도 현세에서 가장 큰 기쁨인 전쟁의 승리를 기념한 것이 대부분이었다. 예술작품은 언제나 승리를 가져온 통치자의 힘을 부각시킨 것들이었고, 피할 수 없는 죽음이나 장례 등을 위한, 바꿔 말하자면 종교 주제를 반영한 작품을 거의 제작하지 않았던 것으로 보인다. 그들의 예술적 관심도 일상적이고 현세적인 것들에 집중되어 있었던 것이다.[29]

인류 문명의 단초를 제공했던 동시대의 인접한 지역에 있는 국가들이었지만 서로 너무나 다른 세계관을 구축했고, 그들의 예술도 너무나 판이했다. 물론 이집트인들이 탄생시킨 예술은 그들 특유의 세계관을 배경으로 한 것이었다. 모든 것이 파라오들을 위해 존재했던 이집트에서는 예술도 파라오를 위해 존재했고, 이런 점에서 볼 때 '파라오 예술'[30]이라는 명칭이 단순히 과장된 표현으로만 다가오지는 않는다. 구왕국의 신전과 조각상들은 모든 파라오를 '살아 있는 신'으로 부각시키면서 그들

27) Jean Bottéro, *Religion in Ancient Mesopotamia*, Teresa Lavender Fagan 역 (Chicago: U of Chicago Press, 2001), 186쪽.
28) Jean Bottéro, 앞의 책, 111쪽.
29) 이에 대해서는 Susan Pollock, *Ancient Mesopotamia: The Eden that Never Was* (Cambridge: Cambridge UP, 1999), 181~184쪽을 볼 것.
30) Clinton Crawford, *Recasting Ancient Egypt in the African Context* (Trenton: NJ: Africa World Press, 1996), 68쪽.

의 신성을 증언한다. 그들을 재현한 조각상들은 단순한 돌이 아니라 살아 있는 생명체, 신들의 현시 또는 육체적 현존을 확인해주는 신성의 돌이었다. '살아 있는 신'이었던 파라오들은 마아트의 구현자라는 권위로 인해, 그리고 지상 최고의 통치자라는 위상으로 인해 이상화된 모습으로 재현되어야만 했다. 한결같이 평온하면서도 근엄한 모습을 한 파라오들은 완벽하게 균형 잡힌 자세로 한 손을 무릎에 올려놓고 앉아 있거나 왼발을 조금 내밀고 서 있다. 당시의 예술가들은 이러한 구도를 지키기 위해 파라오의 실제 모습을 기꺼이 교정했고,[31] 노령이나 질병 아니면 불구로 인해 권위에 어울리지 않는 모습을 한 경우에도 그들을 젊고 건강한 모습으로 재현했는데, 이는 그들이 내세에서 건강한 삶을 살기 위한 것이었다.[32]

근엄하고 안정된 자태의 젊은 파라오들, 그러나 그들의 눈은 긴장한 것처럼 보인다. 전형적으로 통방울 모양이나 편도 모양을 한 그들의 눈은 대부분이 날카로운 눈매와 튀어나올 듯한 달걀 모양의 눈동자를 가지고 있으며, 때때로 저 위쪽을 향해 치켜뜬 모습을 하고 있기도 하다. 앞서 우리는 영적, 신비적, 주술적인 세계관이 지배적일 때, 눈들도 긴장에 가득 찬 듯한 과장된 모습을 취한다는 가설을 제시했다.[33] 모든 것이 신비에 싸여 있을 때, 인간의 영혼은 긴장할 수밖에 없는 것이다. 구왕국 이후 파라오들의 눈은 기본적으로 이러한 긴장에서 벗어나지 않았지만, 초기 구왕국시대의 조각상에 재현된 파라오들의 눈들이야말로 이 가설을 충실하게 증명한다. 그러나 이 가설을 전제로 하지 않는다 하더라도 그들의 눈이 평범한 표현을 담을 수는 없었다. 그들의 눈은 마아트의 신비를 꿰뚫는 신성의 눈이기 때문이다. 예리한 눈매와 무언가를 모색하는

---

31) Clinton Crawford, 같은 책, 74쪽.
32) Gay Robins, *The Art of Ancient Egypt* (Cambridge/M.A.: Harvard UP, 1997), 75~76쪽.
33) 주15를 참조할 것.

듯 긴장한 눈동자는 마치 천상의 신비를 꿰뚫으려는 듯 저 위쪽을 향한다. 이러한 눈의 가장 전형적인 예가 파라오 라오테프의 두상이다. 신성의 눈빛이 평범한 것일 수는 없었기 때문이다.

흔히 고대 이집트 왕국은 안정된 역사를 구가했던 것으로 평가된다. 지리적으로 서쪽의 사막과 북쪽의 지중해, 동쪽의 홍해가 자연 방어벽의 역할을 해주었기 때문에 타국의 침략으로부터 상대적인 안정을 누렸던 것은 사실이다. 그러나 이러한 안정이 약 3,000년에 이르는 이 왕국의 역사 자체가 안정되었다는 것을 의미하는 것은 아니다. 다른 역사와 마찬가지로 이 왕국의 역사도 번영과 쇠퇴, 위기와 평화가 부침하는 역사였다. 아케익 시대와 구왕국시대(기원전 3050년경~기원전 2160년경)가 번영의 시대였다면, 그후의 제1중간기(기원전 2160~기원전 1991년경)는 정치 내분과 경제적 어려움에 처한 불안의 시대였다. 중왕국시대(기원전 1991년경~기원전 1786년경)가 다시 평화와 번영의 시대였다면, 제2중간기(기원전 1786년경~기원전 1540년경)는 왕국의 분할과 외부의 침략으로 점철된 시대였다. 그리고 신왕국시대(기원전 1540~기원전 1070)는 파라오의 지배가 누비아에서 소아시아까지 미치던 이른바 제국의 시대였지만, 이 시대 역시 그치지 않는 전쟁의 소용돌이에서부터 자유로울 수는 없었다. 이후 서서히 쇠퇴의 과정을 걷던 신왕국은 페르시아와 알렉산드로스 대왕에게 정복되었다가, 기원전 30년 결국 로마 제국에 병합되었다.

이러한 부침의 흔적을 가장 잘 반영한 것이 바로 중왕국시대의 센오르세트 3세와 신왕국시대의 아멘호테프 4세(일명 아메노피스 4세, 아크헤나톤 4세 또는 아크나톤 4세)의 조각상이다. 고대 이집트 파라오들 가운데 "가장 호전적 통치자"[34]였던 센오르세트 3세의 조각상(기원전 1860

---

34) I. V. Vinogradov, "The Middle Kingdom of Egypt and the Hyksos Invasion," I. M. Diakonoff 편, 앞의 책, *Early Antiquity*, 168쪽.

년경)은 마치 세상의 여러 근심에 지쳐버린 한 허무주의자의 그것으로 보인다. 힘주어 다문 듯한 입술과 날카로운 눈매는 그의 호전성을 보여주는 듯하지만, 움푹 파인 눈과 무거운 듯 처진 눈꺼풀을 통해 보이는 전체적인 인상은 기력이 쇠해버린 한 나이 든 인간의 어두운 자화상이다. 거기서 구왕국시대의 파라오들이 보여주던 장중하고 위엄 있는 자태, 신성의 빛을 발하는 듯한 예리하고 진지한 눈의 모습을 찾아보기란 힘들다. 물론 이 조각상이 아주 예외에 속하는 것이긴 하지만, 이를 제작한 예술가들의 사실주의적인 접근은 전통적인 파라오의 위상에 어떤 변화가 있었음을 보여주는 듯하다. 아마도 이는 계속된 전쟁으로 인해 불안에 떨던 많은 이의 영혼이 긴장한 결과가 아니었을까.

재현 양식에서 "전통 형식과 결별한 사실상의 변화, 아니 진정 엄청난 변화"를 보여준[35] 작품은 신왕국시대의 아멘호테프 4세의 조각상들이다. 그는 재현 형식만이 아니라 실제로도 이집트 역사상 가장 거대한 변화들을 몰고 온 파라오였다. 그 가운데서도 가장 결정적인 변화는 전통적인 다신교 신앙체계를 허물고 일신교 체계를 도입한 것이었다. 제18왕조의 주신(主神)이었던 아몬-레(아몬-라)를 비롯한 여러 전통적인 신에 대한 숭배를 철폐하고, 모든 숭배대상을 단 하나의 신, 즉 아톤이라는 태양신에 한정시켰다. 그리고 자신을 아톤의 유일한 아들이라고 선언했다. 그러나 숱한 갈등과 경제 희생을 무릅쓰고 전개되었던 그의 종교개혁은 결국 그의 죽음과 함께 중단되고 만다. 유일신 아톤에 대한 숭배는 그와 견해를 같이한 그의 몇몇 충복들을 제외하고는 누구에게도 "보다 나은 삶을 약속하지 않았다. 가령 그것은 실제적인 것이건 상상적인 것이건 내세의 약속보다 더 적절한 어떠한 은혜도 약속하지 않았다."[36] 아톤 신은 무엇보

---

35) Douglas J. Brewer와 Emily Teeter 공저, *Egypt and the Egyptians* (Cambridge: Cambridge UP, 1999), 184쪽.
36) I. V. Vinogradov, "The New Kingdom of Egypt," I. M. Diakonoff 편, 앞의 책, *Early Antiquity*, 184~185쪽.

다도 내세를 보장하는 오시리스 신을 대체할 수 없었던 것이다.

아멘호테프 4세의 조각상에 나타난 형식상의 파격은 이러한 실제적인 파격이 반영된 것이었다. 그의 선왕 아멘호테프 3세가 통치한 38년 동안 제국은 경제 번영과 정치 안정 속에서 모두가 여유로운 삶을 영위하던 평화기였다. 이를 반영하듯 그의 조각상(두상)은 아주 평온한 표정을 하고 있다. 도톰하고 아름다운 입술은 잔잔한 미소를 보내며, 통방울 또는 편도 모양을 한 커다란 눈은 조용하게 관자놀이까지 뻗치고 있다. 그럼에도 그 커다란 눈은 신의 아들 파라오답게 진지하고 장중한 분위기를 잃지 않고 있다. 그러나 그의 아들 아멘호테프 4세는 이러한 아버지를 닮고 싶지 않았던 것 같다. 그의 종교개혁이 말해주듯이 그는 과거를 뛰어넘는 파격을 원했다. 그가 원한 파격은 바로 자신이 지닌 영혼의 목소리를 내는 것이었다. 그의 시대에 "개인의 정신생활의 깊은 속을 묘사하려는 노력이 시작"되었던 것도 더 나아가 "정신적 긴장"보다 "고조된 감정" 등이 예술작품에 표출된 것[37]도 모두 이러한 그의 파격과 개혁 의지가 반영된 결과였던 것이다.

조각상들에 묘사된 아멘호테프 4세는 "길쭉한 얼굴, 심하게 돌출된 코, 두툼한 입술, 우뚝 솟은 광대뼈, 긴 턱과 통방울 같은 아래턱, 기다란 목, 돋보이는 가슴, 부어오른 복부, 여자 같은 엉덩이, 두꺼운 넓적다리, 마르고 가냘픈 장딴지"에다 보기에도 심할 정도로 "움푹 들어간 눈"[38]을 하고 있다. 움푹 들어간 그의 가느다란 눈에서 진리를 꿰뚫는 신성의 빛을 찾아보기란 힘들다. 비록 스스로를 태양신 아톤의 유일한 아들, 즉 아크나톤(Akhnaton)이라 불렀지만, 진정한 그의 바람은 인간이 되고 싶은 것이 었는지도 모른다. 신적 존재라는 허위를 벗고, 아톤을 제외한 모든 신의 존재를 부정하고 테베 강변의 아멘 성상들을 파괴했던 격정과 광기의 인

37) 아르놀트 하우저, 『예술의 사회사1 – 선사시대부터 중세까지』, 백낙청 역 (서울: 창작과비평사, 1999), 65쪽.
38) Jaromir Malek, *Egyptian Art* (London: Phaidon, 1999), 271쪽.

간이기를 원했을지도 모른다. 그를 재현한 예술가들은 그의 파격적이고 격정적인, 즉 인간 본연의 모습을 재현하도록 주문받았을지도 모른다.

그런데도 아멘호테프 4세나 센오르세트 3세의 조각상에서 보인 형식상의 파괴가 대대적인 변화로 이어지지는 않았다. 파라오는 이상적인 형태로 묘사되어야 한다는 전통적인 재현의 대전제는 이집트 역사 전체를 지배한 유일한 원리였던 것이다. 그들은 변화를 원하지 않았다. 아니 변화의 가능성도 인정하지 않으려 했다. '불변성'의 대원리가 그들의 삶, 그들의 역사 전체를 지배하고 있었기 때문이다. 그들의 마아트는 근본적으로 변하지 않는다는 것이었다. 아니 절대적인 존재가 규정한 우주의 대질서는 변할 수 없는 것이었다.

이러한 불변성에 대한 의식은 모든 고대 근동국가의 공통점이기도 했다. 모든 성전(聖殿)은 조물주가 '첫번째' 휴식을 취했던 당시의 최초 구조의 지속과 재창조로, 모든 왕은 카오스의 대리인들과 맞서 늘 승리하는 코스모스의 변하지 않는 방어자로, 모든 전쟁은 실제의 결과가 어떠하든 간에——모든 성전(聖殿) 의식처럼——마아트의 재확인, '첫번째' 질서의 세계를 재수립하는 것으로 이해되었다. 고대 이집트인들의 이상은 끝없는, 변하지 않는 지속이 아니라, 끝없이 반복되는 주기적인 재생과 회복이었다."[39] 국가가 위기에 처할 때마다 좀더 나은 미래에 대한 예언이 쏟아져 나왔지만, 그 예언들이 기대한 것 역시 새로운 미래가 아니라 과거의 회복이었다. "어떠한 파라오도 '최초에, 레의 시대에 있었던 그대로의' 상황을 재창조하는 것 이상을 희망할 수가 없었다."[40]

따라서 파라오들을 재현한 예술가들 역시 신의 아들인 그들을 재현할 때 이상적으로 규격화된 모델을 반복할 수밖에 없었다.[41] 나이 든 이의 얼굴로 재현된 센오르세트 3세의 조각상이나 가장 평범한 인간의 모습

---

39) Norman Cohn, 앞의 책, 26쪽.
40) Norman Cohn, 같은 책, 27쪽.
41) Gay Robins, 앞의 책, 255쪽도 참조할 것.

으로 재현한 아멘호테프 4세의 조각상에서 드러난 변화는 "초기 완전상
태에서부터 코스모스로의 이탈"을 의미하는 것으로, 당연히 배격될 수밖
에 없었다.[42] 파라오들의 불변성은 건장한 체격과 넓은 어깨, 튼튼한 근
육과 진리를 꿰뚫는 듯한 신성의 눈빛을 가진 근엄하고 안정된 자세의
건장한 젊은이로 표상되어야만 했던 것이다.

그들의 눈은 영원을 추구하는 신성한 통찰력을 대변하는 듯이 보인다.
그 눈들은 너무나 진지한 엄숙함으로 우리를 압도한다. 드브레가 그리스
사람들은 미소를 발견했지만 파라오들에게는 "미소가 없다"고 지적했듯
이,[43] 그들의 엄숙한 눈빛은 그들의 얼굴만이 아니라 그 눈빛을 바라보
는 이들의 얼굴에서마저 미소를 지워버린다. 언제나 명령과 경고로 점철
된 신들의 목소리는 미소의 윤리를 배제할 수밖에 없다. 파라오들도 이
러한 상부의 아들이다. 그들의 눈빛도 명령과 경고를 전할 뿐 미소의 윤
리가 개입할 여지를 주지 않는다. 이집트 예술에서 미소가 등장한 것은
이집트의 역사가 저물어가던 프톨레마이오스 왕조에 이르러 모든 계층
을 위한 장례용 초상화가 유행하면서부터다. 하부 사람들 얼굴까지 있는
그대로 재현했던 이 장례용 초상화에 이르러서야 비로소 사람들의 입가
에는 미소(물론 대부분은 슬픈 미소다)가 떠오르고, 그들의 눈가에도 잔
잔하면서 우수를 깃들인 미소가 어른거리기 시작했다. 마침내 미소가 깃
들인 얼굴들이 등장했던 것이다. 역사가 '인간화' 되어간다는 것이다.

그리스 · 로마[44]

변하지 않는 진리와 내세에 대한 믿음이 이집트인들을 규정해주는 특

42) Douglas J. Brewer와 Emily Teeter 공저, 앞의 책, 186쪽.
43) 레지스 드브레, 『이미지의 삶과 죽음』, 정진국 역 (서울: 시각과 언어, 1994),
   201쪽.
44) 19세기 말 이후 그리스 예술사는 대체로 아케익 시대, 고전주의시대, 헬레니즘

징이었다면, 그리스인들을 규정해주는 특징은 변화하는 현실 속에서 질서를 찾고 변화의 움직임에 질서를 부여하고자 하는 욕망, 즉 질서의 욕망이라고 할 수 있을 것이다. 그들의 예술과 철학도 이러한 욕망의 반영이라 해도 지나치지 않다. 질서에 대한 의식과 표출은 어느 민족에게나 나타난 공통적인 특징이지만, 고대 그리스인들은 강렬함에서 타의 추종을 불허했다. 인간이란 운명이라는 불가항력적인 힘으로 인해 언제나 파국에 이를 수 있는 불안한 존재라는 그들의 기본적인 존재 인식에서도 원인을 찾을 수 있다. 하지만 무엇보다도 미케네 왕국의 종말이라는 역사적 경험들이 그들에게 변화무쌍하고 불확실한 상황——그들의 표현을 빌린다면 카오스——속에 산다는 것은 곧 불안한 상황 속에 사는 것이라는 인상을 심어준 듯하다. 질서를 향한 강렬한 욕망의 이면에는 이러한 불안의식이 자리했던 것이다.

아케익 시대는 이러한 불안의식이 가장 첨예하게 표현되었던 시대다. 이 시대의 서정시인, 가령 아르킬로코스, 시모니데스 등은 불확실성으로 가득 찬 삶의 무상(無常)과 인간조건의 부조리를 절망적인 어조로 노래한다. 정체를 알 수 없는 강력한 힘 앞에서 무력할 수밖에 없는 인간존재에 대한 인식은 이미 이전, 말하자면 호메로스 시대부터 있어왔지만, 인간조건의 부조리와 인간노력의 부질없음에 대한 쓰디쓴 강조는 이 시대만이 갖는 특징이었다. 도즈가 지적했듯이, 아케익 시대는 호메로스의 『일리아스』보다 소포클레스의 『오이디푸스 왕』에 더 가까운 세계관을 보여준다.[45] 이 시대의 인간들은 비록 운명의 희생양이 된다 하더라도 영웅적인 행동과 영웅으로서의 오만을 견지하여, 신들에게 연민의 대상이

시대로 구분되어왔다. 페르시아 전쟁(기원전 481~479)과 알렉산드로스 대왕의 죽음(기원전 323) 사이를 고전주의시대, 그전을 아케익 시대, 그후를 헬레니즘 시대로 칭한다. 이 글에서도 이러한 시대 구분을 따를 것이다.

45) E. R. Dodds, *The Greeks and the Irrational* (Berkeley: U of California Press, 1951), 30쪽. 에릭 R. 도즈, 『그리스인들과 비이성적인 것』, 주은영 · 양호영 공역 (서울: 까치, 2002), 35쪽.

될지라도 결코 경멸의 대상은 되지 않는 호메로스의 주인공들보다는, 운명에 무참하게 희생되고 신들에게 경멸받는 대상으로 전락한 소포클레스의 주인공들에 더 가깝기 때문이다.

고전주의시대의 시인이었지만 사유는 아직 아케익 시대에 속했던 핀다로스가 인간을 '하루살이존재', '그림자'에 지나지 않는다고 노래했듯이(『퓌테이아 경기승리가』 VIII.95~96), 삶의 무상이나 인간조건의 부조리가 그리스인들에게 고통과 불안의 근원이었다면, 카오스로 가득 찬 삶을 해명하고 이를 지배하는 우주 질서나 우주 '정의'(Dike)를 깨닫는 것은 그들에게 기쁨의 근원이었다. 이러한 두 가지 태도, 무상한 삶에 대한 불안의식과 이를 해명할 대원리로서의 우주 질서, 정의에 대한 깨달음이야말로 그리스 예술에서 가장 본질적인 미적 원리의 두 근간이었다.

아케익 시대에 절망감과 불안의식이 정점에 달했던 것은 이 시대에 대두되기 시작한 자의식과도 무관하지 않다. 앞서 지적했듯이 호메로스의 영웅시대에는 지금 우리가 흔히 이야기하는 '자아'나 '자의식' 같은 것이 존재하지 않았다. 고대 그리스인들이 스스로를 자기 의지에 따라 움직인 자율적 존재로 의식했다는 사실을 처음으로 확인할 수 있는 것은 기원전 5세기 비극작가들의 작품을 통해서다.

이렇게 볼 때, '자의식'은 아마도 기원전 5세기, 즉 고전주의시대에 이르러 좀더 명확한 개념으로 발전한 것 같다. 특히 에우리피데스의 『메데이아』(1,078~1,080행)에 드러난, 자신을 배반한 남편에게 복수하기 위해 그들 사이에 태어난 아들들을 죽여야만 하는가를 고민하는 여주인공의 갈등은 철저한 내적 갈등이다. 스넬은 여주인공이 자신의 갈등을 토로한 독백이 그리스 문화에서 처음으로 등장한 '자기내면'의 갈등이라는 점에서 '자기'라는 개념이 발전한 결정적인 단계를 보여준 것이라고 주장했다.[46] 아케익 시대는 이처럼 자의식이 본격적으로 대두한 고전주의

---

46) Bruno Snell, 앞의 책, 126쪽, 브루노 스넬, 앞의 책, 216쪽.

시대 이전과 개인의식보다는 집단의식이 강조되던 영웅주의시대 이후를 동시에 아우른 전환기였다.

다른 장에서 본격적으로 논의했듯이,[47] 호메로스의 『일리아스』의 시대는 전형적인 영웅시대였다. 호메로스의 세계에서 인간이 추구하는 최고의 선은 사회에서 존경받는 것이었고, 아킬레우스가 죽음을 마다않고 트로이 전쟁에서 자신의 젊음을 불사른 것도 바로 이 때문이었다. 호메로스의 주인공들에게 가장 두려운 것은 신의 말씀이나 노여움이 아니라, 사회가 그들의 행위를 어떻게 규정하고 평가하는가였다. 따라서 그들의 행위를 규정한 것은 신의 의지나 자신 내면의 양심이 아니라 바로 타인의 시선이었고, 이러한 타인의 시선 앞에서 부끄럽지 않은 삶, 즉 수치 없는 삶이 호메로스의 주인공들이 추구한 영웅적인 삶이었다. 이러한 '수치문화'가 호메로스 시대에만 국한된 것이라고 단정할 수는 없지만, 아케익 시대는 그리스 문화가 호메로스의 '수치문화'에서 개인의 내면적 목소리가 강조된 '죄의 문화'로 서서히 변하는 전환기적인 시점에 위치했던 것으로 보인다. 아케익 시대의 서정시들은 분명히 "주관적 의식과 내면적 갈등의 기원"[48]이 되기 때문이다. 서서히 집단이나 외적, 초월적 힘에서 독립된 개체로서의 자의식과 이에 대한 내적 불안, 내면에서 들리는 양심의 목소리에 따라 자기의 행동을 결정하고 책임지는 내적 갈등과 죄의식이 등장했던 것이다.

개인의 내적 목소리가 강조되었다는 것은 곧 개인이 책임이 강조되었다는 것을 의미한다. 호메로스의 영웅들에게는 개인적인 책임의식 같은 것이 존재할 이유가 없었다. 그들이 한 행동의 원인과 결과가 그들 자신의 결정에 따른 것이 아니라 모이라, 아테 같은 운명의 신들에 의해 주어진 것이었기 때문이다. 따라서 거기에는 죄의식이라든가 자기비하 같은

---

47) 제5장 124~126쪽을 볼 것.
48) Christopher Gill, 앞의 책, 36쪽.

자의식이 존재할 이유도 없었다.

그러나 아케익 시대의 대표적 정치가이자 시인이었던 솔론은 인간들이 경험하는 다양한 고통은 신의 의지가 아니라 인간 스스로의 잘못에서 유래한 것이므로, 모든 인간은 자신이 행한 잘못에 대해 책임이 있다고 했다. 사실 솔론의 이러한 인식에 앞서 『일리아스』의 후속편인 『오디세이아』는 인간들은 신들의 의지에 의해서가 아니라 자신들의 어리석음 때문에 스스로가 겪는 고통을 가중시킨다는 제우스의 이야기(I.32)를 소개하면서, 악인들이 벌을 받음으로써 우주의 고유한 질서가 회복된 장면을 묘사한다. 그런데 마치 솔론의 도덕 원칙을 예고한 듯한 묘사가 그에게 직접적인 영향을 주었는지 여부를 알 수는 없지만, 중요한 사실은 '솔론의 시대'라 일컬어지는 아케익 시대의 예술을 주도했던 주제 가운데 하나가 바로 인간들은 스스로 저지른 잘못의 대가로 벌을 받는다는 점이다.[49] 아케익 시대는 불안의식, 내적 갈등이 고조된 가운데 스스로 자기 책임의식을 강화시켜야만 했던 긴장의 시대였던 것이다.

그러나 이보다 더 중요한 것은 이 시대가 폴리스 출현을 알리는 시대였다는 점이다. 폴리스의 출현은 영웅시대의 전통적인 귀족주의 가치들의 궁극적인 함몰을 의미하기 때문이다. 영웅시대를 구가했던 귀족주의 이념이나 덕목은 폴리스라는 공동체를 구가했던 민주주의 이념이나 덕목과 상충될 수밖에 없었다. 따라서 아케익 시대는 육체적 용맹이 지적 능력에, 파토스가 로고스에, 무기가 수사적 담론에 자리를 양보한 전환기였다. 전환기 인간들의 공통된 특징은 그들이 '방향을 상실한 인간' (l'homme désaxé)이라는 것이다. 마르크스주의 시각에서 그리스 고전 문학을 다룬 한 학자는 이 시대 전체를 "민주주의를 성공적으로 이끈 아테네의 대두"로 "전례 없이 깊어가는 위기의 시대"로 규정했다.[50] 아케익

---

49) Karl Schefold, *Gods and Heroes in Late Archaic Art*, Alan Griffiths 역 (Cambridge: Cambridge UP, 1992), 305~307쪽을 볼 것.

50) Peter W. Rose, *Sons of the Gods, Children of Faith: Ideology and Literary*

시대는 영웅시대의 가치관과 폴리스 시대의 가치관 사이에서 갈등할 수밖에 없었던 긴장의 시대였던 것이다.

한편 아케익 시대는 주술의 시대이기도 했다. 도즈의 논증에 따르면, 고대 그리스는 주술이나 무속과 같은 이른바 비이성적인 것들이 복합적인 형식을 띠고 역사 초기부터 최후까지 관통한 시대였다. 주술에서 과학으로 가는 이행은 서구가 일찍 경험한 하나의 특권으로 지적되지만, 이를 고대 그리스의 경우에 적용할 수는 없다는 것이다. 그리스에서 주술은 역사의 모든 시점에 여러 모습으로 등장하기 때문이다.[51] 그 가운데서도 아케익 시대는 주술의 영향력이 가장 큰 시기였다고 할 수 있다. 주술과 원시 종교에 대한 완전한 대체물로서 과학과 철학이 대두하고 발전한 것은, 엄격한 의미에서 기원전 6세기에서 4세기에 이르는 시기였기 때문이다. 그전까지는 대체로 주술적인 세계가 그리스인들의 사유를 크게 지배했던 것이다.

특히 아케익 시대만의 특이한 현상 가운데 그 하나는 원시적인 태도인 물활론(物活論)의 일환으로 그들의 삶을 사로잡았던, 디오니소스-오르페우스 숭배였다. 아케익 시대의 그리스인들은 디오니소스-오르페우스를 숭배하는 제의를 통해 죽음에서 부활한 이 신과 일체가 됨으로써 죽은 후에도 영원한 삶을 누릴 수 있다는 종말론적인 약속 아래 그들의 삶을 영적, 주술적인 세계 속에 편입시켰던 것이다. 이 숭배가 그리스 전체와 그리스 속국까지 급속하게 확산된 것은 그 교리가 공식적인 종교로는 충족되지 않았던 깊은 영적 욕구에 부응했다는 것을 의미한다. 사실 이 새로운 신앙이 확산되기 전까지 고대 그리스인들은 내세에 대한 어떠한

Form in Ancient Greece (Ithaca: Cornell UP, 1992), 143쪽.

51) G. E. R. Lloyd, *Magic, Reason and Experience: Studies in the Origins and Development of Greek Science* (Cambridge: Cambridge UP, 1979), 1~9쪽을 볼 것. 이 저서는 이에 대한 고전적인 연구의 하나로 여전히 높이 평가받고 있다.

관념도 가지고 있지 않았고, 죽음 후의 부활이라는 종말론적 약속은 이 새로운 신앙이 지닌 최고의 매력이었다.

앞에서 영적, 신비적, 주술적인 세계관이 지배한 시기나 전환기적 혼란에 처한 시기의 눈들은 대체로 긴장되고 과장된 모습을 하고 있다는 가설을 제시했다. 지금까지 살펴본 아케익 시대는 주술의 시대였고, 전환의 시대였다. 이를 반영하듯이 당시의 두상(頭像)들, 가령 기원전 7세기에 조각된 아폴론의 두상을 살펴보면, 날카로운 눈매와 건드리면 쏟아질 듯한 눈동자가 팽팽한 긴장감을 도출한다. 이 두상을 조각한 예술가는 불안과 갈등 속에서 방황하던 당시 그리스인들의 영혼의 긴장을 아폴론의 모습을 통해 표현했던 것이다.

사실 기원전 6세기의 디오니소스 숭배, 오르페우스 숭배는 델포이의 아폴론 숭배와 동시대적인 현상이었다.[52] 종교역사가들은 너무나 상반된 아폴론과 디오니소스가 델포이 신전에서 함께 경배되었다는 사실에 대해 당혹감을 감추지 못하지만, 디오니소스와 마찬가지로 아폴론도 그를 경배하는 이들의 영혼을 울린 신이었다. 아폴론도 디오니소스와 마찬가지로 인간의 영혼을 맑게 해준 "정화의 신성한 근원"이었으며, 오르페우스를 숭배하는 이들에게는 그들의 영혼을 맑게 해준 바로 "청정(清淨)의 화신"[53]이었기 때문이다. 따라서 그들은 "모든 신 가운데 가장 인간적이었다."[54] 아폴론을 경배하는 모든 이는 그 신전의 문에서 '너 자신을 알라'는 신의 명령을 보았다. 인간의 한계를 다시 한 번 깨닫게 한 그 경구는 항상 그들에게 긴장을, 매번 새로운 긴장을 요구했다. 앞서 언급한 아폴론의 두상이 저 위를 향해 눈을 치켜뜨고 있는 것은, 곧 내세를

---

52) Werner Jaeger, *Paideia: The Ideals of Greek Culture*, Gilbert Highet 역 (New York: Oxford UP, 1970), I: 167쪽.

53) Louis Bruit Zaidman과 Pauline Schmitt Pantel 공저, *Religion in the Ancient Greek City*, Paul Cartledge 역 (Cambridge: Cambridge UP, 1992), 194쪽.

54) Werner Jaeger, 앞의 책, 167쪽.

향한 인간들의 갈구인 동시에 저 상부의 명령을 간과하지 않으려는 인간 영혼들이 긴장하고 있다는 것을 상징한다.

아케익 시대를 살았던 사람들의 영혼이 가장 잘 드러나는 것은 그 시대의 조각상들, 그 가운데서도 특히 쿠로스(kouros)를 통해서다. 쿠로스가 젊은 아폴론의 모습을 재현한 것이라는 주장도 있지만, 그보다는 '젊은이들'이라는 별칭에서도 알 수 있듯이, 전쟁터나 경기장 또는 신을 위해 젊은 나이에 죽어야만 했던 이들을 기리기 위해 그들의 청년기 모습을 재현한 것이라는 주장이 더 설득력을 가지는 듯하다. 빛나는 하얀 대리석으로 만들어진 그들의 나신은 긴 머리카락을 가진 수염이 없는 아름다운 청년의 모습을 하고 있다. 그들의 모습은 호메로스가 트로이 전쟁의 최전선에서 싸웠던 그리스와 트로이의 젊은 영웅들에게 부여했던 모습 그대로다.[55]

이들 가운데 가장 유명한 쿠로스는 델포이에서 경배되었던 아르고스의 클레오비스와 비톤 형제다. 헤로도토스(『역사』 I.31)는 다음과 같이 전한다. 어느 날 그들의 어머니가 헤라 여신의 신전에 가기 위해 길을 서두르는데 마차를 끌 수소가 들에서 돌아오는 것이 늦어지자, 클레오비스와 비톤은 직접 마차를 어깨에 메고 신전으로 향했다. 이러한 행위는 그곳에 있던 모든 이의 찬미와 존경을 불러일으켰으며, 그들의 어머니는 감격에 찬 헤라 여신에게 인간이 받을 수 있는 최고의 은혜를 그들에게 내려달라고 기도했다. 얼마 후 그들은 신전에 편안히 잠든 모습으로 죽어 있었다. 그것이 어머니의 기도에 대한 헤라 여신의 응답이었다. 그들은 가장 아름다운 시절에 가장 아름다운 모습으로 내세에서 영원한 삶을

---

55) 쿠로스에 대한 일반적 논의로는 Andrew Stewart, *Art, Desire, and the Body in Ancient Greece* (Cambridge: Cambridge UP, 1997), 63~70쪽. Deborah Tarn Steiner, *Images in Mind: Statues in Archaic and Classical Greek Literature and Thought* (Princeton: Princeton UP, 2001), 12~13쪽, 212~218쪽. 그리고 James Whitley, *The Archaeology of Ancient Greece* (Cambridge: Cambridge UP, 2001), 215~220쪽을 볼 것.

살기 위해 이승을 떠난 것이다. 델포이 신전에 있는 그들의 조각상은 입가에 미소가 번져 있지만, 그들의 눈은 날카로운 눈매와 튀어나올 듯한 눈동자를 한 채 저 위를 응시한다. 이러한 모습은 앞서 지적했듯이 영적, 주술적 분위기를 반영한 것이기도 하지만, 그들의 시선이 저 위로 향한다는 점에서 무상과 고통으로 가득 찬 현실세계를 초월하려는 인간들의 소망을 상징한 것이기도 하다.[56]

한편 고전주의시대의 조각상들은 별도의 강조점이 없는 자연스럽고 온화한 눈을 가지고 있다. 잘 알려진 대로 이 시대는 자신(自信)과 낙관의 시대였다. 그들의 자신과 낙관은 페르시아 전쟁에서 승리와 직결된다. 그러나 페르시아 전쟁을 통해 그리스인들, 특히 비극작가 아이스킬로스, 역사가 헤로도토스 등은 오만이 어떤 결과를 초래하는가에 대해 깊이 사유하기 시작했다. 그리스인들은 페르시아가 패배한 까닭이 그들을 침략한 페르시아 왕의 오만 때문이라고 믿었으므로 그러한 적의 패배는 그들에게 도덕적, 종교적 의미를 가지는 동시에 "일종의 기적적인 구원"[57]이었다. 중용과 한계를 인식한다는 것이 얼마나 중요한가를 깨닫게 한 일종의 자기구원 역할을 했던 것이다.

아이스킬로스는 『페르시아인들』에서 적군들이 오만해서 제우스의 벌을 받은 것이라는 점을 강조한다(807~810행, 818~829행 등). 그 전쟁을 통해 그리스인들은 그들이 직접 경험한 현실세계에도 일종의 도덕적 질서가 있다는 것, 또는 우주 정의가 구현된다는 것, 그리고 자신의 오만으로 불행을 자초한 페르시아 왕을 통해 각 개인의 운명에는 분명 개인이 책임져야 할 부분이 있다는 것을 확신했고, 이러한 확신은 그들의 자

56) J. J. Pollitt, *Art and Experience in Classical Greece* (Cambridge: Cambridge UP, 1972), 6~9쪽을 볼 것.

57) J. J. Pollitt, "Art, Politics, and Thought in Classical Greece," *The Greek Miracle: Classical Sculpture from the Dawn of Democracy. The Fifth Century*, Diana Bultron-Oliver 편 (Washington: National Gallery of Art, 1992), 33쪽.

아에 대한 관심과 탐구로 이어졌다. 이러한 경향, 즉 직접 경험한 현실세계에 대한 관심과 자기탐구의 분위기는 이 시대의 특징적인 현상이 된다. 전쟁에서 승리한 직후의 낙관주의가 자아에 대한 심도 깊은 사유를 통해 다시 인간존재에 대한 불안의식으로 변화한 시대 분위기 속에서 인간존재의 비극적 조건을 노래한 기원전 5세기의 대표적인 문학 형식이었던 비극이 장르적 성숙을 맞이했던 것도 바로 이 시기였다.

이 시기는 또한 합리주의 세계관이 모습을 드러내기 시작한 때였다. 일례로 기원전 5세기 말에서 4세기 초의 것으로 추정되는 논문(「성스러운 병에 대하여」)에서 한 익명의 저자는 성스러운 병, 즉 간질병이 신의 개입에 따른 것이 아니라, 다른 병과 마찬가지로 자연발생적이며, 주문(呪文)이나 의식 같은 수단을 통해 간질병을 치료할 수 있다고 한 사람들을 모두 협잡꾼이라고 주장했다. 이 히포크라테스적인 저자는 자연현상의 해석에 초자연적이거나 주술적인 것을 개입시키는 행위를 철저하게 거부한다.[58] 이후 프로타고라스적인 휴머니즘 등 합리주의 세계관이 확고한 틀을 형성하지만, 즉 초기 고전주의시대는 넓은 의미에서 주술과 원시적인 신앙을 대체할 과학과 철학이 모습을 드러내기 시작한 시기였다고 보는 것이 더 정확할 것이다. 뉴욕의 메트로폴리탄 박물관에 소장된 기원전 5세기의 것으로 추정되는 조각상(아마도 이 조각상은 제우스를 재현한 것 같다)과 기원전 480년경의 것으로 추정되는, 쿠로스 가운데 하나인 「크리티오스 소년」의 눈의 모습은 초기 고전주의시대의 자신감과 낙관주의, 합리주의 세계관의 일단을 반영한 듯 온화한 모습을 한 자연 그대로의 눈의 표정, 바로 그것이다.

기원전 450~기원전 430년경에 이르면 초기의 두 가지 경향, 즉 자신(自信)과 불안 가운데, 특히 전자가 그리스인들의 사유와 예술 표현을 주도하게 된다. 여러 원인이 있을 수 있겠지만, 그 가운데서도 가장 두드러

---

58) G. E. R. Lloyd, 앞의 책, 15~19쪽을 볼 것.

지는 것으로 앞서 지적한 페르시아 전쟁의 승리가 가져다 준 심리적인 안정감, 물리적인 세계에서 인간사회로 전환된 철학적 관심, 에게 해 도시국가들과 방위동맹을 맺어 이룩한 재정적 안정, 또한 이를 통해 제국(帝國)으로서 기반을 다지게 된 점 등을 들 수 있을 것이다. 특히 아테네 시민들은 이러한 안정 속에서 자신의 안전에 대해 일종의 확신을 가지게 되었던 것으로 보인다.[59]

이와 같은 고전주의시대의 아테네를 이야기할 때 페리클레스를 거론하지 않을 수 없다. 고전주의시대의 모든 예술이 아테네로 귀속된 것은 아니며, 고전주의시대의 특성을 전부 페리클레스에게 돌릴 수는 없다. 하지만 아테네 없이는 그리스 예술이 가능할 수 없었던 것과 마찬가지로 그가 없었다면 우리가 현재 알고 있는 아테네도 존재하지 않았을 것이다. 그가 아테네를 통치했던 기원전 460년부터 기원전 429년까지의 시기가 '페리클레스 시대'라 일컬어지는 것도 이를 뒷받침한다. 이러한 '페리클레스 시대'의 이념이나 시대정신과 관련해 가장 많이 거론된 것이 바로 그가 스파르타와의 전쟁에서 전사한 병사들의 추모식에서 했던 연설인데, 이 추모연설은 페르시아 전쟁에서 승리한 후 그리스에서 성장하던 휴머니즘에 토대를 둔 낙관주의를 고스란히 대변한다. 그가 이 추모연설에서 "우리 제도는 이웃나라들의 제도를 모방하지 않는다. 우리의 정체가 민주제라 불리는 것은 권력이 소수의 손에 있는 것이 아니라 국민 모두의 손에 있기 때문이다"(투키디데스『펠로폰네소스 전쟁사』 II.37)라고 말하면서, 다수의 통치, 언론의 자유, 기회의 평등, 법 앞의 평등 등을 폴리스의 기본이념으로 자랑스럽게 강조했듯이, 그는 이러한 민주주의 제도와 이념을 실현시킨 지도자였다. 사실 "민주주의뿐만 아니라 정치, 말하자면 공적 논의를 통해 결정에 이르고, 문명화된 사회의 필요불가결한 조건으로서 결정에 따르는 기술을 발견한 것은 결국 그리스인

---

59) J. J. Pollitt, 앞의 책, *Art and Experience in Classical Greece*, 64쪽.

들이었다……. 그리스인들, 오직 그들만이 그러한 의미에서 민주주의를 발견했다."[60]

페리클레스는 자랑스러운 아테네 시민들은 이러한 민주주의 제도와 이념 아래서 자신의 창조적 에너지와 비전에 따라 국가를 위해 또한 자기 자신을 위해 무엇이든 이룰 수 있다는 강력한 믿음을 추도사에 담았다. "자신의 운명을 좌지우지할 개인의 능력에 대한 새로운 인식"[61]은 기원전 5세기 후반의 주도적인 지적 흐름의 일부가 되었으며, 이러한 흐름은 아테네뿐만이 아니라 그리스의 도시국가들 전체로 파급되었다.

그리스의 철학에서 이러한 인식은 "인류의 역사에 헤아릴 길 없이 지대한 영향을 미친"[62] 소피스트들의 사유 속에 가장 잘 드러난다. 소피스트들은 한결같이 경험을 해석하고 가치를 정립하는 데 인간의 지각과 인간 제도의 중요성을 강조했다. 그들의 철학은 인간이 만물의 척도라는 대전제에서 출발하며, 그들을 이전의 철학자들과 구분하는 특징도 여기에 있다. 프로타고라스가 인간이 만물의 척도라고 했을 때, 이는 모든 지식이 본래 주관적이며 상대적이라는 것, 지식은 개인의 주관적 인식의 산물이므로 인식의 주체인 개인이 있어야 객관적 지식도 가능하며 의미를 가질 수 있다는 것을 전제로 한 것이었다.

따라서 개인의 주관적인 경험이 절대기준이 되며, 개인의 주관적 경험을 벗어나는 절대표준은 존재할 수 없게 된다. 이러한 기준에 근거해서 모든 것이 이해되고 규정될 수 있다는 것이다. 그가 인간을 만물의 척도로 규정한 것은 플라톤이 철저하게 배격했던 도덕적, 형이상학적 '상대주의'의 천명이나 다름없다. 예거가 정확하게 지적했듯이, 휴머니즘은 "본

---

60) Moses Finley, *Democracy Ancient and Modern* (New Brunswick: Rutgers UP, 1973), 13~14쪽.
61) John Onians, *Classical Art and the Cultures of Greece and Rome* (New Haven: Yale UP, 1999), 78쪽.
62) Werner Jaeger, 앞의 책, 286쪽.

질적으로 그리스인들의 창조물이며", 소피스트들의 휴머니즘은 역사상 "최초의 휴머니즘"이었다.[63] '만물의 척도는 신'이라는 전통적인 세계관을 전복시켜, 이를 '만물의 척도는 인간'으로 대체했기 때문이다. 프로타고라스의 이 명제는 "전(全) 시대가 개인주의로 향할 정도로"[64] 고전주의시대 전체에서 하나의 모토가 되었다.[65]

이러한 소피스트들의 영향력은 당연히 예술사에도 미치는 것이었다. 따라서 도즈는 아케익 시대의 종언이 정치사로는 페르시아 전쟁의 종결과 함께했지만, 지성사로는 소피스트들의 대두와 함께라고 했다.[66] 아케익 시대와 달리 낙관주의, 휴머니즘에 입각한 합리주의, 그리고 과학정신이 이 시기 조각상들의 눈을 살펴보면, 영원을 꿰뚫으려는 듯한 긴장된 눈빛으로 저 위를 응시하던 전 시대 조각상들의 눈과는 달리, 자신감에 찬 듯한 그러면서도 온화한 눈빛으로 정면을 응시하고 있다. 가령 기원전 440~기원전 430년경의 것으로 추정되는 페리클레스의 조각상이나 페이디아스와 폴리클레이토스의 조각상들에서 보이는 눈들은 자신감에 차 있지만 일말의 과장도 없이 편안한, 자연 그대로의 모습을 하고 있다. "진짜로 오인할 정도로 자연에 아주 가까운 이미지들"을 생산한 고전시대의 이러한 성취가 일반적으로 '그리스적 혁명', 그리스적 '자연주의의 승리'로 일컬어진 것도[67] 무리는 아니다.

기원전 5세기 후반, 정확하게는 기원전 430년에서 기원전 400년에 이르는 동안 그리스인들에게 닥친 사건들은 그들의 낙관주의 태도에 찬물을 끼얹었다. 투키디데스가 생생하게 묘사하듯이, 기원전 429년과 기원전 425년에 아테네를 강타하여 페리클레스를 포함한 아테네 시민 4분의

---

63) Werner Jaeger, 같은 책, 301쪽, 302쪽.
64) Werner Jaeger, 같은 책, 297쪽.
65) J. J. Pollitt, 같은 책, 68~70쪽.
66) E. R. Dodds, 앞의 책, 50쪽(주1). 에릭 R. 도즈, 앞의 책, 250쪽(주1).
67) James Whitley, 앞의 책, 198쪽.

1의 생명을 앗아간 전염병과, 한 세기 이상을 끌면서 아테네 시민들을 불안과 고통 속으로 몰아넣었던 펠로폰네소스 전쟁 등은 그리스인들의 사유에도 급격한 변화를 가져왔다. 또한 예측할 수 없는 운명이나 비이성적인 힘이 인간의 삶을 좌우한다는, 인간세계에는 영원한 질서가 없는 카오스만이 존재한다는 아케익적인 인식이 다시 고개를 들기 시작했다. 즉 페르시아 전쟁에서 승리한 이후 오랫동안 지속되었던 도덕적 질서나 정의에 대한 그들의 확신, 그리고 그러한 확신이 가져온 자신감은 한층 더 극단적인 방식으로 아케익 시대의 불안의식으로 대치되었던 것이다.

당시 상황을 생생하게 전하고 있는 투키디데스는 생생한 서술 속에서 다음과 같은 역사 원리나 역사관을 피력했다. 첫째 인간의 속성, 즉 인간성이 변하지 않는 한 역사는 반복될 수밖에 없다. 따라서 과거에 대한 지식은 미래에 대한 예측의 근거다. 둘째 인간의 삶은 운명, 알 수 없는 섭리나 신들에 의해서가 아니라, 인간의 지성, 간계(奸計), 인간의 정치적 통찰력에 따라 좌우된다. 셋째 그러나 여기에도 예외는 있다. 그것은 바로 인간의 역사나 인간의 삶은 예측할 수 없는 것이므로 인간의 통제를 넘어서는 '우연'에 의해 좌우된다는 사실이다(『펠로폰네소스 전쟁사』 III.82.2; I.140). 투키디데스에게는 그리스 역사뿐만 아니라 모든 역사의 원동력이 (개개인의) 권력 의지였다. 그러나 그는 펠로폰네소스 전쟁을 겪으면서 이러한 의지가 전염병, 전쟁과 같은 '강자의 법칙' 앞에서는 아무런 소용이 없다는 것을 통렬하게 인식해야만 했다(『펠로폰네소스 전쟁사』 VI.85.1; II.53.4).

이러한 그의 비관적 운명관과 펠로폰네소스 전쟁을 겪으면서 나타난 그리스인들의 인식의 변화는 기원전 429년에 초연된 소포클레스의 『오이디푸스 왕』에 잘 드러나는데, "페리클레스의 절친한 친구였던"[68] 소포

---

68) Charles Segal, *Oedipus Tyrannus: Tragic Heroism and the Limits of Knowledge* (New York: Oxford UP, 2001), 12쪽.

클레스는 그의 작품 속에서 불가사의한 운명에 희생된 인간들에 대해서는 절망적인 눈빛을, 한편 인간이 만물의 척도라는 소피스트들의 인간중심적인 휴머니즘을 내포한 오만에 대해서는 불안한 눈빛을 던진다. 그의 후배 작가인 에우리피데스도 우주의 본질은 로고스가 아니라 파토스이며, 인간의 삶과 역사를 철저히 비이성적인 것이 지배한다는 것을 보여줌으로써 인간중심의 합리주의적 세계관에 이의를 제기했다. 펠로폰네소스 전쟁을 겪어야 했던 그리스인들은 "살아남으려는 욕구, 또는 적어도 그 욕구를 제외하면 일관성 있거나 설득력 있는 어떠한 가치도 존재하지 않는, 본질적으로 철저하게 비이성적인 세계에 살고 있었던 것이다."[69]

이와 같은 고전주의시대 말기의 분위기가 그대로 이어진 헬레니즘 시대에는 개인의 내적 경험이나 감정 표출이 예술의 근간을 이루었으며[70], 이는 곧 무서운 전염병과 전쟁이 가져온 불안, 절망, 환멸, 그리고 특히 이러한 고통에서 도피하려는 감정 등을 그대로 드러내는 경향으로 이어졌다. 따라서 페리클레스에 의해 이상화된 폴리스와 그것의 민주주의 이념과 가치에 동참하던 고전주의시대의 예술과는 달리, 즉 한 집단의 구성원으로서 겪는 인간경험과 가치보다는 개인으로서 겪는 인간경험과 가치를 반영하려는 경향이 주를 이루었다. 평범한 개인과 그들의 일상적 삶에 대한 깊은 관심을 반영한 문학 장르인 전기나 자서전이 본격적으로 '명확한 개념'과 함께 등장했던 것도 오직 헬레니즘 시대였다.[71] 이 시대

---

69) J. J. Pollitt, 앞의 글. "Art, Politics, and Thought in Classical Greece," 41쪽.

70) 헬레니즘 시대의 일반적인 정신상태에 대해서는 J. J. Pollitt, *Art in the Hellenic Age* (Cambridge: Cambridge UP, 1986), 1~10쪽에 잘 요약되어 있다.

71) A. Momigliano, *The Development of Greek Biography* (Cambridge/M.A.: Harvard UP, 1993), 13쪽. Frances B. Titchener, "Autography and Hellenic Age," Frances B. Titchener와 Richard F. Moorton, Jr. 공역, *The Eye Expanded: Life and the Arts in Greco-Roman Antiquity* (Berkeley: U of California Press, 1999), 155~163쪽을 볼 것.

는 자서전이 "문학의 가장 본질적인 헬레니즘적 형식"[72]이었을 정도로 개인이 강조되었다. 물론 이 시대가 플라톤과 아리스토텔레스의 시대였다는 점을 부인할 수는 없지만, 동시에 집단적인 삶의 가치보다는 개인적인 삶의 가치를 강조한 에피쿠로스 학파와 스토아 학파의 시대이기도 했던 것이다.

이처럼 개인의 내면적인 경험에 치중했던 헬레니즘 시대의 예술은 특히 인간감정, 그 가운데서도 특히 고통의 감정에 치중했던 것으로 보인다. 이는 기원전 380년경의 것으로 추정되는 트로이의 왕 프리아모스의 두상에서 전형적으로 드러난다. 이마 위에 깊이 팬 주름살, 힘없이 벌어진 입술, 깊은 시름에 젖은 듯한 눈동자와 아래로 축 늘어진 눈꺼풀을 통해 비통함을 자아낸 눈 등. 프리아모스의 두상은 바로 죽음을 대면한 한 인간의 고통을 표상한 것으로 보인다. 그리고 동시에 이는 기원전 4세기와 헬레니즘 시대를 살고 있는 인간들의 고통에 대한 표상이기도 했다.

헬레니즘 시대의 예술이 개인의 내면 가치를 강조한 것과 더불어, 알렉산드로스 대왕의 출현 이후 주술적인 세계와 동방의 신비주의 의식에 눈을 돌렸을 때, 즉 여전히 올림포스의 신들이 국가적, 집단적 종교의 숭배대상이기는 했지만, 영향력을 상당 부분 상실한 상태에서 지난날의 엘레우시스의 제의처럼 구원과 영생을 약속한 동방의 미트라교와 이집트 여신 이시스 숭배에 관심을 돌리게 되었을 때, 고전주의시대의 자연스러운 눈의 표현도 상실되었다. 헬레니즘 시대의 구상예술, 가령 뉴욕 메트로폴리탄 박물관에 소장된 후기 헬레니즘 시대의 작품으로 추정되는 바바리아인의 두상이나 알렉산드로스 대왕 두상의 눈들은 다시 이전에 보았던 긴장된 눈빛을 하고 있는 것이다. 각진 눈매와 긴장과 두려움에 가득 찬 듯한 눈동자를 가진 그들의 눈은 이전의 날카롭고 과장된 긴장의

---

72) Frances B. Titchener, 같은 글, 162쪽.

자세로 무엇인가를 응시한다. 정녕 투키디데스의 주장대로 역사는 반복되는 것인가.

고대 로마 예술은 독창적인 것을 거의 찾아볼 수 없을 정도로 '그리스화'되어 있었다는 주장이 보편적인 설득력을 가질 만큼, 로마 예술은 그 공화국의 시작부터 제국의 멸망에 이르기까지 그리스 고전주의와 헬레니즘의 영향에서 벗어나지 못했던 것으로 보인다. 기원전 3세기 반도 이탈리아와 시칠리아의 정복, 이후의 일련의 정복 과정을 통해 로마인들은 그리스 예술에 깊이 매료되었으며, 그 예술작품들을 그들의 전범으로 삼았다. 공화국 이후 로마 제국 최초의 황제였던 아우구스투스는 아테네의 고전주의시대 예술을 그들의 모델로 삼았으며, 하드리아누스 황제는 그리스의 고전주의 시대와 더불어 그후의 문화까지도 그들 문화의 전범으로 삼았다.

이처럼 그리스 "고전주의시대 문화가 로마 제국 전체의 공통문화가 되었던 것"[73]은 사실이지만, 그렇다고 해서 로마인들의 예술이 그리스인들의 그것과 똑같은 것은 아니다. 그들은 그들대로의 예술 기호를 발전시켰고, 이것이 예술사에 혁혁한 이바지를 했다는 점도 간과해서는 안 될 것이다. 우선 그들의 조각상이나 초상화는 그리스의 그것과는 전혀 다른 종류의 것이었다. 로마의 그것은 무엇보다 '사실성'과 '진실주의'를 표현 형식의 근본원리로 삼았다는 점에서 로마의 예술, 전형적인 로마 예술이었기 때문이다.

그들의 사유와 예술을 통해 알 수 있듯이, 그리스인들이 추상적인 것과 일반적인 것을 선호했다면, 로마인들은 구체적이고 사실적인 것을 선호했다. 이는 무엇보다도 그들의 조각상이나 초상화에 잘 드러나는데,

---

73) Paul Zanker, *The Mask of Socrates: The Image of the Intellectual in Antiquity*, Alan Shapiro 역 (Berkeley: U of California Press, 1995), 202쪽.

그들의 조각상이나 초상화는 앞서 지적했듯이 개별적인 모델에 대한 정확한 재현을 본질로 한 것이었다.

로마에서 활동했던 그리스 출신의 조각가들은 종종 그들이 제작하는 조각상의 표현형식을 수정하고, 실제 모델보다 더 젊고 아름답고 건장하게 표현하기도 했지만, 근본적으로 사실성이라는 로마의 특성을 희생시키지는 못했다. 젊음이나 신체의 아름다움이 로마의 전통이 될 수는 없었기 때문이다. 로마의 전통은 무엇보다도 실물에 충실한 것이었다. 그리스인들은 그들의 지도자가 영웅적 존재나 신적 존재이기를 원했기 때문에 그들을 가능한 한 젊고 건장한 모습으로 표현했다.

그러나 로마의 지도자들은 최소한 42세에 이르러서야 집정관의 자리에 오를 수 있었고, 그들을 재현하는 데 그들의 나이에 걸맞는 모습으로 재현하는 것이 중요했다. 훌륭한 집정관은 곧 국가의 아버지와 같은 존재였기 때문이다. 로마의 공적 인물들의 조각상이나 초상화는 무엇보다도 그 공직에 적합한 모습이어야 했던 것이다. 가령 기원전 1세기의 작품으로 추정되는 스코프피토 출신의 한 남성 대리석 흉상을 보면, 얽은 자국과 굵은 주름으로 가득 찬 얼굴과 아래로 축 처진 턱 등이 사실적으로 묘사되어 있다. 또한 단호하고 날카로운 눈빛을 한 그의 사실적인 모습은 공적 업무에 평생을 바친 엄숙하고 진중한 한 공직자의 모습, 바로 그것이다.

이러한 '진실주의' 표현이 귀족계급에만 국한되었던 것은 아니다. 상인, 장인, 그리고 노동자 등, 이를테면 '중산계급[74]'의 사람들을 재현한 초상화도 그들의 골상(骨相) 하나하나를 좀더 정확하게 재현한다. 한편 이 시기의 여성들을 묘사한 작품들은 남성들을 재현한 작품들과 비교할 때 일면 이상된 측면을 보여주지만, 그것들도 기본적으로는 사실성에

74) Erich S. Gruen, *Culture and National Identity in Republican Rome* (Ithaca: Cornell UP, 1992), 168쪽.

충실한 재현을 보여준다. 「토르로니아 처녀」의 경우 사춘기의 청순하고 아름다운 여인의 이미지를 투사한다. 달걀 모양의 얼굴, 콧잔등에 이르는 뚜렷한 눈썹 윤곽, 부드러운 곡선의 이마와 턱 등이 일면 이상화된 모습으로 보이기도 하지만, 빛을 토해낸 듯 반짝이는 그녀의 눈은 사춘기의 물 오른 생동감을 사실적으로 반영한다. 결혼하기 직전에 죽은 처녀를 기리기 위해 이 흉상을 제작한 것으로 알려지는데, 바로 그 시절의 아름다움과 우아함을 사실 그대로 표현한 것이다. 이런 점에서 이 흉상은 '진실주의'에 입각한 남성의 흉상이 보여준 경직성과는 반대되는 또 다른 '진실주의'의 한 사례라고 할 수 있을 것이다.[75]

그러나 당시의 모든 초상화가 '진실주의'에 입각해서 제작되었던 것은 아니다. 당시 가장 강력한 지도자였던 폼페이우스의 경우를 예로 들 수 있다. 기원전 55년경의 작품으로 추정되는 그의 흉상은 앞에서 거론했던 알렉산드로스 대왕의 두상과 거의 흡사하다. 옆 이마를 가린 머리 모양이나 저 위쪽을 향한 날카로운 시선은 알렉산드로스 대왕의 머리 모양과 시선을 그대로 모방하고 있다. 이는 곧 훌륭한 지도자를 신적 존재나 탁월한 영웅적 존재로 표현했던 헬레니즘적 요소의 수용이기도 하다. 그런데 이 폼페이우스 조각상은 분명히 로마의 것이다. 알렉산드로스 대왕의 두상과 유사하긴 하지만 결코 로마인다운 수수한 면모까지 잃고 있지는 않았기 때문이다.

로마 제국 최초의 황제인 아우구스투스의 경우도 마찬가지다. 가령 조각가 폴리클레이토스가 제작한 초기 작품들에서 그는 마치 『일리아스』의 주인공 아킬레우스를 표상한 듯한 모습, 즉 창을 들고 있는 젊은 청년의 모습으로 등장하거나 아름답고 건장한 나신의 육체를 자랑한다(그리스의 조각상들에는 영웅적 인물들이 자연스럽게 나신으로 등장한다). 그러나 그후의 조각상들에서는 자신감에 찬, 그러나 고결하고 진지한 청년

---

75) Eve D'Ambra, *Roman Art* (Cambridge: Cambridge UP, 1998), 29쪽.

기의 모습을 유지했고, 눈의 모습도 자연 그대로의 모습을 유지했다. 그러나 우리에게 가장 익숙한 그의 이미지는 1863년에 발견된 기원전 1세기의 작품으로 추정되는 그의 전신상을 통해서다. 이 조각상은 그를 실물보다 훨씬 크게 재현했는데, 이 조각상의 크기가 약 213센티미터인 데 반해 그의 실제 키는 약 173센티미터였던 것으로 알려진다.[76] 우리에게 익숙한 로마 군인의 복장을 한 그의 당당한 모습은 병사들이나 로마인들에게 승리를 선언하는 듯, 그것이 신의 의지라는 듯 하늘을 향해 치켜든 그의 오른손, 빈틈없이 완벽한 이목구비, 신 또는 영웅을 떠올리게 하는 맨발, 그의 통치를 후원하는 듯 그의 양어깨에 앉아 있는 스핑크스 등을 통해 그가 신들의 후예 또는 그들의 의지를 집행한 절대 권력자임을 말해 주는 듯하다. 이 조각상은 "한 인간의 이미지일 뿐만 아니라 신이기도 한 인간의 이미지다."[77]

이러한 이상화 또는 신성화에도 불구하고 유독 황제 아우구스투스의 신성이 강조되었다는 점에서[78] 이러한 이상화도 사실성이 배제된 이상화는 아니라는 역설을 이끌어낼 수 있다. 그의 이상화된 모습이 '진실주의'에 입각한 것이었던 것이다. 당시 로마인들에게도 그의 사후에도 그는 영원한 '로마의 신'[79]이었기 때문이다. 그의 이러한 모습은 로마인들에게 '아우구스투스'라는 이름에 부합한 일종의 '등가물'이었던 것이다.[80]

이후 네로 황제를 재현한 주화의 경우처럼 신성에 고취된 듯한 눈빛으

---

76) Jaś Elsner, *Art and the Roman Viewer: The Transformation of Art from the Pagan World to Christianity* (Cambridge: Cambridge, 1995), 161쪽.

77) Jaś Elsner, 같은 책, 169쪽.

78) 이에 대해서는 임철규, 졸고 「황금시대와 로마제국의 이데올로기」, 『왜 유토피아인가』(서울: 민음사, 1994), 264~267쪽을 볼 것.

79) Ittai Gradel, *Emperor Worship and Roman Religion* (Oxford: Clarendon Press, 2002), 270쪽.

80) Paul Zanker, *The Power of Images in the Age of Augustus*, Alan Shapiro 역 (Ann Arbor: U of Michigan Press, 1988), 99쪽.

로 저 위쪽을 응시한 예외적인 경우를 제외하고는[81] 로마 제국의 마지막 황제라 할 수 있는 콘스탄티누스 1세가 등장하기 전까지 이 제국의 황제들은 한결같이 '진실주의'에 입각한 모습으로 재현되었다. 한편 콘스탄티누스 1세의 재현물들은 "신의 영감을 받은 인간의 시선"[82]을 보여준 것으로 평가되는데, 이러한 이미지는 특히 그가 권력의 정점에 있었을 때의 모습에서 두드러진다. 가령 그의 얼굴을 재현한 4세기 초의 금화는 둥글고 커다란 윤곽을 가진 눈과 그 안의 역시 커다란 눈동자에 마치 신을 마주한 듯한 엄숙한 시선을 부여함으로써 그가 최초의 기독교 황제라는 사실을 부각시킨다. 그러나 이러한 몇몇 예외적인 경우를 제외할 때, 로마 예술의 특징은 무엇보다도 '진실주의'에 입각한 이미지들의 창조라고 할 수밖에 없을 것이다.

이제 '사실성'이나 '진실주의'를 끝까지 견지했던 로마 예술의 문화적 맥락에 대해 살펴볼 때가 된 것 같다. 크게 두 가지를 꼽을 수 있는데, 첫 번째 로마인들의 일종의 조상숭배를 들 수 있다. 로마인들은 그들의 선조를 일종의 전범으로서 존경했는데, 당시 로마 귀족들의 장례행렬에는 선조의 가면(prospon: 밀랍 초상)을 가지고 가는 것이 관례였다. 역사학자 폴리비우스에 따르면 집에서 가장 눈에 잘 띄는 곳에 이러한 선조들의 가면을 놓아두었다가 장례식 때 이를 치장한 후 가족들 가운데 그 선조와 가장 닮은 이가 그것을 지니고 다녔다고 한다(『역사』 VI.53~4). 이 가면은 고인의 모습을 최대한 실제 모습 그대로 묘사한 것이어야 했다. 그것은 그 집안의 후손들에게 선조들의 영광스러운 업적에 어울리는 명예로운 삶을 살도록 일깨우는 일종의 경종과 같은 것이었기 때문이다. 그러한 선조들의 모습이 신화 속 영웅이나 역사 속 위대한 지도자의 경우처럼 이상화될 까닭은 없었다. 직접 본 모습 그대로의 사실성이 더 중

---

81) Lloyd Laing과 Jennifer Laing 공저, 앞의 책, 206쪽.
82) Lloyd Laing과 Jennifer Laing 공저, 같은 책, 202쪽.

요했던 것이다. 그것들은 선조들의 이목구비를 실제 모습 그대로 재현한 것이어야 했고, 이러한 관례에서 그들의 '진실주의' 초상이 태동했던 것이다.

두번째로 로마 무사(武士)문화의 가치를 들 수 있다. 고대 로마인들, 특히 공화정 아래 로마인들이 추구했던 가치는 바로 "무사문화의 가치였다."[83] 그들에게 최고의 삶은 공적으로 칭송받고 사적으로 명예를 지키는 것이었다. "도처에서 사적 행위에 대한 공적 비난이 쏟아졌다."[84] 로마인들을 움직인 것은 법이 규정한 형벌에 대한 두려움이 아니라 공적 비난에 대한 수치감이었던 것이다. 키케로는 "수치는 두려움 못지않게 효과적으로 시민들을 제어한다"(『공화국론』 V.4)고 했다. 또한 로마에는 중앙에서 관리하는 공식적인 평화유지군이 없었다.[85] 공적 비난에 대한 수치가 그들의 행동을 규제하고 통제하는 일종의 평화유지군이었기 때문이다.

따라서 죄인에게 주어진 형벌도 주로 공적인 수치심을 부여하는 극단적인 형태의 것이었다. 가령 그 사람의 조각상을 산산이 부순다든가, 사람들이 보는 앞에서 알몸으로 채찍질을 가한다든가, 군중들에 의해 사지가 찢겨나가는 등등. 심지어 그 시체마저 갈고리에 걸어 티베리스 강까지 끌고 가서 강물에 던지는 식이었다.[86] 로마는 공동체 구성원으로서의 명예, 그것이 아니면 공동체로부터 수치를 요구당하는, 즉 철저하게 공동체적인 가치가 지배한 사회였던 것이다. 그리고 이러한 공동체적인 가치는 어떠한 위험도 마다하지 않는 남자들이 구성한 것이었다. 물론 로

---

83) Carlin A. Barton, *Roman Honor: The Fire in the Bones* (Berkeley: U of California Press, 2001), 13쪽.
84) Paul Veyne, *The Roman Empire*, Arthur Goldhammer 역 (Cambridge/M.A.: Harvard UP, 1997), 171쪽.
85) Wilfred Nippel, *Public Order in Ancient Rome* (Cambridge: Cambridge UP, 1995), 2~46쪽을 볼 것.
86) Carlin A. Barton, 앞의 책, 22쪽.

마의 모든 남성이 공적으로 칭송받고 사적으로 명예를 지키는 남자가 된 것은 아니었다. 국가와 명예를 위해 자신의 모든 것을 바칠 때에야 그 남성은 이러한 남자가 될 수 있었다. 이러한 남자는 팔을 앞으로 뻗은 채 정면을 응시한 모습으로 재현되었는데, 이 자세는 로마에서 명예를 표상하는 것이었다. 로마의 조각상이나 초상화에 등장하는 여러 인물은 그들의 명예를 지키기 위해 무사의 덕목을 실현한 구체적인 경우들에 대한 표상이었던 것이다. 무사의 얼굴은 추상의 얼굴이 아니라 구체(具體)의 얼굴이며, 가장(假裝)의 얼굴이 아니라 사실(事實)의 얼굴이었던 것이다. 로마의 스토아 학파 철학자들이 일생 동안 단 한번도 무사이고자 하는 욕망을 그치지 않았다는 사실에서 알 수 있듯이,[87] 로마인들은 스스로 구체적이고 사실적인 모습으로 재현되기를 원했다. 로마의 대표적 철학인 스토아 철학의 정신처럼 '자연 그대로' 재현되기를 바랐던 것이다.

사실 공화정에서 제국의 멸망에 이르기까지의 로마의 역사는 내란과 전쟁, 노예 봉기, 기근, 전염병, 도덕적 타락 등으로 점철된 숱한 혼란과 위기의 노정이었다. 비인간적인 독재 정권, 관료들의 부패와 착취에 시름하던 로마인들은 자신들을 그러한 상황에서 해방시켜줄 이방인들의 침공을 동경했다. 심지어 로마인들은 그들의 침공을 도와주기까지 했는데, 바로 로마 제국의 종말을 예고하던 4세기였다. 5세기경의 역사학자 조시무스(Zosimus)는 이러한 4세기의 상황을 다음과 같이 묘사했다.

"도시마다 눈물과 불평이 넘쳐났고, 모두가 애타게 이방인들의 도움을 간구하고 있었다"(『교회사』 IV. 32).[88]

앞에서 우리는 한 사회가 혼란과 위기에 처할 때, 예술작품에 등장하는 눈들도 긴장된 모습을 취하게 된다는 가설을 제시했다. 그러나 로마의 경우에는 이 가설이 적용되지 않는다. 로마의 예술작품에 등장하는

87) Carlin A. Barton, 같은 책, 128쪽.
88) Storoni Mazzolani, *The Idea of the City in Roman Thought*, S. O'Donnell 역 (Bloomington: Indiana UP, 1970), 205~207쪽, 214쪽을 참조할 것.

눈들은 언제나 '진실' 그대로 자연스러운 모습을 하고 있기 때문이다. 이는 로마가 역사의 처음부터 끝까지 모든 정치 · 사회 · 경제 문제를 압도한 특정 문화, 그 문화가 표방한 가치에 의해 지배되었다는 것을 의미한다. 로마는 상부구조가 하부구조를 지배한 사회였던 것이다. 그 문화, 그 상부구조는 다름 아닌 무사의 문화였다.

중세

322년에 로마 제국의 동쪽 반을 지배하던 리키니우스(재위 308~재위 324)는 통치 15주년을 기념하는 주화를 발행하면서 거기에 주피터의 이미지를 새겨 넣었는데, 이것이 로마에서 마지막으로 등장한 주피터였다. 그의 이러한 조치는 로마의 공동 통치자였던 그의 처남 콘스탄티누스의 입장과 분명히 차이가 있다는 것을 공식적으로 표명한 것이었는데, 이는 313년에 그들의 합의 아래 공표한 밀라노 칙령을 폐기한다는 의미나 다름없었다. 밀라노 칙령에 따라 동등한 법적 지위를 인정받았던 기독교인들은 리키니우스에 의해 다시 정부와 군대에서 쫓겨나야만 했는데, 이것이 콘스탄티누스에게 전쟁 구실을 제공했다. 그러나 "리키니우스의 주피터는 그에게 콘스탄티누스와 벌인 전쟁에서 승리를 가져다 줄 수 없었다. 콘스탄티누스의 군대는 예수의 모노그램으로 장식된 군기(軍旗)를 들고 있었다."[89] 리키니우스의 패배와 그의 처형으로 막을 내린 이 사건은 곧 "신들의 싸움", 나아가 이미지들의 싸움이었다. "4세기는 미증유의 이미지들의 전쟁을 목격해야 했으며, 전쟁의 승패를 결정한 것은 이미지들의 힘과 에너지"[90]였던 것이다. '중요한' 것은 리키니우스의 몰락이 아니라 바로 주피터의 몰락이었다. 이제 그의 이미지는 주화뿐만 아니라

---

89) Thomas F. Mathews, *The Clash of Gods: A Representation of Early Christian Art* (Princeton: Princeton UP, 1999), 4쪽.
90) Thomas F. Mathews, 같은 책, 4쪽.

성전에서도 추방되었다. 이미지의 추방은 곧 신의 추방이었고, 주피터의 추방과 함께 고대 판테온의 모든 이미지도 추방되었다. 고대의 막이 내린 것이다.

이제 예수, 그의 이미지의 승리와 함께 중세가 시작된다. 하지만 이러한 승리에 이르는 여정은 숱한 이념들이 대립된 과정의 연속이었다. 그러한 대립들 속에 앞서 언급했던 4세기의 시대적인 절망이 있었고, 그러한 절망 속에 중세 정신의 상징인 아우구스티누스가 있었다. 기독교에 이르기까지 그의 사상적인 편력도 예수의 이미지가 승리하기까지 겪는 여정, 바로 그것이었다. 그는 숱한 사상적 편력의 끝에서 만난 기독교에서 스스로에 대한, 절망의 한가운데 있는 수많은 영혼에 대한 구원의 희망을 보았다. 바울로가 기독교의 초석을 놓은 이라면, 아우구스티누스는 그 초석을 체계화한 이였다.

그의 기본 전제는 신은 완전하고 인간은 불완전하다는 것이다. 일면 너무나 평범한 이야기처럼 들리는 이 말이 중요한 의미로 다가오는 것은 이러한 확신에 이르기까지 그의 여정이 너무나 치열했기 때문이다. 마니교를 접하기 이전부터 그는 절대적인 것과 비물질적인 것을 추구했고, 물질적인 것과 상대적인 것을 혐오했다. 전자를 선한 것, 후자를 악한 것이라 규정한 아우구스티누스는 우주를 선과 악, 또는 빛과 어둠이라는 두 대립적인 원리의 공존으로 보는 마니교의 이원론적인 세계관을 받아들였다. 또한 그것은 이 두 원리의 공존이야말로 모든 불행한 사태의 근원이라는 종교적 인식의 수용이기도 했다. 마니교에 따르면 선이 있는 곳에는 언제나 악이 함께하며, 그 힘 또한 선과 동일하다. 악은 근본적으로 선과 독립되어 있으며, 근본적으로 선에 적대적이다. 그러나 아우구스티누스는 선이란 악의 적대성에 맞설 만한 어떠한 힘도 가지고 있지 않기 때문에 항상 '고난받는 예수'만 등장하는 마니교의 비관주의적 세계관을 받아들일 수 없었다. 이후 그는 신플라톤주의에서 선을 초월적이고 비물질적인 '절대존재'와 동일시하고, 악을 이에 종속시키는 일원론을 발견했다.

그러나 그는 기독교에 최종적인 둥지를 트는 것으로 그의 편력에 종지부를 찍었다. 절대적인 것, 그리고 선한 것을 신과 동일시했으며, 마침내 이를 '역사적 예수'와 동일시했다. 물질적인 인간(물질적인 것)을 악한 인간(악한 것)으로 규정하고, 이 악한 인간들을 전적으로 신에게 종속시켰다. 물론 그는 플라톤주의와 기독교가 서로 많은 공통점이 있음을 발견했다. 플라톤의 저서는 예수의 '육화'에 대한 것은 아니지만, 신과 신의 영원한 '말씀'에 대한 증거들을 제공하고 있었기 때문이다(『참회록』 VII.9.14). 그러나 유일한 '길'로서 예수를 발견한 그(「요한복음」 14.6; 『참회록』 VII.18.24)가 플라톤의 저서에만 머무를 수는 없었다. 신플라톤주의자들이 신의 본질에 대한 진리를 말할 수는 있었지만, 그것에 이르는 길이나 이르는 방법에 대해서는 아무것도 말해줄 수 없었기 때문이다. 그들이 알고 있는 신의 본질은 철저하게 이론적이었기 때문이다.[91]

아우구스티누스는 신이라는 존재를 이론 또는 인간의 지식으로 이해할 수는 없으며, 이를 통한 신의 접근은 더더욱 불가능하다고 했다. 신에 대한 이해나 접근은 신이 주는 것이며, 인간은 신이 내려준 신성한 비전을 수동적으로 흡수하는 스펀지에 지나지 않는다는 것이다. 신이 자신의 존재를 계시할 때까지 인간들은 다마스쿠스 도상의 바울로처럼 '신성의 빛'을 고대하는 존재에 지나지 않는다는 것이다. 구원의 빛은 철저하게 신의 '자주적인 선물'이다.[92] 이러한 확신을 통해 아우구스티누스는 인간을 인식의 주체로 간주하던 이교도적 휴머니즘의 토대를 뿌리째 흔들었다. 그에게는 불완전한 인간이 불완전한 인식, 불완전한 지식을 통해 완전한 존재인 신을 이해하려 한다는 것이 용납되지 않았다.

이러한 불완전한 인간을 물질적인 인간과, 그를 악한 인간과 동일시했

---

91) John M. Rist, *Augustine: Ancient Thought Baptized* (Cambridge: Cambridge UP, 1994), 3쪽.
92) John M. Rist, 같은 책, 78쪽.

던 아우구스티누스가 인간의 육체와 육체의 욕망에 대해 극도의 혐오감을 표출한 것은 당연하다. 그에게 물질 그리고 악은 곧 선의 부재(『신의 나라』 XI.22)였다. 즉 예수가 표상한 '신성의 빛'에서 이탈하는 것이었다. 악은 신의 창조물이 아니라 인간의 욕망의 산물이므로, 신의 은총의 섭리에 따라 치유되어야 한다는 것이다. 악은 절대자의 명령에 불복하고 자신의 의지에 따라 행동한 아담의 원초적 타락을 근원으로 한다는 '원죄'의 교리가 등장한 것, 아우구스티누스가 인간을 극도로 혐오한 것도 모두 악의 근원이 인간이었기 때문이었다.

  아우구스티누스의 인간에 대한 혐오는 곧 인간의 육체, 육체적 욕망에 대한 혐오였다. 이런 점에서 그는 바울로의 영적 계승자라고 할 수 있는데, 바울로의 모든 글은 모든 가치를 영적인 것으로 돌린 기독교의 가르침을 주조로 한 것이었다. 그는 일관되게 인간은 육체적인 존재가 아니라 영적인 존재임을 강조했으며,[93] 그에게 육체적 욕망의 노예가 되어버린 인간들은 신의 은총과 예수의 대속(代贖) 없이는 구원받을 수 없는 버림받은 자들이었다. 로마인들에게 보낸 그의 편지는 "의인은 없나니 하나도 없나니"(『로마서』 3.10)라는 그의 절규에서 알 수 있듯이, 타락한 인간들을 위한 만가(輓歌)이자 좀더 나은 세상을 위한 희망의 찬가였던 것이다. 아우구스티누스의 '신의 나라'에 반대되는 '지상의 나라'는 육체의 나라였다. 그의 대저 『신의 나라』는 로마의 모든 세속적인 가치의 멸망을 정당화하는 데 목적이 있었으며, 그에게 그러한 '지상의 나라'는 곧 사탄의 나라였다.

  또한 그는 이 육체의 나라와 지속적인 전쟁을 요구했다. 이는 아담의 육체적 욕망에서 인간의 총체적 타락과 죽음이 비롯되었기 때문이다(『신의 나라』 XIII.3). 이런 점에서 그의 원죄 교리도 바울로의 그것과 유사하다. 바울로도 아담의 타락 이후부터 모든 인간의 타락과 죽음이 보편화

---

93) 「고린도후서」 5.16과 「갈라디아서」 9.16~25를 볼 것.

되었다고 보았기 때문이다(「로마서」 5.12); 「고린도전서」 15.22). 따라서 아우구스티누스도 바울로와 마찬가지로 속죄에 대한 간절한 열망에 사로잡혀 있었다. 타락과 죽음이라는 숙명적인 조건 아래 있는 인간에게 구원은 오직 예수의 대속과 신의 은총으로만 가능한 것이었기 때문이다. 아우구스티누스는 "기독교인은 자신의 집에서도 자신의 도시에서도 스스로를 이방인으로 느끼는 사람이다. 우리의 조국은 저기 저 높은 곳에 있기 때문이다. 거기서는 더 이상 이방인이 되지 않을 것이다. 그러나 여기 아래서는 모두가 자신의 집에서도 자신을 이방인으로 느낀다"[94]고 했다. 지상의 영원한 이방인이었던 그가 죽은 지 1년 만에 유스티니아누스 황제는 아테네의 모든 아카데미를 폐쇄했다. 그것은 아우구스티누스의 '신의 나라'를 위한, 그러나 동시에 '암흑시대'를 위한 전주곡이었다.

　이러한 '신의 나라'를 위해서는 예술도 철저히 영적인 것이어야 했다. '지상의 나라'는 곧 사탄의 나라, 육체의 나라였고, 이상적인 육체의 아름다움을 추구하던 헬레니즘 문화는 배격되어야 할 대상이었다. 육체는 "아우구스티누스의 말대로라면 "하나의 저주…… '타락' 이후 인간이 걸친 하나의 겉옷"에 불과한 것이었기 때문이다.[95] 모든 예술형식은 종교 이념 아래 종속되어야만 했고, 무엇보다도 교훈적이며 도식적이야 했다. 그것이 도식적이었다는 것은 곧 그것이 예술가 개개인의 상상력을 필요로 하지 않았다는, 아니 허용하지 않았다는 것을 의미한다. 이것이 예술가들에게만 국한되었던 것은 아니다. 사실 중세인들 모두가 자신들을 자율적인 개인으로 인식하지 못했다.

---

94) St. Augustine, *Sermons*, *Patrologiae cursus completus*…… *Series Latina*, Jacques Paul Migne 편 (Paris: 1844~1902), 111쪽.

95) Michael Camile, *The Gothic Idol: Ideology and Image-Making in Medieval Art* (Cambridge: Cambridge UP, 1989), 92쪽. 사실 이러한 육체의 거부는 서구 예술의 역사에서 일종의 패러다임의 전환이었고, 그러한 전환은 곧 그리스 문화의 이면에 깔려 있는 개인, 개개인의 개성의 문제를 폐기한다는 것을 의미하는 것이었다.

부르크하르트에 따르면 그들은 스스로를 오직 "민족이나 국민, 분파, 가족, 단체의 구성원으로······ 인식했다." 스스로를 오직 "어떤 일반적인 범주를 통해" 인식했다.[96] 즉 그들은 "스스로를 행위 주체로 보지 않았다."[97] 부르크하르트가 규정한 중세의 주체는 무엇보다도 일반화된 주체라고 할 수 있다. "개인적인 중세적 주체는 사실상 복수(複數)다."[98] 나와 타자는 동일한 존재이며, 타자의 생각이 곧 나의 생각이다. 진리는 집단이 인정할 때만 유효하기 때문에 중세인들은 '개인적 확신'을 공동체의 진리와 대립시키지 않았다.[99] 독립적인 한 장르로서의 초상화, 즉 개인의 초상화가 존재하지 않았다는 사실도 이를 증명한다. 그들의 역사기술 역시 마찬가지였다.

중세시대가 마지막을 향하던 12세기로 접어들기 전까지 엄격한 의미에서 중세에는 주체로서의 개인이 존재하지 않았다고 보아야 할 것이다. 따라서 예술작품도 예술가 개개인의 상상력, 개성의 표현이 아니라, 집단이 요구한 정신이나 이데올로기를 전달하는 매체가 될 수밖에 없었다. "창조의 힘"은 예술가들이 아니라 "신에 속한 것"[100]이었기 때문이다. 즉 예술작품은 집단이 규정한 상징 기호의 재현에 지나지 않았다.

중세인들에게 현실을 객관적으로 규정해주는 것은 바로 '상징'이었다. "세계는 하나의 상징이라는 대답에서 그들은 한결같았다."[101] 교회

---

96) Jacob Burckhardt, *The Civilization of the Renaissance in Italy*, S. G. C. Middlemore 역 (London: Penguin, 1990), 81쪽.

97) Aron Gurevich, *Categories of Medieval Culture*, G. L. Campbell 역 (London: Routledge and Kegan Paul, 1985), 301쪽.

98) Norman F. Cantor, *Inventing the Middle Ages* (New York: William Morrow, 1991), 2쪽.

99) Aron Gurevich, *Medieval Popular Culture: Problems of Belief and Perception*, Janos M. Bak과 Paul A. Hollingsworth 공역 (Cambridge: Cambridge UP, 1988), 55쪽.

100) 마리오 프라즈, 『문학과 미술의 대화—기억의 여신』, 임철규 역 (서울: 연세대학교출판부, 1986), 65쪽.

는 곧 천국의 상징이었으므로 예술가들의 첫번째 과제는 상징 기호를 해독하는 것이었다. 그들은 우선 성상의 후광이 신성을 의미하고, 십자가를 둘러싼 후광이 삼위일체, 즉 성신과 성자와 성령 가운데 하나를 가리킨다는 것을 배워야만 했다. 또한 둥근 빛으로 몸 전체를 감싼 후광은 영원한 축복을 가리킨다는 것을 배워야만 했다. 인물 표현에서 쓰인 여러 규칙도 그들이 배워야만 하는 중요한 요소 가운데 하나였는데, 가령 예수, 천사들, 사도들은 맨발이어야 하고, 성모 마리아와 성도들은 맨발이 아니어야 했다. 베드로는 곱슬머리에 짧고 무성한 수염을, 바울로는 대머리에 긴 수염을 해야 했다. 또한 성모 마리아는 처녀의 상징인 베일을, 유대인은 원추형의 모자를 써야 했다.[102] 중세의 대표적 예술형식인 고딕 건축의 판에 박은 듯한 모형들이 그 시대의 획일적인 정신을 집약해주듯이, 성상들도 정형화된 틀에서 벗어날 수 없었다.

이러한 고착화는 중세 비잔틴 제국의 성상들의 경우도 마찬가지였다. 성상들이 얼마나 실제적인가의 기준은 성상이 실제 모델을 얼마나 사실적으로 재현했는가의 문제가 아니라 그것들이 그들의 위상이나 정체성에 얼마나 부합되는가의 문제였다. 일종의 "정의(定義)의 정확성"[103]의 문제였던 것이다. 여기에는 개성화가 아니라 유형화에 따라 인간을 구별한 중세적인 인간관이 고스란히 반영되어 있다.

가령 복음전도자는 고풍의 튜닉과 외투를 입고 펼친 책을, 주교들은 예복을 입고 책이나 두루마리를 들어야 했다. 수사는 수도사의 복장을, 병사는 군인용 튜닉과 허리통 갑옷을 입어야 했으며, 의사는 의학서적과 수술기구를 들어야 했다. 주교와 수사는 주로 백발이나 갈색 머리카락의

---

101) Emile Mâle, *The Gothic Image: Religious Art in France of the Thirteenth Century*, Dora Nussey 역 (New York: Harper and Row, 1958), 29쪽.

102) Emile Mâle, 같은 책, 1~3쪽을 볼 것.

103) Henry Maguire, *The Icons of Their Bodies: Saints and their Images in Byzantium* (Princeton: Princeton UP, 1996), 16쪽.

노인으로, 의사와 병사는 젊은이로 묘사되었고, 여인도 좀더 젊은 모습으로 유형화되어야 했다.[104] 비잔틴인들이 숭배했던 성인들도 이러한 유형화, 일종의 규격화를 통해 재현되어야만 했는데, 성상파괴운동[105]의 종언 이후 약 1,000년이 흐른 뒤에도 각각의 성인들을 그들의 얼굴의 특징으로 구별할 수 있을 정도였다.

가령 사도 요한은 백발이나 대머리의 길고 물결 치는 수염을 가진 존경스러운 노인으로, 사도 안드레아는 텁수룩한 백발의 노인으로, 사도 바울로는 대머리에 중간 길이의 뾰족한 수염을 가진 노인으로 묘사되었다. 주교들도 마찬가지였다. 가령 서방과 마찬가지로 비잔틴에서도 명망이 높았던 성 니콜라스는 언제나 하얀 머리카락과 움푹 팬 볼에다 짧은 수염을 가진 노인의 모습을 하고 있었다.[106] 이 모든 성상은 기록이나 전언, 비전이나 계시에 따라 누군가가 애초에 재현한 "원형의 정확한 복사물"[107]이었던 것이다.

그러나 이와 같은 유형화에 따른 차이에도 불구하고 모든 성상의 눈만은 거의 같은 모습을 하고 있다. 그들은 한결같이 긴장된 눈빛의 커다란 눈으로 정면을 응시하기 때문이다. 중세인들은 악마들의 시기가 그들에게 직접적인 상해를 입힐 수 있다고 믿었으며, 신이 욥의 경우처럼 의로운 사람을 시험하기 위해, 악한 이를 벌하기 위해 악마를 이용한다고 생각했다. 그리고 악마의 시기와 악의 또는 적(敵)의 '악한 눈'으로부터 그들을 지켜줄 수 있는 것은 바로 성상이라고 생각했다. 3세기에 기록된 것으로 추정되는 외전(外典)의 하나인 『요한 행전』에는 자신의 침대에 항상 사도 요한의 성상을 놓아두었던 리코메데스라는 사람에 대한 이야기가 등장한다. 그는 사도 요한이 에베소에서 인연을 맺었던 최초의 제자

---

104) Henry Maguire, 같은 책, 16쪽.
105) 이에 대해서는 제4장 「성상논쟁」을 볼 것.
106) Henry Maguire, 앞의 책, 24~25쪽, 34쪽.
107) Henry Maguire, 같은 책, 11쪽.

들 가운데 한 사람으로서 그 도시의 집정관으로 있었다. 그는 적의 '악한 눈' 때문에 전신이 마비되었던 아내를 사도 요한이 치유해줌으로써 기독교인으로 개종하게 되었는데, 이후에도 요한의 성상을 계속 간직했다.[108] 노려보는 요한 성상의 눈이 적의 다른 위협을 막아줄 것이라 생각했기 때문이었다.

이러한 일화에서도 알 수 있듯이, 『요한 행전』에는 악을 방어하는 눈의 마법적인 힘이 주요한 주제로 다루어진다. 또한 거기서는 예수가 일찍이 한번도 눈을 감아본 적이 없었다는 점에서 일반사람들과 구별된다.[109] 비잔틴인들은 정의란 궁극적으로 '정의의 눈'이 '악한 눈'을 이길 때 실현된다고 생각했으며, 그들에게는 예수가 곧 '정의의 눈' 또는 모든 것을 지켜보는 신의 눈이었다.[110] '정의의 눈'은 바로 비잔틴 교회들의 둥근 천장, 그 중앙에서 아래를 내려다보고 있는 예수의 크게 치켜뜬 심판의 눈이다. 긴장의 빛이 역력한 그 눈은 그의 정의를 실현하기 위해 최후의 심판일까지 모든 인간 한 사람 한 사람을 지켜보려는, 그의 '일찍이 한번도 눈을 감아본 적이 없는' 정의의 의지에 대한 상징이자 '악한 눈'을 막아내는 마법적인 힘에 대한 상징이기도 했다. 비잔틴인들의 성상숭배 이면[111]에는 성상들이 악을 물리치리라는 강력한 열망이 있었고, 그 성상들이 한결같이 눈을 크게 뜨고 긴장된 눈빛으로 정면을 응시하고 있는 것은 바로 이러한 주술적 열망의 표현이었던 것이다.

중세시대의 눈 표현에서 또 하나의 공통점은 그 눈의 시선이 저 위쪽을 향한다는 것이다. 가령 시나이 산의 성 카타리나 수도원에 있는 6세기의 패널화를 보면, 두 명의 성인과 성모 마리아가 아기 예수를 무릎에

---

108) *Acts of John*, 19~20, Edger Hennecke와 Wilhelm Schneemelcher 공편, R. M. Wilson 역, *New Testament Apocrypha*(phiadelphia, 1964), II: 216쪽.

109) 같은 책, Acts of John, 89, *New Testament Apocrypha*, II: 225쪽. 그리고 Thomas F. Mathews, 앞의 책, 178쪽을 참조할 것.

110) Henry Maguire, 앞의 책, 115쪽.

111) 이에 대해서는 제4장 「성상논쟁」을 참조할 것.

안은 모습 뒤로 머리를 저 위 또는 저 하늘을 향해 치켜들고 무언가를 갈
구하는 듯한 모습을 한 두 여인이 등장하는데, 그들의 긴장된 눈빛은 마
치 모든 중세인의 긴장을 반영하고 있는 듯하다. 아날 학파의 역사학자
르 고프는 "중세시대는 신과 악마 간의 투쟁의 시대였다. 사탄은 중세가
시작할 때 태어나 중세가 끝날 때 죽었다"[112)]고 규정했다. 이 함축적인
표현 속에서 중세인들의 정신적 긴장을 읽어내는 것은 그리 어려운 일이
아니다. 그들의 진정한 고향은 아우구스티누스가 강조한 '신의 나라' 였
고, 거기서는 자신들이 '이방인'이 아닐 것이라고 굳게 믿고 있었다. 대
신 이 지상의 나라, 인간의 나라, 육체의 나라에서 그들은 언제나 악마와
함께했다. 이 지상의 나라는 곧 사탄의 나라였기 때문이다. 고도로 영적
인, 그러나 동시에 고도로 긴장된 삶 속에서 그들 모두는 교회의 가르침
에 따라 구원의 삶을 추구한 아우구스티누스적인 강렬한 열망에 불타고
있었다. 구원을 향한 이러한 그들의 열망이 궁극적으로 이루어지는 장소
는 바로 저 위의 천국이었다. 저 위를 향하고 있는 성상들의 긴장된 시선
은 바로 중세인들의 긴장과 열망의 반영인 것이다.

앞서 지적했듯이 중세시대는 시작부터 끝까지 아우구스티누스의 구도
(構圖)를 흔들림 없이 유지했으며, 그러한 구도 내에 개인의 설자리는 없
었다. 그러나 굳건한 구도로 유지되어오던 중세시대에 종말의 시작을 알
린 것이 바로 개인의 부활이었다. 중세 후기에 이르러 사람들은 눈에 띄
게 '자기'에 대한 의식, 즉 주체의식을 표명하기 시작했다.[113)] 아날 학파

---

112) Jacques Le Goff, *The Medieval Imagination*, Arthur Goldhammer 역
(Chicago: U of Chicago Press, 1988), 22쪽.

113) 그러나 중세에 과연 '주체'라는 것이 존재했는가 하는 문제가 여전히 뜨거운 쟁
점들 가운데 하나라는 것도 무시할 수 없는 사실이다. "주관성의 내적 공간
은…… 르네상스 시대에 생겨난 것"이라든가, "자유주의 휴머니즘의 통일된 주
체는 17세기 후반의 산물, 즉 혁명의 결과" (Catherine Belsey, *John Milton:
Language, Gender, Power* [Oxford: Oxford UP, 1988], 85쪽. 같은 저자,
The Subject of Tragedy: Identity and Difference in Renaissance Drama

의 아리에스는 이러한 변화의 움직임의 시작을 11세기까지 끌어올리는데, 그는 당시 등장한 묘비(명) 문화에서 실례를 찾고 있다. 사실 기원 무렵에는 묘비명이 일종의 보편적인 문화였다. 고인의 이름과 사망일, 나이 등을 기록하여 고인의 정체를 알려주었고, 고인의 모습을 후세에 남기기 위해 묘비를 초상 형태로 제작하기도 했다. "사람들은 생전의 자신의 특징들을 죽음 속에서도 유지했던 것이다."

아리에스는 이 시대를 "묘비명과 장례용 초상(肖像)의 문명─달리 말하면 개인의 정체성 문명"의 시대라고 부른다.[114] 이후 5세기 무렵부터 사라졌던 이 문화가 11세기경부터 다시 등장하기 시작했다는 것이다. 개인의 정체성에 대한 욕망은 처음에는 묘비명으로, 나중에는 초상의 형식으로 다시 등장했다. 이것은 중세인들의 개인으로서 갖게 된 정체성에 대한 욕망을 위해 등장한 첫번째(이렇게 부를 수 있다면) 장르였다.[115] 중세에 개인의 얼굴이 다시 등장한 것이다. 그리고 이는 곧 주체의식의 대두를 예고한 것이었다.

르 고프는 다른 각도에서 이 문제를 접근하고 있는데, 그는 12세기 후반에 등장한 '연옥'이라는 개념에 주목한다. 즉 연옥에서 벌을 받는 죽은 이들이 구원받는 기간이 그들의 친지나 친구들의 기도로 단축될 수 있다

[London: Routledge Kegan and Paul, 1985], 33~34쪽)라는 주장이 있는가 하면, "인간존재의 내적 풍경 또는 주관성"에 대한 관심이 12세기에 적어도 아우구스티누스의 『참회록』 이래 새롭게 등장했으며, "……인간성의 깊은 내면을 인식하는 것이 당시 문학의 뚜렷한 주제이자 최대의 관심사였다"(A. C. Spearing, *Readings in Medieval Poetry* [Cambridge: Cambridge UP, 1987], 12쪽)라는 주장도 있다. 더 나아가 중세에는 주체가 없었다는 일반적인 역사인식 때문에 "중세 주체의 역사를 쓰는 것이 사실상 중세 문화의 역사를 쓰는 것"(Lee Patterson, "On the Margin: Postmodernism, Ironic History, and Medieval Studies," *Speculum* 65 [1990], 87쪽)이 된다는 주장도 있다.

114) Philippe Ariès, *Image of Man and Death*, Janet Lloyd 역 (Cambridge/ M.A.: Harvard UP, 1985), 31쪽.

115) Philippe Ariès, 같은 책, 36쪽.

는 개념에 주목한다.[116] 이는 곧 교회의 개입 없이도 개개인이 직접 신의 은총을 구할 수 있다는 것을 의미했다. 말하자면 교회가 개인의 주관적 영향력을 인정한 것이었다. 따라서 12세기를 비록 '자기발견' 시대, '개인 발견' 시대라고는 규정할 수 없다 하더라도, 적어도 당시 개인의 가치가 부각되고 있었다는 점에 대해서는 이견이 없을 것이다. 이는 고해성사가 보편화되면서 죄와 속죄의 문제가 부각되기 시작했다는 점을 통해서도 확인된다. 당시 고해성사를 통한 "죄의 측정은 윤리적인 삶의 내면화와 개인화"[117]를 의미했기 때문이다. 굳이 프로이트를 거론하지 않는다 하더라도, 인간이 주관적 자아를 이해해나가는 과정에서 문화적으로든 개인적으로든 죄 또는 죄의식의 단계를 거쳐야만 한다는 것은 잘 알려진 사실이다.

들뤼모는 "일찍이 13세기부터 18세기까지의 서양세계만큼 죄와 수치에 대해 중요성을 부여한 문명은 없었다"고 지적했다.[118] 계속해서 그는 죄의식에 물든 양심, 자기 자신에 대한 두려움이 초상화의 발전, 개인주의의 대두, 책임의식 등과 동시대적인 현상이라고 주장했다.[119] 물론 독자적인 예술 장르로 초상화가 등장한 것은 르네상스 시대의 일이었지만, 문학에서 그것의 징후는 이미 14세기부터 드러나고 있었다. 자아에 대한 근대 인식이 서구 사유의 가장 중요한 윤리적 성취라고 주장했던 테일러가 자신의 내면을 돌아본 반성적 사유의 시작을 아우구스티누스의 『참회록』에서 찾고, 근대적 사유의 단초도 거기서 연유한다는 것을 심도 있게

---

116) Jacques Le Goff, *La naissance du Purgatoire* (Paris: Gallimard, 1981) 391쪽. 자크 르 고프, 『연옥의 탄생』, 최애리 역(서울: 문학과지성사, 1995), 557쪽.

117) Jacques Le Goff, 같은 책, 290쪽, 자크 르 고프, 같은 책, 418쪽.

118) Jean Delumeau, *Sin and Fear: The Emergence of a Western Guilt Culture 13th~18th Centuries*, Eric Nicholson 역 (New York: St. Martin's Press, 1990), 3쪽.

119) Jean Delumeau, 같은 책, 4쪽.

논의했듯이,[120] 14세기의 문학작품, 즉 페트라르카와 단테의 작품, 영국의 종교시 『농부 피얼스』 등에서 이러한 아우구스티누스적인 유산을 찾는 것은 결코 어려운 일이 아니다.

그러나 중세와 결부하여 주체, 자아, 주관성을 이야기할 때, 이 글의 주제와 어울리는 예술적 사례들은 단연코 죽음에 대한 인식, 죽음과 관련된 예술 표현에서 찾을 수 있다. 아리에스에 따르면, 12세기까지 중세인들은 사후의 심판에 대해 아무런 개념이 없었다. 그들은 최후의 심판을 위해 예수가 재림할 때까지 모든 영혼은 평화롭게 잠들어 있다가 재림 이후 몇몇 중대한 죄인들을 제외하고는 모두가 깨어나서 천국으로 가게 된다고 믿고 있었다. 그러나 12세기 이후의 중세인들은 최후의 심판 때 천국에 갈 수 있는가의 여부는 생전의 삶이 어떠했는가에 따라 결정된다고 생각했다는 것이다. 각 개인의 '인생 결산표'가 철저하고 정확한 '부기'(簿記)에 따라 결정되었다.[121] 이제 중요한 것은 각 개인에 대한 심판, 각 개인의 죽음, 각 개인의 책임인 것이다. 이처럼 개인의 문제가 부각되자 모든 현상에 대한 반응도 개인적인 '자기의 것'이 되었으며, 개인적인 반응은 좀더 민감하고 긴장된 것이었다. 이러한 예민함과 긴장은 특히 예술가들의 죽음에 대한 표현에서 잘 드러난다.

중세시대에 죽음을 표현하는 전형적인 초상(肖像)은 해골이었다. 그러나 그것이 실제로 등장한 것은 13세기의 일이며, 그것이 의인화된 죽음의 모습으로 고착화된 것은 14세기에 이르러서의 일이었다. 그전에 예술작품에 등장한 죽음은 '살아 있는' 인간의 모습이나 부패한 시신, 일종의

---

120) Charles Taylor, *Sources of the Self: The Making of the Modern Identity* (Cambridge/M.A.: Harvard UP, 1989), 31쪽.

121) P. 아리에스, 『죽음 앞에 선 인간 – 하』, 유선자 역 (서울: 동문선, 1997), 295쪽. 아리에스의 입장과는 달리 개인의 영혼에 대한 사후 심판 개념이 이미 중세 초기부터 있었음을 논한 글로는 Aron Gurevich, *Historical Anthropology of the Middle Ages*, Jana Howlett 편 (Chicago: U of Chicago Press, 1992), 36쪽 이하를 볼 것.

미라 등으로 표현되었다. 또한 죽음은 의로운 사람 앞에서 무력하기 짝이 없는 남성의 모습으로 주로 등장했는데, 주로 '무력하다는 것'이 죽음의 특징이었다. 지옥까지 내려가 죽음을 정복하는 예수의 모습을 재현한 중세 초기의 작품에서 볼 수 있는, 즉 예수의 발 앞에 엎드린 죽음의 모습은 곧 무력함의 상징인 것이다. 따라서 죽음은 공포나 두려움 또는 일종의 경외감을 불러일으킨 존재가 아니었다.[122] 그러나 이러한 무력함의 이미지는 중세 후기에 이르러 왕관을 쓴 해골의 이미지로 대체된다. 죽음이 힘의 전형인 왕으로 의인화된 것이다. 이는 아마도 13세기 초 이래의 잦은 기근과 전쟁, 질병과 경제 위기, 자연재해와 흉작, 14세기 중엽 대대적인 흑사병의 창궐로 수많은 사람이 죽고, 수많은 사람이 죽음을 목격해야만 했던 시대 상황의 반영일 것이다. 그들은 '죽음의 신'의 힘을 절감해야만 했던 것이다.

이후 중세 후기의 문학작품들에 등장하는 죽음은, 『농부 피얼스』의 경우처럼 그것이 신과 정의의 편에 서서 싸우는 기사(騎士)의 모습으로 의인화된 예외적인 경우를 제외하고는, 주로 인간을 심판하는 신의 '무서운 사자(使者)', 도처에서 인간의 목숨을 앗아가는 해골(때로는 여성)의 모습을 하고 있었다. 즉 14세기의 이탈리아에 '죽음의 승리'라는 예술 장르가 등장한 것이다. 그것이 보카치오의 『데카메론』처럼 말을 타고 시체들 위를 쏜살같이 달리는 여성 기수의 모습으로 등장하건, 페트라르카의 「죽음의 승리」처럼 승리의 전차(戰車)를 타고 땅 위에 흩어져 있는 시체들 위를 달리는 여성 전사의 모습으로 등장하건 간에, 이 새로운 장르를 지배한 것은 커다란 낫으로 무자비하게 인간들의 목을 자르는 해골의 이미지였다.

당시의 많은 세밀화, 프레스코화, 도자기, 판화, 스테인드글라스 등도

---

122) Karl S. Guthke, *The Gender of Death: A Cultural History in Art and Literature* (Cambridge: Cambridge UP, 1999), 43~46쪽을 참조할 것.

페트라르카식의 죽음의 승리를 표현해주었는데,[123] 가령 15세기 프레스코화의 하나인 「죽음의 무도」는 마치 죽음의 표적을 찾는 듯 사방을 응시하거나 하얀 이빨을 드러내고 으르렁거리는 해골들 사이로 마침내 자신의 표적을 찾은 한 해골이 침대에 누운 아기의 손을 부여잡고 있는 장면을 묘사한다. 또한 페트라르카의 「죽음의 승리」(1503, 파리 국립도서관 소장)의 세밀화에는 전차 위의 한 여성의 시신 위에 올라선 해골이 수많은 시체와 그 주위에서 두려움에 떨고 있는 사람들을 둘러보면서 커다란 낫을 휘두르는 모습이 등장한다. 여기에는 13세기 이후의 중세인들을 휘감고 있었던 죽음에 대한 공포가 여지없이 반영된 것이다.

1348년과 1349년의 치명적인 흑사병과 그후에도 계속된 각종 전염병들은 유럽인들의 영혼을 불안과 절망의 상태로 몰고 갔다. 흑사병만으로도 유럽 인구의 3분의 1 또는 절반이 사라졌고, 살아남은 이들에게 "삶 자체는 죽음의 지배에 항거하는 처절한 전투"[124]가 되었다. 심지어 추기경의 묘비(1400년에 제작된 것으로 추정되는 추기경 라 그랑즈의 묘비로 아비뇽에 있다)조차 알몸으로 썩어가는 추기경의 시체를 묘사하는데, 그 비문에 "……그대들은 티끌이며 썩은 시체에 불과한, 벌레들에게는 한 입, 한끼의 식사에 불과한 그대들은 티끌로 돌아가게 될 것"[125]이라는 문장이 적혀 있다. 이후 15세기, 특히 16세기에 자주 등장하게 되는 시체와 그것을 갉아먹는 벌레라는 이 죽음의 주제 또한 당시 사람들의 죽음에 대한 공포와 반감이 얼마나 절실한 것이었는지를 잘 보여준다.

이처럼 불안과 절망, 공포로 가득 찬 중세인들의 긴장된 영혼의 상태를 반영하듯 역사가 호이징가는 그 시대를 '중세의 가을'이라 칭했다. 이른바 '죽음의 승리'를 알린 이러한 표현들은 곧 당시 사람들의 절망에 가

123) Karl S. Guthke, 같은 책, 54~56쪽, 68~69쪽.
124) David Herlihy, *The Black Death and the Transformation of the West*, Samuel K. Cohn, Jr. 편 (Cambridge/M.A.: Harvard UP, 1997), 63쪽.
125) David Herlihy, 같은 책, 63쪽에서 재인용.

득 찬 영혼, 또는 당시 사회의 전반적인 침체 상태에 대한 표상이라는 것이다. 그러나 아리에스는 오히려 이러한 표현들이 "삶에 대한 과도한 애착을 보여준다"고 주장한다. "죽음에 대한 격분"이나 공포가 강하다는 것은 삶에 대한 열정이 강하다는 것을 의미한다는 것이다.[126] 실제로 시체가 매장되는 묘지 한쪽에서는 떠들썩한 잔치가 흔히 열렸는데, 죽은 자들의 묘지에서 방탕과 환락을 일삼는 사람들을 파문할 것이라는 1394년의 로마 교황청 관리의 공식적인 발표를 통해 짐작할 수 있듯이,[127] 그 묘지에서 벌인 잔치는 상당히 방탕하고 환락적인 것들이었다. 이러한 행위들은 죽음에 대한 조롱, 그것에 대한 도전, "순간적이지만 죽음에 대한 승리의 예찬"[128]으로 읽힐 수 있으며, 그런 점에서 아리에스의 주장에 어느 정도 공감하게 된 것도 사실이다.

하지만 죽음에 대한 역설적인 반응이야말로 얼마나 비극적이고 절망적인가. 과연 그 초상들이 강조한 것이 이 비극적이고 절망적인 역설이었을까. 그런 것 같지는 않다. 오히려 당시의 죽음에 대한 표현들은 죽음의 공포 그 자체를 극단적으로 보여주고자 했던 것으로 보인다. 죽음의 실체는 공포 그 자체라는 것, 따라서 그들이 그토록 갈구했던 구원도 죽음 앞에서는 아무런 소용이 없었다는 것을 강조한 것이다. 죽음과 대면하는 것만큼 철저하게 개인적인 경험은 없다. 중세인들의 자아 또는 주체의식은 수많은 죽음을 몰고 온 역병들을 통해 구체화·역사화되었고, 당시 죽음을 표현한 것은 곧 이를 반영한 것이다.

그렇다면 죽음을 통해 자아 또는 주체의식이 구체화·역사화되었던 중세인들의 내면 풍경은 어떠했을까. 여러 작품에서 죽음의 공포를 상징하는 해골의 눈, 바로 그 눈의 모습을 통해 우리는 그들의 내면 풍경을 읽을 수 있다. 사실 해골은 눈을 가지고 있지 않다. 그들의 눈은 텅 빈 구

126) P. 아리에스, 앞의 책, 317쪽.
127) David Herlihy, 같은 책, 64쪽.
128) David Herlihy, 앞의 책, 64쪽.

멍에 지나지 않는다. 이러한 눈의 모습은 곧 방향감각을 상실한 채 절망과 불안과 공포에 떨고 있던 당시 사람들의 정신적 공황 상태를 표상한 것으로 보인다. 예술가들은 당시 사람들의 영혼, 그 영혼의 표정을 해골이라는 모티프와 해골의 눈의 모습을 빌려 표현했던 것이다. 눈동자도 없고 눈빛도 없는, 그 어떠한 눈의 흔적도 없는 해골의 눈은 곧 그들에게 어떠한 인식작용도 불가능했다는 것을 말해준다. 역병이 몰고 온 참혹한 죽음의 현장을 목격한 그들은 자신들이 의지하던 전통적인 종교 신념이나 삶의 원칙을 더 이상 유지할 수가 없었다. 그리고 그들에게는 어떠한 대안도 없었다. 그들에게는 방향감각의 상실만이 남아 있었다. 즉 해골의 텅 빈 눈은 그와 같은 영혼의 진공상태에 대한 표상이다. 그들의 영혼, 그 진공 상태의 영혼을 가득 채운 것은 절망과 공포라는 어둠뿐이었다. 텅 빈 눈의 검은 구멍을 채우고 있는 것은 캄캄한 암흑뿐이었기 때문이다.

르네상스

흔히 르네상스 시대는 중세의 종언을 알렸던 15세기의 동로마 제국의 멸망과 함께 시작된 것으로 간주된다. 그러나 이러한 편의상의 시대구분이 절대적일 수는 없으며, 이는 그 시대의 성격을 규정하는 데도 마찬가지다. 실제로도 르네상스의 시대구분, 시대적 성격은 평가 기준에 따라 또는 평가하는 이의 시각에 따라 다양하게 구분되고 다양하게 규정되고 있다. 프랑스의 역사가 미슐레는 부르크하르트와 마찬가지로 르네상스 시대를 개인의 가치를 발견한 "인간 발견"의 시대, 더 나아가 "세계 발견"의 시대, "새로운 예술의 도래와 상상력의 자유로운 유희"의 시대였다고 평가한 반면, 동시대인 느베르(Nevers)의 주교는 "사탄이 절대 군주로서 세계를 통치했던, 오만이 신이었고, 육체가 신이었으며, 힘이 정의였고, 미덕은 밤의 암흑 속에서 희미하게 빛나던 개똥벌레와 같았던 시

대"라고 폄하했다.[129]

시대구분은 어떠한가. 르네상스는 과연 중세의 종언과 함께 시작되었는가. 그렇다면 그것은 중세와의 완전한 결별이었던가. 15세기 동로마 제국의 멸망을 중세의 종언 그리고 르네상스의 시작으로 본다면, 이 질문에 대한 대답은 아니라는 것이다. 앞서 살펴보았듯이 르네상스 시대를 규정하기 위해 거론되는 특징들 가운데 하나인 개인에 대한 인식, 즉 자의식이라는 것은 이미 14세기부터 태동하고 있었기 때문이다. 아날 학파의 뒤비는 이미 13세기에 이른바 '근대성'의 징후라고 할 만한 사회 변화들이 시작되었다고 주장하는데, 물질적 부의 증가와 민중적이고 세속적인 것에 대한 관심의 증가 그리고 스콜라 철학과 결부된 정밀과학의 발전과 조토(Giotto)의 그림에 나타난 변화, 즉 상징적 표현에서 사실적 표현으로 변화한 등등을 예로 들고 있다.[130] 또한 예술적 표현에서 이러한

---

129) Jules Michelet, *Renaissance* (1855), *Œuvres complètes*, Paul Viallaneix 편 (Paris, 1978), VII: 51쪽. Jean Joseph Gaume, *La Révolution: recherches historiques sur l'origine et la propagation du mal en Europe depuis La Renaissance jusqu'à nos jours* (Paris, 1858), IX: 51쪽. J. B. Bullen, *The Myth of the Renaissance in Nineteenth-Century Writing* (Oxford: Clarendon Press, 1994), 1쪽에서 재인용.

130) Georges Duby, *Medieval Art: Foundations of a New Humanism, History of Medieval Art 980~1440*, III (Geneva: Skira, 1995), 12쪽. 사실 뒤비가 거론하는 스콜라 철학의 영향을 간과할 수는 없다. 아우구스티누스에 따르면, 불완전한 인간은 불완전한 인식이나 이성을 통해 신을 결코 이해할 수 없다. 그러나 토머스 아퀴나스는 자신의 고유한 이성의 능력을 통해 인간은 신에 대한 이해에 이를 수 있다고 주장했다. 이는 이성의 승리를 예찬하는 주장이며, 이성과 신앙을 분리시키지 않고 하나로 결합하려는 스콜라 철학의 궁극적인 의도를 보여주는 주장이다. 아퀴나스가 인간 영혼의 신 또는 신성과의 궁극적인 결합은 오직 신앙을 통해서만 가능하다고 강조하긴 했지만, 아우구스티누스와 달리 그는 이성적 능력 자체를 거부하지는 않았다. 스콜라 철학의 대부인 그의 이러한 입장은 중세 후기 예술에 영향을 주었고, 그 예술적 표현은 에코의 표현대로 보다 "과학적"이고 보다 "인본주의적"이며, 보다 "이성적"이 되었다. Umberto Eco, *Art and Beauty in the Middle Ages* (New Haven: Yale UP, 1986), 84쪽.

변화를 입증하는 사례로서 보카치오가 조토의 그림에 대해 그가 자연을 너무나 정확하게 "복제", "모방"하고 있기 때문에 그의 그림에 있는 사물들은 때때로 실물 자체와 오인되기도 한다고 칭찬했던 일화를 소개하기도 한다.[131]

한편 호이징가는 상징적 표현에 대한 예술의 무의미한 집착이 중세가 종말에 이르고 있음을 보여준 한 사례라고 지적했다. 시간이 흐름에 따라 상징화 역시 기사도(騎士道)와 마찬가지로 "무의미한 지적 유희"로 전락했고[132], 이 고착화된 상징적 표현에 의한 상상력의 고갈이야말로 곧 중세 후기의 쇠퇴를 집약해준 사례라는 것이다. 이런 점에서 조토의 그림은 바로 이러한 고착화에 대한 일종의 개혁이었다고 할 수 있다. 르네상스 예술의 특징을 원근화법을 토대로 한 '사실주의'(자연주의) 표현이라고 할 때, 이 14세기 화가는 이미 르네상스적 표현, 그 정신을 선점했던 것이다. 여기서 그치지 않는다. 부르크하르트와 미슐레에 따른다면, 르네상스는 '인간 발견'의 시대, 즉 개개인이 중세의 종교 권위의 속박에서 해방된 시대였지만, 르네상스인들이 사실상 아우구스티누스의 중세적 종교관에서 결코 자유롭지 않았음을,[133] 가톨릭 교회의 위세가 18세기까지 지속되었음을 상기할 필요가 있다.

그러나 르네상스가 중세와의 완전한 결별이 아니라고 주장한 것이 곧 그것의 지속이었음을 의미한 것은 아니다. 분명 르네상스는 중세와 역력히 다른 기반 위에 서 있었다. 개인과 개인의 자의식 강조가 '근대적인 것'이나 '근대성'의 징후라고 한다면, 분명 근대의 출발점은 르네상스가 되어야 할 것이다. 하지만 그것의 출발에 대한 시대구분도 분분하다.

---

131) Georges Duby, 같은 책, 202쪽.

132) Johan Huizinga, *The Waning of the Middle Ages*, F. Hopman 역 (New York: Doubleday, 1954), 208쪽. 요한 호이징가, 『중세의 가을』, 최홍숙 역 (서울: 문학과지성사, 1988), 254쪽.

133) 이에 대해서는 Jean Delumeau, 앞의 책, 261~265쪽을 볼 것.

보통 영국에서는 '근대 초기'를 1500~1642년으로, 프랑스에서는 1500~1610년으로 보지만, 아리에스는 이를 1500년부터 1800년까지로 본다. 그러나 연대 규정에 대한 논란이 다양한데도, '근대 초기'가 그 유례를 찾을 수 없을 정도로 "거대하고", 따라서 그만큼 불안한 경험의 "닻을 올린"[134] 전환기였다는 점은 확실해 보인다. 근대 초기, 즉 르네상스 시대를 "자율적이고 독창적" 시대라고 정의할 수 있는 것[135]이 개인의 가치나 개성에 대한 강조, 즉 '근대적 개인'의 창조가 시대의 산물이었기 때문이라는 점도 마찬가지다.[136] 르네상스의 시대구분, 그것의 성격 규정이 아무리 다양하다 하더라도 르네상스라고 부르는 시기가 없었다면 근대적 인간 역시 탄생할 수 없었을 것이다.

이러한 르네상스적 인간의 전형이 바로 햄릿이다. 벤야민과 라캉은 햄릿의 우수(憂愁)를 근대성의 계기, 바로 그 계기의 표상이라고 보았다.[137] 그러나 그 비극적 주인공의 '고양된 자기비판,' '자아의식의 분열'은 '근대적' 개인의 표상이면서 동시에 헤겔의 '불행한 의식,' 더 나아

---

134) Stephen Greenblatt, *Renaissance Self-Fashioning: From More to Shakespeare* (Chicago: U of Chicago Press, 1980), 88쪽.

135) Philippe Ariès, "Introduction," *A History of Private Life: Passions of the Renaissance*. R. Chartier 편, A. Goldhammar 역 (Cambridge/ M.A.: Harvard UP, 1989), III: 2쪽. 필립 아리에스 「'사생활의 역사'를 위하여」, 『사생활의 역사 3: 르네상스로부터 계몽주의까지』, 로제 사르티에 편집, 이영림 역 (서울: 새물결, 1996), 19쪽.

136) Jacob Burckhardt, 앞의 책, 98~119쪽을 볼 것.

137) 라캉은 햄릿이 "광기를 가장하는 것"을 "근대적 주인공의 전략"이라고 해석하면서 햄릿 같은 근대적 주인공을 스스로 쳐놓은 '거짓 광기'의 그물망에 걸린 소외된 개인의 전형으로 평가하고 있다. Jacques Lacan, "Desire and the Interpretation of Desire in Hamlet," James Hulbert 역, *Literature and Psychoanalysis: The Question of Reading: Otherwise*, Shoshana Felman 편 (Baltimore: Johns Hopkins UP, 1982), 20쪽. 그리고 Juliana Schiesari, *The Gendering of Melancholia: Feminism, Psychoanalysis, and the Symbolics of Loss in Renaissance Literature* (Ithaca: Cornell UP, 1992), 259쪽을 볼 것.

가 포스트모더니즘 시대의 '의식의 파편화'를 예고한 것이기도 했다. 이런 점에서 본다면 "근대성"은 아도르노가 주장한 대로 "연대기적 범주가 아니라 질적 범주"[138]일지도 모른다. 그러나 그것이 질적 범주라고 해서 르네상스 시대가 근대적 개인의 출발점이었다는 사실이 부인될 수 있는 것은 아니다. 근대적 개인, 개인의 '실체'가 질적 양상을 갖추고 역사의 전면에 등장한 시대도 르네상스 시대였기 때문이다. 이러한 개인의 가치에 대한 강조가 곧 인간의 가치에 대한 강조이었다는 점은 새삼 설명할 필요가 없을 것이다.

중세인들이 성상을 보고 성인전(聖人傳)을 읽었다면, 르네상스 시대에 개인 초상화가 독자적인 회화의 한 장르로 등장했고, 널리 유행했다는 것은 잘 알려진 사실이다. 개인의 등장, 개인의 자의식을 보여준 직접적인 증거는 이뿐만 아니다. "그 가장 직접적인 증거"는 여러 지역에서 유행했던 "자서전, 아니 보다 정확하게 말하면 일인칭으로 쓴 일기와 저널들이었다."[139] 르네상스 시대의 개인들은 죽음에 대해서도 중세와는 전혀 다른 인식을 보여주었다.

중세인들이 인간 죽음의 원인을 아담과 이브의 타락에서 찾았던 반면, 그들은 그 원인을 타락을 유도한 악마에게서 찾았다. 이는 어떤 점에서 아우구스티누스의 인간관에 대한 전복이었다. 그는 인간의 죽음의 원인을 신의 명령을 어긴 아담의 원초적 타락에서 찾았다. "우리 모두는 이러한 독특한 인간이었다"(『신의 나라』 XIII.14)고 했던 그는 인간 모두가 그러한 아담의 후예들임을 분명히 했다. 그에게 사탄의 나라는 곧 이러한 인간의 육체적 욕망, 욕망의 나라였고, 그러한 육체적 욕망이 타락과 죽음의 원인이었던 것이다. 그러나 르네상스인들에게 타락과 죽음의 원

---

138) Theodor W. Adorno, *Minima Moralia: Reflections from Damaged Life*, E. F. N. Jephcott 역 (London: New Left Books, 1978), 218쪽.

139) Peter Burke, *The Italian Renaissance: Culture and Society in Italy* (Princeton: Princeton UP, 1999), 199쪽.

인은 타락을 유도한 악마에게 있는 것이지, 아담과 이브, 말하자면 인간성에 있는 것이 아니었다. 죽음과 아담, 죽음과 이브가 동일시된 것이 아니라, 죽음과 악마가 동일시되었다. 원죄의 책임은 인간이 아니라 사탄에게 있는 것이었고,[140] 이를 통해 인간은 인간으로서 권위를 회복하게 되었던 것이다.

12세기 초의 것으로 추정되는 구글리엘모(Guglielmo)의 「아담의 창조」와 미켈란젤로의 「아담의 창조」는 이러한 인식의 차이를 그대로 보여준다. 구글리엘모의 아담은 당시의 전통에 따라 나약하고 무력한 인간으로 묘사되고 있다. 중세시대의 아담은 인간의 죽음을 초래한 이였으므로 그는 종종 "죽음 자체와 동일시되었다."[141] 이러한 사유는 16세기 초 발둥(Hans Baldung)의 작품에서도 유지되고 있는데, 구글리 엘모의 그림에 등장하는 아담은 마치 죽음을 극복할 수 있는 생명수를 기대하는 듯한 모습으로 무릎을 꿇고, 긴장과 애원에 찬 눈길로 저 하늘을 올려다보고 있다. 그러나 르네상스인 미켈란젤로의 아담은 위엄 있고 아름다우며 당당하다. 당당한 눈빛과 늠름한 근육은 마치 인간 존재의 아름다운 생명력을 대변한 듯하며, 그의 시선도 창조자와 거의 같은 높이에서 그를 응시한다. "몸의 크기나 자태의 아름다움에서도 창조자와 같으며, 이해력에서도 신과 같은 수준의 지성을 가지고 창조자의 눈을 두려움 없이 응시한다."[142] 니체의 표현대로 르네상스 시대는 본질적으로 "기독교 가치들을 재평가"[143]한 시대였던 것이다.

한편 르네상스의 과학적 사유가 낳은 원근화법은 회화를 좀더 사실적인 표현으로 이끌었고, 이는 곧 인간의 형상이 '사실주의적'으로 재현된

---

140) 이에 대해서는 Karl S. Guthke, 앞의 책, 123~127쪽을 참조할 것.

141) Karl S. Guthke, 같은 책, 41쪽.

142) Murray Roston, *Renaissance Perspectives in Literature and the Visual Arts* (Princeton: Princeton UP, 1987), 104쪽.

143) Friedrich Nietzsche, "The Antichrist," *The Portable Nietzsche*, Walter Kaufmann 역 (New York: Viking Press, 1954), 653쪽.

다는, 말하자면 기하학적으로 정확하게 재현된다는 것을 의미하는 것이었다. 규격을 이탈한 인간의 재현이 아니라, 미켈란젤로의 아담처럼 실제 인간의 재현, 더 나아가 그러한 실제 모습의 이상적인 재현이었다. 르네상스 시대의 "원근화법의 발견과 형상의 이상적인 복원 이전에는…… 인간의 몸이 신격(神格)과 동일시되지 않았다."[144] 중세시대에는 저주와 혐오의 대상이었던 인간의 육체가 이제는 모든 이의 찬미대상이 되었고, 심지어 당시의 인문학자 니포(Agostino Nifo)는 "인간을 제외하고 그 어떤 것도 아름다운 존재라고 불릴 수 없다"[145]고 주장하기도 했다. 이는 곧 인간 육체의 이상적인 아름다움을 재현하는 그리스 전통의 복원이었고, 그렇게 재현된 그들의 눈도 창조자의 눈을 정면으로 바라보는 미켈란젤로의 아담의 눈처럼 자존과 위엄이 실렸지만 과장된 표현을 찾아볼 수 없는 자연 그대로의 고요한 모습을 하고 있었다.

그러나 르네상스 시대 인간 권위의 회복이 인간에 대한 낙관주의의 공식화를 의미하는 것은 아니었다. 앞서 지적했듯이 르네상스 시대는 그 무엇보다도 전환기였고, 그런 점에서 르네상스인들도 '방향을 상실한 인간'들이었다. 그들 모두가 인간을 찬미할 수는 없었던 것이다. 미켈란젤로의 「아담의 창조」에 등장하는 인간은 프로메테우스적인 존재였지만, 햄릿에게는 인간이라는 이 "영광스러운 창조물"도 "결국 한줌의 티끌에 지나지 않는 존재"[146]였다. 스타로뱅스키는 "르네상스는 우수(憂愁)의 황금시대다"[147]라고 했으며, 들뤼모는 그의 방대한 저서 『죄와 두려움—서방의 죄의 문화인 13세기~18세기의 등장』을 통해 스타로뱅스키의 주장

144) John Dillenberger, *Images and Relics: Theological Perceptions and Visual Images in Sixteenth-Century Europe* (New York: Oxford UP, 1999), 16쪽.

145) Peter Burke, 앞의 책, 202쪽에서 재인용.

146) Murray Roston, 앞의 책, 104쪽.

147) Jean Starobinski, *Histoire du traitement de la mélancolie des orignes ā 1900* (Bâle: Geigy, 1960), 38쪽. Jean Delumeau, 앞의 책, 169쪽에서 재인용.

을 입증하고자 했다. 그러한 작업은 "우수의 전형"인 햄릿[148]의 입을 빌려 당시의 세계를 '감옥'에 비유했던 셰익스피어(『햄릿』 II.ii.245~247), 그 어느 시대 "보다 더 나쁜 시대가 도래했다"고 했던 에스파냐 작가 데셀로리고(Martin Gonzalez de Cellorigo)[149]와 같은 르네상스인들의 다양한 주관의 표현들 속에 담긴 우수의 흔적을 추적하는 것이었다. 그리고 이러한 추적의 결론은 르네상스 시대는 비관주의를 기조로 한 시대였다는 것이다.

우수와 르네상스는 어울리지 않는 조합으로 보일 수도 있다. 그러나 많은 경우 진실은 오히려 역설을 통해 드러나지 않았던가. 흑사병, 가톨릭 교회의 대분열, 백년전쟁, 기근, 지옥, 악마, 마녀 등에 대한 공포를 경험한 이들의 삶은 어쩌면 우수 그 자체일 수밖에 없었을지도 모른다. 호이징가는 '중세의 가을'의 근거를 이러한 '보편적 불안의 감정[150]'에 두었다. 오히려 그 '보편적 불안의 감정'이 흔적도 없이 사라졌을 것이라는 가정이야말로 얼마나 비현실적인가. 편의상 시대구분이 언제나 논쟁의 대상이 되는 이유도 여기에 있을 것이다. 편의상의 시대구분이 모든 것을 단절시킬 수는 없기 때문이다. 이 지점에서 우리의 시선을 끄는 이가 바로 "근대의 올 익은 대변자"[151]라 일컬어지는 뒤러다.

뒤러는 르네상스 시대 그 자체처럼 복합적인 인물이었다. 그러나 그의 자화상들만 보면 그는 철저한 르네상스인이었다. 펜으로 급하게 그린 듯한 1491년의 「자화상」(에어랑겐 도서관 소장)에서 그는 손으로 턱을 고인 채 불타오르는 듯한 눈빛으로 거울을 응시하고 있는데, 젊은이의 타

---

148) Jean Delumeau, 같은 책, 169쪽.
149) Jean Delumeau, 같은 책, 123쪽에서 재인용.
150) Johan Huizinga, 앞의 책, 30쪽. 요한 호이징가, 앞의 책, 37쪽.
151) Joseph Leo Koerner, *The Moment of Self-Portraiture in German Renaissance Art* (Chicago: U of Chicago Press, 1993), 8쪽.

오르는 듯한 눈빛 속에는 깊은 사색과 극도의 긴장이 동시에 드러난다. "전례 없는 정신적 긴장"[152]이 그의 눈뿐만 아니라 얼굴 전체에 감돈다. 독일의 어느 뒤러의 연구자는 이 「자화상」에 대해 "'나'의 이러한 재현은 영적 자기분석이자 동시에 자기해부다. 우리는 뒤러의 이러한 자기관찰의 시간을 통해 독일의 르네상스가 잠에서 깨어났다고 말할 수 있다"[153]고 했다. 그의 긴장된 모습, 그러한 모습을 표현하는 신경질적인 선들을 통해 우리는 "르네상스, 말하자면 근대성이 처음으로 나타나고 있음"[154]을 알게 된다.

역시 펜으로 그린 1493년의 「22세의 자화상」(뉴욕 메트로폴리탄 박물관 소장)에서 뒤러는 단호한 표정으로 정면을 응시한다. 그러나 그의 눈에는 여전히 깊은 사색과 극도의 긴장이 서려 있다. 이러한 눈의 모습은 같은 해의 유화 「자화상」(파리 루브르 박물관 소장)과 1500년의 유화 「자화상」에서도 마찬가지다. 뒤러는 이 「자화상」을 통해 "신처럼 보일 뿐만 아니라…… 신의 힘과 속성을 가진 이미지"를 구현하려 했다.[155]

뵐플린은 1500년의 이 「자화상」에 대해 "이 자화상은 자기고백 또는 자기선언과도 같다. 북유럽인들 가운데 우리를 이런 식으로 쳐다본 이는 없었다. 예수와 같은 모습이 여기에 있다"[156]고 했다. 파노프스키도 "뒤러가 의도적으로 자신을 구세주와 닮은 모습으로 표현했다는 것은 의심할 여지가 없다. 그는…… 자신의 얼굴이 전통적인 예수의 얼굴과 일치하도록 하기 위해 자신의 얼굴을 이상화했다"[157]고 주장했다. 사실 수난

152) 뵐플린, 『뒤러의 예술』, 이기숙 역 (서울: 한명사, 2002), 63쪽.
153) Hugo Kehrer, *Dürers Selbstbildnisse und die Dürer Bildnisse* (Berlin, 1934), 31쪽. Joseph Leo Koerner, 앞의 책, 8쪽에서 재인용.
154) Joseph Leo Koerner, 같은 책, 9쪽.
155) Joseph Leo Koerner, 같은 책, 99쪽.
156) 뵐플린, 앞의 책, 196쪽.
157) Erwin Panofsky, *The Life and Art of Albrecht Dürer* (Princeton: Princeton UP, 1971), 43쪽.

을 겪는 예수와 예술가 자신을 동일시하는 것은 예술사의 오랜 전통이었으며, 뒤러도 이 뒤를 따랐던 것이다. 1503년의 목탄화 「죽은 그리스도의 머리」에서는 병을 앓고 있는 자신을 묘사하기 위해 예수의 모습을 이용하기도 했다. 그러나 이러한 동일시가 종교 기준에 반하는 인간의 오만이나 반항으로 읽히지는 않는다. 오히려 그것은 예술가의 창조 능력에 대한 강조, 즉 예술가는 창조적 능력에서 신과 같을 수 있다는 것을 강조한 것으로 읽힌다.[158] 중세적 장인이 아니라 '독자적인 창조자'로서 예술가의 위상을 확립하려는 '근대적' 예술가의 몸부림인 것이다.

그러나 자의식과 주관의 강조, 근대적 예술가로서의 창조적 능력을 과시한 르네상스인 뒤러의 이면에는 전혀 다른 뒤러가 도사리고 있다. 그의 1491년의 에어랑겐 「자화상」과 같은 경우 마치 낭만주의 화가들의 작품, 가령 독일 낭만주의 화가 프리드리히(Casper David Friedrich)의 1802년경의 「자화상」을 보는 듯하다. 거기서 뒤러의 깊은 우수에 찬 눈빛 속에는 내면으로 침잠하는 예술가의 깊은 고독이 서려 있는데, 이는 마치 낭만주의 시대의 우수의 천재들을 예고하는 듯하다. 많은 비평가 또한 이 작품을 '우수에 찬 자기사색', '영적 안정'을 잃은 '비극의 예감'이나 고통에 찬 영혼의 아픔을 표현한 것이라고 해석한다.[159] 그는 마치 햄릿처럼 '근대적' 인간의 비극 이미지를 선점했던 것이다. 이러한 선점의 예들은 그의 '우수'(melancholia)를 소재로 한 그림들을 통해 확인할 수 있다.

앞서도 지적했듯이 르네상스 시대는 그것의 낙관주의만큼이나 비관주의도 강렬했던 시대였다. 1480~1650년 사이에 유럽인들이 보여준 우수에 대한 엄청난 관심이 이를 증명한다. 피키노의 글들과 버턴(Robert

---

158) Luiz Costa Lima, *The Dark Side of Reason: Fictionality and Power*, Paulo Henriques Britto 역 (Stanford: Stanford UP, 1992), 24쪽. 그리고 John Dillenberger, 앞의 책, 63쪽을 볼 것.
159) 이에 대해서는 Joseph Leo Koerner, 앞의 책, 21쪽.

Burton)의 『우수의 해부』(1621)가 등장한 것도 이때였다. 후자의 책에 보여준 영국인들의 관심은 대단한 것이었고, 1640년 저자가 사망하기 전까지 이 책은 5판을 거듭해야 했다. 또한 엘리자베스 여왕과 제임스 1세 치하의 영국 희곡 작품들에는 숱한 자살이 등장하는데, 1580년과 1625년 사이에 무대 위에서 자살한 인물들의 수는 116명에 이르렀고(그 가운데 24명이 셰익스피어의 작품에 등장하는 인물들이었다), 자살을 시도한 인물들의 수도 107명에 이르렀다(그 52명이 셰익스피어의 작품에 등장하는 인물들이었다).[160] 잘 알려져 있듯이 햄릿은 기독교가 자살을 금지한 것을 한탄해 마지않았다.

그리고 바로 이러한 시대 분위기의 중심에 뒤러의 1514년의 판화작품 「멜랑콜리아 I」의 검은 태양과 우울한 천사가 있었다. 이 우울한 천사는 손으로 턱을 고이고 앉은 채 깊은 우수에 잠긴, 허무를 관통하려는 듯한, 아니 모든 것을 포기한 듯한 눈빛으로 멍하니 앞을 응시하고 있다.

이 천사도 발터 벤야민의 「역사철학테제」에 등장하는 '역사의 천사'처럼 파국의 역사, 그 발 앞에 "잔해 위에 잔해"만 쌓이는 파국의 역사 앞에서 지친 몸을 가누지 못하고 앉아 있는 것일까.[161] 날개도 땅 위에 축 늘어져 있으며, 날개의 주인인 천사는 날개를 움직일 어떠한 의지도 어떠한 욕망도 보여주지 않는다. 여러 미술 도구와 과학 도구가 어지럽게 널린 그곳에는 오직 어두운 우수만이 주위를 압도한다. 이 그림을 뒤러의 "영적 자화상"이라 했던 파노프스키는 뒤러가 예술가의 한계, 즉 창조적 천품을 가지고 있지만 실제 작업에서 그 천품을 완전히 구현하지 못하는 인간으로서의 한계를 인식했다고 한다. 따라서 파노프스키는 이 작품을

---

160) Jean Delumeau, 앞의 책, 169쪽, 184쪽.
161) 뒤러의 「멜랑콜리아 I」에 나오는 천사와 벤야민의 '역사의 천사'를 비교하는 글로는 Giorgio Agamben, "The Melancholy Angel," *The Man Without Content*, Georgia Albert 역 (Stanford: Stanford UP, 1999), 109~110쪽을 볼 것. 뒤러의 천사 이미지에서 비역사성을 강조한 이 학자의 견해와 필자의 생각은 다르다.

뒤러가 예술가로서의 "인간적 한계와 지적 유한성"에 대한 자각을 보여 준 작품이라고 분석했다.[162]

　그러나 다른 각도에서 접근하는 것도 가능하다. 앞서 지적했듯이 르네상스 시대는 14세기 중엽의 흑사병, 이후에도 끊어지지 않았던 전염병, 가톨릭 교회의 대분열, 백년전쟁 등이 남긴 절망과 불안을 유산으로 이어받아야 했던 시대였다. 전염병의 창궐은 18세기 초까지 주기적으로 이어졌고, 이의 여파로 인한 흉작의 반복은 자주 농촌뿐만이 아니라 도시의 폭동으로까지 이어졌다. 가톨릭 교회의 분열도 날로 심화되어갔으며, 숱한 내란과 전쟁이 프랑스, 에스파냐, 영국, 보헤미아 등을 황폐화시켰다. 이러한 불안과 절망의 상태가 바로 "14세기 중엽에서 15세기 중엽까지 유럽의 파노라마다."[163]

　그러나 실제로 이 파노라마는 다음 세기의 독일에서 농민혁명, 유럽 각지에서 종교전쟁, 전염병의 창궐 등을 통해 지속되었고, "르네상스인들은 인간의 역사가 종말에 가까워졌다고 생각했다. 그들은 그들의 미래가 도덕적이고 기술적인 진보를 향한다고 생각하지 않았다." 모든 유럽의 예술가는 "세계의 종말"을 그들의 작품을 통해 보여주었다.[164] 스타로뱅스키의 지적대로 르네상스는 실제로 '우수의 황금시대'였는지도 모른다. 뒤러가 이러한 우수를 표현한 또 다른 주제는 바로 죽음이었으며, 그 죽음은 동판화 「여인과 죽음」(1495년경)에서 목판화 「계시록의 4인의 기수(騎手)」(1497~98), 목탄화 「말을 타고 있는 죽음」(1505), 목탄화 「죽음과 용병」(1510), 동판화 「기사, 죽음 그리고 악마」(1513)에 이르는 일련의 작품들 속에서 무자비함의 이미지로 표현된다.

　가령 「계시록의 4인의 기수」에서 죽음은 수의를 입고 한 손에 갈퀴를 들고 있는 노인의 모습으로 등장하는데, 그 노인은 뼈만 앙상하게 남은

---

162) Erwin Panofsky, 앞의 책, 158쪽.
163) Jean Delumeau, 앞의 책, 96쪽.
164) Jean Delumeau, 같은 책, 91쪽, 97쪽.

말에 올라탄 채 긴 머리카락과 수염을 휘날리면서 그의 희생물인 인간을 무자비하게 짓밟고 있다. 한편 「말을 타고 있는 죽음」은 뉘른베르크에 전염병이 창궐하여 많은 이가 죽어가던 당시의 작품이다. 즉 동시대인들의 죽음이 뒤러에게 얼마나 깊은 영향을 미쳤는가를 실증적으로 보여준 작품인 것이다. 그렇다면 그의 「멜랑콜리아 I」도 이러한 시대적 절망의 반영일 것이다. 우울한 천사는 바로 좌절한 뒤러의 자화상이다. 그 좌절은 예술가로서 뒤러의 좌절을 초과한다. 그 천사의 눈은 바로 '근대적' 인간의 비극적 눈이며, 그 눈은 14세기 중엽에서 15세기 중엽에 이르는 시기의 잔혹한 참화를 조망하고, 참화의 연장(延長)인 현재를 바라보다가, 그러한 참화가 미래에도 계속될 것이라는 불길한 예감 속에서 지쳐버린 절망의 눈인 것이다. "르네상스인들은 습관적으로 우수를 절망과 하나로 묶었다."[165] 우수의 천사, 뒤러의 르네상스는 이처럼 절망적이었다.

르네상스와 연관하여 주목할 또 한 명의 인물은 셰익스피어다. 르네상스 시대, 특히 17세기는 푸코의 진단대로 "거의 배타적으로 시각에 특권을 부여한" 시대였고, "시각을 통해 범위를 지각하고 증거를 수립하던 시대였다."[166] 가장 르네상스적인 인간으로 평가되는 레오나르도 다 빈치는 "수학의 왕자"인 눈이 바로 과학이고 이성이므로, 눈으로 지각된 경험이 바로 과학적 경험이라고 했다.[167] 엘리자베스 시대의 영국 희곡들에서도 눈은 이성, 객관적 판단과 분별, 더 나아가 양심까지 아우른 포괄적인 인간 정신 행위의 표상으로 등장하고 있다. 이는 특히 셰익스피어 작품들에서 두드러지게 나타난다.

가령 『로미오와 줄리엣』에서 로미오의 친구 벤폴리오가 로미오에게 애인인 로잘린보다 더 아름다운 여인을 애인으로 선택하기를 권고하면

---

165) Jean Delumeau, 같은 책, 181쪽.
166) Michel Foucault, *The Order of Things: An Archaeology of the Human Sciences*, Alan Sheridan 역 (New York: Vintage, 1973), 133쪽.
167) 제5장 주43을 참조할 것.

서 "오늘 연회에서 수정 같은 눈으로 그대 애인과 내가 보여줄 다른 처녀들을 비교하며 가늠해보게"라고 말할 때의 이 '수정 같은 눈'(I.ii.85)은 곧 객관적인 판단을 표상한다. 『율리우스 카이사르』에서 브루투스가 그의 동료들에게 공익을 위해 카이사르를 죽여야 한다고 설득하면서, "세상 사람들의 눈에…… 우리는 살인자가 아니라 숙청자라로 불릴 것이다"라고 말할 때의 이 '세상 사람들의 눈'(II.i.178)도 이성적이고 객관적인 판단에 대한 표상이다. 판단과 유사한 분별은 『리어 왕』에서 올버니 공작이 그의 아내인 고네릴에게, "그대의 눈이 적중할지, 나는 알지 못하리라"고 할 때의 이 '그대의 눈'(I.iv.346)에 적용된다. 또한 맥베스가 덩컨 왕을 살해할 계획을 세우면서 "손이 하는 일을 눈이여, 보지 말아다오"라고 독백할 때의 이 '눈'(I.iv.52)은 양심을 표상한다.[168]

한편 눈을 "영혼의 창문"[169]이라 규정한 레오나르도 다 빈치와 마찬가지로 셰익스피어도 눈을 우리의 내면 세계를 바깥세계에 연결시켜주는 '영혼의 창문'으로 파악한다. 그의 장시 「비너스와 아도니스」에서 여신 비너스가 청년 아도니스에게 "나의 눈동자를 쳐다보아라. 거기에 그대의 아름다움이 있나니"(119행)라고 할 때 이 '눈동자', 희극 『사랑의 헛수고』에서 비론 경이 "나의 마음의 창문인 나의 눈을 보아라"(V.ii.838)고 할 때의 이 '눈'이 그러하며, 그의 소네트 24는 그 전체가 '영혼의 창문'으로서 눈의 모티프를 노래한다.

이성이나 과학적 사유의 표상인 눈, 그리고 주관세계와 객관세계를 연결시켜주는 '영혼의 창문'인 눈이라는 규정의 근저에는 인간이 이성을 통해 객관적으로 이 세상을 규정할 수 있다는, 모든 인간이 개인으로서 자기 고유의 주관을 가진다는 르네상스 시대의 낙관주의적 인간관이 놓여 있다. 그러나 그것을 전부라고 할 수는 없다. 그의 작품들을 좀더 자

---

168) 임철규, 졸고 「눈의 미학」, 『우리시대의 리얼리즘』 (서울: 한길사, 1983), 132~133쪽.
169) Leonardo da Vinci, *Treatise on Painting*, A. P. McMahon 편역 (Princeton: Princeton UP, 1956), 30쪽.

세히 들여다보면 오히려 시각의 기만성에 대한 불신이 더 강하게 부각되기 때문이다. 그의 이러한 불신은 어떤 의미에서 데카르트적인 회의를 선점한 것이라고 할 수 있다. 데카르트는 "나는 지금까지 감각들로부터 또는 감각들을 통해 배우는 모든 것들을 가장 진실하고 가장 확실한 것으로 받아들여왔다. 그러나 이러한 감각들이 때로는 기만적이라는 것이 나에게 입증된다"고 토로했다.[170] 이와 같은 데카르트적인 회의(특히 이 철학자의 시각에 대한 회의)는 특히 셰익스피어의 후기 작품에서 두드러진다.

가령 『맥베스』의 경우를 보면, 반란군을 진압하고 돌아온 스코틀랜드의 장군 맥베스 앞에 마녀들이 나타나 그가 장차 스코틀랜드의 왕이 될 것이라는 예언을 던진다. 그의 눈에 보이는 마녀들이야말로 실체가 없는 '치명적인 환상'임을 알지 못한 그는 예언을 실현하기 위해 단검으로 덩컨 왕을 살해하고는 예언대로 스코틀랜드의 왕이 된다. 그러나 양심의 가책과 계속되는 악몽들 속에서 불안한 삶을 이어가던 그 또한 복수의 칼날 앞에 쓰러지고 만다. 마녀들의 예언을 들은 이후 그의 내면에 도사리던 잠재적인 살인 의지는 단검이라는 표상으로 그의 눈앞에 나타난다. "단검의 환상이 보인다"고 말한 후 그는 이를 잡아보려 하지만 잡을 수 없다. "실체가 없는", "마음의 단검"이 그에게는 "치명적인 환상"(II.i.36~38)에 지나지 않지만, 그의 눈에 보이므로 그는 이를 실체화한다.

마녀의 출현과 그들의 예언이 그에게 현실로 다가오는 것도 이러한 실체화의 결과다. 즉 그의 비극은 눈으로 보이는 것을, 그것이 '치명적인 환상'인데도 눈에 보인다는 이유로 실체화한 그의 어리석음에서 기인한다. "눈앞에 보이는 모든 것이 환상일 뿐이라는 것"(I.iii.142)을 알면서도 환상을 현실과 동일시한 데서 비극이 시작되었던 것이다. 앞서 자신의

---

170) René Descartes, *Philosophical Works of Descartes*, E. S. Haldane과 G. T. R. Ross 공역 (Cambridge: Cambridge UP, 1972), I: 145쪽. 그리고 148쪽 도 볼 것.

비극을 예감하던 맥베스는 예감의 순간에 "모든 감각 가운데 이 눈만이 바보"(II.i.44)라고 토로한다. 이는 시각의 기만성 그리고 그 결과에 대한 회한의 표현이다. 그러나 이 작품을 통해 드러난 시각의 기만성에 대한 셰익스피어의 자각이 『오셀로』와 『리어 왕』에 이르면 그것에 대한 회의, 아니 절망으로 변모한다.

『오셀로』는 문학사에서 가장 사악한 인물 가운데 하나로 평가되는 이 아고가 베니스의 무어인 사령관 오셀로가 자기 대신 카시오를 부관으로 승진시킨 것에 대한 하찮은 증오 때문에 간계를 써서 오셀로와 그의 아내 데스데모나를 죽음에 이르게 한 작품이다. 이아고는 오셀로로 하여금 그의 부인 데스데모나와 그의 부관 카시오가 불륜의 관계임을 의심하게 만드는데, 이때 오셀로가 불륜을 입증할 구체적인 증거, 즉 "눈으로 확인할 수 있는 증거"(III.iii.366)를 요구하자, 이아고는 오셀로가 그의 아내에게 준 최초의 선물인 손수건을 증거로 제시한다. 그는 이미 우연히 손에 넣은 손수건을 카시오의 방에 놓아두었던 것이다. 눈에 보이는 이 증거물과 계속되는 이아고의 간계로 아내에 대한 의심을 쌓아가던 오셀로는 마침내 질투와 분노를 이기지 못하고 데스데모나를 죽이게 된다. 이후 모든 것이 이아고의 간계에 의한 것임을 알게 된 오셀로도 스스로 목숨을 끊는다. 이 작품에서 오셀로가 아내의 불륜을 확인하기 위해 요구하는 것은 '눈으로 확인할 수 있는 증거'다. 그에게 "진리의 유일한 기준은 눈에 의한 관찰이나 눈에 포착되는 증거"[171]인 것이다.

아내의 불륜을 의심하도록 부추기는 이아고에게 오셀로는 "나는 의심하기 전에 먼저 보지. 그리고 의심한 이상 증거를 잡지"(III.iii.193~194)라고 말한다. 그에게 모든 의심과 증거의 기준은 시각이며, 절대적 진실을 보장하는 것은 "살아 있는 이성"(III.iii.415)과 동일시되는 눈, 눈에 의

---

171) Marcus Nordlund, *The Dark Lantern: A Historical Study of Sight in Shakespeare, Webster, and Middleton* (Goteborg, Sweden: Acta Universitatis Göthoburgensis, 1999), 301쪽.

한 관찰, 눈에 의한 확인뿐이다. 그는 자신의 의심이 부질없다는 것을 확인하기 위해 데스데모나에게 그 손수건을 가져오도록 한다. "손수건을! 손수건을! 손수건을!"(III.iv.90.91.94). 오셀로 눈에 보이지 않는 데스데모나의 영혼이 진실의 기준이 될 수는 없었던 것이다. 그는 오직 눈에 보이는 물리적인 실체만을 요구했다. 오셀로의 비극은 시각의 절대화가 초래한 비극이다. 즉 셰익스피어는 이 작품을 통해 '생각하는 주체'가 곧 '보는 주체'인 데카르트적인 근대적 주체, 말하자면 이성적 주체의 위기, 그 주체의 정신적, 도덕적 위기를 예고한 것이다.

이 글의 주제로 읽을 때, 『리어 왕』도 눈에 대한 철저한 회의와 부정이 부각된 작품이다. 80세에 이르러 이제는 왕위를 포기하고, 그가 통치하는 국토를 3등분하여 딸들에게 나누어주고자 하는 리어 왕은 그에 대한 딸들의 사랑을 확인하기 위해 이른바 사랑의 경연대회를 연다. 많은 신하가 모인 가운데 첫째딸과 둘째딸은 형언할 수 없는 아첨의 말로 그들의 사랑을 맹세하지만, 그가 가장 사랑하면서 그를 가장 사랑할 것이라 생각했던 막내 딸 코델리아는 진정한 사랑은 말로 표현될 수 없다는 것을 잘 알기에 "나의 사랑은 혀로 표현하는 사랑보다 훨씬 무겁습니다"(I.i.76~77)라는 독백을 던지면서 사랑을 확인하려는 리어 왕에게 "아무 할말이 없습니다"라고 답한다. 이에 격분한 리어 왕은 가장 비옥한 영토를 코델리아에게 주려던 그의 계획을 포기하고 영토 전부를 두 딸에게 나누어준다. 이후 왕으로서 가진 실권 모두를 두 딸에게 이양하고 그들에게 여생을 맡기려 하지만, 딸들의 배신으로 증오와 분노에 가득 찬 광인이 되어 광야를 떠돌다가 마침내 코델리아의 진정한 사랑을 확인한 후 그녀와 함께 죽음을 맞이하게 된다. 인간이 올라갈 수 있는 최고의 자리인 왕이라는 지위에서 떠돌이 광인으로 추락한 리어 왕이 자신이 소유한 모든 것—부, 권력, 명예 등—과 함께 그의 정신까지도 상실하게 되었을 때, 그는 일찍이 극중 광대가 지칭한 대로 "아무것도 아닌 하찮은 존재"(I.iv.202)가 되며, 스스로 자신이 '아무것도 아닌 하찮은 존재'임을 자각한 순간 육안을 통해 이 세상을 판단하고, 이를 토대로 진실 유무를 결정한 것이 얼마나 부질없는 짓인지를 깨닫게 된다. 이러한 각성은 글로스터 백작과의 만남을 통해 드러나는데, 그는 리어를 복위시키려다 체포되어 리어의 둘째딸에 의해 실명당한 상태였다.

리어는 그에게 "눈이 없어도 이 세상이 어떻게 돌아가는지를 볼 수 있네. 그대의 귀로 보게"(IV.vi.151~152)라고 말한다. 리어 왕의 그 말은 물리적인 눈에 의한 관찰이나 인식이 얼마나 기만적인가를 상징적으로 보여준다. 리어 왕의 두 딸이 펼친 유창한 언어의 수사와 연극적인 행동들, 바깥으로 드러난 현상들만으로 그들의 사랑을 평가한 리어 왕의 기준도 얼마나 기만적이었던가. 실명을 통해 눈이 얼마나 기만적인 것인가를 알게 된 글로스터는 그의 아들을 그리워하면서 다음과 같이 토로한다. "내가 살아서 나의 손길로 너를 볼 수만 있게 된다면, 나는 눈을 다시 찾았다고 말하리라"(IV.i.25~26).[172] 이것은 눈을 믿을 수는 없다는 것이다. '손길'로 볼 수 있다는 것, 그것은 곧 가식 없이 있는 그대로 보는 것이라는 글로스터의 함축적인 발언을 통해 셰익스피어는 육안, 즉 물리적인 눈의 한계를 지적한 것이다.

근대성을 주관, 즉 자기주장과 동일시한 니체와는 달리 칸트와 헤겔은 이를 이성과 동일시했다. 『오셀로』의 경우처럼 눈의 한계를 보여줌으로써 셰익스피어는 근대적 주체의 이성, 그 능력에 의문을 던진 것이다. 글로스터가 '다시 찾은 눈'은 내면의 눈이다. 따라서 리어 왕도 그에게 "눈이 없어도 이 세상이 어떻게 돌아가는지를 볼 수 있네. 그대의 귀로 보

---

172) 원문은 이렇다. "Might I but live to see thee in my touch,/ I'd say I had eyes again." 한국어의 번역들에서는 우리가 인용한 오셀로의 "살아 있는 이성"(III.iii.415)을 '산 증거'로, 그리고 리어 왕의 "눈이 없어도 이 세상이 어떻게 돌아가는지를 볼 수 있네"의 '볼 수 있네'를 '알 수 있네'로 번역함으로써 그리고 위의 문장의 'my touch'가 함의하는 바를 전혀 고려하지 않음으로써, 눈과 이성을 동일시하면서 눈을 폄하한 셰익스피어의 의도를 전혀 살리지 못하고 있다.

계"라고 했던 것이다.

일반적으로 근대성은 과학의 발전, 자본주의의 성립, 민족국가의 대두를 통해 성립된 것으로 간주된다. 리오타르는 근대성의 출발점을 계몽주의에서 찾지만, 그가 규정한 근대성의 특징 가운데 가장 중요한 것은 과학적 사유다. 말하자면 근대성은 과학적 사유를 기반으로 한다는 것이었다. 근대 초기는 현미경, 굴절망원경, 안경, 인쇄활판, 그 밖의 정교한 인쇄기구 등과 같은 과학적 발명, 그것도 시각과 연관된 발명을 많이 등장시킨 시대였다. 그들의 사유가 과학적 사유였다고 할 때, 그것은 곧 시각, 즉 눈에 의한 관찰을 토대로 한 이성적 사유였던 것이다. 셰익스피어가 지적한 시각의 기만성, 그것의 한계는 곧 과학적, 이성적 사유의 기만성, 그것의 한계, 나아가 그것의 위험성이었던 것이다. 근대적 인간, 그들의 비극은 그들이 시각에 배타적인 특권을 부여할 때부터 잉태되었는지도 모른다.

『리어 왕』과 관련하여 또 하나 지적되어야 할 점은 셰익스피어가 리어 왕이나 글로스터의 광야에서 '방황'하는 이미지를 통해 전환기에 처한 당시 사람들의 표류하는 정신과 그 정신의 공황상태를 부각시킨다는 것이다. 리어 왕이나 글로스터의 전락은 인간존재의 불확실성에 대한 일종의 상징이다. 르네상스 후기의 희곡 작품들에 등장하는 많은 인물이 운명 앞에서 우리는 얼마나 무력한가를, 인간이라는 존재가 얼마나 불안한 존재인가를 한탄한다. 심지어 『리어 왕』에서는 운명의 여신을 "그 악명 높은 갈보"(II.iv.52)라 일컫는다. 당시 사람들의 일반적인 태도는 '이성'이 아니라 운명의 여신이 자신의 삶을 지배한다는 것이었다.[173]

우리는 햄릿을 입을 빌려 셰익스피어가 자신의 시대를 '감옥'에 비유했던 것을 앞서 인용했다. 이 작품에서는 리어 왕의 입을 빌려 자신의 시대를 "지옥…… 암흑…… 유황의 나락"(IV.vi.130)에 비유한다. 흑사병에 이어진 여러 전염병의 창궐과 그것이 초래한 많은 죽음, 종교전쟁을 포

---

173) Jean Delumeau, 앞의 책, 167~168쪽을 볼 것.

함하여 끊이지 않는 전쟁들, 계속되는 흉작과 기근 등의 경험은 신과 인간 사이의 간격을 실감시켜준 것이었다. 그러나 당시 인간에 대한 기대는 점차 커져가는 절대 존재, 신에 대한 회의를 상쇄해줄 만한 수준의 것은 아니었다. 절대적인 존재에게도, 자기 자신에게도 기댈 수 없었던 그들이기에 갈등과 불안의 골은 깊을 수밖에 없었을 것이다. 그들에게 자신들의 시대는 출구가 보이지 않는 '감옥'이나 '유황의 나라'이었는지도 모른다. 뒤러에게 르네상스가 '우수의 황금시대'였다면, 셰익스피어에게 그것은 '암흑'의 시대였다. 르네상스는 이처럼 복합적이고 절망적인 시대였는지도 모른다.

종교개혁과 반동의 시대

16세기, 유럽을 휩쓴 종교개혁의 물결은 어떤 의미에서 가장 역설적인 물결이었다. 르네상스기의 개인의 강조가 인간의 가치 그 자체에 대한 강조를 전제로 한 것이었던 반면에, 종교개혁기의 개인의 강조는 인간의 가치 그 자체에 대한 비하를 전제로 한 것이었기 때문이다. 교회라는 기구나 제도를 통하지 않는, 즉 신과의 직접적인 교통을 통해 얻어지는 개인의 구원을 설파한 점에서는 르네상스적인 개인의 강조였지만, 인간을 철저하게 타락한 존재로 격하시킨 점에서는 르네상스적 인간관에서 철저히 탈피한 것이었다.

당시의 시대상황은 앞에서도 거론했듯이 끊이지 않는 전염병과 전쟁들로 인한 죽음의 일상화와 교회의 분열상이 노정되던 불안과 절망의 연속이었다. 우수가 시대적 정서로 떠오른 가운데, 기독교인들 사이에는 이 모든 혼란상이 신의 분노 때문에 생긴 것이라는 인식이 퍼져나갔다. 이러한 인식의 확산과 함께 그러한 신의 분노를 진정시키기 위해 또는 그러한 분노를 피하기 위해 신의 대리인들에게 기대고자 하는 이들의 수도 늘어만 갔다. 이는 곧 성인과 성모 마리아에 대한 숭배를 의미하는 것이었고, 그들이 성인과 성모 마리아를 숭배한다는 것은 어떤 의미에서 그들의 성상을 숭배한다는 것이기도 했다. 성상 또는 성유물과 같은 것들이 그들을 전염병과 전쟁에서 보호해줄 것이라고 믿었기 때문이다. 또한 연옥의 존재를 믿는 사람들은 영혼이 거기서 머무르는 시간을 단축하기 위해 교회에서 '면죄부'를 구입해야 했는데, 이를 위해 그들의 전 재산을 교회에 바친 경우도 빈번했다. 1515년부터는 성 베드로 대성당 건축자금을 위해 대규모의 면죄부가 판매되었으며, 트루아 공의회(1530) 회의록에는 성체축일에 봉헌을 한 모든 이에게 11만 3,000일의 면죄부를 준다고 기록되어 있기도 하다.

루터의 종교개혁은 바로 이처럼 세속화되어버린 신앙을 근본으로 되돌리고자 한 취지에서 출발했다. 즉 그의 개혁은 인간의 구원은 교회라는 제도나 권위, 성상숭배 등에 따라 이루어지는 것이 아니라 신의 말씀에 근거한 신앙에 따라 이루어지는 것이라는, 어떻게 보면 지극히 단순한 원리로 회귀하자는 것이었다. 그리고 신앙이 신의 말씀을 따라 행하는 것이라고 할 때, 여기서 신의 말씀은 곧 성서였다. 신앙은 성서에 대한 믿음인 것이다. 그에게 성서는 객관적인 텍스트일 뿐만 아니라 텍스트를 대할 때 겪게 되는 개인 경험이기도 했다. 성서라는 텍스트가 신의 말씀이며, 신의 말씀은 성서 속에서, 성서를 통해 직접 들린다. 신의 말씀을 해석해줄 교회나 사제의 중개가 무의미해지는 것이다. "신의 말씀을 해석하는 데 필요한 고정된 종교적 규칙" 같은 것은 없으며, 있을 필요도 없었다.[174] 신의 말씀은 각자에게 그들이 이해할 수 있는 언어로 다가오는 것이며, 이러한 의미에서 모두 사제가 될 수 있었다.[175]

종교개혁가들 사이의 부분적인 입장 차이에도 불구하고, "모든 종교개혁가에게 공통적으로 중요했던 요소들 가운데 하나는 사제들의 중개를

174) Martin Luther, *Three Treatises* (Philadelphia: Fortress, 1960), 274쪽.
175) Martin Luther, 같은 책, 289쪽.

거부한 것이다."[176] 아우구스티누스와 마찬가지로 루터도 구원은 전적으로 신앙에 따른 것임을 강조했다. 그에게 신앙은 '말씀'이나 '성령'의 작용이었으며, 이처럼 신앙이란 신에 의해 주어진 것이기에 칼뱅도 그것을 '신의 역사(役事)', '신의 힘의 현시(顯示)'라고 했다.[177] 그것은 신이 주는 것이기에 가톨릭 교회가 주장한 어떠한 형식의 '중개'도 의미가 없다는 것이다. 마르크스는 모든 기독교인이 사실상 사제이며, 세례, 복음, 믿음을 통해 모든 신자에게 사제의 신분이 주어진다는 이러한 루터의 입장을 다음과 같이 요약했다.

"그(루터)는 권위에 대한 신앙을 파괴시킨 대신 신앙의 권위를 복원시켰다. 그는 사제들을 평신도들로 변모시킨 대신 평신도들을 사제들로 변모시켰다."[178]

종교개혁가들은 성서의 가르침과 일치하지 않는 어떠한 해석도 거부했다. "텍스트의 '글자'가 교회의 '정신'보다 더 중요한 것이 되었다."[179]

앞서 지적했듯이 구원이 가톨릭 교회가 이에 필요한 요소로 규정한 모든 제도적, 형식적 장치나 사제들의 '중개'를 통해서가 아니라, 각 개인이 신의 '말씀'인 성서의 가르침을 받아들이고 이를 실천하는 것을 통해 이루어진다는 그들의 주장은, 곧 르네상스적인 개인, 그것의 권위와 가치의 확인이었다. 베버는 『프로테스탄트 윤리와 자본주의 정신』에서 프로테스탄트주의가 가톨릭 교회가 규정한 여러 제도적 규제와 중개에서 주체를 해방시켰다고 주장했다.

---

176) Charles Taylor, 앞의 책, 215쪽.
177) Martin Luther, *Luther's Works*, Conrad Bergendoff 역 (Philadelphia: Muhlenberg, 1955~) XXXVI: 62쪽. Euan Cameron, *The European Reformation* (Oxford: Clarendon Press, 1991), 119~120쪽을 볼 것.
178) Karl Marx, "On the Jewish Question", *Early Texts*, David McLellan 편역, (New York: Barnes & Noble, 1971), 123쪽.
179) Vassilis Lambropoulos, *The Rise of Eurocentrism: Anatomy of Interpretation* (Princeton: Princeton UP, 1993), 27쪽.

그러나 그는 계속해서 이러한 해방이 동시에 주체에게 좀더 강제적이고 엄격한 자기통제를 가한 것이었다고 지적했다.[180] 가톨릭 교회가 표상하는 집단적 권위와 가치들에서 주체를 해방시킨 종교개혁은 해방된 주체들에게 대신 전례가 없을 정도로 엄격한 "자기규제와 통제라는 내면화된 메커니즘"을 부여했던 것이다. "이러한 점에서 종교개혁은 근대적 주체를 규정한 조건들의 가장 포괄적이고 가장 두드러진 배경이었다."[181] "각각의 개인들이 종교개혁과 데카르트를 통해 자신들의 세계를 구축할 기회를 가지지 못했더라면, 그들은 자기개혁의 과업을 추구하지 못했을 것이다."[182] 종교개혁은 집단적 권위에서 각 개인들을 해방시키고 그들에게 스스로를 통제할 의무까지 부여함으로써 진정한 의미의 '근대적' 주체를 탄생시켰던 것이다.[183]

그러나 이러한 근대적 주체의 탄생은 사실 인간의 권위와 가치에 대한 철저한 비하를 전제로 한 것이었고, 바로 거기에 그것의 모순과 역설이 있었다. 루터, 칼뱅과 같은 종교개혁가는 인간들, 그리고 인간들이 사는 이 세상을 타락 그 자체로 규정했다. 루터와 그의 추종자들은 모든 기독교인에게 예수의 은총을 받기 위해서는 스스로에게 총체적으로 절망할

180) Marx Weber, *The Protestant Ethic and the Spirit of Capitalism*, Talcott Parsons 역 (London: HarperCollins, 1991), 80~81쪽, 113~114쪽, 151쪽, 180~183쪽.

181) Henry Sussman, *The Aesthetic Contract: Statutes of Art and Intellectual Work in Modernity* (Stanford: Stanford UP, 1997), 37쪽.

182) Richard K. Fenn, *The Persistence of Purgatory* (Cambridge: Cambridge UP, 1995), 84쪽.

183) 하이네는 루터에 대해 "우리(독일)의 역사에서 가장 위대한 사람일 뿐만 아니라 가장 독일적인 사람이다"라면서 독일에서 사상의 자유와 언론의 자유를 창시한 사람이자 프랑스 혁명의 필요불가결한 지적 선구자였다고 격찬했다. Heinrich Heine, "Concerning the History of Religion and Philosophy in Germany," Jost Hermand와 Robert C. Holub 공편, *The Romantic School and Other Essays*, Helen Mustard 역 (New York: Continuum, 1985), 151쪽과 154~155쪽, 156쪽, 164쪽을 볼 것.

것을 촉구했다. 이것은 스스로에 대한 총체적이고 철저한 경멸과 절망을 통해서만이 신의 은총을 기대할 수 있다는 것이다.[184] 루터의 「갈라디아서」에 대한 주석은 이러한 그의 입장을 선명하게 보여준다. 그 주석에서 루터는 이 세상을 악마의 '아들'과 동일시한다. 그는 "바울로는 정확하게 이 세계를 악이라 부른다"고 주장한다. 일찍이 인간과 인간 세상을 이처럼 비하한 적은 없었다. 서구 전통에서 인간과 인간세계에 대한 비난이 종교개혁가들에 의해 정점에 도달했던 것이다.[185] 그런 점에서 종교개혁가들도 뒤러와 셰익스피어 등을 통해 드러난 비관주의적 세계관의 계승자였는지도 모른다.

칼뱅에 이르면 인간에 대한 비하의 강도는 더 높아진다. 그에게 인간은 '쓰레기'에 지나지 않았다. 루터와 마찬가지로 칼뱅에게도 인간은 타락한 아담의 후예들이었다. 그 또한 오직 스스로에 대한 철저한 절망과 "현재의 삶에 대한 경멸"[186]을 통해서만 신에게 다가갈 수 있다고 역설했다. 이런 점에서 볼 때, 아우구스티누스가 없었더라면 종교개혁은 불가능했을지도 모른다. 아우구스티누스와 마찬가지로 칼뱅에게도 신은 자비의 신이 아니라 힘과 분노의 신이었으며, 인간은 스스로를 구원할 수 없는 무력한 존재이자 존재론적으로 철저히 타락한 존재였기 때문이다. 아우구스티누스는 이성을 '악마의 갈보'라고 했다. 루터와 칼뱅도 이성에 의해 스스로의 권위와 가치를 구축할 수 있다는 르네상스적 인간관을 철저하게 파괴했다.

타락한 아담의 후예들, 그들에게 가능한 유일한 구원은 자신에 대한 철저한 절망과 경멸, 그리고 나아가 더 이상 성전의 베일 뒤에서 침묵하

---

184) Martin Luther, 앞의 책, *Luther's Works*. XXXI: 51~52쪽.
185) Jean Delumeau, 앞의 책, 28쪽을 볼 것.
186) John Calvin, *On the Christian Faith: Selections from the Institutes, Commentaries, and Tracts*, John T. NcNeill 편 (Indianapolis: Bobbs-Merrill, 1957), 72쪽.

지 않는 분노의 신 앞에 자기 자신을 완전히 내던지는 것이었다. 또한 타락의 원인을 철저히 반성해야만 했다. 그들 역시 인류의 타락과 죽음의 원인을 아담의 타락에서 찾았으며, 그러한 아담의 타락을 오만의 결과로 해석했다. 아담은 자신도 신과 같은 존재가 될 수 있다는 오만으로 인해 신의 명령을 위반했다는 것이다. 따라서 인간은 스스로를 경멸해야만 하는 것이다. 또한 그렇기 때문에 신의 '말씀'인 성경에 복종해야만 하는 것이다. 그들이 구원의 절대적인 요소로 신의 말씀인 '성서'를 강조했던 것은 바로 이러한 이유에서였다.

그러나 성서에 대한 그들의 철저한 신앙은 필연적으로 성서 밖의 다른 형식들에 대한 철저한 거부로 이어질 수밖에 없었다. 그들은 성인들, 성모 마리아의 성상뿐만 아니라 교회에 있는 모든 대상, 심지어 석유 램프까지 '우상'으로 간주했고 이것들을 철저히 파괴했다. 교회에서 예배는 오직 신의 말씀을 경청하는 것이어야 했다. 그들의 종교는 철저히 '말씀'이었고, 그들의 예배형식도 청각적인 것일 수밖에 없었다.[187]

신의 말씀을 전하는 성경만이 유일한 권위였던 그들에게 성경을 제외한 일체의 권위는 파괴되어야만 하는 우상이었는데, 이 점에서는 교황도 마찬가지였다. 루터는 가톨릭 교회 권위의 상징인 교황을 '악마의 돼지', '지옥의 발명품'이라 일컬었고, 구원에 필요한 제도적인 절차로 간주되어온 '성례'(聖禮)를 '묵시록의 짐승의 흔적'이라고 했다.[188] 칼뱅도 교황에 대해 다음과 같은 비난을 퍼부었다.

우리는…… 그 저주받고, 혐오스러운 왕국의 우두머리를 교황이라 단언한다……. 그는 교회를 신을 모독하는 불경한 행위로 더럽혔고, 잔인한 독재로 고통에 빠뜨렸으며, 치명적이고 허위에 가득 찬 교리로

---

187) 제5장 140쪽을 볼 것.
188) Jean Delumeau, 앞의 책, 525쪽.

독약처럼 타락시켰고, 거의 파탄에 이르게 했다. 이러한 교회에서 예수는 거의 잊혀졌고, 복음은 숨을 죽였으며, 신앙심은 바닥났고, 신에 대한 숭배는 거의 사라져버렸다. 한마디로 말하면 교회는…… 신의 신성한 국가가 아니라 바빌론의 그것이었다.[189]

가톨릭 교회에 대한 공격은 주로 판화를 이용한 시각 매체를 통해서도 진행되었는데, 그것의 주된 대상도 교황과 사제들이었다. 당시의 한 판화를 보면, 흉측한 모습의 악마들이 성직자의 옷을 입은 개들을 이끌고 사제들을 교황이 앉아 있는 지옥의 입구를 향해 몰아넣고 있는 장면을 묘사한다. 또한 교황은 그 앞에 무릎을 꿇고 있는 악마들을 축성하고 있다. 교황은 지옥의 왕이며, 성직자들은 개와 같은 존재들이며, 사제들도 곧 악마와 같은 존재가 되리라는 것이다. 당시의 유명한 화가이자 루터의 추종자였던 크라나흐(Lucas Cranach)의 목판화 「그리스도의 수난과 적그리스도」(1521)에서도 교황은 바빌론과 계시록의 붉은 악마와 동일시되고 있다.

한편 구원을 '중개'하는 제도적 장치로서 교회의 여러 의식과 성상들의 권위에 대한 그들의 전복적인 경향은 제단의 뒷면을 장식하던 그림의 주제가 '최후의 심판'에서 '최후의 만찬' 또는 '그리스도의 십자가에서의 죽음'으로 변화했다는 점에서도 확인될 수 있다. 중세 후기를 지배했던 '최후의 심판' 장면들은 점차 사라지고 고통받는 예수의 이미지가 자주 등장했다. 루터는 1538년 9월 7일에 행한 설교에서 " '최후의 심판'은 폐지되었다…… 모든 신자는 이 세상에 살다가 어떠한 심판도 없이 저 세상으로 간다"고 선언했다.[190] 가톨릭 교회가 '최후의 심판'을 이용하여

---

189) John Calvin, 앞의 책, 104쪽.
190) Margaret R. Miles, *Images as Insight: Visual Understanding in Western Christianity and Secular Culture* (Boston: Beacon Press, 1985), 117쪽에서 인용.

행해온 여러 병폐, 부조리에 대한 비판이었던 것이다.

성경, 즉 신의 '말씀' 밖의 일체의 권위에 대한 이러한 거부의 움직임들 가운데 가장 도발적이고 가장 근원적이었던 것은 바로 성인들과 성모 마리아의 성상들에 대한 것이었다. 성상에 대한 거부의 움직임, 그것의 근저에는 비잔틴 제국의 '성상파괴운동'에서처럼 신의 이미지뿐만 아니라 모든 이미지 일체를 엄격히 금지하는 모세의 첫번째, 두번째 계명 그리고 「고린도후서」제4장 제18절에서 우리의 눈은 변하지 않는 진정한 실체를 보지 못하며, 가변적 현실이나 존재를 실체로 착각할 뿐이라고 했던 바울로의 가르침이 자리잡고 있었다. 그들에게 성상과 같은 시각적 재현들은 예배의 순수성을 방해하는 우상들의 난무에 지나지 않았다. 이러한 우상들은 곧 아우구스티누스가 강력하게 비판했던 '눈의 음욕'의 상상적인 산물이었고, 다른 장에서 지적했듯이, 아우구스티누스의 '눈의 음욕'에 대한 경고도 종교개혁가들의 반시각적 사유의 주요한 원천이었다.[191]

이러한 그들의 반시각적 사유가 가장 전복적으로 표출되었던 경우는 바로 성모 마리아 상을 통해서였다. 종교개혁가들에게 이미지 숭배는 마리아 숭배와 밀접한 관련을 가지는 것이었고, 그러한 이미지 숭배, 즉 성상숭배는 신에게만 속하는 힘을 성모 마리아에게 부여할 수 있다는 점에서 위험한 것이기 때문이었다. 르네상스 시대에도 기이한 모습의 기형아 출산의 원인을 이미지에 대한 집착에 돌리는 경우가 종종 있긴 했지만, 종교개혁기에는 아이를 염원하는 어머니들이 성모 마리아, 즉 성모 마리아 상에 간구하는 숭배 행위가 기형아 출산의 원인이라는 생각이 더 지배적이었다. 이미지에 대한 집착이 기형아의 출산을 야기할 수 있다는 기존의 주장이 종교개혁가들의 성상에 대한 적대적인 태도를 통해 더욱 강화되고 확산되었던 것이다.[192]

---

191) 제5장 141쪽을 볼 것.
192) Marie-Hélenè Huet, *Monstrous Imagination* (Cambridge/M.A.: Harvard UP, 1993), 27~28쪽.

아니 반대로 성모 마리아 상과 같은 '우상'을 숭배하고, 이에 집착하면, 기형아를 출산할 수도 있다는 생각이 종교개혁가들의 성상파괴운동에 활력을 불어넣었던 것인지도 모른다. 그들의 성상타파에서 가장 일차적인 공격대상은 바로 가톨릭 교회의 '여성 성인들'의 성상이었기 때문이다. 그들의 성상타파와 더불어 "남성화된 종교의 수립"[193]이 확고해졌다. "성상파괴가 불러온 또 하나의 변화는 신앙심의 남성화였다. 중세 후기 교회예술의 거의 50퍼센트가 성모 마리아와 다른 성인들에 대한 것이었다고 할 때, 이러한 여성적 재현들의 제거는 신앙심이 여성화된 신앙심에서 보다 엄격히 남성화된 신앙심으로 이동했음을 뚜렷하게 말해준다. '신의 어머니'로서 성모 마리아와 다른 성인들이 표상한 풍부한 여성적인 상징들이 돌연히 초월적이지만, 확연히 남성적 신의 상징들로 대체되었다."[194]

종교개혁가들은 여성들이 아이를 생산하는 창조적 힘의 원천을 그들의 남편이 아닌 성상이라는 이미지에 돌린 행위를 창조적인 남성 신의 고유한 힘을 다른 우상에 돌린 행위로 해석했던 것인지도 모른다. 임신을 염원하면서 성모 마리아 상을 숭배한 결과가 기형아의 출산이라면, 그것은 곧 이러한 우상숭배에 대한 신의 벌인 것이다. 이것이 성상들에만 국한되는 것은 아니었다. 가톨릭 교회의 상징인 교황의 이미지도 당시 기형아의 출산을 초래한 것으로 간주되었다.[195] 이런 것들은 종교개혁가들의 이미지에 대한 반감이 얼마나 강했는지를 여실히 보여준 사례라 하겠다.

성상을 포함한 여러 이미지는 시각 매체다. 그러나 종교개혁가들에게

193) Marie-Hélenè Huet, 같은 책, 28쪽.
194) Carlos M. N. Eire, *War against the Idols: The Reformation of Worship from Erasmus to Calvin* (Cambridge: Cambridge UP, 1986), 315쪽.
　　Marie-Hélène Huet, 같은 책, 28~29쪽에서 재인용
195) Marie-Hélène Huet, 같은 책, 30쪽.

가장 중요한 것은 신의 '말씀'인 성경이었고, 그것은 절대적인 것이었다. 그들에게 신은 그의 말씀을 들어야 하는 존재이지 그의 모습을 보아야 하는 존재가 아니었다. 그들은 시각을 불신할 수밖에 없었고, 성상들은 '우상' 또는 아우구스티누스가 통박한 '눈의 음욕'의 상상적 산물에 지나지 않는, 따라서 타파되어야 할 대상들이었다. 이러한 점에서 종교개혁에 대항하여 로마 가톨릭 교회가 펼친 격렬한 반동은 성례뿐만 아니라 눈의 매체인 성상들을 복원하기 위한 운동이었으며, 모멸의 대상이 되었던 성모 마리아가 표상하는 신성의 '여성성'을 복원하기 위한 운동이었다 해도 지나치지 않을 것이다.

로마 가톨릭 교회가 전개한 반종교개혁은 종교개혁자들이 신의 '말씀'을 위해 철저히 배격한 성례와 성상 등을 복원하기 위한 운동이었다. 따라서 그것은 어떤 의미에서 아우구스티누스가 경멸했던 눈의 복원이기도 했다. 그들이 '말씀'의 보조수단으로 사용해왔던 성상을 포함한 여러 시각 매체는 눈의 고유한 예술형식인 구상예술이기 때문이다. 로마 가톨릭 교회의 반종교개혁의 산물로 간주되는 바로크 예술은 이러한 구상예술, 즉 시각예술의 대표적 양식이다. 파토스적이고 현란한 예술양식들을 주조로 한 바로크 예술은 일반적으로 시각적인 것과 결부되며, 더 나아가 '시각의 광란'이라고 규정되기도 한다.[196] 성상, 성화, 십자가 등의 제작, 현란하고 찬란한 성당의 건축, 여러 축제와 거기서 쓰인 가면들, 화려하고 장엄한 연극공연 등을 통해 로마 가톨릭 교회는 종교개혁이 폄하한 '시각문화'를 강력하게 부각시켰기 때문이다.

종교개혁기는 예술가들이 자신의 직업에 대해 상당한 불안과 위기를 느껴야 했던 시기이기도 했다. 대부분의 예술가, 특히 화가와 조각가들은 성상을 비롯한 종교 이미지들이 배격되는 상황에서 자신들의 생활터

---

196) Martin Jay, *Downcast Eyes: The Denigration of Vision in Twentieth-Century French Thought* (Berkeley: U of California Press, 1993), 36쪽, 47쪽을 볼 것.

전이 상실될지도 모른다는 불안감에 시달려야 했다. 실제로 화가 홀바인 (Hans Holbein)은 1526년에 "화가들의 직업 사정은 상당히 어렵다"는 불평을 토로했다. 각 도시 의회에는 종교 주제가 아닌 일반 주제의 작품들을 제작하게 해달라는 길드 구성원들의 청원이 쏟아졌으며, 그들은 다른 직업을 택하는 것이나 억지로 이민을 가고 싶지는 않다고 항변했다.[197]

그들에게 다시 창작의 기회가 허용되었을 때, 그들은 당시의 시대정신을 반영하는 작품들을 제작했다. 성모 마리아와 성인들의 성상 대신 루터, 칼뱅과 같은 종교개혁가들의 초상화, 사업가들과 학자들, 그리고 그들의 아내 등을 그린 초상화가 주류를 이루었고, 성인들을 주인공으로 하는 작품이라 하더라도 더 이상 구원의 길로 인도하는 신성한 존재로서가 아니라 "기독교적 삶의 도덕적, 실천적 전범(典範)"[198]이 되는 인물로 자연스럽게 묘사되었다. '보통'의 모습을 한 성인들이었던 것이다. 그들의 눈의 표정도 응당 보통 사람의 그것이었다. 그러나 로마 가톨릭 교회의 대대적인 반격과 더불어 성례와 성상의 전통적인 권위가 복원되자 예술가들의 창작활동 범위 역시 확대되었고, 이에 발맞추어 등장한 성상이나 초상화에 등장하는 성인들의 모습도 다시 신성한 모습으로 변화되었다. 특히 그들의 눈은 종교개혁기의 '보통' 모습이 아니라 영적인 신비로움의 반영, 마치 저 높은 곳에서 구원의 목소리를 읽는 듯 긴장과 환희에 가득 찬 모습을 보여준다.

우리는 제5장에서 르네상스 문화를 '환상(phantasma)의 문화'라고 규정하고 그 문화의 소멸 원인을 종교개혁에서 찾았던 쿨리아노의 입장을 소개했다. 그는 종교개혁가들, 특히 제네바 칼뱅주의자들과 런던 청교도들이 "환상적인 것들은 내적 의식이 조작하는 우상에 지나지 않는다"고 믿었기

---

197) Margaret R. Miles, 앞의 책, 117쪽을 참조할 것.
198) Erwin Panofsky, *Symbols in Transformations* (Princeton: Princeton UP, 1969), 30쪽.

때문에 상상적인 것에 대해 "전반적인 검열을 가했다"고 주장했다.[199]

그러나 종교개혁이 상상적인 것을 우상숭배적인 것과 같은 것으로 치부함으로써 르네상스 문화의 환상적인 면을 파괴했다는 그의 주장을 굳이 따르지 않더라도, 가톨릭 교회의 반종교개혁 운동이 상상적인 것, 환상적인 것의 복원이었으리라는 점을 가늠하는 것이 그렇게 어려운 일은 아니다. 로마 가톨릭 교회의 반종교운동의 산물인 바로크 예술이야말로 이에 대한 구체적인 실례다. 특히 현란한 환상성을 보여주는 루벤스의 「성찬식의 승리」(1625~27)는 현란하고 눈부신 금과 대리석, 화장 벽토, 하늘을 향해 솟아오를 듯한 육체와 의상의 역동적 움직임, 성찬식에 대한 찬양, 성자에 대한 경배 등을 통해 바로크 양식은 극적이고 교훈적인 장면, 즉 시각 재현을 통해 신앙을 북돋우려 했던 로마 가톨릭 교회의 의도에 충실하게 부응했다.

대략 1600년에서 1750년에 이르는 기간에 이탈리아에서 만개했던 바로크 예술은 르네상스 고전주의가 표방하던 직선적이고 기하학적 규칙성, 합리적인 미의 기준, 정적이고 수학적인 질서의 원칙들로부터 '급진적인' 이탈이라는 평가가 무색하지 않을 만큼[200] 현란함의 극치를 보여주는 "회화적"[201]이고 역동적이며, 극적 형식들을 통해 감각적이고 "격정적인"[202] 양식을 완성했다. 이러한 양식이 가능할 수 있었던 배경에는

---

199) 제5장 주59를 볼 것.

200) 이에 대해서는 Michael A. Mullett, *The Catholic Reformation* (London: Routledge, 1999), 96~98쪽을 볼 것.

201) Heinrich Wölfflin, *Principles of Art History: The Problem of the Development of Style in Later Art*, M. D. Hottinger 역 (New York: Dover, 1950), 26~27쪽. 하인리히 뵐플린, 『미술사의 기초개념－근세미술에 있어서의 양식발전의 문제』, 박지형 역(서울: 시공사, 1994), 48~51쪽.

202) 나는 르네상스의 숭고한 고전풍의 교회예술과 달리 바로크의 교회예술은 "고통, 싸움, 순교"를 경험한 "강렬하고 격정적인" 모습을 보여주었다는 Emile Mâle, *L'Art religieux apres le Concile de Trente* (Paris: Colin, 1934), 9쪽의 표현을 염두에 두고 이 용어를 선택했다.

가톨릭의 반종교개혁, 특히 1545년 12월 13일 이탈리아 트렌토에서 열린 공의회의 결정이 있었다. 트렌토 공의회는 일곱 가지 성례의 유지는 물론, 특히 성찬식의 유지에 대해 매우 단호한 입장을 취했고, 성인들과 그들의 유물, 그들의 이미지에도 커다란 의미를 부여했다. 공의회는 주교들에게 "신자들에게 성인들의 중재와 기원에 대해 가르치고", "성인들의 유물에 경의를 표하고 이미지들을 합법적으로 이용하는 법"을 주지시키라고 요청했다.[203] 특히 공의회는 이미지 문제에 대해 "이미지에 대한 경의는 그 이미지들이 표상하는 원형에 관련된 것이므로" 이에 대한 숭배와 경의는 당연한 것이라는 입장을 표명했다.[204] 공의회의 이러한 입장 표명은 종교개혁기에 생업에 위기를 경험한 예술가들의 작품활동에 활기를 불어넣었고, 예술가들의 상상력에 날개를 달아주었다.

뵐플린은 르네상스와 바로크 예술의 표현형식에서 갖는 특징들을 거론하면서 "새로운 시대정신(zeitgeist)은 새로운 형식을 강요한다"고 했다.[205] 그러나 트렌토 공의회의 결정은 새로운 형식의 출현은 물론 성상을 포함한 다양한 이미지의 번창에도 결정적인 동기를 제공한 것이었다. 바로크 시대의 예술가들과 비교해볼 때, 르네상스 시대의 예술가들은 흔히 그들의 주인공들을 차분함 속에서 자신감과 우월감이 배어나오는 기품 있는 모습으로 재현했는데, 이는 곧 당시의 시대적 사유였던 신플라톤주의를 반영한 것이었다. 가령 사탄에 대한 기독교의 승리를 상징하는 도나텔로(Donatello)의 조각상 「성 조지」(1416)를 보면, 그 주인공은 발 앞에 세워진 방패를 한 손으로 편안하게 지탱하면서 조용히 생각에 잠긴

203) Philip Schaff, *The Creeds of Christendom*, II (New York: Harper and Brothers, 1877, 1905, 1919), 200쪽. John Dillenberger, *A Theology of Artistic Sensibility: The Visual Arts and the Church* (New York: Crossroad, 1986), 76쪽에서 재인용.
204) Philip Schaff, 같은 책: 202쪽. John Dillenberger, 같은 책, 76쪽에서 재인용.
205) Heinrich Wölfflin, 앞의 책, *Principles of Art History*, 9쪽. 하인리히 뵐플린, 앞의 책, 『미술사의 기초개념』, 26쪽.

채 담담한 자세로 적을 마주한다. 그의 침착한 모습은 승리를 담보하는 그의 기독교적인 신앙을 흔들림 없이 반영한다.

미켈란젤로의 작품 「다비드」(1502)의 경우도 마찬가지다. 왼쪽 어깨에는 망태를 메고 오른손에는 골리앗에게 던질 돌을 쥐고 서서 옆을 응시하는 다비드의 모습 역시 르네상스적 주인공의 모습, 바로 그것이다. 그는 차분하면서도 자신감에 찬 모습으로 골리앗의 출현을 기다린다. 그러나 바로크의 대표적인 조각가 베르니니의 「다비드」(1623~24)의 경우는 갈등에 빠진 듯한 다비드가 조금 후에 등장할 골리앗을 예상하면서 스스로에게 결의를 다지는 듯 힘껏 입술을 깨물고 있다. 바로크의 대표적 화가들인 루벤스와 푸생의 그림에 등장하는 주인공들도 베르니니의 다비드와 유사한 모습을 하고 있다. 강한 힘으로 적들을 제압하는 헤라클레스와 삼손의 위압적인 모습, 그러한 힘을 보여주는 늠름하고 탄탄한 근육, 긴장과 결의에 찬 엄숙한 표정들은 바로크의 '파토스'적 특징을 적나라하게 보여준다.[206]

베르니니의 조각상 「성 테레사의 황홀경」(1647~52)은 바로크 예술의 '파토스'적 요소를 아주 선명하게 보여준 작품이다. 아빌라의 성녀 테레사는 머리를 오른쪽 위로 기울이고 입을 약간 벌린 채 구름 위에 누워 있으며, 왼쪽에는 소년의 모습을 한 천사가 마치 큐피드처럼 오른손에 활을 들고 애정 어린 눈빛으로 테레사를 쳐다보고 있다. 내적인 고통과 환희를 동시에 표출하는 듯한 테레사의 옷은 여러 폭의 '주름'들이 "소용돌이치는 불길의 모양"[207]을 이루고, 눈은 황홀경에 빠진 듯 반쯤 감겨 있으며, 그 위로 정액의 표상이기도 한 '태양의 씨앗'을 품은 천상의 빛[208]이 쏟아

---

206) Murray Roston, *Changing Perspectives in Literature and the Visual Arts 1650~1820* (Princeton: Princeton UP, 1990), 24~29쪽, 54쪽을 참조할 것.
207) 김명복, 『예술과 문학 — 고딕에서 로코코까지』 (서울: 현상과 인식, 1997), 151~152쪽.
208) 제3장 78쪽을 볼 것.

져 내리고 있다. 테레사는 "오르가슴의 희생물"[209]로, 테레사와 천사와의 "신비적 결합"은 "오르가슴의 황홀경"의 표상으로 부각되듯이,[210] 바로크 예술은 라캉의 규정대로 '음란한' 성격을 기조로 한 것인지도 모른다.[211] 라캉은 바로크 예술의 특징이 "희열(喜悅, jouissance)을 불러일으키는 육체의 전시", 그리고 이와 결부된 '음란성'에 있다고 보았다.[212] 그러나 그는 그러한 특성이 또한 "숭고한" 것임을 강조했다.[213]

바로크 예술의 음란성에 대한 논란이 그치지 않는 것은 사실이지만, 여기서 주목해야 할 점은 음란성의 문제를 야기하는 그러한 육체성의 부각이 예수의 '육화' 메시지와 무관하지 않다는 것이다. 로마 가톨릭 교회는 분명 프로테스탄티즘보다 한층 더 '예수의 육화' 메시지에 집중했다. 이는 가톨릭 교회가 복음을 전하는 데 예수의 '수난'을 상기시키는 이미지들의 사용에 각별한 중요성을 부여한 것에서 알 수 있다. 제4장에서 논의했듯이,[214] 신이 인간이 되었다는 성 요한의 유명한 가르침이 기독교 신학 전체의 중심에 자리한다는 것은 주지의 사실이다. 반종교개혁의 산물인 바로크 예술이 육체성을 강조한 것에는 이러한 신학적 배경이 짙게 깔렸다. 첼리오(Gasparo Celio, 1571~1640)의 「십자가를 지고 가는 그리스도」의 경우처럼 바로크 예술에는 육체에 폭력을 가하는 잔혹한 장

---

209) Camille Paglia, *Sexual Personae: Art and Decadence from Nefertiti to Emily Dickinson* (New York: Vintage Books, 1991), 169쪽.

210) Marie-Laure Ryan, *Narrative as Virtual Reality: Immersion and Interactivity in Literature and Electronic Media* (Baltimore: Johns Hopkins UP, 2001), 291쪽.

211) Jacques Lacan, *The Seminar of Jacques Lacan Book XX. Encore 1972~73*, Jacques-Alain Miller 편, Bruce Fink 역 (New York: Norton, 1998), 113쪽, 116쪽.

212) Jacques Lacan, 같은 책, 113쪽.

213) Jacques Lacan, 같은 책, 116쪽. 사실 라캉은 '성 테레사의 황홀경'에서 테레사가 경험하는 '환희'를 종교적 환희와 자주 연관시킨다. 같은 책, XX, 76쪽을 볼 것.

214) 제4장 106쪽을 볼 것.

면들이 자주 등장하는데, 이러한 잔혹성도 예수의 '수난'을 강조함으로써 교훈적인 메시지를 전달하려는 것이었다.

즉 그러한 메시지의 전달을 통해 기독교를 위해 순교를 마다하지 않는 '예수의 사람들'을 만들기 위함이었다. 바로크 예술의 기저에는 이러한 종교적 '목표'가 숨쉬고 있었던 것이다.[215] 바로크 교회 내부의 벽들은 예수 '수난'의 이야기들, 가톨릭 교회의 가르침과 역사를 구현한 성인들, 성서 속의 인물들로 채워졌다. 모든 가톨릭 교회의 건물은 마치 건축물이란 일련의 사건을 보여주는 서사적 예술이어야 한다는 신념을 가진 한 건축가의 권고[216]에 따라 지어지기라도 한 것처럼, 하나같이 시각적 재현을 통해 기독교의 본질을 전해야 한다는 대의를 충실히 따른다. 그렇다면 교회 건물이 재현한 다양한 이미지들은 '눈'으로 읽는 '말씀', 눈을 통해 영혼을 인도하는 '말씀'이라 규정할 수 있을 것이다. 바로크 문화의 특징이 본질적으로 '재현적'이라는 주장이 나온 것도[217] 바로 이러한 이유에서다.

이 시대에 초상화가 널리 유행했다는 사실도 이 시대의 문화가 본질적으로 '재현적'이었다는 주장에 무게를 실어준다. "초상화가 널리 유행했다는 것은 외형의 중요성——비록 그 형태에 대한 회의가 있었다 하더라도——에 대한 그 시대의 신념을 입증한 것이다."[218] 연극이 당시의 문화 전반에 대한 비유로 부각되었다는 사실도 이 시대가 '재현적'이라는 주

---

215) Michael A. Mullett, 앞의 책, 203쪽. 그리고 Emile Mâle, *Religious Art from the Twelfth to the Eighteenth Century* (London: Routledge & Kegan Paul, 1949), 175쪽을 볼 것.

216) Celia Pearce, *The Interactive Book* (Indianapolis: Macmillan Technical Publishing, 1997), 25~29쪽.

217) Louis Dupré, *Passage to Modernity: An Essay in the Hermeneutics of Nature and Culture* (New Haven: Yale UP, 1993), 240쪽.

218) Rémy G. Saisselin, *The Enlightenment against the Baroque: Economics and Aesthetics in the Eighteenth Century* (Berkeley: U of California Press, 1992), 120~121쪽.

장을 뒷받침하는 사례다. 인간은 '세상이라는 연극 무대'에서 연기하는 배우에 불과하다는 인식이 예술 영역뿐만 아니라 일반적인 삶의 영역에서도 통용되었다. 연극 무대 위의 배우들은 관객들에게 자신들이 무대 위에 있음을 끊임없이 상기시킨다. 그들은 무대 위에서 화려하게 펼쳐지는 그들의 연기와 의상, 무대장치 등이 머지않아 사라질 하나의 이미지에 불과하다는 것을 끊임없이 상기시킨다. 에스파냐의 극작가 칼데론의 작품, 특히 그의 『인생은 꿈이다』는 이러한 인식을 극명하게 보여준 작품이다.

삶이 일종의 연극이라면, 삶 자체는 하나의 '재현'에 불과한 것이다. 삶이 '재현'에 불과하다는 인식의 밑바탕에는 삶에 대한 존재론적인 허무가 자리한다. 비록 바로크 예술의 중심에 인간이 서 있긴 하지만, 그가 초월적 존재와 늘 수직 관계를 유지한 것은 바로 허무에 대한 아픔이 있기 때문이었다. 이러한 "이중의 중심—인간적인 것과 신적인 것—이 바로크 시대의 세계상을 중세의 수직적인 세계상과 구별시켜주고", 이 두 중심 사이의 긴장이 바로크 예술에 "복합적"이고 "역동적"인 성격을 부여한 것은 사실이지만[219], 그 중심이 궁극적으로는 인간이 아니라 천상의 초월적 존재로 귀착된다는 점이 이 허무에 대한 아픔을 설명해준다. 그들은 연극의 주인공일 뿐 진정한 삶의 주인공은 될 수 없었던 것이다. 이를 반영하듯 회화나 조각상들에 등장하는 대부분의 인물들은 한결같이 저 천상을 향해 갈망과 긴장의 눈길을 보낸다. "덧없기 그지없는 타락한 현상계를 뛰어넘어 앞으로 다가올 보다 좋은 새로운 삶을 향하게 하는 것"이 "바로크의 기획"[220]이었기 때문이다. 루벤스의 제단화 「로욜라의 성 이그나티우스의 기적」, 그레코의 조각상 「성 프란체스코」, 베르니니의 「성 비비아나」 등이 이를 잘 보여주고 있다.

---

219) Louis Dupré, 앞의 책, 237쪽.
220) Christopher Braider, *Refiguring the Real: Picture and Modernity in Word and Image 1400~1700* (Princeton: Princeton UP, 1993), 156쪽.

이성과 혁명의 시대

계몽주의를 연구하는 어느 프랑스 학자는 '계몽주의 시대의 인간상'을 블레이크의 그림 「기쁜 날」(1780)에 등장하는 인간의 모습과 동일시하면서 다음과 같이 말했다.

그(계몽주의 시대의 인간)는 우주의 중심에 서 있다. 그는 계몽의 인간이라기보다 차라리 빛의 인간이다. 르노(Regnault)가 프랑스 혁명이 한창일 때 그린 「자유 아니면 죽음」이라는 작품에 등장한 계몽주의 시대의 인간도 그러한 의미를 띤다. 이 그림에서도 (블레이크의 작품과 마찬가지로) 천사 또는 이카로스의 모습을 한 나체의 인간이 두 팔을 벌리고 하늘에 서 있다. 그에게 예술가가 날개를, 그의 이마 위에서 불타는 천상의 불을 주었기 때문이다······ 그 사람의 오른쪽에는 구름에 매달린 미모의 인물인 자유가 한 손에 프리지아산(産) 모자를, 다른 한 손에는 평등의 저울을 들고 있다. 그 사람의 왼쪽에는 자유와의 균형을 위해 방금 바로크식의 무덤에서 나온 것처럼 보이는 해골이 검은 옷을 입고, 커다란 낫에 몸을 기대고 있다. 인간은 자유인, 정복자, 우주의 진정한 주인이다. 그는 암흑의 세력과 과거의 세력을 쫓아냈기 때문이다.[221)

바로크 시대에도 인간은 그 예술작품들의 중심에 서 있었지만, 그것은 천상의 초월적인 중심과 수직적인 관계를 가지는 인간만의 중심이었고, 그들은 여전히 구원을 고대하는 존재로 남아 있어야 했다. 그러나 계몽주의시대에 이르면 인간은 '우주의 진정한 주인'으로 등장한다. "계몽주

---

221) Michel Vovelle, "Introduction," *Enlightenment Portraits*, Michel Vovelle 편, Lydia G. Cochrane 역 (Chicago: U of Chicago Press, 1997), 1쪽.

의는 바로크에 대한 반동, 정통적 신앙에 대한 그리고 로마 가톨릭 교회의 반종교개혁에 대한 반동이었다."[222] 계몽주의 또는 '이성의 시대'라 불리는 18세기는 이러한 과거의 청산을 통해 엄격한 의미에서 중세적 유산을 거의 청산한 시대였던 것이다. 이제 믿음의 대상은 신이 아니라 인간이다.

자연철학의 발달과 뉴턴, 버클리, 보일, 클라크, 로크 등에 대한 검토를 통해 영국에서 왕정복고 이후의 시기를 이성의 시대 또는 이성이 승리한 시대로 규정한 것에 대해 회의적인 반응을 보이는 학자도 있다.[223] 하지만 18세기를 전체적으로 일별한다면, 그 시대는 자연의 법칙을 읽어 자연을 합리적으로 이용할 수 있고, 더 나아가 사회도 공작(工作)하여 모든 인간의 삶과 역사를 합리적인 기획에 따라 전개시킬 수 있는 인간의 이성적 능력에 대해 깊은 신뢰를 표했던 시대였다고 해야 할 것이다. 이 시대는 "이전에 우주의 질서를 지도하던 신중심적 세계관을 청산한 시대"였음이 "분명하다".[224]

아도르노와 호르크하이머가 『계몽의 변증법』에서 논의했듯이, 계몽주의는 대서사, 즉 포스트모더니즘이 거부하는 진보, 이성, 자유 등과 같은 역사적 메타 서사의 원천이었다. 그 가운데서도 이 시대의 계몽주의를 규정하는 본질적 요소는 이성이 되어야 할 것이다. '계몽'이라는 단어가 가진 '빛' 또는 '조명'의 의미를 통해 '계몽'은 '이성의 빛'이 된다.[225] '계몽'의 인간은 이 '이성의 빛'을 통해 자연계의 여타의 동물들과 구별되며, '이성적' 인간은 곧 '과학적' 인간이도 하다.

---

222) Ulrich Im Hof, *The Enlightenment*, William E. Yuill 역 (Oxford: Blackwell, 1994), 8쪽.

223) John Redwoood, *Reason, Ridicule and Religion: The Age of Enlightenment in England 1660~1750* (Cambridge/ M.A.: Harvard UP, 1976), 93~114쪽을 볼 것.

224) Michel Vovelle, 앞의 글, 6쪽.

225) Ulrich Im Hof, 앞의 책, 4~7쪽을 볼 것.

19세기를 지배한 과학이 생물학이었다면, 18세기의 그것은 뉴턴적인 체계의 천문학이었다. 뉴턴, 케플러 그리고 레벤후크 등에 의한 물리학과 천문학, 의학 등이 당시 사람들의 과학적 사유와 세계관의 형성에 주도적인 역할을 담당했고, 우주의 질서를 수학적으로 증명하고 그것의 법칙을 기계론적으로 설명한 라이프니츠, '귀납적 방법'의 사용을 통해 경험적으로 확증된 사실들만을 진리로 간주했던 디드로도 18세기의 대변자들이었다. 말하자면 그 시대는 "과학자가 신학자의 지위를 차지했다."[226] 18세기의 문화를 "시각문화"라 규정한[227] 입장에 전적으로 동의할 수는 없지만, 그 시대가 17세기의 시각적 유산의 실현이 절정에 달한 시대였다는 점은 분명해 보인다. 17세기 초 어떤 의미에서 눈의 힘의 극대화라고 할 수 있는 현미경과 망원경의 발명은 이전에 상상하지 못했던 세계를 펼쳐 보였으며,[228] 이러한 유산의 계승자들인 뉴턴, 케플러, 레벤후크 등은 그들의 위대한 과학적 발견을 통해 과학적 사유의 영향력을 모든 분야로 확대시켰다. 그들은 "인간의 역사에서 지도적인 주인공이 되었다."[229] 즉 18세기의 이성은 곧 과학이자 시각이었다.

이처럼 과학적 방법을 기반으로 하는 '기하학적 정신'이 일반화되었던 계몽주의시대[230]는 호르크하이머와 아도르노의 용어를 빌리자면 "탈마

226) Michel Vovelle, 앞의 글, 6쪽.
227) August Langen, Anschauungsformen in der deutschen Dichtung des 188. Jahrhunderts: Rahmenschau und Rationalismus (Darmstatt: Wissenschaftliche Buchgesllschaft, 1968), 11쪽. Robert E. Norton, *Herder's Aesthetics and the European Enlightenment* (Ithaca: Cornell UP, 1991), 206쪽에서 재인용.
228) 눈이 17세기 바로크 시대의 3개의 주요한 투광기(投光器)인 망원경, 현미경 그리고 환등(幻燈)의 모델이 된 것과 이 투광기들이 어떤 역할과 기능을 했던가에 대해서는 George L. Hersey, *Architecture and Geometry in the Age of the* (Chicago: U of Chicago Press, 2000), 58~63쪽을 볼 것.
229) Vincenzo Ferrone, "The Man of Science," Michel Vovelle 편, Lydia G. Cochrane 역, 앞의 책, 223~224쪽.

법화",[231] '탈신비화', '탈신성화'의 시대이기도 했다. "유럽의 계몽주의
는 신화에 가장 적대적이었던 시대"[232]라는 규정도 이러한 견지에서 가
능해진다. 호르크하이머와 아도르노가 규정한 대로 넓은 의미에서 계몽
주의는 이성과 그것에 의한 반성을 통해 인간들을 '두려움'과 '미신' 그
리고 '신화'에서 해방시키고,[233] 이러한 해방을 통해 인간의 역사에 "각
개인을 자기로서, 독립적이고 자율적인 사회적 실체로 등장시킨"[234] 운
동이었다. 그리고 그러한 해방의 가장 극단적인 형태의 하나가 바로 신
이라는 존재에 대한 회의와 거부였다. 디드로, 볼테르와 같은 계몽주의
철학자들, 엘베시우스, 벤담, 콩도르세 등과 같은 '급진적인 계몽주의자
들'은 종교 신앙을 미신으로 치부했다.[235] 볼테르와 디드로는 종교와 그
것을 대변하는 교회야말로 이 지상에서의 유토피아를 지향하는 자신들
의 행보에 가장 부담스럽고 거추장스러운 장애물일 뿐만 아니라 계몽주
의에 대한 반대 세력의 중심이라고 규정했다.[236]

---

230) 18세기 후반에는 수학이 질서정연한 도덕적, 철학적 삶의 규범이 되었다. 18
세기 후반에 그 입지를 확고하게 구축한 수학은 모든 예술적 기교에서 하나의
패러다임이 되었다. 이에 대한 당시의 한 학자의 주장은 자주 인용되고 있다.
"모든 예술은 계산측정과 그 평가의 도움을 요구한다. 그리고 모든 것이 수학
적 추리에 포함되어 있고, 그 추리에 의해 명확해진다." Diadochus Proclus,
A Commentary on the First Book of Euclide's Elements, Glenn R.
Morrow 역 (Princeton: Princeton UP, 1970), 21쪽.
231) Max Horkheimer와 Theodor W. Adorno 공저, *Dialectic of
Enlightenment*, John Cumming 역 (New York: Seabury Press, 1972), 3쪽.
232) 한스 로베르트 야우스, 『미적 현대와 그 이후 – 루소에서 칼비노까지』, 김경식
역 (서울: 문학동네, 1999), 30쪽.
233) Max Horkheimer와 Theodor W. Adorno 공저, 같은 책, 3쪽.
234) Vassilis Lambropoulos, 앞의 책, 100쪽. 그리고 Max Horkheimer와
Theodor W. Adorno, 같은 책, 29쪽.
235) '급진적 계몽주의'는 테일러가 지칭한 용어다. Charles Taylor, 앞의 책, 제19
장 "Radical Enlightenment"을 볼 것. '급진적 계몽주의' 사상가들의 종교적
견해에 대해서는 특히 329~330쪽, 335쪽을 볼 것.
236) Reinhart Koselleck, *Critique and Crisis: Enlightenment and the*

다소 과장된 표현일 수 있지만, 그들은 "기독교적 신앙의 폐허 위에 이성과 자연의 성전을 구축했던 것이다."[237] 그들은 인간의 이성을 전능한 것으로, 인간성을 완벽한 것으로 평가했다. 또한 그들은 사회적 변혁의 실현에서 인간의 창조적인 이성적 능력이 창조주와 "대등한" 것이라는 점을 확인하려는 위험한 "유혹"에 빠지기도 했다. 이 시대에 너무나 많은 유토피아의 기획이 있었다는 사실이 이를 입증한다.[238]

계몽주의 시대의 화가 고야가 그의 전 작품을 통해 변화무쌍한 인간의 얼굴들이 표상하는 다양한 감정을 여과 없이 표출함으로써 오직 '인간'만을 강조하고 있듯이, 이 시대의 회화에서 인간은 더 이상 신의 세계의 일부가 아니라 자기 세계의 주인공으로 등장한다. 이러한 인간 지위의 변화, 즉 우주 질서 내에서 인간이 점유하던 위치의 변화로 인해 때때로 로코코 양식이 "계몽주의 일반을 대표하는" 예술양식으로 간주되기도 한다.[239] 바로크의 '파토스'를 대체한 '로고스'가 계몽주의의 기조이기 때문이다. 바로크 시대의 구체적이고 육감적인 신의 이미지—사탄을 씌어 지옥으로 내팽개친 밀턴식의 신의 이미지—는 이제 신의 '이념'으로서 추상화된다. 신은 전통적 의미에서 신이 아니라, "완전한 기계인 우주의 창조자, 시계제작자"[240]가 된다. 아니 자연, 자연의 질서가 신을 대체하고 있다. 계몽주의자들에게는 자연이 모든 진리, 모든 질서의 근원이었기 때문이다. "바로크의 신은 로코코의 이성과 자연으

 Pathogenesis of Modern Society (Oxford: Berg, 1988), 171~172쪽. 그리고 Gilbert Collard, *Voltaire, l'affaire Calas et nous* (Paris: Belles Lettres, 1994), 157쪽을 볼 것.

237) Alexander Tchoudinov, "Phantoms of Enlightenment," *Eighteenth-Century Life* 15:3 (1991), 96쪽.

238) Alexander Tchoudinov, 같은 글, 97~98쪽. 그리고 Vincenzo Ferrone, 앞의 글, 199~205쪽을 참조할 것.

239) Christopher Braider, 앞의 책, 254쪽.

240) J. Hillis Miller, *The Disappearance of God: Five Nineteenth-Century Writers* (Cambridge/M.A.: Harvard UP, 1963), 7쪽.

로 대체되었다."[241]

"18세기 정신의 전형"[242]이라고 불리는 와토(Jean-Antoine Watteau)
를 비롯, 부셰(François Boucher), 프라고나르(Jean Honoré Fragonard)
등의 화가들은 바깥 '소풍'을 그들 작품의 주된 주제로 한다. 와토의 「키
테라 섬을 향하는 순례여행」(1712~16), 프라고나르의 「그네」(1768)와
같은 작품들에서 바로크의 파토스적 요소를 찾아볼 수는 없다. 그들의
"회화는 인상주의 회화의 서곡"이라 이야기될 정도로[243] '풍경화'의 성
격을 짙게 풍기며, 거기서 인간 영혼의 내면 목소리를 들을 수는 없다.
자연의 장관만이 전체를 압도한다. 바로크의 인간들이 구원을 갈구하며
긴장된 눈빛으로 저 천상을 주시했던 것과는 달리, 이 시대의 인간들은
자연이라는 '대지의 어머니' 품속에서 만족한 듯 평온한 눈빛을 하고 있
다. 사실 로코코 양식의 근본 특징은 그것의 '장식성'에 있다고 할 수 있
는데, 계몽주의 시대의 예술작품들에 나타난 눈들도 얼굴의 '장식적인
모티프' 역할만을 수행하고 있는 듯하다.

칸트는 『순수이성비판』(1781)의 초판 서문에서 다음과 같이 말했다.

우리 시대는 비평의 시대다. 모든 것이 이에 복종하지 않으면 안 된
다. 많은 사람이 종교의 신성, 법률의 권위는 당연히 이러한 심문에서
면제된다고 생각한다. 그러나 비록 면제된다 하더라도 바로 그들이 의
혹의 주제가 된다……[244]

이처럼 계몽주의 시대는 "비평의 제국"[245]이 지배한 시대였다. 모든 것

---

241) 김명복, 같은 책, 194쪽.
241) 김명복, 같은 책, 194쪽.
242) 마리오 프라즈, 앞의 책, 24쪽.
243) Ulrich Im Hof, 앞의 책, 10쪽.
244) Immanuel Kant, *The Critique of Pure Reason*, Meiklejohn 역, Vasilis
Politis 편 (London: J. M. Dent, 1993), 5쪽.

이 '비평'의 대상, 그것도 이성의 이름으로 자행되는 비평의 대상이었기에 파토스적, 신화적, 환상적 요소가 설자리는 없었다.

바흐친은 이러한 근대의 특징 가운데 하나로 카니발 정신에서 이탈하는 것을 꼽았다. 18세기에 이르러 카니발의 위대한 정신이 쇠퇴했으며, 이는 당시 증가일로에 있던 세속화와 합리주의적 개인주의의 영향이었다는 것이다.[246] 사실 계몽주의시대에는 위대한 예술가가 등장하지 않았다. 예술은 이성이나 비평의 정신만으로 창조될 수 있는 것이 아니기 때문이다. 18세기는 말라르메와 뒤샹이 말한 근대적 병의 원천이었다. 즉 그 세상에는 사상은 없고 비평만이 있었다.[247] 영혼의 고통을 알리는 내면의 목소리는 이성의 영역에 속하는 것이 아니다. 계몽주의시대의 예술 작품에 등장하는 눈이 기계적인 눈, 장식적인 눈에 머물고 만 것은 '비평의 제국' 시대인 계몽주의의 필연적 결과였던 것이다.

18세기는 위대한 진보의 시대였다는 것이 기존의 일반적인 총평이었다. 호르크하이머와 아도르노는 『계몽의 변증법』을 통해 바로 이러한 진보의 신화, 그것의 허구성을 폭로했다. 계몽주의는 그것이 가진 내재적 모순으로 인해 그 시작부터 파국의 역사를 예고하고 있었다는 것이다. 인간에게 특권을 부여하고 '개인을 자기로서, 독립적이고 자율적인 사회적 실체로서' 등장시킨 계몽주의는 인간으로 하여금 스스로를 우주의 중심으로 인식하게 했고, 자신의 이해관계에 따라 모든 것을 평가하게 함으로써 개성을 개인주의로 변질시켰다. "주체의 비인간성은 그 주체로

---

245) Roger Chartier, "The Man of Letters", Michel Vovelle 편, Lydia G. Cochrane 역, 앞의 책, 144쪽.

246) Mikhail Bakhtin, *Rabelais and His World*, Hélène Iswolsky 역 (Cambridge/M.A.: MIT Press, 1968), 116쪽.

247) Barbara Maria Stafford, *Body Criticism: Imaging the Unseen in Enlightenment Art and Medicine* (Cambridge/M.A.: MIT Press, 1991), 82쪽.

하여금 사회를 자기, 즉 개인들 간의 투쟁으로 보게 하며, 그러한 투쟁에 참여할 수밖에 없게 만든다." 그리고 "자기, 즉 절대인적 개인 또한 세계를 객관화한다. 즉 그는 자신을 세계에서 분리시키고 세계를 관찰과 잠재적 착취 대상으로 삼는다."[248]

이것이 계몽주의 구도 아래서 펼쳐진 이성과 지배의 변증법, 불협화음의 변증법이다. 톰슨(E. P. Thompson)에서 푸코에 이르기까지 많은 이가 지배 구조를 통해 통제와 착취 효과를 일으키는 '도구적' 이성의 위험성에 전율해야 했다. 이들에게 18세기는 벤담의 '원형감옥'이 상징하는 악몽, 이성에 따른 파라노이아, 억압, 광기의 시대였다. 프랑스 혁명이 이를 예증한다.

프랑스 혁명은 르네상스의 '휴머니티의 예찬'이 종교개혁과 계몽주의를 거쳐 도달한 최고봉이었다. 그것은 인간 예찬을 기조로 한 '개인의 가치'가 최고조로 강조된 정치 혁명이었으며, 개인의 가치가 정치적으로 강조되었다는 점에서 이전의 경우들과 차이를 가진다. 프랑스 혁명이 처음 발발했을 때, 그것은 전 유럽인들에게 하나의 역사적 변혁, "즉 미래의 도래를 알린 중대한 사건",[249] "전 세계적인 지진"[250]이었다. 워즈워스, 블레이크 등과 같은 영국의 낭만주의 시인들은 물론 노년의 칸트에게도 그 혁명은 인간의 역사에는 분명 좀더 나은 방향으로 나아가는 진보가 있다는 자신의 신념을 확인시켜준 사건이었으며,[251] 헤겔에게는 "신세계의 모습을 환하게 비춘 강렬한 햇살",[252] 인간을 압박과 예속에서 해방시킬

248) Vassilis Lambropoulos, 앞의 책, 100쪽.
249) 임철규, 졸고 「낭만주의와 유토피아」, 앞의 책, 『왜 유토피아인가』, 319쪽. 프랑스 혁명과 그 반응에 대해서는 같은 책, 319~339쪽을 볼 것.
250) Friedrich Schlegel, "Athenäums-Fragment," *Kritische Ausgube*, Ernst Behler 역 (Munich: Schöningh, 1958-1987), II.: 247~248쪽.
251) Immanuel Kant, *Conflict of the Faculties*, Mary J. Gregor 역 (New York: Abaris Books, 1979), 151쪽.
252) G. W. F. Hegel, *The Phenomenology of Spirit*, A. V. Miller 역 (Oxford: Oxford UP, 1981), 6~7쪽.

하나의 묵시적 '계기'였다.[253] 당시 많은 시인이 혁명을 암흑과 대결하는 빛의 이미지로 표현했으며, '태양신화'가 그들의 작품 속에서 지배적인 주제의 하나로 등장한 것도 혁명의 영향으로 인한 것이었다.[254]

그러나 일찍이 '도구적' 이성의 위험성을 인식했던 루소와 마찬가지로 괴테도 혁명을 편안한 마음으로만 지켜볼 수는 없었다. 그는 혁명에 대한 평가를 유보했다. 그런데도 대부분의 사람들, 즉 헤겔 세대에 속하는 대부분의 낭만주의 시인들과 지식인들은 프랑스 혁명을 구체적으로는 계몽주의의 실현으로, 일반적으로는 인간만이 가지는 최고의 능력인 이성의 성취로 간주했다.

프랑스 혁명이 국왕의 처형, 공포정치로 치달으면서 그것이 애초에 불러일으켰던 '영적 열광'은 점차 스러져갔다. 물론 대부분의 독일 지식인들과 낭만주의 시인들처럼 혁명이 몰고 온 묵시적 희망을 포기하지 않았던 경우도 있었지만, 혁명 이후의 시대는 영국 낭만주의 시인들의 경험 그대로 환멸의 시대였다.[255] 사실 프랑스 혁명은 엄청나게 파괴적이고 폭력적인 사건으로 역사에 기록되어 있다. "혁명 기간에 나폴레옹 전쟁의 희생자들을 포함하여 200여만 명의 사람들이 죽은 것으로 보고되고, 로베스피에르의 공포정치기간(1793~94)에만 약 1만 6,000명이 '재판에 의해' 처형되었다."[256] 이 숫자는 제1차 세계대전에서 희생된 프랑스인

253) 헤겔과 프랑스 혁명의 관계에 대해서는 Steven B. Smith, "Hegel and the French Revolution: An Epitaph for Republicanism," Ferenc Fehèr 편, *The French Revolution and the Birth of Modernity* (Berkeley: U of California Press, 1990), 219~239쪽을 볼 것.

254) '태양신화'에 대해서는 Jean Starobinski, "The Solar Myth of the Revolution," *1789: The Emblem of Reason* (Charlottesville: UP of Virginia, 1982), 43~51쪽, 61쪽 이하. Ronald Paulson, *Representations of Revolution*, 1789~1820 (New Haven: Yale UP, 1983), 43~47쪽, 102쪽을 볼 것.

255) 임철규, 졸고, 앞의 글 「낭만주의와 유토피아」, 앞의 책, 『왜 유토피아인가』, 344~354쪽을 볼 것.

256) 임철규, 졸고, 같은 글, 345쪽.

들의 수를 능가한 것으로[257] 혁명의 이면에 숨어 있는 고통의 순간들을 짐작할 수 있게 해주는 수치상의 증거다.

혁명에 대한 프랑스 지식인들의 소극적 반응도 이러한 견지에서 이해할 수 있을 것이다. 당시 영국이나 독일의 지식인들이 보여준 열광적인 반응과는 달리 당사자들의 반응은 너무나 소극적인 것이었다. 물론 예측할 수 없는 위기에서 자신을 보호하려는 전형적인 반응의 하나가 현실에서 가장된 도피나 경우에 따라 변모하는 다양한 처신이라는 안전망이라 할 때, 그들도 이러한 평가에서 자유롭지만은 않다. 낭만주의 제1세대에 속하던 대표적 문학가들, 가령 샤토브리앙, 콩스탕, 라마르틴 등이 귀족 출신이었다는 점에서 그들이 자신의 계급적 이해관계를 도외시할 수만은 없었을 것이라는 짐작을 해볼 수도 있다. 하지만 낭만주의 제2세대에 속하는 위고, 비니 등도 혁명에 대한 소극적인 반응에서는 그들과 별반 다르지 않았다.

오직 화가 다비드만이 당시의 상황에 대해 구체적이고도 격렬하게 반응했다. 그는 "어딘가 모르게 신시대의 예언자"[258]와 같은 이로 등장했던 것이다. 그는 루이 16세의 처형, 로베스피에르의 공포정치 그리고 나폴레옹의 등장으로 이어진 혁명의 소용돌이 속에서 혁명 이념을 전파하기 위한 예술적인 노력을 멈추지 않았다. 혁명 대열에 합류하기 이전, 즉 왕정시대의 다비드의 작품들은 파토스적인 요소라고는 찾아볼 수 없는, 말하자면 지적이고 잔잔한 고전주의적 화풍을 보여준다. 가령 그의 작품 「헥토르」를 보면, 주인공이 그리스와의 전쟁에서 트로이를 지켜낸 가장 용감한 전사인데도, 그의 무표정하고 평온한 얼굴에서 전사의 이미지를 찾아내기란 힘들다. 차라리 그는 "그리스적인 미", 즉 "고전주의풍의 이

---

257) Jean-François Fayard, *La Justice révolutionaire: Chronique de la Terreur* (Paris: Robert Laffont, 1987), 14쪽.
258) Warren Roberts, *Jacques-Louis David, Revolutionary Artist* (Chapel Hill: U of North Carolina Press, 1989), 54쪽.

상적 미의 부활"[259]을 알린 모델에 가깝다.

그러나 혁명 대열에 합류한 이후의 그림에서 다비드가 추구하는 이상적인 존재는 더 이상 "미적인 것"이 아니라, "정치적인 것"이 되고 말았다. 그 이상적인 존재의 육체의 형상 자체가 "그 혁명적 사건을 이야기해주는 하나의 문제적인 서사물" 또는 "선언, 슬로건"[260]이 된다. 이것의 대표적인 경우가 그의 작품 「마라의 죽음」인데, 이 그림은 프랑스 혁명 당시 "상징체계의 한 요소"[261]로 중요한 서사적 역할을 담당했던 것으로 평가된다. 그러나 화풍의 변화는 이 작품 이전의 혁명시대의 작품들에서도 이미 드러났다. 1791년의 작품 「자화상」을 통해 이를 확인할 수 있다.

이 작품에 나타난 그의 모습은 걱정과 불안에 가득 찬 인간의 모습 그것이다. 그의 이마에는 주름이 깊게 패고, 머리카락은 온통 헝클어져 있으며, 무엇인가에 충격을 받은 듯 멍한, 동시에 충격으로 인해 불안에 싸인 긴장의 시선을 던진다. 이러한 그의 모습은 아마도 1791년의 정치 상황을 반영했을 것이다. 사실 1790년은 혁명의 와중에 가장 평온한 한 해였다고 할 수 있는데, 1790년 7월 14일에 개최된 '대연방 축제'를 통해 이를 확인할 수 있다. 이 축제를 약 1만 2,000명의 노동자가 준비했으며, 프랑스 각지에서 모인 약 40만 명의 사람이 함께 모여 혁명의 기쁨을 나누었던 것으로 전해진다. 저녁에는 구질서의 전복의 상징인 바스티유 감옥 터에서 춤을 추었고, 파리를 비롯한 대부분의 도시에서 종이 울렸다.[262] 어느 학자의 말을 빌리면, "그 전례 없는 혁명"을 기념하는 이 축제는 "자유의 구축물을 완성시킨 축제"였고," 프랑스 혁명이 "모든 혁명

259) Antoine de Baecque, *The Body Politic: Corporeal Metaphor in Revolutionary France, 1770~1800* (Stanford: Stanford UP, 1997), 184쪽.
260) Antoine de Baecque, 같은 책, 186~187쪽, 192쪽.
261) Peter Brooks, *Body Work: Objects of Desire in Modern Narrative* (Cambridge/M.A.: Harvard UP, 1993), 55쪽. 피터 브룩스, 『육체와 예술』, 이봉지 · 한애경 공역 (서울: 문학과지성사, 2000), 119쪽.
262) Warren Roberts, 앞의 책, 55쪽.

가운데 가장 기념비적인 혁명임을 최종적으로 보증한"[263] 축제였다.

그러나 다비드가 긴장된 눈빛의 자화상을 그린 1791년은 어떤 의미에서 1790년의 사회적 통합 분위기가 분열의 양상을 띠기 시작한 해였다. 6월 20일에는 루이 16세 일가가 프랑스를 탈출하려다 발각되면서 왕의 처리를 둘러싼 정파 간의 의견 대립이 심화되었고, 샹드마르스 광장의 학살사건이 있었으며, 오스트리아와 프러시아가 전쟁으로 프랑스 혁명을 분쇄하겠다는 의지를 표명하면서부터 주변국들과의 긴장이 고조되었고, 흉작과 인플레이션으로 인해 약탈과 농민반란의 강도도 심화되었다. 다비드의 1791년의 「자화상」은 이러한 변화를 경험한 그의 내면적 불안과 긴장을 반영한 것이다. 1792년은 1791년의 분열을 잠재우고 로베스피에르의 자코뱅파가 실권을 완전히 장악한 해였고, 그런 점에서 그 화가가 혁명의 대열에 적극적으로 참여한 것은 '제2의 프랑스 혁명'이었다고 일컬어지기도 한다.

로베스피에르와 자신을 완전히 동일시하던 그는 혁명의 대의를 알리는 예술 프로젝트의 책임을 맡게 되는데, 그 가운데 하나가 1793년 11월 이전에 앙리 5세의 조각상이 서 있던 센 강 다리에 거대한 헤라클레스 상을 세우려는 것이었다. 비록 그 계획이 완성을 보지는 못했지만, 다비드가 제안한 거대한 헤라클레스 상은 중요한 상징적 의미를 가지는 것이었다. 실제로 혁명의 시작과 함께 가장 널리 애용되었던 이미지는 자유라는 여성상이었다. 그녀는 창끝에 프리지아산 모자를 매달고 있었는데, 당시에는 이 모자가 곧 자유의 여인에 대한 상징이었다. 그러나 이 자유의 여인상이 한결같은 모습으로 제작되었던 것은 아니었다. 각각 다른 의미를 가지는 대표적인 두 가지 여인상이 있었는데, 그 가운데 하나는 나이가 젊으며, 작은 키에 무릎 아래가 노출된 짧은 드레스를 입

---

263) Mona Ozouf, *Festivals and the French Revolution*, Alan Sheridan 역 (Cambridge/M.A.: Harvard UP, 1988), 33~34쪽.

고 있으며, 종종 한쪽 가슴을 노출한 적극적인 모습의 여인상이었다. 또 다른 하나는 단정하게 주름잡힌 고전풍의 드레스를 입고 있으며, 조용한 모습으로 표현된 여인상이었는데, 때로는 앉아 있거나 프리지아산 모자가 없는 경우도 있었다. 전자는 혁명의 완성을 위해서는 더 적극적인 투쟁이 요구된다는 것을, 후자는 반대로 혁명의 종결 또는 완성을 의미하는 것이었다.[264] 당시의 사람들이 혁명을 대하는 이중적인 태도를 대변한다.

1792년 8~9월의 제2혁명으로 군주제가 폐지되자 공화국을 표상하는 새로운 이미지가 요구되었는데, 이때 등장한 것이 바로 "프랑스 인민을 표상하는"[265] 헤라클레스 상이었다. 자유의 여인상을 대체한 남성상이 '상징체계의 한 요소'로 등장한 것이다. 이 헤라클레스 상은 악의 상징인 혁명의 적을 분쇄하는 선의 사도, 즉 인민을 표상한 것이었다. 즉 사람들에게 아직도 분쇄해야 할 적들이 많음을, 따라서 계속해서 경계하고 노력해야 함을 일깨운 것이었다. 이 헤라클레스 상이 공적으로 처음 등장한 것은 1793년 8월 10일 '대연맹축제' 때였다. 물론 이 축제는 다비드가 주관한 것이었는데, 이 축제에 등장한 헤라클레스는 전복당한 군주제의 왕을 상징하는 히드라를 묵중한 타봉(打棒)으로 강타하여 그의 발 앞에 쓰러뜨리는 모습을 하고 있었다. 1793년 11월 30일과 12월 8일의 축제 때 등장한 작자 미상의 에칭 판화에서도 헤라클레스는 왼손으로 가냘픈 군주제의 왕의 목을 움켜쥐고 오른손에 든 거대한 타봉으로 그 왕을 내려치려는 모습으로 등장한다. 이처럼 혁명의 적들을 분쇄하고 있는 늠름하고 힘찬 근육으로 이루어진 헤라클레스의 남성적인 육체는, 곧 혁명의 대의에 충실하려는 결의를 보여준 인민들의 육체였다.

브룩스는 그의 저서 『멜로드라마적 상상력』에서 프랑스 혁명은 "전통

---

264) Warren Roberts, 앞의 책, 70쪽을 참조할 것.
265) Simon Schama, *Citizens: A Chronicle of the French Revolution* (New York: Vintage Books, 1989) 830쪽.

적으로 성스러운 것의 대표적인 제도들(교회와 군주)의 종국적인 청산, 기독교세계, 신화의 몰락, 유기적인 위계질서에 의해 고착된 사회의 해체를 상징적으로 그리고 실제로 부각시킨 계기"[266]였다고 주장했다. 사실 프랑스 혁명기의 축제들은 성상파괴의 극적 장면을 자주 연출했다. '구체제'의 상징들과 표상들 그리고 기독교의 성상들이 불태워졌다. 가령 '이성의 축제'라는 이름으로 거행된 행사에서 이러한 것들을 태운 불길은 빛으로 상징되었으며, "자유의 불빛을 가로막는 모든 것"은 "암흑"이기 때문에, 곧 이 불길은 암흑으로 대변되는 모든 것을 추방하는 빛이었다.[267] 신과 인간 사이의 관계에 종언을 고하고 기독교적인 희망을 황폐화시킨 또 하나의 상징적인 축제는 '최고 존재의 축제'였는데, 이 축제는 기독교의 신에 대응되는 추상적 실체로 '최고의 존재'를 설정하고, 이 존재에게 바치는 축제였다.

물론 이 축제도 1794년 6월 8일 다비드가 주관한 것이었다. 이 축제에서 '최고 존재'는 모든 것을 보는, 삼각형 속의 눈으로 표현되었는데, 삼각형의 각 변은 평등, 자유, 이성이라는 글자로 채워져 있었다. 여기서 평등, 자유, 이성은 기독교의 삼위일체를 대신한 것이었다. 그리고 삼각형 속의 눈이 내뿜는 빛은 삼각형 전체를 채우고 바깥까지 퍼져나가고 있다. 제2장에서 논의되었듯이, 눈은 신의 눈 또는 신의 눈인 태양, 때로는 신 자체와 동일시되며, 거꾸로 신은 태양, 따라서 빛의 원천이자 때로는 그 빛 자체이기도 하다.[268] 즉 '최고 존재'는 '암흑'을 몰아내는 빛의 원천으로서 신이 되고 있다. 그리고 이 신은 평등, 자유, 이성을 포괄하는 절대 이념, 즉 프랑스 혁명이 표방한 절대 이념 그 자체가 되고 있다. '최고 존재의

---

266) Peter Brooks, *The Melodramatic Imagination: Balzac, Henry James, Melodrama and the Mode of Excess* (New Haven: Yale UP, 1995), 15~16쪽.
267) Mona Ozouf, 앞의 책, 100~101쪽.
268) 제2장 43쪽 이하를 참조할 것.

축제'는 바로 혁명의 절대 이념을 예찬하기 위한 축제였던 것이다.

마라의 죽음을 접한 다비드는 그를, 혁명이 표방한 절대 이념에 자신을 바친 순교자로 간주했고, 그의 유명한 그림, 아마도 "모든 시대의 정치적 성격의 회화를 통틀어 가장 위대한 회화"[269]인 「마라의 죽음」을 그렸다. 그가 계획하고 주관한 축제들처럼, 그는 이 그림을 통해 혁명에 참여한 이들에게 진정한 혁명가의 모델을 제시하고 혁명정신이 어떤 것인가를 보여주고자 했다. 다비드의 "소명과 비전은…… 영웅들…… 순교자들을 정하고, 그들을 재현하고 기념하는 것이었다. 그의 혁명적인 참여가 그가 직접 집행한 마라의 장례식과 비범한 혁명가의 순교를 그린 그림에서만큼 진지하게 시험되고 표현되었던 적은 없었다."[270]

이 그림에서 암살당한 순간의 마라는 편안한 안식의 황홀에 젖은 모습을 보여준다. 얼룩 하나 없는 매트 위에 떨어진 핏방울들, 욕실 바닥에 떨어진 상아 손잡이의 칼, 여전히 그의 손에 쥐어진 깃털 펜, 피의 응혈로 변한 욕조의 더운물, 이 모든 것이 그의 죽음의 극적인 배경이 되고 있다. 그러나 죽음을 당한 마라는 편안하게 잠을 자는 여느 때의 모습처럼 조용히 눈을 감고 있을 뿐이다. 마치 혁명에 충실했던 자신의 삶에 안도하며, 계속될 혁명의 완성을 자신하는 듯, 편안한 죽음을 맞이하고 있

---

269) Arno J. Mayer, *The Furies: Violence and Terror in the French and Russian Revolutions* (Princeton: Princeton UP, 2000), 195쪽.

270) Arno J. Mayer, 같은 책, 193쪽. 다비드가 개인적으로 잘 알고 있었던 마라를 위해 준비한 장례식과 그것의 분위기에 대해서는 같은 저자, 같은 책, 194~195쪽을 볼 것. 1793년 7월 28일 장례식 때 한때는 성직자였지만 당시에는 유명한 연설가였던 우다유(Oudaille)는 마라를 예수라 칭했고, 더 나아가 "한 마디로 말하면 예수는 예언자였지만, 마라는 신이었다"라고까지 했다. 이러한 발언은 마라의 열렬한 지지자들끼리의 논쟁을 야기할 정도로 극단적인 것이었다. 이 논쟁을 포함하여 당시의 마라의 위상과, 그의 죽음에 대한 동료 혁명가들, 그리고 다비드의 태도 등은 T. J. Clark, *Farewell to an Idea: Episodes from a History of Modernism* (New Haven: Yale UP, 1999), 23~29쪽에서 아주 포괄적으로 다루어진다.

는 것이다.

"정치적 국면이 강압적이면 강압적일수록, 그것이 순응주의적이면 순응주의적일수록 (다비드)의 이미지들은 더욱 더 추상적인 희열의 모습을 하지 않으면 안 되었다"[271]는 주장을 떠올려볼 때, 이 작품은 이러한 주장을 입증해준 전형적인 작품이다. 러시아 혁명에서도 그러했듯이, "역사의 기본 철학은 거의 또는 철저히 신학적이다. 즉 혁명은 선의 구현 아니면 악의 구현이 될 수밖에 없다."[272] 프랑스 혁명을 주도한 로베스피에르의 자코뱅파는 그들의 혁명을 철저한 선의 구현으로 규정했다. 선과 악의 대결에는 중간지대가 존재할 수 없기에 그것은 철저한 선의 구현이어야만 했던 것이다.

생쥐스트는 루이 16세의 처형에 대한 그의 최초의 국민회의 연설에서 "나는 중간지대는 없다고 본다. 즉 이 사람은 통치를 하든가 아니면 죽어야만 한다"[273]고 했다. 그들의 '공포정치'는 이처럼 오직 하나의 길일 수밖에 없는 선의 구현에 철저히 순응하라는 강압이었던 것이다. '공포정치'의 상징인 단두대는 하나의 길을 고집하기 위해, 아니 평등과 자유라는 추상적이고 비인격적인 원리의 구현을 위해 구체적이고 주체적 개인을 희생시키기 위한 것이었다. 이 단두대는 선이나 정의의 기준은 한치의 타협도 용납하지 않는, 즉 '중간지대'가 존재하지 않는 '기계적'인 것임을 상징한다. 퓌레는 "로베스피에르는 불멸의 인물이다. 이는 그가 몇 개월 동안 최고의 지도자로서 프랑스 혁명을 이끌었기 때문이 아니라,

---

271) Thomas Crow, *Emulation* (New Haven: Yale UP, 1995), 177쪽.
272) Cornelius Castoriadis, *World in Fragments: Writings on Politics, Society, Psychoanalysis, and the Fragmentation*, David Ames Curtis 역 (Stanford: Stanford UP, 1997), 70쪽.
273) Saint-Juste, "Discours concernant le Jugement de Louis XVI," *Œuvres choisies* (Paris: Gallimard-Idees Poche, 1968), 78쪽. Peter Brooks, 앞의 책, Body Work, 56쪽에서 재인용. 피터 브룩스, 앞의 책, 『육체와 예술』, 120쪽에서 재인용.

그가 그 혁명의 가장 순수하고 가장 비극적인 담론의 대변자였기 때문"이라고 지적했다.[274] 그렇다면 스스로를 로베스피에르와 동일시했던 다비드의 예술작품들도 이러한 '비극적인 담론'의 반영일 것이다.

「마라의 죽음」이 보여주듯이, 마라라는 한 개인의 죽음은 집단 혁명의 이념을 위해 거룩한 죽음이 되어야만 했다. 한 개인으로서 겪는 고통은 철저히 제거되어야만 했던 것이다. 그의 예술에는 개인적 영혼이나 아픔들이 존재할 수 없었다. 혁명정신에 부합하는 '기계적인' 표현만이 존재할 뿐이었다. 그들의 혁명은 "오직 담론적 사건"[275]이었고, 그들의 혁명정신은 "초월을 동경했지만, 너무나 비형이상학적이었다."[276] 혁명가 다비드의 예술은 인간들의 가장 깊은 내면의 목소리, 영혼의 고통과 불안에 대해 어떠한 대답도 제시할 수 없었다. 마라가 눈을 감고 있는 것은 어쩌면 이 때문일지도 모른다. 혁명을 위해 기계가 되어버린 한 혁명가는 오직 한 길만을 보기 위해 눈을 감아버렸는지도 모른다. 감은 눈에서 한 개인으로서 마라의 영혼의 아픔을 전하는 흔적을 찾기란 불가능하다. 그것은 차라리 혁명정신이 요구하면서 그것에 부합하는 '기계적인 눈'에 더 가깝다. 이러한 다비드의 그림은 개인의 가치라는 기치를 높이 들어올렸지만, 오히려 그 속에서 구체적인 개성을 상실한 채 하나의 이념적 추상체로 전락하고 만 '근대적' 개인의 또 다른 운명의 전주곡이었다.

현실에서 내면으로

실패를 예고한 것처럼 혁명이 점점 폭력적으로 변해감에 따라 그것을

---

274) François Furet, *Interpreting the French Revolution*, Elborg Forster 역 (Cambridge: Cambridge UP, 1981), 61쪽. 이와 연관하여 로베스피에르를 살펴보려면 같은 저자, 같은 책, 46~79쪽을 볼 것.

275) Patrice Higonnet, *Goodness Beyond Virtue: Jacobins During the French Revolution* (Cambridge/M.A.: Harvard UP, 1998), 223쪽.

276) Patrice Higonnet, 같은 책, 239쪽.

대변하는 이미지도 변하게 된다. 초기의 암흑을 몰아내는 "떠오르는 태양의 이미지, 더러움을 씻어내는 불의 이미지"는 1800년경에 이르러 "파괴의 창녀, 파괴의 짐승들의 이미지"로 변모한다.[277] 프랑스 혁명의 실패와 그후의 정황들은 유럽의 지식인들, 특히 낭만주의 시인들에게 이 현실세계에서 자신의 이상을 실현하는 것은 불가능하다는, 또는 이상적인 시도는 모두 실패할 수밖에 없다는 환멸감을 심어주었고, 그러한 환멸감은 그들을 자신의 내면세계로 도피하도록, 오히려 자신의 내면세계에만 충실하도록 내몰았다.

루카치는 이러한 경향을 '환멸의 낭만주의'라고 했지만, 헤겔은 "낭만주의 예술의 진정한 내용을 '절대적 내면성'으로 규정하고, 그에 상응하는 형식을 자율성과 자유를 포착하는 '영적인 주관성'이라 특징지었다."[278] 그들에게는 "자기 자신이 단 하나의 진정한 현실, 즉 세계의 본질[279]이었다. 따라서 그들에게 이 현실세계는 주관성의 무대에 비친 그림자에 불과했다. 즉 공포정치가 초래한 역사의 악몽과 혁명적 이상의 실패가 그들로 하여금 좌절의 역사의 현장인 현실세계가 아니라 내면적 현실이나 주관성을 개인의 가치를 표상하는 절대기준으로 삼게 했던 것이다. 낭만주의와 더불어 그렇게 미적 자율성의 시대, 예술시대가 시작되었던 것이다."[280]

그러나 이렇게 낭만주의 시인들이 내면으로 도피하는 것을 단순히 혁

---

277) Carl Woodring, *Politics in English Romantic Poetry* (Cambridge/M.A.: Harvard UP, 1970), 47쪽.
278) 임철규, 졸고, 앞의 글 「낭만주의와 유토피아」, 앞의 책, 『왜 유토피아인가』, 355쪽.
279) Georg Lukács, *The Theory of the Novel: A Historico-Philosophical Essay on the Forms of Great Epic Literature*, Anna Bostock 역 (Cambridge/ M.A.: MIT Press, 1971), 112쪽. 게오르크 루카치, 『소설의 이론』, 반성완 역 (서울: 심설당, 1985), 146쪽.
280) Klaus L. Berghahn, "From Classicist to Classical Literary Criticism, 1730~ 1806"(John R. Blazek 역), Peter Uwe Hohendahl 편, *A History of German Literary Criticism, 1730~1980* (Lincoln: U of Nebraska Press, 1988), 78쪽.

명의 실패 때문이라고만은 할 수 없다. 왜냐하면 "낭만주의는 본질적으로 자본주의사회에서 살아가는 삶의 방식에 대한 반동"이었기 때문이다. 낭만주의는 "근대성에 대한 비판, 즉 과거(전자본주의적, 전근대적 과거)에서 연유한 가치와 이상의 이름으로 근대자본주의 문명에 대한 비판을 표상한다."[281] 여기서 근대성은 베버가 지적했듯이, 계산적인 사고, 탈마법화(탈신비화), 도구적 합리성, 관료제 등을 특징으로 한다.[282] 그것은 또한 루카치가 자본주의사회의 특징으로 꼽은 '사물화'[283]를 특징으로 한다. 즉 근대성은 곧 '자본주의 정신'의 도래와 불가분의 관계를 가졌던 것이다. 낭만주의 시인들은 이러한 자본주의 정신에 함몰된 인간의 영혼을 과거의 진정한 가치의 '고향'에서 추방당한 상태에 있는 것이라고 보았다. 헤겔에게 철학의 목적은 우리로 하여금 세계와 화해하도록 하는 것, 말하자면 "현재의 십자가 가운데서 장미를 보게 하는 것"[284]이었지만, 낭만주의 시인들에게 세계는 그들이 화해할 '고향'이 아니었다. 하우저에 따르면 실향성과 고립의 감정이야말로 초기 19세기 낭만주의자들의 근본적인 경험이었다.[285]

상실감은 동경의 대상을 상정하게 하며, 그러한 동경은 때로는 과거로 때로는 미래로 향하는 유토피아적 비전으로 나타난다. 그러나 대부분의

---

281) Michael Löwy와 Robert Sayre 공저, *Romanticism Against the Tide of Modernity*, Catherine Porter 역 (Durham: Duke UP, 2001), 17쪽.

282) Max Weber, "Science as a Vocation(1919)," *Sociological Writings*, Hans H. Gerth와 C. Wright Mills 공역, Wolf Heydebrand 편 (New York: Continuum, 1994), 302쪽.

283) 이 용어에 관해서는 임철규, 졸고 「루카치와 황금시대」, 앞의 책, 『왜 유토피아인가』, 223~231쪽을 볼 것.

284) G. W. F. Hegel, *Grundlinien der Philosophie des Rechts* (1821) (Frankfurt: Suhrkamp, 1970), 26~27쪽. Charles Larmore, *The Romantic Legacy* (New York: Columbia UP, 1996), 71~72쪽에서 재인용.

285) 아르놀트 하우저, 『문학과 예술의 사회사 3 – 로꼬꼬, 고전주의, 낭만주의』, 염무웅 · 반성완 공역 (서울: 창작과비평사, 1999), 226~228쪽.

낭만주의자들이 동경한 유토피아는 과거 지향적인 도피의 유토피아였다. 사물화나 소외 현상이 존재하지 않았던 과거의 사회가 그들이 다시 찾고자 하는 '고향'이 되었고, 과거의 사회들은 그들의 '고향'이 되기 위해 그들의 관념 속에서 이상화되어야만 했다. 따라서 그들에 의해 중세, 고대 아테네, 고대 예루살렘, 원시공동체 등이 사랑과 의무의 윤리, 공동체의식이 살아 있었던 이상적인 과거로 각색되었던 것이다. 한편 자본주의사회의 타락, "도시가 표상하는 근대화 위기"에서 떠나 있는 '자연'도 근대성의 안티테제로서 그들의 이상화된 대상, 즉 "근대적 시간과 역사 밖에 있는" 선험적 '고향'이 되었다.[286]

그들이 경험한 프랑스 혁명과 자본주의사회의 근대성에 대한 환멸로 인해 자신들이 유일한 현실로 규정한 내면성이나 주관성으로 도피한 낭만주의 시인들에게 예술에서 유일한 창조적 능력은 상상력이었다. 그들에게 상상력은 여러 정신능력 가운데 하나가 아니라, 바로 정신의 본질이었다. 그들에게 "진리는 발견되는 것이 아니라 오히려 창조되는 것"[287]이었으며, 이러한 진리를 창조하는 역할을 하는 것이 바로 상상력이었다. 따라서 그들은 이성이 아니라 상상력이 인간의 가장 중요한 능력이라고 보았고, 그들 "특유의 시적 상상력"을 "자기의 중심"으로 삼았다.[288] 이러한 상상력을 통해 동경의 대상을 창조하고 이를 절대 가치로 이상화했던 것이다. 제5장에서 논의했듯이, 시각중심적인 서구 사유의 전통에 최초로, 그것도 대대적인 방식으로 도전했던 것이 낭만주의였

---

286) Saree Makdisi, *Romantic Imperialism: Universal Empire and the Culture of Modernity* (Cambridge: Cambridge UP, 1998), 25쪽, 14쪽.
287) Richard Rorty, *Contingency, Irony, and Solidarity* (Cambridge: Cambridge UP, 1989), 7쪽. 낭만주의 시인 블레이크의 경우를 인용하면서 Rorty와 같은 입장을 취한 Cornelius Castoriadis, *World in Fragments: Writing on Politics, Society, Psychoanalysis, and the Imagination*, David Ames Curtis 역 (Stanford: Stanford UP, 1997), 373쪽을 볼 것.
288) Richard Rorty, 같은 책, 30쪽.

다.[289] 워즈워스는 상상력을 '내면으로 향하는 눈'이라 했고, 블레이크는 상상력을 '내면으로 향하는 불멸의 눈'이라고 했다. 그들은 이 내면의 눈인 상상력에 절대적인 가치를 부여했으므로 이성의 도구인 시각에 상상력과 동일한 가치를 부여할 수 없었다.

앞에서도 지적했듯이 베버는 근대성의 특징 가운데 하나로 '도구적 합리성'을 꼽았다. 이 합리성을 보편성, 객관성과 더불어 계몽주의철학의 핵심적인 원리로 받아들인 어느 역사 학자는 낭만주의를 이러한 계몽주의의 원리를 거부하는 반계몽주의 운동이라고 주장했지만,[290] 그렇다고 해서 낭만주의의 상상력이 비합리성을 의미하는 것은 아니다. 오히려 상상력은 계몽주의의 가장 기본 특징인 이성적 사유와 이성 능력의 산물인 추상적 합리주의를 거부한 창조적인 예술의 힘이라고 보아야 할 것이다. 테일러는 낭만주의가 "계몽주의적 이성에서 인간을 해방시키는 것을 존재이유로 삼는다"[291]고 주장했다.

규격의 세계, 논리의 세계인 이성의 '눈'의 안티테제가 '내면의 눈'인 상상력이다. 이러한 상상력을 통해 고유의 예술세계를 창조하고 이를 수단으로 "역사와 문화의 파멸에서 인간을 해방시킬 수 있다는" 그리고 "상상력과 시를 통해 누구든 이러한 세계(역사적 현실)에서 도피할 수 있다"는 낭만주의 시인들의 "엄청난 환상"은 마르크스와 엥겔스가 예리하게 비판했던 '독일 이데올로기'와 마찬가지로 엄청난 '허위의식'일 수도 있다.[292] 마르크스가 지적했듯이 "해방은 역사적 행위이지 정신적 행위가 아니기 때문이다."[293] 그런데도 낭만주의 시인들은 자본주의사회의 '도구적 이성'의 수단으로 전락한, 워즈워스의 표현에 따르자면 '폭군적

289) 제4장의 「낭만주의」 항목을 볼 것.
290) Isaiah Berlin, "The Counter-Enlightenment," *Against the Current: Essays in the History of Ideas* (Oxford: Oxford UP, 1979), 6~20쪽을 볼 것.
291) Charles Taylor, 앞의 책, 116쪽.
292) Jerome McGann, *The Romantic Ideology: A Critical Investigation* (Chicago: U of Chicago Press, 1983), 137쪽, 101쪽, 131쪽.

감각'인 시각을 참을 수가 없었다. 그들이 상상력을 인간의 핵심적인 능력으로 평가한 것은 이성 자체와 동일시되는 시각의 이러한 도구성에 대한 불신 때문이었다. 자신들의 영혼이 점차 도구적 이성에 매몰당하는 위협을 참을 수 없었기 때문에 '절대적 내면성'이나 주관성으로 돌아갈 수밖에 없었던 것이다. 이 내면성에 이르는 길을 제공한 것이 바로 상상력이었다. 블레이크는 시인뿐만 아니라 낭만주의를 대표하는 화가로서 척박했던 낭만주의의 화단에 자존(自尊)의 불을 밝혔던 진정한 상상력의 사도였다.

18세기 말에서 19세기 중반까지 주도했던 문예사조가 낭만주의였다면, 19세기 후반을 주도했던 문예사조는 리얼리즘이었다. 리얼리즘을 대표하는, 아니 리얼리즘 고유의 장르가 소설이었다면, 낭만주의를 대표하는, 아니 낭만주의의 고유한 장르는 시였다. 낭만주의시대는 시의 절대 우위 시대였다. 「민중을 이끄는 자유의 여신」(1830)을 통해 프랑스 혁명의 열기를 박진감 있게 전했던 들라크루아와 「메두사호의 뗏목」(1819)을 통해 비극적인 집단 참사를 표현했던 제리코와 같은 화가들이 있기는 했지만, 동시대 낭만주의 시인들의 위상과 비교할 때 그들의 예술사적 자취는 너무나 초라한 것이었다.

들라크루아는 "정열과 역동적인 긴박감에 넘치는 광경"을 보여주기도 하고, "권태와 이국풍"의 세밀한 정경을 보여주기도 했지만,[294] 대표작 「알제리의 여인들」(1834)에 나타나듯이 19세기 초와 말에 등장한 낭만주의적 감수성의 독특한 특징인 이국풍의 취미가 그의 화풍의 성격을 규정하는 가장 주된 특징이었다. 프랑스 혁명과 자본주의적 근대성이 가져다 준 환멸에 상처받은 영혼을 치유하기 위해 내면 또는 자신만의 주관으로 도피한 낭만주의 시인들과 달리, 낭만주의 화가들은 그들 영

---

293) Karl Marx, "The German Ideology," Karl Marx와 Friedrich Engels 공저, *Collected Works* (New York: International Publishers, 1975), V: 38쪽.
294) 마리오 프라즈, 앞의 책, 165쪽.

혼의 찢겨진 모습을 드러내줄 구체적인 아니마(anima)를 찾지 못했던 것 같다.

따라서 내면의 실존적 불안, 억압된 무의식의 불안을 표현할 문학적 이미지가 요구되었을 때, 초상화의 눈을 통해 이를 표출한 18세기 말의 고딕 소설(가령 머추린[Charles Maturin]의 『방랑자 멜모드』(1820))과는 달리, 낭만주의 화가들은 내면성이나 주관성에 대한 깊은 인식을 보여주지 못했다. 숱한 얼굴들의 표정을 통해 이성의 이면에 자리한 인간의 광기와 야수성을 보여준 고야의 경우는 그들과 다르지만, 대부분의 낭만주의 화가들의 작품들에서 초상화를 찾아보기 힘들다는 점이 이를 반증한다. 그러나 블레이크의 작품세계는 그들과 달랐다.

위대한 낭만주의 시인의 한 사람으로 평가받기 이전에 이미 한 사람의 훌륭한 화가였던 블레이크는 시적 상상력을 통해 그의 예술적 비전을 유감없이 발휘했다. '묵시'(vision) 문학의 전범을 보여준 그가 기존의 전통적인 기독교 이미지나 이념을 전복시킨 실례는 수없이 많다. 그의 상상력은 '최후의 심판'을 "디오니소스적 축제"로 바꿔놓고, "구원은 황홀경 속에서, 황홀경으로 온다는 것"을 보여주었다.[295] 그가 남긴 많은 그림 가운데 특히 우리의 시선을 끄는 작품 가운데 하나는 「아담을 창조하는 엘로힘」(1795)이다.

엘로힘은 『구약』에서 신을 지칭하는 여러 이름 가운데 하나인데, 블레이크에 이 신은 인간을 심판하는 복수(復讐)의 신의 속성을 가진 존재다. 이 그림에서 날개와 수염을 달고 등장한 엘로힘, 즉 여호와는 첫 5일 동안의 창조 작업에 지친 듯 피곤한 표정을 하고 있다. 이제 인간 아담을 창조한 그는 긴장되고 지친 표정으로 아담의 머리를 쓰다듬으며, 왼손에는 진흙 덩어리를 쥐고 있다. 한편 아담의 눈과 얼굴은 공포에 질렸으며,

---

295) Jerome McGann, "The Failures of Romanticism," Tilottama Rajan과 Julia M. Wright 공편, *Romanticism, History, and the Possibilities of Genre: Reforming Literature 1789~1837* (Cambridge: Cambridge UP, 1998), 272쪽.

뱀이 그의 몸 전체를 감고 있다. 기독교의 전통적인 창조신화 이미지는 여지없이 전복되며, 마치 이 그림은 "폭군적인 여호와"의 "기이한 성행위, 동성애적이고 사디즘-마조히즘적인 성행위를 보여주는 것처럼"[296] 보인다. 여기서 여호와는 남성적 폭력성의 표상으로 부각된 것이다.

신에 대한 그의 급진적 태도는 "모든 신은 인간의 마음 속에 거한다"[297]는 주장에서 잘 나타나는데, 이러한 전복성이 신의 문제에만 국한되는 것은 아니다. 이성을 사탄의 표상인 뱀과 동일시한다는 점에서 그의 전복성은 좀더 유별나게 보인다. 블레이크의 그림들에는 「아담을 창조하는 엘로힘」에서처럼 유례를 찾아볼 수 없을 정도로 인간의 몸을 휘감는 뱀의 장면들이 자주 등장한다. 가령 「뱀이 유혹하는 아담」(1799년경~1800), 「이브를 취하는 환희의 사탄」(1795), 「이브의 유혹과 타락」(1808), 「욥의 악몽」(1821), 「유럽」의 속표지(1794), 「십자가 처형을 예언하는 미카엘」(1808) 등의 그림이 그러하다.

톰슨은 윌리엄 블레이크가 기독교의 한 지하 종파의 지도자였던 머글턴(Ludowick Muggleton, 1609~98)의 사상에 깊은 영향을 받았다고 한다.[298] 머글턴주의자들에 따르면 사탄은 이성의 신이었다. 인간의 내면에는 이성과 신앙이 존재하는데, 이 가운데 이성은 다투고 강탈하고 죽이는 것을 본질로 한다는 것이다. 머글턴은 "항상 신을 모독하고, 신에 대항하고, 또한 정의롭고 올바른 자들을 박해하고 죽이는 것은 이성의 정신이다. 왜냐하면 신은 악마인 이성의 숭배를 받아들이지 않기 때문이다"라고 했다. 머글턴주의자들이 즐겨 부른 노래들의 주제도 이성에 대한 혐오였다. 블레이크는 이러한 머글턴의 입장에서 이성을 사탄의 원리

---

296) Camille Paglia, 앞의 책, 286쪽.
297) William Blake, *The Marriage of Heaven and Hell, Complete Writings*, Geoffrey Keynes 편 (Oxford: Oxford UP, 1966), 153쪽.
298) E. P. Thompson, "A Peculiar People," *Witness Against the Beast: William Blake and the Moral Law* (Cambridge: Cambridge UP, 1993), 65~105쪽을 참조할 것.

와 동일시했다.[299]

오만, 음욕이나 불복종이 아니라 이성을 사탄-뱀과 동일시한 블레이크는 그의 시 「밀턴」과 「예루살렘」에서 '이성의 힘'은 시와 상상력과 반목하는 것이라고 노래했다. 우리는 제5장에서 블레이크가 그의 장시 「예루살렘」에서 "나는 나의 위대한 과업으로부터 휴식하지 않노라. 그 과업이란 인간이 내면으로 향하는 불멸의 눈을 열어 사유의 세계, 즉 영원을 꿰뚫어보는 것"이라고 노래한 것과, 임종이 가까울 무렵 지인에게 보낸 편지에서 '진정한 인간은 상상력'이라고 했던 것을 소개했다. 여기서 '불멸의 눈'이란 곧 상상력이며, 블레이크에게 상상력은 종종 예수와 동일시된다(「예루살렘」 V.58~59).[300]

한편 그에게 뱀은 악마, 위선, 자연 그 자체, 에너지, 욕망, 남근의 힘 등 여러 가지를 상징하는 것이지만, 무엇보다도 그것은 이성을 상징하는 것이었다. 그의 그림들에서 인간의 몸을 휘감는 뱀들은 곧 인간을 숨 막히게 할 정도로 구속하는 이성인 것이다. 그는 '과학적 이성'을 대표하는 베이컨과 뉴턴 그리고 로크를 '무신론, 즉 사탄의 교리를 대표하는 세 명의 위대한 지도자'라고 했다.[301] "정의상 사탄은 이성(ratio)의 세계에 속한다."[302] 이런 점에서 볼 때, 낭만주의는 본질적으로 계몽주의의 이성에 대한 반동이었다 해도 무방할 것이다. 계몽주의의 가장 기본적인 특징이 이성적 사유와 이성의 능력에 대한 믿음에 있었다면, 낭만주의 시인들은 이에 대한 안티테제로 상상력을 상정했던 것이다.

아담의 몸을 휘감는 뱀처럼 인간의 사유를 '휘감아' 규격의 틀 속에 감

---

299) E. P. Thompson, 같은 책, 94쪽.

300) 제5장 160쪽을 참조할 것.

301) 로크에 대한 블레이크의 불신은 더 강했다. 이에 대해서는 Ian Balfour, *The Rhetoric of Romantic Prophecy* (Stanford: Stanford UP, 2002), 134~135쪽을 참조할 것.

302) Kathleen Raine, *Blake and Tradition* (London: Routledge and Kegan Paul, 2002), II: 169쪽.

금시키려는 이성의 횡포에 도전했던 낭만주의 시인들은, 상상력을 통해 계몽주의 이성의 세계를 대변하는 감각인 시각이 규정한 규격의 세계, 논리의 세계를 뒤흔들어놓았던 것이다. 진리는 상상력을 통해 창조된다는 것이 낭만주의 시인들이 지닌 기본 신념이었다. 블레이크는 장시 『천국과 지옥의 결혼』에서 "지금 입증되고 있는 것은 한때 상상했던 것"(「지옥의 잠언」의 잠언 33)이라고 노래했다. 그는 상상력을 예수와, 아니 신과 동일시하고, 이성을 사탄-뱀과 동일시함으로써 자신의 '체계'를 창조했으며, 「예루살렘」에서 "나는 하나의 체계를 창조하지 않으면 안 된다. 아니면 또 다른 사람의 체계에 예속화될 수밖에 없다"(금속판화 10, 20행)라고 노래했다. 블레이크의 글에서 처음부터 마지막까지 지속된 "비관습적인 신학 개념"이 있다면, 그것은 바로 "신 또는 예수를 인간의 상상력과 동일시한 것"[303]이었다. 이는 일면 초월적 존재인 예수를 부인하는 것으로 읽힐 수 있다. 그는 자신의 상상력을 통해 예속화에서부터 예수를, 아니 자신을 해방시켰던 것인지도 모른다. 로티는 블레이크와 같은 이러한 낭만주의 시인들을 하이데거의 용어를 빌려 "진정한 인간 존재"(authentic Dasein)라고 했다.[304]

일반적으로 15세기 이전은 중세시대, 16~17세기는 르네상스 시대, 18세기는 계몽주의 또는 이성의 시대, 20세기는 모더니즘의 시대, 21세기는 포스트모더니즘의 시대로 분류된다. 그러나 유독 19세기만은 그것을 하나의 시대로 규정할 이름을 가지지 않는다. 19세기 초의 예술, 과학, 철학, 역사 그 모두가 프랑스 혁명의 경험을 이해하려는 "공통적인 노력"을 기울였고[305], 이후에는 산업혁명의 경험을 공유했는데도 19세기는 스스

---

303) Robert Ryan, "Blake and Religion," *The Cambridge Companion to William Blake*, Morris Eaves 편 (Cambridge: Cambridge UP, 2003), 162쪽.

304) Richard Rorty, 앞의 책, *Contingency, Irony, and Solidarity*, 109쪽.

305) Hayden White, *Tropics of Discourse: Essays in Cultural Criticism*

로를 규정할 시대명을 가지지 못했다.

그런데도 이러한 19세기를 관통한 지배적이고 지속적인 사유의 흐름을 꼽아야 한다면, 그것은 형이상학적 관념론과 실증주의, 포이어바흐와 마르크스의 유물론이 되어야 할 것이다. 물론 이들의 근본적인 철학체계가 서로 대립되는 것은 사실이지만, 그것들이 '역사주의'(물론 니체는 종교보다 역사를 더 증오했지만)라는 이름 아래 하나로 수렴될 수 있다는 것도 사실이다. 이러한 '역사주의' 이면에는 자기실현, 즉 신과 같은 존재가 되기 위해 노력하는 인간존재의 철저한 자기신뢰가 자리잡고 있었다. 이는 어떤 의미에서 18세기의 인간예찬의 연장이기도 하지만, 사실 칸트에서 헤겔에 이르는 사유의 흐름 자체가 근본적으로 신과 같은 존재로서 인간의 자기실현이라는 개념을 중심으로 전개되어왔다는 점을 간과해서는 안 된다.[306] 자기 자신을 신과 같은 존재로 인식하고 절대적 자아를 실현하고자 한 인간의 이미지는, 일찍이 괴테의 『파우스트』에서 강렬함이 더해진 낭만주의를 거쳐 카뮈가 진단한 대로 절대 '무한'으로 향하려는 욕망으로 가득 찬 현대인까지 이어진다. 이런 점에서 본다면 19세기는 니체적인 신의 죽음까지는 아니더라도 많은 사람이 신의 부재(不在)를 경험했던, 말하자면 전통적인 신의 위광(威光)이 사라져갔던, 세속화의 절정기라고 할 수 있을 것이다.

니체는 "신에게서 더 이상 위대한 것을 찾지 못하는 자는 이를 어디서도 찾을 수 없다. 그는 이를 부정하거나 아니면 창조해야만 한다"[307]고 했다. 니체라는 존재 또는 그의 사유 전체의 역설을 보여주는 듯한 이러한 발언에는 사실 르네상스 이래의 인간들, 즉 근대적 인간 존재의 비극

(Baltimore: John Hopkins UP, 1978), 42쪽.

306) 계몽주의와 낭만주의가 '역사주의'와 어떤 관계를 맺는가에 대해서는 임철규, 졸고, 「낭만주의와 유토피아」, 앞의 책, 『왜 유토피아인가』, 337~344쪽을 볼 것.

307) Friedrich Nietzsche, *Gesammelte Werke, Musarionausgabe* (Munich: Musarion Verlag, 1920~29), XVI: 80쪽. 이후 GW로 표기함.

적인 역설이 그대로 반영되어 있다. 19세기 후반의 리얼리즘과 인상주의가 인간의 관심을 잠시 내면에서 외부로 돌려놓기는 했지만, 20세기의 모더니즘과 그후의 동향은 여전히 인간 내면의 세계에 천착하기 때문이다. 이런 점에서 니체가 명명한 '허무주의'는 여전히 진실성을 유지한다. 그는 "이 지상에 결코 감행되어본 적이 없는 그런 전쟁들이 있을 것이다"[308]라면서 "무서운 일들이 벌어질 것"이라 "예견했다." 그리고 그가 예견한 무서운 일들이란 "도처에 카오스. 가치 있는 것은 아무것도 남아 있지 않는 상태. 명령하는 것은 허무뿐……"[309]인 상태였다.

반 고흐는 니체가 진단한 허무주의를 선점한 예술가였다. 그는 마네, 모네, 피사로 등의 전기 인상주의 화가들, 세잔, 드가 등과 같은 후기 인상주의 화가들이 통찰하지 못했던 묵시적 비전을 철저하게 재현한 화가였다. 리얼리즘 계통의 쿠르베, 인상주의의 마네와 모네 등은 밖으로 드러난 현실, 즉 물리적 표면을 강조하고, 표면을 재현했다는 점에서 문학에서 자연주의와 같은 노선을 취했다. 인상주의는 화가가 직접 본 대상을 재현했다는 점에서, 즉 물리적 대상이 포착된 순간의 '인상'을 있는 그대로 재현했다는 점에서 "시각적 리얼리즘"[310]에 가장 걸맞는 예술 장르였다. 이러한 재현대상은 해변, 시골농장, 교회, 공원, 도시거리, 과일 등과 같은 물리적 대상, 야유회, 연주회, 경마, 카페 정경 등과 같은 일상의 단편들이었다. 이는 춤추는 여인들, 나체의 여인들을 재현의 대상으로 삼았던 드가나 자연의 대상들을 주된 재현의 대상으로 삼았던 세잔의 경우에도 그대로 적용된다. 세잔의 경우에는 초상화나 자화상들 가운데 무언가를 꿰뚫어보려는 듯한 날카로운 눈빛과 긴장에 찬 진지한 표정을 보여준 작품들이 더러 있지만, 대부분의 화가들의 경우 영혼이나 개성의

---

308) Friedrich Nietzsche, *GW* XXI: 227쪽.
309) Friedrich Nietzsche, *GW* XIV: 121쪽.
310) Michael Fried, *Manet's Modernism: or the Face of Painting in the 1860s* (Chicago: U of Chicago Press, 1996), 394쪽, 407~415쪽.

지표(指標)를 상징하는 자화상이나 초상화를 그린 적이 없었다. 마네가 그린 초상화의 경우에는 얼굴의 윤곽만이 희미하게 드러날 뿐이다. 가령 자살자의 모습을 그린 마네의 그림에는 전체적인 자살의 몸짓만 있을 뿐 자살한 이의 얼굴은 전혀 부각되지 않고 있다. 물론 그 몸짓에서 그의 고통을 읽을 수도 있겠지만, 무엇보다도 그의 영혼의 아픔을 읽을 수 있는 눈이 보이지 않는다.

그들의 풍경화에서도 인간은 자연의 한 배경, 도시 속의 군중으로 자리할 뿐이다. "대도시 군중의 화가"[311]라 불리는 마네와 모네는 산업혁명 이후의 도시생활의 다양한 변화를 그들의 화폭에 담았는데, 근대성의 특징들 가운데 하나인 '도시화'의 산물인, 이른바 '도시 소요자(逍遙者, flâneur)'들의 모습, 즉 그들이 카페에 드나들고 여유롭게 거리나 공원을 산책하는 모습을 담아내긴 했지만, 동시대 문학에서 리얼리즘 작가들이 치열하게 보여주었던 근대 산업화의 모순과 문제점을 간파하지는 못했다.

바흐친도 이야기했듯이 소설은 근대성의 특징인 도시화의 산물이다. 오직 자본주의 시대에만 가능한 장르였다는 점에서 19세기 소설은 각지에서 도시로 모여든 여러 계층의 '다양한 목소리'(바흐친의 용어를 빌리면)를, 그들의 다양한 이데올로기를, 그리고 그 목소리, 그 이데올로기가 기존의 목소리, 기존의 이데올로기와 상충하고, 갈등하는 가운데 초래된 여러 사회 모순, 불안, 한계 등을 재현한 '도시'예술이었다. 반면 인상주의 화가들의 도시는 '도시 소요자들'의 도시였다.

그러나 반 고흐는 그들과 달랐다. 반 고흐의 「농부의 신발」은 당시의 농촌의 가난과 고통을 그대로 보여준다. 사실 그 그림에 재현된 것은 낡고 비틀린 가죽신발 한 켤레뿐이다. 그러나 그 신발 한 켤레가 도시화의

---

311) Christoph Asendorf, *Batteries of Life: On the History of Things and Their Perception in Modernity*, Don Reneau 역 (Berkeley: U of California Press, 1993), 93쪽.

여파로 황폐화되어가는 농촌의 상황과 그로 인한 농부들의 소외와 아픔을 그대로 전해준다. 부상하는 도시의 가치가 농촌의 가치를 폐기시키고 있는 시대적 아픔을 그대로 전해준다. 제임슨은 이 그림에서 아노미와 소외의 고통을 극복하고자 한 반 고흐의 '유토피아적' 비전을 읽을 수 있다고 주장했다.[312] 그러나 그만의 예술적 비전, 다른 인상주의 화가들과의 차이가 더 선명하게 드러난 경우는 그의 여러 「자화상」과 그가 자살하기 직전에 그린 「까마귀가 나는 밀밭」(1890)을 통해서다.

"근대 후기의 가장 신성한 화가"[313]인 반 고흐는 렘브란트 이래, 가장 위대한 자화상들을 남긴 화가였다. 광기, 자기위해, 끝내 자살로 일생을 마무리한 그는 자살하기 직전에 아마도 그의 가장 위대한 작품이라 부를 수 있는 「까마귀가 나는 밀밭」을 그렸다. 하늘을 뒤덮은 시커먼 구름은 금방이라도 비를 뿌릴 듯 요동을 치고, 그 아래에는 황금빛의 밀밭이 환희의 춤을 추며, 그 사이에 떠 있는 두 무리의 흰 구름은 그들을 삼키려는 검은 구름들의 위협에 그들의 마지막을 예견하는 듯 몸을 떨고 있다. 그리고 조만간 닥칠 파국을 예고하는 듯 검은 까마귀들이 밀밭으로 떼를 지어 날아오르고 있다. 우리는 그 그림을 이런 불길한 이미지로 읽는다.

반 고흐에게 "대상은 온전한 정신의 상징이자 담보물이었다."[314] 1889

---

312) Fredric Jameson, *Postmodernism, or, The Cultural Logic of Late Capitalism* (Durham: Duke UP, 1991), 7쪽. 그리고 반 고흐의 유토피아적 비전을 "반도시적, 반자본주의적, 공산-사회주의적"이라 규정하는 Carol Zemel, *Van Gogh's Progress: Utopia, Modernity, and Late Nineteenth-Century Art* (Berkeley: U of California Press, 1997), 2쪽. 그리고 2~9쪽 등을 볼 것.

313) Thomas J. J. Altizer, "Van Gogh's Eyes," *Hermeneutic Philosophy of Science, Van Gogh's Eyes, and God*, Babette E. Babich 편 (Dordrecht: Kluwer Academic Publishers, 2002), 393쪽. 한 사람의 인간, 한 사람의 예술가로서의 반 고흐와 그의 예술세계를 격찬한 논평과 비평 등의 내용을 가장 포괄적으로 정리하고 분석한 책은 Nathalie Heinich, *The Glory of Van Gogh: An Anthropology of Admiration*, Paul Leduc Browne 역 (Princeton: Princeton UP, 1996)이다.

년에 반 고흐는 그의 동생 테오에게 그의 작품 「밀밭에서 수확하는 사람들」에 대해 설명하는 편지를 보낸 적이 있다. 태양이 작열하는 밀밭에서 낫을 휘두르며 밀을 수확하는 사람들에 대해 그는 "나는 밀을 수확하고 있는 이 사람들에게서…… 죽음의 이미지를 발견한다. 그가 베어들이는 밀이 바로 인류라는 의미에서 말이다…… 하지만 이 죽음 속에 슬픔은 없다"[315]고 말한다. 「까마귀가 나는 밀밭」에서 밀밭은 곧 파국이 밀어닥칠 것 같은 상황에서도 황금빛 머리카락을 휘날리며 환희의 춤을 춘다. 위협적인 하늘도, 불길한 까마귀도 그들의 생명의 춤을 멈추지 못하며, 멈추게 할 수도 없을 것 같다. 여기서 밀밭은 화가의 말 그대로 '바로 인류'일 수 있다. 아니, 종교적 견지에서 보면 "바로 신의 몸"[316]일 수도 있다. 반 고흐는 "자신을 기적적으로 나비의 몸으로 다시 태어난 초라한 풀쐐기에 비유했는데, 여기서 나비로 부활하는 것은 곧 그리스도의 부활을 상징하는 것이었다."[317]

밀밭의 그 춤은 그리스도의 몸으로 다시 태어난 인간의 부활의 환희 또는 "재생에 대한 그의 희망"[318]을 상징한 것일 수도 있다. 그러나 예술적인 견지에서 본다면 그 춤은 디오니소스의 춤일 수 있다. 디오니소스의 춤은 예술의 춤이기 때문이다. 따라서 밀밭은 반 고흐가 구원의 동인으로 추구한 예술 그 자체일 수 있다. 잘 알려져 있듯이 젊은 날에 반 고흐가 품었던 소망은 목사가 되는 것이었다. 소망이 좌절된 후 그림을 그

---

314) 마이어 샤피로, 『현대미술사론』, 김윤수, 방대원 공역 (서울: 까치사, 1989), 113쪽.

315) Vincent van Gogh, *The Letters of Vincent van Gogh*, Ronald de Leeuw 편, Arnold Pomerans 역 (London: Allen Lane, 1996), 451~452쪽.

316) Thomas J. J. Altizer, 앞의 글, 395쪽.

317) Albert J. Lubin, *Stranger on the Earth: A Psychological Biography of Vincent van Gogh* (New York: Holt, 1987), 18쪽.

318) Kathleen Powers Erickson, *At Eternity's Gate: the Spiritual Vision of Vincent van Gogh* (Michigan: Grand Rapids, 1998), 165쪽.

리기 시작했고, 이는 예술에서 구원을 찾기 위한 것이었다. 자살하기 직전의 이 그림은 파국에 직면했지만, 파국의 희생양이 되지 않는 예술가의 불멸성, 아니 그의 영혼인 예술의 불멸성을 상징하는 것이다. 우리는 일차적으로 이 그림을 이렇게 희망적으로 읽을 수 있다.

그러나 바로 한 해 전에 그린 그의 마지막 「자화상」(1889)을 보자. 이 그림에서 희망을 읽어내기란 힘들다. 이 자화상은 이전의 어떤 자화상들보다도 우리를 숨막히게 한다. 그는 40여 점의 자화상을 남기고 있는데, 초기의 한두 점을 제외하면, 거의 모든 자화상이 우리를 숨막히게 하는 것이 사실이다. 그는 항상 입을 굳게 다문 비장한 표정으로 정면을 응시하며, 정면을 응시한 그의 눈에서는 날카로움과 광기가 묻어난다. 그 가운데서도 1889년의 마지막 「자화상」에서 보인 그의 눈빛은 유독 신경질적이다. 마치 증오와 분노, 아니 냉소와 저주를 쏟아낸 듯하다.

그렇다면 이 증오와 분노, 이 냉소와 저주의 대상은 무엇인가. 그는 그가 광기의 "심연을 우수의 눈길로 응시한다"고 말했다.[319] 지금 우수가 아닌 차디찬 냉소와 저주의 눈길로 응시하는 심연은 무엇인가. 그것은 바로 죽음이다. 그에게 죽음은 적이었다. 이 1889년의 「자화상」은 그가 심연 그 자체인 죽음을, 부활을 전제로 하는 또 하나의 삶으로 받아들일 수 없었음을 보여준 것이다. 그러나 앞에서 살펴본 「까마귀가 나는 밀밭」의 경우는 달랐다. 거기서 그는 검은 구름, 불길한 까마귀, 곧 다가올 폭풍우의 이미지를 통해 죽음의 파국성을 받아들이면서도, 디오니소스의 춤을 추는 밀밭을 통해 죽음에 의한 예술의 패배, 예술적 삶의 궁극적 패배는 받아들이지 않았다. 반 고흐의 삶도 니체의 그것처럼 역설의 삶이었던 것이다. 그럼에도 여전히 남는 의문은 그렇다면 그는 왜 자살을 했는가다. 그가 그의 구원의 주체로 선택했던 예술이 언제나 그에게 커다란 적으로 다가왔던 죽음 앞에서 단지 '광기'의 춤에 불과했다는 것인가.

---

319) Albert J. Lubin, 같은 책, 22쪽에서 재인용.

다시 「까마귀가 나는 밀밭」 앞에 서보자. 그는 그 불길한 파국의 이미지를 통해 예술뿐만 아니라 문명 전체가 파국의 칼날 위에 위태롭게 서 있다고 말하는 듯하다. 밀밭의 춤은 생명의 춤의 단명성(短命性)을 역설적으로 보여주기 위해 그렇게 황금빛의 찬란한 춤을 미친 듯이 추는 것이다. 반 고흐는 블레이크와 마찬가지로, 아니 니체와 마찬가지로 예언과 '묵시'의 예술가였다. 그는 신의 위광, 그리고 인간다운 가치가 서서히 사라져가는 19세기 말의 허무한 문명의 바다에서 인간존재의 허무뿐만 아니라 '역사'의 허무, 문명의 '허무'를 예감한 철저한 허무주의자였다. 허무주의자의 춤은 허무의 가장 깊은 심연인 자살, 그 자살의 춤이 아니겠는가.

역사의 공포

나폴레옹은 정치는 운명이라고 했다. 그러나 역사야말로 운명일지도 모른다. 20세기를 경험한 현대인들에게는 더욱 그러할 것이다. 20세기는 세계대전, 대량학살, 강대국들의 침략과 독립 이후의 내전 등으로 점철된 시대였다. 그러한 구체적인 비극이 발발하기 이전부터 카프카 등의 '데카당스적' 모더니즘 문학을 통해 인간 실존의 형이상학적 불안이 노정(露呈)되어왔고, 회화에서는 특히 뭉크의 「절규」를 통해 적나라하게 표현되었다. 뭉크의 고백대로 그의 삶은 삶에 대한 불안과 공포의 연속이었다. 어린 나이에 경험한 어머니의 죽음, 누이를 포함한 가족들의 죽음, 아버지의 광기, 거기서 물려받은 자신의 광기와 우울증, 그리고 항상 그를 따라다닌 병마 등이 그의 삶, 그의 예술적 삶 전체를 지배했다. "나의 그림은 나의 일기"라고 했을 정도로 그의 예술은 바로 영혼의 거울이었던 것이다. 「우울」, 「절망」, 「병실에서의 죽음」, 「병든 아이」, 「지옥에서의 자화상」, 「죽음과 처녀」, 「죽음의 키스」, 「불안」, 「절규」 등등…… 작품들의 제목이 이를 반영한다. 광적 기질뿐만 아니라 예술이 그의 구원의 주체였다는 점에서도 그는 반 고흐를 닮았다. 인간 실존의 비극을 처절하게 인식했다는 점도 반 고흐와 공통점이었다고 할 수 있을 것이다.

1886년의 「자화상」, 「저승에서, 자화상」(1895), 1895년의 「자화상」, 그리고 「창가의 자화상」(1940~42) 등의 작품을 보면, 그는 불안과 공포에 가득 찬 눈으로 정면을 응시하거나, 좌절과 실의에 빠진 듯한 눈을 내리깔고 있다. 어떻게 보면 뭉크의 일생은 죽음에 대한 동경과 죽음에 대한 공포의 시소게임 같았다. 「죽음의 키스」(1899)와 「처녀와 죽음」(1894)은 그의 죽음에 대한 동경이 잘 드러난 작품이다. 「죽음의 키스」를 보면, 해골로 표현된 죽음이 젊은 여인에게 입을 맞추고 있고, 그 젊은 여인은 머리와 어깨만 보여주는 죽음에게 아무런 두려움 없이 기꺼이 사랑을 허락한다. 「처녀와 죽음」에서는 "속수무책인 소녀에게 가해진 죽음의 공격이 이 세상의 무가치와 허무를 뼈저리게 느끼게 한 같은 주제의 이전 작품들과는 달리, 열렬한 포옹을 나누는 한 쌍의 여인을 등장시키며, 관능적이고 아름다운 여인은 죽음의 포옹에 기꺼이 자신을 맡기고 있다."[320] 여기서 죽음은 공포의 대상이 아니라 육체적, 정신적 고통을 치유하는 사랑 또는 동경의 대상이 되고 있다.

그러나 그의 가장 유명한 작품들 가운데 하나인 「절규」(1893)에서는 사정이 다르다. 얼굴의 모습을 제대로 갖추지 않은 태아 형태의 인간이 다리 위에 서서 두 손으로 귀를 막은 채, 입을 크게 벌리고 절규를 내뱉고 있다. 얼굴은 거의 윤곽만 갖추고 있다. 눈, 코, 입의 정상적인 모습은 간데없고 단지 공포에 찢긴 '구멍'의 흔적으로 표현되고 있다. 하늘은 온통 핏빛으로 물들어 있고, 다리도 핏빛이 투영된 붉은 색깔의 잔영으로 얼룩져 있으며, 다리 밑 협만(峽灣)의 물결은 요동치고 있다. 그는 이 그림의 실제의 배경이 되는 협만에서 느낀 그의 경험에 대해 "구름은 마치

---

320) Eva Schuster 편, *Mensch und Tod: Graphiksammlung der Universität Düsseldorf* (Düsseldorf: Triltsch, 1989), 221쪽(주638). Karl S. Guthke, 앞의 책, 245쪽에서 재인용.

피처럼 붉게 물들어갔다…… 강력하고 무한한 절규가 대자연을 관통하는 것 같았다"[321]고 했다. 정면을 바라보며 절규하는 그 사람은 바로 뭉크 자신인 것이다. 뭉크는 그의 친구가 말했던 것처럼, 아니 그의 그림 「절망」(1892)의 제명 그대로, "절망은 그의 종교"[322]였다. 그에게 절망의 절규를 쏟아내게 한 공포의 정체는 무엇인가. 그것은 바로 죽음이다. 이제 죽음은 동경의 대상이 아니라 공포의 대상이다. 죽음은 날카로운 이빨을 드러내고 그를 삼키려 덤벼드는 흡혈귀다. 같은해 그가 그린 「흡혈귀」라는 제목 그대로 죽음은 그에게 흡혈귀의 이미지로 다가온다. 온통 핏빛으로 물들어 있는 하늘은 바로 이 흡혈귀의 출현을 예고한다.

이와 같은 죽음의 이미지는 한 해 전에 그린 「카를 요한 거리의 저녁」(1892)에도 등장한다. 이 그림에서 죽음은 인간의 모습을 하고 거리를 활보하고 있다. 머리에 높다란 창의 검은 왕관의 모자를 쓰고 그림의 정면을 향해 걸어오는 그는 "카오스 도시세계의 통치자"[323]로서 구름이 잔뜩 낀 어두운 도시, 적막한 저녁거리를 활보한다. 앙상한 얼굴에 움푹 팬 눈, 그 눈 속의 구멍 같은 동공은 해골의 모습을 연상케 하며, 그 죽음의 뒤를 역시 해골과 같은 얼굴을 한 혹은 형체가 없는 얼굴을 가진 인간들이 뒤따르고 있다. 이 작품은 우리에게 같은 표현주의 화가인 앙소르(James Ensor)의 「1889년 그리스도의 브뤼셀 입성(入城)」(1888)을 연상시킨다. 이 그림에서도 많은 군중이 등장하는데, 그들 모두는 누군가를 기다리는 모습이다. 하지만 누군가를 기다리는 설렘의 눈빛이 아니라, 경악, 불안, 절망, 증오, 체념, 무엇보다도 공포의 눈빛을 하고 누군가를 또는 무엇인가를 기다린다.

321) Edvard Munch, *Symbols and Images* (Washington, D.C.: National Gallery of Art, 1978), 39쪽에서 재인용.
322) 같은 책, 122쪽.
323) Donald Kuspit, *Psychostrategies of Avant-Garde Art* (Cambridge: Cambridge UP, 2000), 104쪽.

그림의 상단 뒤쪽에는 그 아래의 그로테스크한 모습의 인간들을 배경으로 한 채 '사회주의 국가여 영원하라'고 적힌 깃발이 걸려 나부끼고 있으며, 화면의 중앙 뒤쪽에는 초라한 당나귀를 탄 작은 키의 그리스도가 등장한다. 앙소르는 인간의 해방과 인간의 구원이라는 유토피아 실현을 내걸었던 마르크스주의와 기독교, 양쪽 모두를 조롱하는 것이다.[324] 인간의 세계는 유토피아를 실현할 수 있는 곳이 아니라 '지옥'이다. 즉 브뤼셀은 인간의 지옥을 상징하는 근대적 도시, 더 나아가 인간 세계 전체에 대한 표상인 것이다. 사회주의도 기독교도 아무런 미래를 약속할 수는 없지만, 그런데도 인간들은 기다리고 있다. 그들은 기다리면서 앞을 바라보고 있지만, 그들의 구원 주체는 허공에 떠 있거나 초라한 모습으로 저 뒤쪽에 처져 있을 뿐이다. 브뤼셀에 모인 그들은 그들의 도시, 나아가 세계 전체를 송두리째 파멸시킬 자폭의 대전쟁을 예감하는 듯하다. 그들의 불안과 공포의 눈빛이 우리를 압도하기 때문이다.

그러나 한편 뭉크의 카를 요한의 거리에는 허무만이 무겁게 깔려 있을 뿐, 거기에는 앙소르의 사회주의도 기독교도 등장하지 않는다. "뭉크의 그림에는 그리스도의 현존이라는 구원의 은총마저 없다……. 「절규」에서 그 절규하는 이의 무망(無望)처럼 거기에는 희망이 없다."[325] 그의 세계에는 니체가 예견한 그대로 "명령하는 것은 허무뿐이다." 절망과 공포의 사지(死地)로 인도하는 죽음을 뒤따르는 인간들은 그를 닮아 스스로

---

324) 하나의 제도로서의 기독교, 즉 조직화된 종교에 대해 그리고 다른 여타의 정치 조직과 마찬가지로 독재적이고 교조주의적인 조직으로 변하던 사회주의에 대해 환멸을 경험한 앙소르는 모든 제도적인 권위에 도전하고 이를 전복하려 했던, 당시 유럽의 대표적인 아나키즘 이론가 가운데 한 사람인 르클뤼(Elisee Reclus)에게서 영향을 많이 받았다. 이에 대해서는 Patricia G. Berman, *James Ensor: Christ's Entry into Brussels in 1889* (Los Angels: J. Paul Getty Museum, 2002), 71~90쪽을 볼 것. 교회와 사회주의에 대한 당시의 그의 반감은 이 그림에 여지없이 표출되고 있다.
325) Donald Kuspit, 앞의 책, 105쪽.

의 얼굴을 지우고 허무의 유령이 되어가고 있다. 그들의 얼굴에는 인식과 사유의 근원인 눈이 존재하지 않는다. 르네상스 이래 자랑스러운 근대적 주체로 출발한 인간들은 이제 허무의 유령으로 전락한다. 뭉크는 이러한 허무주의를 그의 삶이 다할 때까지 끝내 포기하지 않았다.

도시 군중의 모습과 관련하여 거론되어야 할 또 한 명의 화가는 독일의 표현주의 화가인 그로스(George Grosz)다.[326] "그는 전쟁의 광기를 볼 수 있었던 몇 사람 가운데 하나였다…… 그는 그의 예술에서 카이저 빌헬름 치하의 전쟁과 희생자들——죽은 병사들의 훼손된 육체, 살아남은 불구자들, 거리의 굶주린 거지들과 창녀들을 보여주었다."[327] 그는 예술을 통해 정치에 참여하게 된 동기를 "……세상 사람들에게 이 세상이 얼마나 추하고 병들어 있으며, 위선에 차 있는가를 깨닫게 하기 위해서"였다고 말했다. 또한 출판업자 헤르츠펠데(Wieland Herzfelde)에게는 폭력의 야수성을 고발했던 고야의 예술처럼 "나의 그림들은 이 독일의 야수성에 반대를 표명해온 가장 강력한 성명들 가운데 하나……"라고 말했다.[328] 그러나 히틀러가 정권을 집권하기 직전 미국으로 망명한 후 그의 예술은 브레히트가 "비도덕적이고 미학주의적이며 자본주의적"[329]이라고 비판할 정도로 삶의 부조리성에 대한 허무주의적인 실존주의

---

326) 그는 히틀러가 정권을 집권하기 직전인 1933년에 미국으로 망명한 후 오랫동안 뉴욕에 머물다가 1959년에 다시 베를린으로 돌아와 거기서 여생을 마쳤다. 그의 일생은 다음의 글에서 간단하게 요약되고 있다. Frank Whitford, "The Many Faces of George Grosz," Royal Academy of Arts, London 편, *The Berlin of George Grosz: Drawings, Watercolors and Prints 1912~1930* (New Haven: Yale UP, 1997), 1~20쪽.

327) Dietmar Elger, *Expressionism: A Revolution in German Art* (Hohenzollernring, Benedikt Taschen, 1991), 220쪽.

328) Dietmar Elger, 같은 책, 220쪽에서 재인용.

329) Rainer Rumold, *The Janus Face of the German Avant-Garde: From Expressionism toward Postmodernim* (Evanston: Northwestern UP,

인식을 보여주었다. 그러나 브레히트의 비판과 관계없이 제2차 세계대전이 일어나기 전에 이미 문명의 혼란성과 전쟁의 비극성을 예감하던 예술가라는 점에서 그는 충분히 논의의 대상이 될 만한 인물임에는 틀림없다.

그의 초기 대표작 「매장식—오스카르 파니차에게 바침」(1917~18)은 한마디로 하나의 '지옥도(圖)'다. 이 그림은 붉은빛 아니 핏빛으로 물든 도시의 거리를 보여주는데, 그림의 왼쪽에는 카페와 술집들이 줄지어 있고, 오른쪽에는 각양각색의 인간들이 무질서하게 모여 있다. 왼쪽 거리는 환락의 거리다. 술과 환락에 취한 사람들의 모습이 여러 창문을 통해 비쳐지고 붉은빛이 창문 전체, 아니 건물 전체를 물들인다.

왼쪽 거리의 맨 앞줄에는 험상궂은 인상의 남자가 짐승과 같은 얼굴을 한 채 그의 가슴에 술병을 안은 채 서 있고, 그 뒤에는 한 성직자가 십자가를 치켜들고 서 있으며, 왼쪽 거리의 중앙에서는 큰 키의 해골이 그 앞에 놓인 관을 신나게 뛰어넘고 있다. 오른쪽 거리를 메운 군중의 모습은 그로테스크한 야수, "사악한 동물들"[330]의 모습이다. 거의 모든 이가 아우성 치며 광란의 춤을 추는데, 그들 가운데는 전쟁을 선동하는 듯 손에는 칼이나 깃발을 들고 있거나 나팔을 부는 이들의 모습도 보인다. 그들의 눈에는 증오, 저주, 분노의 빛이 가득하며, 심지어 불안의 눈빛을 보여주는 이조차 없다. 증오와 파괴의 열기로 가득 찬 카오스의 도시는 핏빛에 압도당할 뿐이다.

니체가 예견한 그대로 "가치 있는 것은 아무것도 남아 있지 않은", "도처에 카오스"뿐인 도시의 모습 그대로다. 전통적인 인간의 가치들이 사멸해가고 있는 시대의 지옥도인 것이다. 그로스는 후에 이 그림에 대해 "미쳐버린 인류에 대한 항변"[331]이라고 말했지만, 우리는 이 그림에서 곧

2002), 141쪽. 그로스와 브레히트와의 관계, 그리고 브레히트의 그로스에 대한 비판 등에 대해서는 같은 저자, 같은 책, 139~149쪽을 볼 것.

330) Donald Kuspit, 앞의 책, 78쪽.

다가올 광기와 파국의 역사, 그것의 전조(前兆)를 읽는다.

1918년에 이 그림을 그린 이후부터 1920년대 중반까지 그로스는 그의 예술을 철저히 정치적인 목적에 종속시켰다.[332] 그의 제1차 세계대전과 그 전쟁에 관여한 독일, 그리고 히틀러에 대한 태도는 증오 그 자체였다. 그는 독일에 대한 증오 자체가 "성스러운 것"이라고 말했다.[333] 광분한 한 남자가 공포에 질린 여인을 강간하는 모습을 묘사한 1918년의 스케치 「소란」을 포함한 그의 많은 작품이 전쟁의 잔인성과 비도덕성을 고발하며, 자신은 "세상의 아름다움을 묘사하는" 예술가들보다 "경향적인 화가들, 도덕주의자들, 즉 호가스, 고야, 도미에 등과 같은 예술가들"을 더 좋아한다고 밝혔다. 그는 "예술이 계속해서 어떤 의미를 가지려면" 사회적, 정치적 현실에 참여하지 않으면 안 된다고 생각했다.[334]

1933년에 미국으로 망명한 그에게 독일은 철저하게 "병들고 비도덕적인 사회"[335]였고, 그의 「매장식」은 이 비도덕적이고 철저하게 병든 독일 사회에 대한 고발인 동시에, 앞으로 이러한 사회를 지배하게 될 나치의 광적 파괴성을 예견한 것이었다. 핏빛으로 물든 도시, 그 속에서 광분하는 인간들, 그 인간들의 증오와 파괴의 눈빛이 이를 잘 반영한다. 니체는 말했다.

내가 말하지 않으면 안 될 이야기는 다음 두 세기의 역사에 대한 것

331) Frank Whitford, 앞의 글, 11쪽에서 재인용.
332) 이에 대해서는 Christopher Clark, "Weimar Politics and George Grosz," *Royal Academy of Arts*, London 편, 앞의 책, 21~27쪽을 볼 것.
333) Frank Whitford, 앞의 글, 6쪽에서 재인용.
334) George Grosz, *Dadas on Art*, Lucy R. Lippard 편 (Englewood Cliffs, N. J.: Prentice-Hall, Spectrum Books, 1971), 80쪽, 81쪽.
335) Uwe M. Schneede, "Infernalischer Wirklichkeitsspuk," Serge Sabarsky 편, *George Grosz: Die Berliner Jahre* (Hamburg, 1986), 29쪽. Christopher Clark, 앞의 글, 26쪽에서 재인용.

이다⋯⋯ 오랫동안 우리의 전(全) 문명은⋯⋯ 파국을 향해 돌진해가고 있다. 잠시 멈추어 서서 성찰할 시간도 가지지 못한 채, 아니 성찰 자체를 두려워하면서 여행의 끝을 열망하는 거대한 강물처럼 끊임없이, 세차게, 광폭하게 돌진해가고 있다⋯⋯ 우리가 사는 이곳에는 조만간 아무것도 존재하지 않게 될 것이다.[336]

「매장식」은 제2차 세계대전의 파국성과 인간적인 가치들의 함몰, 아니 그것들의 '매장'을 예고했던 작품이다. 그러나 제2차 세계대전 이후에도 그로스에게 희망의 빛은 보이지 않았다. 그의 어머니는 비행기 폭격으로 사망했고, 독일은 잔해 그 자체였다. 1946년의 작품 「구멍」에서 그는 또다시 「매장식」의 지옥도를 상기시키는 무서운 '지옥'에 대한 비전을 보여주었다. 그는 구멍들 말고 아무것도 그릴 수 없는, 아무런 희망도 없는 유령 같은 인물, 뼈만 남은 허무의 이미지로 자신을 그리고 있었던 것이다.

1937년 4월 26일, 오후 4시 30분, 독일 나치의 공군 폭격기들이 프랑코와 협정 아래 바스크 지방의 소도시 게르니카에 무차별 폭격을 가했다. 그 폭격으로 시민 1,000명이 사망했고, 800명 이상이 부상을 당했다.[337] 프랑코군과 독일군이 맺은 협정에 따르면 독일 공군의 공격대상에는 어떠한 제한도 없었다. 민간인에 대한 어떠한 배려도 없는 무차별 폭격이었던 것이다. 그런 점에서 게르니카의 폭격은 중국의 난징(南京), 한국의 노근리, 베트남의 하노이 등지로 이어진 전략적 폭격, 즉 민간인까지 폭격대상으로 삼는 무자비한 폭격의 시작을 알린, 인류 역사상 가장 비인간적인 폭격이었다. 이 무자비한 폭격과 프랑스 정부의 중립적인

---

336) Friedrich Nietzsche, GW XVIII: 3쪽, 52쪽.
337) Temma Kaplan, *Red City, Blue Period: Social Movements in Picasso's Barcelona* (Berkeley: U of California Press, 1992), 177쪽.

태도에 분노한 100만여 명의 파리 시민들은 오월제 날에 대규모의 가두 시위를 벌였다.[338]

파리에 망명 중이던 피카소는 이에 격분해 에스파냐 공화국이 파리 국제박람회를 위해 그에게 위탁했던 벽화의 주제를 이 폭격에 대한 것으로 바꾸었고, 그렇게 해서 탄생한 것이 금세기 최고의 작품으로 평가되는 높이 350센티미터, 너비 780센티미터의 대형벽화 「게르니카」(1937)다.

그림의 왼쪽에는 날카로운 두 뿔을 가진 황소가 눈을 크게 뜨고 꼬리를 흔들며 서 있다. 앞을, 관객을, 이 세상을 쳐다보는 그의 표정은 무심하고 냉정하다. 찢어진 코와 입 모양은 거친 그의 성품을 보여주는 듯하며, 칼처럼 날카로운 그의 귀도 이러한 그의 성품을 반영하고 있다. 그 황소의 머리 바로 아래에는 한 여인이 눈을 내리깐 채 죽은 아이를 안고 공포와 비통의 눈길로 그를 쳐다보고 있다. 그림의 중앙에는 참을 수 없는 고통에 비명을 토하며 죽어가는 말(馬)이 있고, 그 말 위에는 빛을 발하는 전구(電球)가 걸려 있다. 한 마리의 새가 그 말을 지나 황소 쪽으로 날아가고 있고, 고통에 몸부림치는 말 아래는 끝이 잘려나간 칼을 든 기사(騎士)가 그 말의 발굽에 깔린 채 고통과 비통에 찬 눈을 크게 뜨고 죽어가고 있다. 그러나 그 말도 기사도 모두 황소를 향해 애원의 눈길을 던진다. 말의 오른쪽에는 두 여인이 황소를 향해 비통의 눈길을 던지면서 앞으로 달려가고 있는데, 그 가운데 한 여인은 작은 오일램프를 든 채 고통스러워하는 말을 비쳐보고 있다. 맨 오른쪽에는 공포에 가득 찬 한 여인이 두 손을 번쩍 치켜들고 하늘을 향해 울부짖는다.

모든 위대한 작품이 그러하듯이 이 작품도 상징을 해석하는 데 논의가 분분하다. 그 중에서도 특히 이 그림의 중심인물이라 할 수 있는 황소를 둘러싼 해석 문제는 이 그림을 해석하는 데 핵심이 되는 요소이자 논의가 가장 분분한 부분이다. 피카소는 한 회견에서 중심적인 상징에 대한

338) Temma Kaplan, 같은 책, 178쪽.

약간의 암시를 던졌는데, 그는 말은 인민을 황소는 야수성과 암흑을 표상한다고 했다. 황소는 파시즘을 상징하는 것이 아니었는가라는 대담자의 줄기찬 질문에도 그는 처음의 대답을 고수했다.[339] 이러한 피카소의 진술에도 비평가 다수가 황소를 포위당한 에스파냐로, 말을 "폭격기"로 해석하는[340] 식의 정반대의 해석을 내놓기도 했다.

어느 비평가는 피카소가 그가 세 살이었던 1884년에 그의 고향 말라가를 진동시켰던 대지진의 참화, 지워지지 않는 사적 경험을 게르니카의 참화와 결부시키면서 벽화에 자신의 삶에 대한 비극적 비전을 투영시킨 것이라고 해석했다.[341] 그러나 이 그림에 투영된 그의 어린 시절의 경험을 거론해야만 한다면 그것은 투우장에서 한 경험일 것이다. 원형투우장의 눈부신 광채와 열기, 눈동자를 이글거리면서 분노의 콧김을 내뿜는 황소, 황소의 검은 등을 물들이는 진홍색의 피, 함성을 지르는 관중들의 광란, 그리고 한몸에 주목을 받으면서 승리를 만끽하는 투우사, 피카소의 아버지는 이 모든 것에 대한 정열을 아들 피카소에 물려주었다. 그 가운데서도 가장 피카소를 전율시킨 것은 세찬 발길질로 땅을 진동시키고, 미친 듯이 돌진하는 분노에 찬 황소의 모습이었다.

피카소의 1930년대의 작품들은 그가 그리스 신화에 대해 상당한 지식을 가지고 있었으며, 그리스 비극작가 에우리피데스의 『히폴리투스』는 알지 못했다 하더라도 적어도 이를 번안한 라신의 『파이드라』를 알고 있었음을 짐작할 수 있게 해준다.[342] 『히폴리투스』와 『파이드라』에 등장하는 미노타우로스가 피카소의 연작 판화 「미노타우로마키」(1935)의 중요

---

339) Alfred Barr, *Picasso: Fifty Years of His Art* (New York: Simon and Schuster, 1946), 202쪽.
340) Mary Mathews Gedo, *Looking at Art from the Inside Out: The Psychoiconographic Approach to Modern Art* (Cambridge: Cambridge UP, 1994), 172쪽.
341) Mary Mathews Gedo, 같은 책, 165~176쪽.
342) Mary Mathews Gedo, 같은 책, 174쪽을 볼 것.

한 모티프가 되기 때문이다.

미노타우로마키는 미노타우로스와 투우를 의미하는 토우로마키를 합성해 만든 피카소의 조어로서, 이 작품에서 미노타우로스는 등불을 든 소녀를 집어삼키려는 듯 그 소녀를 향해 돌진하고 있다. 중앙에 있는 암말은 여자 투우사를 등에 태우고 공포에 질린 표정으로 미노타우로스를 뒤돌아보면서 급히 달아나고 있다. 피카소의 작품에 등장한 미노타우로스는 크레타 여왕 파시파이에가 바다에서 온 황소를 사랑해서 태어난 그들 사이의 자식으로서, 인간의 몸에 황소의 머리를 한 괴물이었다. 피카소가 어린 시절에 목격했던 분노의 황소가 그의 작품들에서 미노타우로스의 모습으로 다시 등장한 것이다. 그는 미노타우로스로 변신한 분노의 황소를 궁극적으로 포세이돈의 이미지와 결부시킨다.

그리스 신화에서 바다의 주신(主神) 포세이돈은 황소, 그리고 말과 밀접한 연관을 맺고 있었다. 포세이돈에게 바치는 거대한 황소 희생제의가 있었으며, 이 때문에 그 신은 황소-포세이돈(Taureos)이라 불리기도 했다. 한편 포세이돈은 말(馬)을 길들이는 신이기도 했다.[343] 이 신의 위력을 나타내는 무서운 힘은 폭풍우를 통해 현시되었으며, 폭풍은 이 신의 현현(顯現)이었다. 고대 그리스인들은 검은 먹구름과 함께 폭풍우를 몰고 오는 포세이돈의 어두운 분노를 검은 빛깔의 황소와 결부시켰다.[344] 그리고 호메로스의 『일리아스』 제13편에는 포세이돈이 큰 걸음으로 성큼성큼 걸어가면 산들까지도 몸을 떨었다고 기록되어 있기도 하다.

우리는 방금 어린 시절의 피카소가 검은 구름과 함께 사나운 폭풍우를 몰고 온 포세이돈 같은 힘찬 발길질로 땅을 진동시키는 황소의 모습에 전율했음을 지적했다. 그의 「게르니카」에 등장하는 황소는 바로 포세이돈인 것이다. 폭풍우를 몰고 오는 포세이돈의 이미지와 부합하는 무서운

---

343) Walter Burkert, 앞의 책, 138쪽.
344) Mary Mathews Gedo, 앞의 책, 174쪽, 279쪽(주26)을 볼 것.

존재, 참화를 불러오는 악의 세력인 것이다.

신화학자 캠벨은 「게르니카」에 대해 황소의 뿔에 찔려 죽어가는 말의 운명은 "기병대의 세월"의 종언을, 그리고 눈부신 전구의 이미지는 "기마의 날의 정오는 지나가고, 화약과 대포가 보병보다 우위를 차지한 시기"의 도래를 의미한 것이라고 지적하면서, 이 작품이 "시적 갈망과 영적 모험의 세계"를 대신할 "경험적 현실", "반(反) 시적인 세계"가 도래했음을 알려주는 작품이라고 해석했다.[345] 더 나아가 그는 어머니의 품에 안겨 죽은 어린 아이를 "우리 모두의 살아 있는 실체인 희생의 그리스도"와 동일시했다.[346] 이러한 그의 해석이 신화학적 관점에서 볼 때, 깊은 통찰력의 발현이라는 점은 확실하다.

그러나 피카소는 우리에게 그 작품을 '역사'의 틀 속에서 읽도록 요청한다. 그는 그 벽화를 제작하면서 "에스파냐의 투쟁은 민중과 자유에 대한 반동과의 싸움이다. 예술가로서 나의 모든 생애는 이 반동과 예술의 죽음에 끊임없이 저항하는 투쟁의 연속이었다…… 내가 앞으로 「게르니카」라고 부르게 될 이 벽화와 최근의 나의 모든 작품에서 나는 에스파냐를 고통과 죽음의 바다 속으로 침몰시킨 군인들에 대한 나의 증오를 분명히 표명한다"[347]고 토로했다. 피카소가 회견에서 야수성과 암흑 세력에 대한 상징이라고 했던 황소는 그가 구체적으로 파시즘 세력이라고 규정하는 것을 거부했는데도, 당시의 파시즘 세력들, 더 나아가 역사의 운명을 파국으로 이끌어온, 앞으로도 파국으로 이끌고 갈 모든 종류의 파시즘을 포함한 악의 세력 일체에 대한 표상이다.

「게르니카」에서 악의 세력에 희생당한 대상들은 어린 아이, 여인, 동물

---

345) Joseph Campbell, *The Masks of God: Creative Mythology* (New York: The Viking Press, 1968), 212~213쪽. 조지프 캠벨, 『신의 가면 IV-창작 신화』, 정영목 역 (서울: 까치사, 2002), 254~255쪽.
346) Joseph Campbell, 같은 책, 217쪽. 조지프 캠벨, 같은 책, 259쪽.
347) Alfred Barr, 앞의 책, 202쪽.

과 같은 순진무구의 존재였다. 아가멤논이 이끄는 그리스 군대가 트로이를 정복했을 때 그들은 너무나 많은 순진무구의 존재를 너무나 무참하게 살육했다. 정의의 신 제우스는 그들의 야만과 오만을 묵과할 수 없었고, 그들에 대한 그의 보복은 엄중했다. 그러나 피카소의 「게르니카」에는 정의의 신이 존재하지 않는다. 우리는 제2장에서 눈과 태양, 신 그리고 빛의 관계를 다루면서, 그에 대한 신화적, 종교적 논의 등을 통해 신은 바로 빛이라는 결론에 도달했다. 피카소는 「게르니카」에서 말의 머리, 저 위에서 찬란하게 빛나는 전구를 신으로 표상한다. 그러나 이 신은 정의의 신이 아니다. 인간의 삶을 관념적으로만 지배할 뿐 어떠한 실천적인 도움도 제공하지 않는, 인간들의 고통과 비통, 애원의 눈길에 어떠한 반응도 보이지 않는, 자신의 고고한 빛으로 인간들의 눈빛을 반사해버리는 하나의 절대추상체에 지나지 않는다. 역사의 거친 바다 위에는 한 마리 새가 공허한 날갯짓을 하면서 처량하게 울고 갈 뿐이다.

피카소가 「게르니카」를 그린 후 3년이 지난 1940년 9월 26일 '우리시대의 최후의 지식인'이었던 벤야민은 그의 삶을 몇 개월 남겨놓은 상태에서 마지막 글을 남겼다. 바로 그의 지적 유산이 모두 집약되었다고 할 수 있는 「역사철학테제」다. 그 가운데서도 가장 핵심적인 아홉번째 테제에서 벤야민은 다음과 같이 말한다.

클레가 그린 「새로운 천사」라는 그림이 있다……. 그 천사는 눈을 크게 뜨고 있다. 입은 벌어져 있으며 날개도 펼쳐져 있다. 역사의 천사도 이러한 모습일 것이다. 그의 얼굴은 과거를 향한다. '우리' 눈앞에, 일련의 사건들이 속속 모습을 드러낸 바로 그곳에서, '그는' 쉼 없이 잔해 위에 또 잔해가 쌓여온, 또 하나의 잔해가 또다시 그의 발 앞에 쌓이는 단 하나의 파국을 바라보고 있다…… 낙원에서 폭풍이 불어오고…… 이 폭풍은 그가 등을 돌린 미래를 향해 그를 간단없이 떠밀고 있으며, 반면 그의 발 앞에 쌓여가는 잔해의 더미는 하늘까지 닿을 듯하다. 우리가 진보라고 일컫는 것은 바로 '이러한' 폭풍을 두고 한 말이다.[348]

그의 「역사철학테제」를 관통하는 핵심적인 기조는 모든 역사적 사건은 진보를 향해 움직인다는 이른바 진보사관에 대한 철저한 거부다.[349] 이는 지금까지의 인류의 역사를 '진보'가 아니라 참화의 연속, "단 하나의 파국"으로 바라보는 그의 역사관을 통해 잘 드러난다. 이러한 그의 인식은 제1차 세계대전, 제2차 세계대전의 발발이 불러일으킨 전쟁에 대한 그의 공포——전쟁으로 말미암아 '모든 문명은 종말할 것'이라는 비관적 확신으로 인해 더욱 강화되었던[350]——와, 그의 동생을 포함해 수많은 유대인에게 가한 나치의 만행, 스탈린 치하의 대숙청, 특히 암울한 정치적 미래의 유일한 희망이었던 볼셰비키 국가 소련이 대의를 저버리고 1939년 8월 23일 나치 독일과 불가침조약을 맺음으로써 느껴야 했던 역사적 배반 등을 통해 더욱 확고해졌다. 숄렘은 불가침조약이 던진 충격이 벤야민의 역사관에 결정적인 영향을 미쳤다고 주장한다.[351]

"잔해 위에 또 잔해"라는 이미지를 통해 확연히 드러나듯이, 그에게 진보란 파국의 반복에 지나지 않는다. '역사의 천사'의 등을 세차게 떠밀고 있는 폭풍이야말로 "우리가 진보라고 일컫는 것"이라고 말함으로써 폭풍

---

348) Walter Benjamin, *Gesammelte Schriften*, Rolf Tiedemann과 Herman Schweppenhäuser 공편 (Frankfurt am Main: Suhrkamp Verlag, 1972~), I: 697~698쪽. 이후 *GS*로 표기함.

349) 임철규, 졸고 「역사의 천사−발터 벤야민과 그의 묵시록적 역사관」, 앞의 책, 『왜 유토피아인가』, 373~407쪽에서 벤야민의 역사관이 철저하게 다루어진다.

350) Gershom Scholem, *Walter Benjamin: The Story of a Friendship*, Harry Zohn 역 (Philadelphia: Jewish Publication Society of America, 1981), 224쪽.

351) Gershom Scholem, 같은 책, 221쪽 이하.

이라는 이미지를 빌려 진보의 파국성을 말해준다.

벤야민은 역사의 연속성으로서 파국이라는 개념에 역사의 비연속성을 대립시키며, 이를 "정지상태에 이르는 변증법"[352]이라고 했다. "혁명이란 쉼 없는 진보의 종국적인 순간이 아니라, 역사의 연속성을 폭파시킴으로써 역사를 정지시키고 현실의 급진적인 변혁을 유도하는, 보다 높고 보다 깊은 삶의 형식의 갑작스러운 출현이다. 파국으로 점철된 진보에 불과한 역사의 연속성을 과감히 폭파시키는 이 돌연한 역사의 정지상태, 이 '정지상태에 이르는 변증법'을 벤야민은 역사의 비연속성의 개념으로 설명하며, 이 개념을 통해…… 진보주의적 역사관과의 결정적인 분리를 동시에 꾀한다."[353] 벤야민에게 역사의 연속성이란 곧 "억압하는 자들의 연속성"이다. 따라서 역사에 돌연한 '정지상태', 즉 '구원의 정지'를 가져오는 그의 역사의 비연속성 개념에는 피지배계급의 고통으로 점철되어 온 역사에 종지부를 찍자는 주장이 내포되어 있다.

벤야민에게 역사의 연속성에 갑작스러운 '구원의 정지'를 가져오는 돌연한 정지상태, 이 '진정한 비상사태'는 계급투쟁의 종언, 더 나아가 역사 그 자체의 종언을 의미한다. 그에게 진정한 혁명이란 "잃어버린 낙원, 인간과 자연이 또한 인간과 인간이 에덴적 조화를 이루던 아케익적인 황금시대"[354]로 가는 복귀이자 앞으로 이를 실현하는 것이다. 그가 혁명을 "과거를 향해 내딛는 호랑이의 도약"[355]이라는 이미지로 표현한 것도 이러한 견지에서다. 역사의 연속성, 파국의 반복에 돌연한 정지를 가져오는 혁명, 벤야민에게서도 그러한 혁명의 주체는 프롤레타리아트였다.

그러나 이에 대한 그의 마지막 결론은 비관적인 것이었다. 현실에서는

---

352) Walter Benjamin, *GS* V: 587쪽
353) 임철규, 졸고 「역사의 천사」, 앞의 책, 『왜 유토피아인가』, 379~380쪽.
354) Michael Löwy, *Rédemption et utopie: Le judaism libertaire en europe centrale* (Paris: Presses Universitaires de France, 1988), 154쪽.
355) Walter Benjamin, *GS* I: 701쪽.

여전히 프롤레타리아트의 적들이 "승리를 거듭하고 있었기"[356] 때문이다. 이 지점에서 그는 마르크스, 루카치와 결별한다. 사실 벤야민에게 프롤레타리아트의 승리가 필연적인 것은 아니었다. 그에게 이 파국의 역사를 파괴할 힘은 '신적'인 것이었다. 하버마스는 「역사철학테제」를 벤야민의 "유대적 정신을 말해주는 가장 감동적인 증언 가운데 하나"[357]라고 했고, 이를 증명하듯 거기에는 "비상 브레이크를 움켜잡는 것은 프롤레타리아트가 아니라, 마침내 '구원자'로 다가온 것은 유대교의 '메시아'라는 사실이 분명히 드러나고 있다."[358]

이 메시아의 혁명적인 구원을 통해 '타락'과 더불어 시작된 고통의 역사는 종결되고, "그 순간 과거의 모든 요소에도 구원과 회복의 여지가 주어지며, 잃어버린 모든 것도 완전한 원초적 낙원의 상태로 회복된다"[359]는 것이다. 즉 "메시아적 구원은 유대민족의 '추방'만이 아니라 전 세계, 전 인류의 '추방'이 종결되는 것이다."[360] 하지만 메시아를 통한 혁명, 그 혁명적인 구도를 사유했는데도 그는 자살로 삶을 마감했다. 그는 왜 그의, 전 인류의 메시아를 기다릴 수 없었던 것일까.

「역사철학테제」를 통해 '역사의 천사'로 변모한 클레의 그림 「새로운 천사」(1920)는 1921년에 벤야민이 상당한 고가임에도 불구하고 그 자리에서 단번에 구입한 수채화다. 그의 유일한 친구이자 유대교 신비주의와 메시아니즘 연구에서 최고의 석학으로 평가되는 숄렘에 따르면, 벤야민은 평생 이 그림을 그의 가장 중요한 '명상'의 대상으로 삼았다고 한

356) Walter Benjamin, GS I: 695쪽.
357) Jurgen Habermas, "The German Idealism of the Jewish Philosophers," Philosophical-Political Profiles, Frederick G. Lawrence 역 (Cambridge/ M.A.: MIT Press, 1983), 34쪽.
358) 임철규, 졸고 「역사의 천사」, 앞의 책, 『왜 유토피아인가』, 395쪽.
359) 임철규, 졸고 「역사의 천사」, 같은 책, 396쪽.
360) Susan Buck-Morss, The Dialectics of Seeing: Walter Benjamin and the Arcades Project (Cambridge/M.A.: MIT Press, 1989), 234쪽.

다.[361] 클레의 「새로운 천사」의 천사는 어떤 의미에서 진정 '새로운 천사'다. 이 그림에서 일반적인 천사의 이미지라고는 찾아볼 수 없다. 만약 제목을 모르고 그 그림을 보았는데 그것이 천사라는 것을 알 수 있다면, 그것은 유난히 큰 얼굴을 지탱하고 있는 왜소한 몸에 달린 역시 왜소하고 초라한 그 날개——폭풍이 일으키는 바람 때문에 결코 접을 수 없는——를 통해서일 것이다.

그러나 여기서 우리가 주목하게 되는 부분은 바로 메두사를 연상시키는 그것의 머리카락과 눈빛이다. 클레가 메두사를 염두에 두고 그 그림을 그렸는지 여부를 확인할 길은 없지만, 적어도 벤야민이 이를 염두에 두고 그림을 구입했다고 가정하더라도 큰 무리는 없을 것 같다. 메두사는 역사의 연속성에 종지부를 찍고 위장된 진보의 역사를 정지시키는 벤야민의 역사의 비연속성 개념에 매우 적합한 이미지를 지닌 인물이기 때문이다. 그에게 "메두사의 머리"[362]는 역사의 연속성을 정지시키는 "죽음의 머리"[363]로, 메두사의 시선은 파국으로 점철된 역사의 연속성을 동결시키는, 즉 '정지상태'에 이르게 하는 구원의 시선으로 다가왔는지도 모른다. 메두사의 시선은 곧 벤야민의 시선인 것이다. 일찍이 1955년에 아도르노는 "벤야민의 철학적 시선은 메두사적이다"라고 지적했다.[364]

그러나 1928년에 벤야민이 내놓은 「카를 크라우스」(Karl Kraus)라는 논문에서 클레의 그 천사는 "사람을 잡아먹는 악마나 괴물"의 이미지로 부각되고 있으며,[365] 이후 미완의 논문에서는 "칼같이 예리한 날개"를 가

361) Gershom Scholem, "Walter Benjamin and His Angel," *On Jews and Judaism in Crisis: Selected Essays*, Werner J. Dannhauser 편 (New York: Schocken Books, 1976), 210쪽.

362) Walter Benjamin, *GS* V: 175쪽.

363) Walter Benjamin, *GS* I: 343쪽.

364) Theodor W. Adorno, "A Portrait of Walter Benjamin," *Prisms*, Samuel Weber와 Sherry Weber 공역 (Cambridge/M.A.: MIT Press, 1981), 233쪽.

365) Walter Benjamin, *GS* II: 1쪽, 106쪽, 367쪽.

진 천사로 등장하기도 한다.[366] 「역사철학테제」에서 '역사의 천사'가 파국의 역사를 조망하는 우수(憂愁)의 천사라면, 「카를 크라우스」에서 천사는 파괴적인 악마의 천사인 것이다. 숄렘에 따르면 이 천사는 '사탄 같은' 천사의 모습이며, 그는 오직 사탄만이 날카로운 '발톱'을 지닌다고 했다.[367] 그러나 이탈리아의 철학자 아감벤에 따르면, 에로스 또한 날카로운 발톱을 가진 날개 달린 천사의 모습으로 종종 재현되었다고 한다. 그렇다면 벤야민의 '역사의 천사'는 사탄이 아니라 에로스와 연관된 것으로 해석될 수도 있을 것이다. 『독일비극의 기원』에서 벤야민은 조토가 재현한 큐피드를 "박쥐의 날개와 발톱을 가진 방자한 악마"라고 했기 때문이다.[368]

그러나 사탄과 같은 천사, 에로스의 모습을 한 천사만이 파괴적인 속성을 가지는 것은 아니다. 『구약』에 나오는 천사들도 여호와가 소돔을 파멸시키기 위해 보낸 천사들처럼 파괴의 칼을 든 죽음의 천사들이다(「창세기」 제19장). 그들도 파괴의 속성을 지닌다. 벤야민이 사탄, 에로스, 죽음의 천사들 가운데 어느 것을 염두에 두었는지 확인할 길은 없지만, 그의 논문 「카를 크라우스」와 미완의 논문에 등장하는 천사는 분명 날카로운 날개와 발톱을 가진 파괴적인 천사다. 사실 클레의 '새로운 천사'의 실제 모습도 이 파괴적인 천사의 모습이다. 클레의 천사는 피 묻은 듯한 입술, 날카로운 날개와 발톱, 위압적인 시선 등을 통해 파괴적인 속성을 드러낸다. 그러나 클레의 천사는 그 성이 여성이라는 점에서 사탄, 에로스, 죽음의 천사들과 차이를 지닌다. 후자는 한결같이 그 성이 남성이었기 때문이다. 그렇다면 클레의 '새로운 천사', 아니 벤야민의 '역사

---

366) 미완의 논문, "Agesilaus Santander"(1933)에 대한 상세한 설명은 Gershom Scholem, 앞의 글, "Walter Benjamin and His Angel," 앞의 책, *On Jews and Judaism in Crisis*, 202~229쪽을 볼 것.

367) Gershom Scholem, 같은 글, 같은 책, 222쪽.

368) Giorgio Agamben, *Potentialities: Collected Essays in Philosophy*, Daniel Heller-Roazen 역 (Stanford: Stanford UP, 1999), 142~143쪽을 볼 것.

의 천사'는 바로 가장 파괴적인 여성, 메두사다.

　그 천사는 날카로운 발톱을 세우고, 칼날 같은 날개를 펼친 무서운 눈으로 앞을 응시한다. 벤야민의 '역사의 천사'는 파괴의 천사, 곧 공포의 천사인 것이다. 남성을 거세하는 메두사는 "죽음의 얼굴 그 자체"[369]이며, 메두사의 눈으로 변모한 그 천사의 눈은 인간을 '거세'하는 순수공포가 된다. 그 천사가 그 눈을 돌릴 때마다 역사는 잔해들로 변한다. 이제 '역사의 천사'의 날개를 접을 수 없게 하던 '폭풍'은 잠잠해지고, '역사의 천사' 자체가 세찬 폭풍이 된다.

　생애의 마지막 순간까지 벤야민이 '가장 중요한 명상의 대상'으로 삼았던 클레의 「새로운 천사」의 그 천사, 아니 벤야민의 '역사의 천사', 곧 우수의 천사는 결국 공포의 천사가 되고 만 것이다. 어쩌면 그 그림을 구입했을 때, 이미 그는 역사의 궁극적인 비극성을 예감했던 것이 아닐까. "파시스트들이 몰고 온 엄청난 잔혹과 파괴, 파국들을 메시아의 도래를 위한 피할 수 없는 '산고'(産苦)로 받아들일 수는 없었고, 그 '산고'마저 결국은 위장된 신화에 불과하다는 것을 인식했기에 그토록 절망했던 것이 아닐까."[370] 벤야민을 절망 속으로 몰아넣었던 나치는 메두사의 눈으로 등장하고 있었고, 마침내 인간의 눈이 메두사의 눈을 닮아가는 파국의 역사 앞에서, 적들은 여전히 "승리를 거듭하는" 역사의 모순 앞에서 벤야민은 처절하게 절망할 수밖에 없었다. "세계를 다시 마법화하고, 게마인샤프트의 정신을 되찾고, 인간과 자연 사이의 조화를 재수립하고, 문화를 질적 가치의 세계로 다시 복원하려"[371] 했던 '우리 시대 최후의 지식인'의 자살은 처절한 절망의 울부짖음이었던 것이다.

---

369) Jean-Pierre Vernant, "Death in the Eyes," *Mortals and Immortals: Collected Essays*, Froma I. Zeitlin 편역 (Princeton: Princeton UP, 1991), 144쪽.
370) 임철규, 졸고 「역사의 천사」, 앞의 책, 『왜 유토피아인가』, 401쪽.
371) Michael Löwy, 앞의 책, *Rédemption et utopie*, 254쪽.

인간의 눈

벤야민이 자살한 1년 뒤에 나치는 유대인 대량학살이라는 참혹한 만행을 자행했는데, 그것은 곧 인류의 비극이었다. 1941년에서 1945년 1월까지 나치가 학살한 유대인과 피점령국 국민들은 약 600만 명에 이르며, 독일 최대의 강제수용소인 아우슈비츠에서만 400만 명의 유대인들이 살해된 것으로 추정된다. 앞에서도 지적했듯이 19세기에 살았던 니체는 이후의 두 세기를 예견하면서 "오랫동안 우리의 전(全) 문명은…… 파국을 향해 돌진해가고 있다…… 우리가 사는 이곳에는 조만간 아무것도 존재하지 않게 될 것이다"라고 토로했다. 존재하는 것은 상대에 대한 적의와 증오, 더 나아가 자기 자신에 대한 적의와 증오이며, 이것이 다음 세기들을 지배할 것이라고 예견했다. 대전의 참화와 그것이 남긴 깊은 상처들이 아물기도 전에 역사는 '잔해 위에 잔해'를 쌓으면서 파국을 향해 나아가고 있다. "우리가 사는 이곳에는 조만간 아무것도 존재하지 않게 될 것이다"라는 니체의 예언은 실현되고 마는 것인가.

벤야민과 마찬가지로 역사를 파국의 연속으로 보았던 베케트(Samuel Beckett)는 그의 문제작 「승부의 끝」에서 니체의 예언대로 거의 그 "아무도 존재하지 않는" 세상의 종말을 그린다. 르네상스와 함께 근대적 주체로서 당당하게 출현한 인간들, 신의 위상을 찬탈한 근대적 인간의 후예들인 현대인들의 암울한 미래상, 파국의 도래를 그리는 것이다. 선사시대에서 현대에 이르는 이 긴 여정의 끝에서 우리를 기다리고 있었던 것은 결국 파국뿐이었던가. 인간이라는 존재들이 만들어가는 파국의 역사 앞에서 우리는 우리 자신에 대해 묻게 된다. 진정 인간은 '인간'이라 불릴 만한 존재인가. 마그리트의 「가짜 거울」을 통해 이러한 질문을 던지면서 이 긴 여행을 마치고자 한다.

마그리트는 「가짜 거울」(1928)에서 홍채는 구름이 떠다니는 파란 하늘로, 까만 동공은 마치 그 하늘의 중앙에 떠 있는 태양처럼 묘사된 인간의 눈을 그렸다. 제2장에서 논의했던 눈과 태양, 그리고 눈과 신의 관계를 고려해볼 때,[372] 이는 곧 인간의 눈이 신이 되기 위해 하늘에 투사되었음을 뜻한다. 부활의 사상을 조롱하는 등 일생 동안 기독교에 대한 부정적인 입장을 견지했던 마그리트였지만,[373] "상당수의 그림이 그가 은연중에 자신을 예수 또는 다른 신들과 동일시하고 있었음을 암시해준다."[374]

　마그리트는 이 그림을 통해 인간의 눈이 태양, 즉 신의 눈이 되고자 한 욕망, 다른 말로 하자면 그 스스로 신이 되고자 한 자신의 욕망뿐만 아니라 더 나아가 모든 현대인의 그러한 욕망을 표출한다. 이를 통해 우리는 신과 같은 절대존재로서 '절대적 자아'를 실현하려는 인간의 욕망이 절정에 이르렀음을 알 수 있다. 동시에 그러한 욕망이 마침내 한계에 도달했다는 것도 알 수 있다. 바로 그림의 제목이 「가짜 거울」이기 때문이다. 절대의 감각기관, 최고의 감각기관으로 당당하게 특권화되어온 인간의 눈은 현실을 정확하게 반영하는 거울, 정확하게 '보고' 정확하게 '인식'하는 거울이 아니라, 부분적으로 '비친' 현실을 전체인 양 틀짓고, 틀지은 현실을 절대현실 또는 절대진리로 '개념화'한 후 다른 부분들을 '타자화'하고 배제하는 '가짜' 거울이기에, 그러한 눈을 가진 인간도 '가짜'일 수밖에 없다. 인간이라는 존재는 결국 '인간'이라 불릴 수 없는 '가짜' 인간에 지나지 않는다는 것인가. 그렇다면 진정한 인간이란 어떤 존재인가. 그리고 진정한 인간의 눈은 어떤 눈인가. 우리는 이러한 물음에 대한 대답을 이 책의 결론에서 만나게 될 것이다.

---

372) 제2장 43~55쪽을 볼 것.

373) Ellen Handler Spitz, *Museums of the Mind: Magritte's Labyrinth and Other Essays in the Arts* (New Haven: Yale UP, 1994), 34쪽.

374) Mary Mathews Gedo, 앞의 책, 181쪽.

7 오이디푸스 왕

인간 정신의 역사는 신과 우주, 그리고 인간을 이해하고 해석하려는 노력의 역사다. 신과 우주 그리고 인간은 어디까지나 문제 가운데 문제로서 우리가 대면할 수밖에 없는 하나의 거대한 '텍스트'다. 그들이 하나의 텍스트라면, 인간 정신의 역사는 이에 대한 간단없는 해석과 해석들이 남긴 '흔적'의 역사, 흔적들의 퇴적이다. 그들은 끊임없는 해석을 요구하고 그 해석의 흔적들을 통해 자신의 텍스트성을 영위한다. 이른바 '고전'이란 이러한 텍스트들의 반열에 오른 작품들에 붙이는 이름이다. 그들 역시 간단없는 해석과 흔적들을 요구하면서 우리를 유혹한다. 이런 의미에서 소포클레스의 『오이디푸스 왕』은 전형적인 '고전'이다. 따라서 이 작품이 제기하는 굵직굵직한 문제는 한두 가지가 아니다.[1] 그 가운데 가장 많이 논의되는 문제는 이 작품이 '운명의 비극'인가라는 점이다. 우리는 '실명'의 모티프를 중심으로 이 문제에 접근할 것이다.

오이디푸스

아리스토텔레스는 그의 『시학』 제13장에서 비극의 플롯에 가장 적합한 인물은 사회적인 존경과 개인적인 영화를 누리다가 어떤 종류의 하마르티아(hamartia) 때문에 전락한 인물이라고 규정한다. 이러한 규정에 따르면 오이디푸스의 전락도 하마르티아 때문이다(XIII. 1453a8 이하). 사실 카타르시스와 함께 이 하마르티아만큼 숱한 논란을 일으킨 용어도 없을 것이다. 주인공의 하마르티아로 인해 비극적인 사건이 야기된다고 할 때, 이것은 보통 주인공의 성격 결함이나 그러한 성격이 야기하는 도덕적인 오류로 해석되어왔다. 아리스토텔레스의 제13장이 비극적 주인공의 도덕적인 측면을 주로 다루기 때문에 한때 하마르티아가 이런 식으로 이해되었던 것도 무리는 아니다. 이러한 입장을 취했던 학자들은 오이디

---

1) 나는 준비 중인 저서 『그리스 비극연구』에서 이 작품을 다시 다룰 것이다.

푸스의 하마르티아를 규명하기 위해 그의 성격적 결함을 훑는 데 연구의 초점을 맞추었다. 오만에 가득 차 있고, 자신의 힘과 지식을 과신하며, 격한 기질에 테이레시아스와 크레온이 서로 공모하여 자신의 왕위를 찬탈하려 한다는 어쭙잖은 의심까지…… 이러한 성격적 결함들이 바로 오이디푸스를 전락시킨 하마르티아라는 것이다.

그러나 최근에는 하마르티아가 성격적 결함을 의미하는 것이 아니라, '지적 잘못' 말하자면 무지에 따른 판단의 오류를 의미하는 것이라는 쪽으로 의견이 일치되고 있다. 사실 아리스토텔레스도 하마르티아가 성격 결함이라고 규정하지는 않았다. 그는 비극의 이상적인 주인공은 자신의 비극적 운명에 "응당 합당한" 자가 아니며, "악덕이나 사악함 때문이 아니라 어떤 무지(하마르티아) 때문에" 전락하는 인물이라고 규정하면서 그런 주인공에 가장 적합한 인물이 바로 오이디푸스라고 했다.

오이디푸스는 승계(承繼)에 의해서가 아니라 자신의 힘으로 왕위에 오른 자다. 그가 오이디푸스 튀라노스(turannos)라고 불린 것은 바로 이 때문이다. 튀라노스는 승계에 의해서가 아니라 자신의 지식, 힘 또는 노력으로 왕위에 오른 절대 통치자를 일컫는 호칭이다.[2] 그렇다면 그 칭호가

---

2) 비평가들은 폭력과 오만을 '튀라노스'의 속성으로 간주하면서, 승계에 의해서가 아니라 힘으로 왕위를 쟁취한 '국외자'들을 그렇게 일컫고 있다. 아리스토텔레스가 바실레우스(basileus)와 튀라노스를 구별하면서 승계에 의해 왕위에 오른 전자가 자신의 백성들의 이익에 관심을 가지고 있다면, 후자는 자신의 이익에 관심을 가지는 절대통치자라고 규정한 이래, 대체로 튀라노스는 부정적인 이미지와 결부되어왔다. 통치자로서의 위상이 위험에 처하면서부터 오이디푸스가 점차 시민들보다 자신의 이해(利害)에 더 관심을 두게 될 때에 '튀라노스'라는 단어가 등장하기 시작하지만, 소포클레스의 비극적 주인공들의 전형적인 속성이 '영웅 기질'(소포클레스의 연구에 결정적인 업적을 남긴 학자 가운데 하나인 녹스의 저서의 제명을 빌리자면)이라면, 이 단어는 비극적 주인공으로서의 오이디푸스의 영웅적 성격을 가장 잘 보여주는 단어 가운데 하나다. Bernard M. W. Knox, *The Heroic Temper: Studies in Sophoclean Tragedy* (Berkeley: U of California Press, 1966). '튀라노스'에 대한 포괄적인 논의는 Felix Budelmann, *The Language of Sophocles: Community, Communication and Involvement* (Cambridge:

함의(含意)하는 그대로 그는 '행동하는 인간'이다.[3] 그의 부단한 실천 행위들은 어떠한 두려움이나 위기 앞에서도 굴하지 않는 용기와 자신감에서 연원한다. 이 용기와 자신감은 제우스 신의 사제가 말하고 있듯이, 오이디푸스 스스로가 자신의 지식으로 스핑크스와 그것이 몰고 온 역병(疫病)에서 테바이 시민들을 해방시킨 경험(45행)에 근거한다. 과거의 성공적인 경험에 힘입어 그는 커다란 재앙에 빠진 현재의 테바이 시, "국가라는 배"(22행)를 다시 한 번 구할 수 있으리라는 자신감에 차 있는 것이다. 이 자신감을 오만이라고 할 수는 없다. 오이디푸스는 첫 장면에서부터 테바이 시민들에 대한 깊은 책임과 의무감으로 고뇌하는 이상적인 통치자의 모습으로 등장한다. 역병으로 고통받는 시민들에게 깊은 연민의 감정을 보내는 그의 모습(13행)은 분명 통치자에게 부과된 책임을 충분히 인식하는 이상적인 통치자의 그것이다. 아폴론 신탁의 내용 그대로 선왕 라이오스의 살해범이 밝혀지고 그자가 테바이 시에서 추방되기 전까지 재앙을 피할 길이 없었다. 따라서 오이디푸스가 그 살해범의 정체를 밝혀달라는 '탄원자'로서 자신의 요청(327행)을 거절하는 테이레시아스에게 격노하고 그를 매도하는 것도 테바이 시민들에 대한 의무감과 책임감의 소치로 이해될 수 있다.

살해범의 정체를 밝히기를 거부하는 예언자에게 오이디푸스가 "그대는 우리를 배신하고 이 도시를 파멸시킬 작정이오?"(330~331행)라고 책망하는 것은 통치자로서 보일 만한 당연한 반응인 것이다. 오이디푸스의 책망에 화가 난 테이레시아스가 그 살해범이바로 오이디푸스 그 자신이라고 했을 때, 오이디푸스로서는 그 예언자가 자신을 왕위에서 쫓아내기 위해 크레온과 공모하여 거짓말을 하는 것이라고 의심하는 것도 무리는 아

Cambridge UP, 2000), 214~219쪽을 볼 것.

3) 행동을 표시하는 단어들(dran, prassein)이 자신의 말이나 다른 사람들이 그를 두고 한 말에서 자주 등장한다. 작품 69행, 72행, 77행, 145행, 287행, 235행, 650행, 1,327행, 1,402행, 1,403행 등.

니다. 왜냐하면 살해범의 정체를 알기 위해서는 테이레시아스를 불러와야 한다고 권고한 자가 바로 크레온이었기 때문이다. 그 예언자를 책망한 것이나 크레온을 의심하여 그를 죽이려 한 것 모두 그를 향해 울부짖는 테바이 시민들을 구하려는 통치자의 입장에서는 당연한 행동인 것이다. 오이디푸스의 성격과 관련하여 강조되어야 할 점이 있다면 그것은 오히려 그가 이오카스타와 코러스의 청원에 의해 크레온을 용서하는 것에서 알 수 있듯이, 정당한 이견이 제시될 때는 기꺼이 자신의 고집과 노여움을 거두어들일 수 있는 탄력적인 인간이라는 점일 것이다.

그의 지나친 오만, 격한 기질, 타인에 대한 의심 등이 오이디푸스를 파멸로 이끈 성격적 또는 도덕적 결함이 아닌 것은 분명하다. 이 작품을 쓴 소포클레스도 성격 결함이 오이디푸스를 비극으로 몰고 간 것으로 보지는 않는다. 다른 등장인물들의 대사를 통해 그는 오이디푸스가 훌륭한 통치자라는 점을 반복해서 보여준다. 첫 장면에 등장한 제우스 신의 사제의 눈에 오이디푸스는 "신과 같은 존재는 아니"라 할지라도 인간들 가운데 "가장 으뜸가는 자", "가장 위대한 자", "가장 고결한 자", 스핑크스로부터 테바이 시를 해방시킨 가장 지혜로운 자로 비친다(31행 이하). 코러스의 눈에 비친 오이디푸스도 마찬가지다(504행 이하). 오이디푸스에게 파멸이 도래했을 때에도 그들은 그것이 그의 성격 결함의 결과라고 말하지 않는다.

하마르티아는 주인공의 성격 결함이 아니다. 앞서 언급했지만, 비극적 주인공이 자신의 의도와는 상관없이 행하게 되는 '지적 잘못'이나 도덕적 잘못이 하마르티아다. 오이디푸스의 경우에는 아버지를 살해하고 어머니와 결혼한 것이 바로 하마르티아다. 자신의 의도와는 아무런 상관이 없는 도덕적 잘못이 하마르티아인 것이다. 그러나 오이디푸스는 아리스토텔레스뿐만 아니라 플라톤에게도 가장 무서운 하마르티아를 초래한 자로 일컬어진다. 그리스 비극에서는 인간적인 차원에서 저질러진 수치스러운 행위가 비록 행위자의 동기나 의도와는 전혀 관계없이 이루어진 것이라 할지라도 결과적으로는 신이 지배하는 우주의 질서를 더럽힌 행위로 간주되기 때문이다.

그러므로 오이디푸스의 동기나 의도가 순수했다거나 적어도 악한 것은 아니었다 하더라도 그가 자기도 모르게 범한 하마르티아는 사실상 우주의 질서를 더럽힌 것이 된다. 그리스인들에게 궁극적으로 중요한 것은 의도가 아니라 행위와 행위의 결과였다. 더럽혀진 우주 질서가 다시 회복되기 위해서는 어떤 식으로든 행위자를 희생시켜야만 했다. 이것이 그리스 비극의 근본적인 패턴이다.

운명의 비극인가

오이디푸스의 비극이 자신의 의도나 성격적 결함에 기인한 것이 아니라면 이 작품은 흔히 이야기되듯이 '운명의 비극'인가. 먼저 오이디푸스에게 주어진 운명의 근원을 추적하기 위해 그가 죽인 그의 아버지 라이오스의 이야기로 거슬러올라가 보자. 잘 알려진 이야기는 아니지만, 고대의 주석들과 단편적 신화들을 통해 전해지는 이야기에 따르면, 아트레우스의 아버지인 피리기아 왕 펠롭스에게는 아름답기로 유명한 크리시프푸스라는 어린 아들이 있었다. 제우스 신과 테세우스의 마음을 사로잡았던 그의 미모는 오이디푸스의 아버지 라이오스의 마음마저 사로잡았고, 그는 전차를 모는 방법을 가르쳐준다는 구실로 왕자를 테바이로 데려온 후 그를 강간했다. 이 사건으로 크리시프푸스는 자살했고, 그의 아버지는 라이오스를 저주했다. 아폴론 신은 라이오스에게 벌로 자식을 갖지 말 것을 명령하면서[4] '만약' 자식을 낳으면 그 자식의 손에 죽게 될 것이라고 경고했다. 라이오스가 이 명령을 거역했기 때문에 아폴론 신은

---

4) '크리시프푸스'에 관한 출처에 대해서는 Martin West, "Ancestral Curses," *Sophocles Revisited: Essays Presented to Sir Hugh Lloyd-Jones*, Jasper Griffin 편 (Oxford: Oxford UP, 1999), 42~44쪽을 참조할 것.

그와 그의 자식들을 무서운 운명으로 저주했던 것이다. 그러므로 오이디푸스의 비극적 운명은 자신의 의도와는 전혀 관계없이 그의 아버지 라이오스가 범한 잘못에 대한 대가로 주어진 것이었다.

그러나 소포클레스의 『오이디푸스 왕』에는 이러한 신화적 배경이 언급되지 않았으며, 오이디푸스의 비극적 운명은 그의 아버지의 잘못으로 인한 것이라는 점도 드러나지 않는다. 소포클레스에게 중요한 것은 아폴론의 신탁이 무조건적이라는 점이다. 아폴론 신이 오이디푸스에게 내린 신탁은 그가 자신의 아버지를 죽이고 자신의 어머니를 아내로 취할 것이라는 무조건적인 예언이었다(790행 이하). 라이오스에게 내려진 신탁도 무조건적인 것이었다(711행 이하). 아폴론은 라이오스에게 자식을 낳으면 그 자식의 손에 죽을 것이라고 예언했다. 그의 선배시인인 아이스킬로스와 후배시인인 에우리피데스도 이 이야기를 다루는데,[5] 그들의 경우에는 조건적이다(각각 『7인의 전사』 742행 이하; 『페니키아 여인들』 13행 이하). 만일 라이오스가 자식을 낳으면 그 자식이 그를 죽일 것이라는 조건이 있다. 이 경우 라이오스가 아폴론 신의 명령에 따라 자식을 낳지 않았다면 이후의 비극은 피할 수 있는 것이 된다.

그러나 소포클레스의 오이디푸스의 경우에는 '만일'이라는 가정이 배제되고 있다. 이 경우 오이디푸스의 비극은 무조건 주어지는 것이 된다. 오이디푸스는 무조건적인 운명의 희생자인 것이다. 오이디푸스에게 아무런 도덕적 잘못이 없다거나, 이 작품이 인간의 자유의지를 전적으로 부정하는 '운명의 비극'이라는 주장이 가능해지는 것은 바로 이러한 견지에서다.

그러나 그리스 비극이 '운명의 비극'이라는 도식은 일찍이 일군의 학자들, 즉 스넬(Bruno Snell), 레스키(Albin Lesky), 도즈(E. R. Dodds)

---

5) 이에 대해서는 Elizabeth Belfiore, *Murder among Friends: Violence of Philia in Greek Tragedy* (New York: Oxford UP, 2000), 169~170쪽을 참조할 것.

등에 의해 무너졌다. 그들의 입장에 동조하는 다수의 학자도 그리스 비극의 주인공들은 어떤 행동을 결정하는 데 궁극적으로 자신의 자유의지에 따른다는 점을 강조한다. 신의 개입이라는 외적 요인만이 아니라 개개인의 자유의지라는 내적 요인도 주인공의 운명을 결정하는 주요요인이라는 것이다. 이러한 입장은 자주 인용되는 레스키의 '이중의 동기부여'나 도즈의 '중층적(重層的) 결정'이라는 용어를 통해 잘 드러난다. 그리스 비극에 이중의 동기가 부여된다고 할 때, 소포클레스의 『오이디푸스 왕』은 어느 그리스 비극작품들보다도 개체의식이나 개인의 자유의지라는 내적 요인이 큰 비중을 차지한 작품으로 간주된다.

사실 그리스인들은 역사상 최초로 스스로를 하나의 개체로 인식했다. 그들은 최초로 인간을 우주의 중심으로 자리매김했으며, 그러한 자의식을 발전시켜나갔다. 비극은 이러한 그리스 문화의 독특한 산물이며, 동시에 그들이 어떻게 하나의 개체로서 자의식을 구축하고 그것을 강화시켜나갔는가를 보여주는 일종의 지표다. 바꾸어 말하면 이러한 개체성, 개인의 자의식을 토대로 출발한 그리스 문화는 사실 출발부터 이미 비극정신을 잉태할 수밖에 없었던 것이다. "성격이 인간의 운명"[6]이라고 했던 헤라클레이토스는 가히 그리스인의 전형이라 할 만하다.

소포클레스 역시 철저한 그리스인이다. 그는 엄격히 말해서 "인간들의 행동을 추동하는" 영혼, 즉 성격의 중요성을 "최초로" 강조한 비극시인이기 때문이다.[7] 『오이디푸스 왕』에서 대부분의 극적인 행위들은 주인공의 의지로 이루어진다. 오이디푸스 왕은 그가 명령을 내릴 때 사용하는 '나, 오이디푸스'라는 표현을 포함하여 '나'라는 단어를 30번 이상 사용한다. '나'에 대한 강한 자의식은 "내가 모든 일을 행하리라"(145행)는

---

6) Heraclitus, Frag. 119. Hermann Diels와 W. Kranz 공편, *Die Fragmente der Vorsokratiker* (Berlin: Weidmann 1952).
7) Werner Jaeger, *Paideia: The Ideals of Greek Culture*, Gilbert Highet 역 (New York: Oxford UP, 1970), I: 279쪽.

구절에서 절정에 이른다. 오이디푸스의 의지에 따른 진실의 발견, 그로 인한 이오카스타의 자살, 그리고 그의 실명과 추방, 아폴론 신은 그 어느 것도 예언하지 못했다. 모든 사실이 드러나기까지의 극적인 사건들은 모두 오이디푸스의 의지에 따라 전개된 것이다. 이러한 그의 자유의지는 많은 이가 라이오스 왕의 살해범을 찾고자 하는 그의 노력을 중단시키고자 했다는 사실을 통해서도 확인된다. 테이레시아스(320~321행), 이오카스타(848행, 1,060~1,061행), 그리고 양치기(1,165행)가 그만두라고 권고했지만, 오이디푸스는 그와 같은 권고를 거부하고 진실을 밝히려는 의지를 굽히지 않는다.

탁월한 소포클레스 연구자들 가운데 한 사람인 녹스는 "오이디푸스의 행동은 자유로운 행위자의 행동일 뿐만 아니라 극중 사건의 원인이기도 하다…… 파국은 비극적 주인공의 자유로운 결단과 행동의 결과임이 틀림없다……." 더 나아가 "주인공의 의지는 절대적으로 자유로우며, 파국의 책임은 전적으로 주인공에게 있다"[8]고 했다.

이렇게 그의 의지가 가장 선명하게 드러나거나 그의 자유의지가 가장 극적으로 표출된 행위는 바로 스스로를 눈멀게 하는 행위다. 그는 "(실명을 포함하여) 나에게 잔인한, 이 잔인한 고통들을 가져온 이는 아폴론이었지만…… 나의 눈을 찌른 손은 그 누구도 아닌 나 자신의 손이었다"(1,329~1,331행)고 울부짖는다. 전형적인 비극적 주인공의 위대성은 자신을 억압하는 모든 것에 홀로(monos——이 작품에서는 이 단어가 자주 반복된다) 맞선 채 자신의 자유의지에 따라 행동하고, 그것에 따르는 책임과 결과를 전적으로 수용하는 자세에 있다. 지라르(René Girard)는 오이디푸스를 집단의 질서와 이익을 위해 희생된, 즉 일종의 희생제의의 속죄양(pharmakos)이 되고 만 비극 주인공으로 설정했지만[9], 진정한

---

8) Bernard M. W. Knox, *Oedipus at Thebes* (New York: Norton, 1971), 12쪽, 5쪽. 그리고 같은 저자, *Essays: Ancient and Modern* (Baltimore: Johns Hopkins UP, 1989), 57쪽.

비극 주인공은 그러한 희생마저 주저함이 없이 자신의 자유의지에 따라 감수하는 인물이다. 오이디푸스는 자신의 죽음이나 추방이 도시 전체를 구할 수 있다면, 기꺼이 희생제물이나 '속죄양'이 될 태세다(1,410~1,415행).[10]

그렇다고 해서 이 작품이 녹스의 주장대로 '자유의지의 비극'인 것만도 아니다. 오이디푸스의 파멸이 철저하게 외적 요인으로 결정된다는 점에서 볼 때, 이 작품의 세계는 철저히 운명적이다. 앞서 아폴론은 오이디푸스가 추구한 진실의 발견, 이오카스타의 자살, 그리고 오이디푸스의 실명과 추방 등 그 어느 것도 예언하지 못했다고 지적했다. 물론 이 작품에 아폴론 신이 직접 등장하지는 않는다. 그러나 그의 모든 예언은 테이레시아스를 통해 천명되며, 오이디푸스의 운명은 그 예언에서 한치도 벗어나지 않는다. 코러스의 노랫말 그대로 예언자 테이레시아스가 보는 것이 바로 아폴론 신이 보는 것과 다름없다면(284행 이하), 그의 예언이 곧 아폴론의 예언인 것이다.

그렇기 때문에 오이디푸스는 "나에게 잔인한, 이 잔인한 고통을 가져온 이는 아폴론이었다"고 울부짖는 것이다. 자신의 아버지를 살해하고 자신의 어머니를 취할 것이라는 예언된 운명뿐만 아니라, 그후 오이디푸스 자신의 의지에 따라 정체성을 발견하고, 아내이자 어머니인 이오카스

---

9) René Girard, "Oedipus and the Surrogate Victim," *Violence and the Sacred*, Patrick Gregory 역 (Baltimore: Johns Hopkins UP, 1977), 68~88쪽.

10) 오이디푸스를 '속죄양'으로 바라보는 시각에 대해서는 Jean-Pierre Vernant, "Ambiguity and Reversal: On the Enigmatic Structure of Oedipus Rex," Jean-Pierre Vernant과 Pierre Vidal-Naquet 공저, *Myth and Tragedy in Ancient Greece*, Janet Lloyd 역 (New York: Zone Books, 1990), 125쪽, 특히 127~135쪽. Charles Segal, *Oedipus Tyrannus: Tragic Heroism and the Limits of Knowledge* (New York: Oxford UP, 2001), 114~115쪽. 그리고 164~166쪽을 참조할 것. 『오이디푸스 왕』에서 '속죄양' 패턴의 중요성과 그 한계를 동시에 논하는 글로는 Walter Burkert, *Oedipus, Oracles, and Meaning* (Toronto: University College, 1991), 19~21쪽을 볼 것.

타가 자살하는 것, 그의 실명과 추방까지 아폴론이 미리 정한 구도 아래 가능해지는 것이라고 볼 때, 오이디푸스의 비극은 철저히 운명적이다. 주인공의 자유의지 표출은 "번쩍이는 천둥번개로 무장하고 그에게 달려드는"(469~470행) 아폴론 신에게 무모하게 항변하는 허망한 절규에 지나지 않는다.

그러나 중요한 사실은 테이레시아스, 아니 아폴론 신이 전혀 예언하지 못했기 때문에 전혀 개입할 수 없는, 오이디푸스의 고유한 가치 영역이 있다는 것이다. 이 영역에 따라 비로소 강철 같은 운명의 틀이 무너지고 만다. 우리가 '실명' 모티프를 중요하게 다루고자 하는 것은 바로 이 때문이다.

실명의 모티프

제5장에서 논의했듯이, 그리스인들에게 산다는 것은 본다는 것이고 본다는 것은 안다는 것과 동일한 것이었다. 그들에게 시각은 이성이나 인식능력과 직결된 최고의 감각이었고, 인간의 눈은 대존재, 즉 절대진리인 이데아를 '바라보는' 지식의 근원이었던 것이다. 『오이디푸스 왕』에서도 시각이 인식능력의 기준이 된다. 오이디푸스는 '봄'에 절대가치를 부여하기 때문이다. 이는 오이디푸스가 보지 못하는 예언자 테이레시아스를 인식능력에서 그와 대립 관계로 설정한 것에서 잘 드러난다. 테이레시아스가 라이오스의 살해범을 알려달라는 오이디푸스의 '탄원'을 거부함으로써 그들이 적대적인 관계가 되기 전까지는 오이디푸스도 테이레시아스를 "신의 예언자"(298행)라 칭송하며 진정한 존경을 표한다 (300~315행).

그러나 테바이 시를 구원해달라는 그의 탄원에 응답하지 않는 테이레시아스에게 분노한 오이디푸스는 그를 라이오스의 살해에 가담한 공모자로 몰고, "그대가 눈을 가지고 있었더라면, 그대 혼자서 라이오스 왕을 살해했을 것"(346~349행)이라 매도한다. 이에 테이레시아스는 오이디푸스야말로 "이 땅을 오염시킨 저주받은 장본인"(353행)이라고 맞선다. 이 둘의 관계가 적대적으로 변한 것은 바로 이 시점부터다. 그리고 바로 여기서부터 보는 자와 보지 못하는 자 사이의 대립구도가 펼쳐지게 된다.

선왕의 살해범을 찾는 오이디푸스가 바로 선왕의 살해범이라는 테이레시아스의 말에 오이디푸스는 예언자의 귀, 마음, 눈, 그 어느 것도 보치 못한다면서 진리를 관통하는 힘은 보는 능력과 결부되기 때문에 실명한 테이레시아스는 진리를 알 수 없다고 매도한다(370~371행). 여기서 오이디푸스는 눈만이 아니라 귀, 마음 등의 "의식기관"[11] 전체를 시각화한다. 진리에 대한 인식은 전적으로 보는 능력에 기반한다는 것이다. 이에 격분한 테이레시아스가 지금 자신에게 쏟아낸 모욕과 조롱을 여기에 있는 모두가 오이디푸스에게 쏟아내게 될 것이라고 하자, 오이디푸스는 "영원한 밤의 후손인 그대는 나를 포함하여 태양을 바라보는 그 누구도 압도할 힘을 가지지 못한다"고 조소한다(372~376행).

앞서 "고대 그리스에서 살아 있다는 것은 '태양, 바로 그 빛을 바라본다는 것'과 같은 것이었다. 죽는다는 것은 '볼 수 있는 능력을 상실한다'는 것을 뜻하기 때문이었다…… 죽은 자는 그가 보지 못하기 때문에 지하의 하데스 신과 하나가 되는 것으로 여겨졌다"고 지적했다. 오이디푸스에게 보지 못하는 테이레시아스는 죽은 자나 다름없다. 모든 감각 가운데 시각에 절대 권위를 부여했던 고대 그리스에서 "인식은 보는 것으로 가능해지기 때문에 볼 수 있는 자만이 인식의 주체가 될 수 있다"는 점도 지적했다.[12] 오이디푸스에게는 보지 못하는 테이레시아스가 진리를 인식할 수 없을 뿐만 아니라 인식의 주체도 될 수 없는 존재인 것이다.

오늘 "이날" 파멸하리라고 에둘러 예언하는 테이레시아스에게 오이디

---

11) Charles Segal, *Sophocles' Tragic World: Divinity, Nature, Society* (Cambridge/M.A.: Harvard UP, 1995), 177쪽.
12) 제5장 126쪽을 볼 것.

푸스가 당신은 스핑크스의 수수께끼를 풀 수 없었지만, 자신은 "어떠한 신의 도움도 없이" 자신의 지식(gnomē)으로 그것을 풀고 테바이 시를 구했다고 함으로써(394~398행) 보는 자로서 자신의 능력을 과시한다. 오이디푸스는 보지 못하는 자, 테이레시아스가 가진 예언능력의 허구성을 논박한 것이다. 이처럼 '봄'(見)에 절대가치를 부여하는 오이디푸스에게 테이레시아스는 "그대는 눈을 가지고 있지만, 자신이 어떤 비참한 상태에 빠져 있는지를 보지 못하며, 자신이 어디에 살고 있는지 누구와 살고 있는지를 보지 못한다"(413~414행)고 반박한다. 그는 오이디푸스가 기반한 시각의 허구성을 지적한 것이다. 계속해서 그는 오이디푸스가 지금은 볼 수 있지만 앞으로는 볼 수 없게 될 것이고, 지금은 부자이지만 앞으로는 거지로 전락하여 지팡이에 의존한 채 외국의 낯선 땅을 떠돌게 될 것이며, 자식들에게는 아버지이자 형제, 어머니에게는 아들이자 남편, 아버지에게는 그를 죽인 살해범이 될 것이라는 예언을 남기고는 (454~460행) 그 자리를 떠난다.

사실 오이디푸스에게 이 예언자를 통해 들은 여러 이야기는 스핑크스의 수수께끼보다 더 "헤아리기 어려운", 그러므로 더 깊은 의미를 품은 "수수께기"(439행), 아니 좀더 정확하게 말하자면 마치 신탁의 '신호'처럼 들린다. 헤라클레이토스에 따르면, 델포이의 아폴론 신탁은 "말하지도 않으며 그렇다고 숨기지도 않는다. 대신 그것은 신호(sēmainei)를 준다."[13] 그 '신호'는 새들의 소리나 비상(飛翔) 또는 벌의 동작 등등의 여러 전조(前兆)를 통해 나타난다."[14] 오이디푸스는 스핑크스의 수수께끼를 풀 때, 자신은 신의 도움뿐만이 아니라 새들의 도움도 받지 않았다고 주장하지만(395~396행), 제우스 신의 사제는 오이디푸스가 "신의 도움

---

13) Heraclitus, *Frag. 93.* Hermann Diels와 W. Kranz 공편, 앞의 책.
14) Christiane Sourvinou-Inwood, *'Reading' Greek Culture: Texts and Images, Rituals and Myths* (Oxford: Clarendon Press, 1991), 196~210쪽을 볼 것.

으로" 수수께끼를 풀었다고 단언한다(38행). 새들의 도움을 통해서건 다른 전조를 통해서건 어떤 형식으로든 신의 개입이 있었다는 것이다.

고대 그리스에서 진리를 말하는 것은 흔히 '헤아리기 어렵게' 말하는 것을 의미했다. 여기서 '헤아리기 어렵게' 말한다는 것은 곧 말로는 진리를 표현할 수 없다는 것을 의미한다.[15] '신호'라는 단어가 등장한 것은 바로 이 때문이다. 일반적인 문답의 형식을 넘어선 테이레시아스의 '수수께끼' 같은 말들은 진리를 담보하는 예언, 즉 일종의 신탁 신호다. 실명한 테이레시아스의 눈은 신탁 신호들이 거하는 장소이므로 그 눈은 신성의 눈이 된다. 진리를 담보한 그의 예언은 바로 진리를 관통하는 이 눈을 통해 이루어진 것이다. 테이레시아스와 오이디푸스 사이의 본질적인 차이는 바로 여기에 있다. 전자의 눈이 신성의 눈이라면, 후자의 눈은 인간의 눈인 것이다. 잘 알려진 대로 테이레시아스의 실명한 눈은 제우스가 준 예언의 눈이기 때문이다. 오이디푸스가 한 이 실명한 눈에 대한 조소는 다름 아닌 신의 지혜와 예언의 눈에 대한 조소이고 도전인 것이다.

테이레시아스의 실명과 관련해서는 두 가지 이야기가 전해지는데,[16] 그 가운데 하나는 다음과 같다. 어느 날 테이레시아스는 아르카디아 변경의 어느 산에서 성교 중인 뱀들을 보게 된다. 그 중 하나에 상처를 입히자 그는 바로 여자의 모습으로 변해버렸다. 이후 테이레시아스는 7년 동안 여성으로 살게 된다. 아폴론은 그녀가 만일 성교 중인 다른 뱀들을 보고 똑같이 그 중 하나에 상처를 입힌다면 다시 남자의 모습으로 돌아오게 될 것이라는 신탁을 내려준다. 다시 남자가 된 테이레시아스는 어느 날 제우스와 헤라의 논쟁에 증인으로 불려가게 되는데, 그 논쟁은 성행위에서 남

---

15) Gerald L. Bruns, *Hermeneutics Ancient and Modern* (New Haven: Yale UP, 1992), 22쪽.

16) 이에 대한 상세한 논의는 Luc Brisson, "Mediators," *Sexual Ambivalence: Androgyny and Hermaphroditism in Graeco-Roman Antiquity*, Janet Lloyd 역 (Berkeley: U of California Press, 2002), 116~126쪽을 참조할 것.

자와 여자 중 누가 더 많은 쾌락을 느끼는가에 대한 것이었다. 테이레시아스는 남자는 그 경험의 10분의 1, 여성은 10분의 9의 기쁨을 누린다고 대답했다. 이에 분개한 헤라는 그의 눈알을 도려내버렸고, 제우스는 그 대가로 예언의 능력과 210세까지 살 수 있는 긴 수명을 주었다.

한편 칼리마코스(Callimachos)가 전하는 또 하나의 이야기에 따르면 그의 실명은 아테나에 의한 것이었다. 목욕 중인 아테네의 나신을 몰래 훔쳐본 벌로 실명하게 되었다는 것이다. 그러나 테이레시아스 어머니의 간청에 감동한 아테나는 실명의 대가로 그에게 예언의 능력, 긴 수명, 죽은 후에도 그의 기지와 이성을 보유할 수 있는 능력과 지팡이를 주었다. 이후 테이레시아스는 "테바이 시 왕가의 공식 예언자"가 되었고, "새들의 비상과 울음소리를 통해 모든 것을 예언했다."[17] 그는 "인간의 모든 일을 충분히 알고 이해하는"(498~499행) 자, 제우스에게서 예언의 눈을 부여받았기에 진정으로 보는 자다. 제우스의 사제 눈에 오이디푸스는 "신과 같은 존재는 아니지만"(31행), 코러스의 눈에 테이레시아스는 "신의 예언자"(298행), 아폴론과 똑같이 보는 자(284행)다. 이처럼 보는 눈(오이디푸스)이 보지 못하는 눈이 되는 것, 보지 못하는 눈(테이레시아스)이 보는 눈이 되는 것, 이러한 역설이 『오이디푸스 왕』을 관통하는 핵심적인 주제 가운데 하나다.

오이디푸스의 실명

금지된 것을 행한 이에게 실명이라는 벌이 내려진 것은 『구약』에서도

---

17) Luc Brisson, 같은 글, 같은 책, 123쪽, 122쪽. 초자연적인 시각의 힘을 가진 예언자 테이레시아스가 죽은 후에도 그러한 힘을 계속 가지는 등, 그가 호메로스의 『일리아스』에서는 어떻게 묘사되는가에 대해서는 Barbara Graziosi, *Inventing Homer: The Early Reception of Epic* (Cambridge: Cambridge UP, 2002), 142~243쪽을 볼 것.

마찬가지다. 신의 얼굴을 보면 안 된다는 것, 이는 신들의 철칙이다. 『구약』에서 여호와의 "네가 내 얼굴을 보지 못하리니 나를 보고 살 자가 없음이니라"(「출애굽기」 33.20)는 경고는 단순한 경고로 끝나지 않았다. 『구약』에 등장하는 많은 이야기가 위반의 대가로서 실명이라는 주제를 다룬다. 모세 5경에서도 실명은 신이 정한 금기를 위반한 경우에 받게 되는 무서운 벌 중 하나로 제시된다(「레위기」 26.16; 「신명기」 28.65; 「욥기」 11.20; 「잠언」 30.17; 「스바냐」 1.17 등등). 아프리카의 부구스족의 경우 지금도 신의 얼굴을 본 자는 반드시 죽는다는 믿음을 지니고 있다.[18]

테이레시아스의 경우 여신 아테나의 나신을 훔쳐보았다는 것은 최고의 금기에 대한 위반이다. 금기의 대상을 훔쳐본 그의 행위는 일종의 오이디푸스적 욕망의 상징적 투영이기도 하다. 훔쳐보는 행위에는 언제나 성적 욕망이 결부되기 때문이다. 금기의 대상인 아테나의 나신을 보았다는 것은 프로이트를 따른다면 어머니를 탐한 아들의 원초적인 위반의 욕망을 예고한다. 테이레시아스가 실명하게 되는 또 다른 경우도 성적인 문제와 결부되지만, 궁극적으로 그것은 지식의 문제와 관련된다. 여성이 남성보다 더 많은 성적 쾌락을 느낀다는 테이레시아스의 정확한 대답은 그가 "인간의 모든 일을 충분히 알고 이해하는" 신의 지적 능력을 압도함을 보여준다.

그러나 인간의 지적 능력은 신의 그것을 능가할 수 없다. 이 또한 신들의 철칙이다. 비록 제우스의 요청에 따라서이긴 했지만 그는 성적 비밀(금지된 지식)이라는 철칙을 위반한 것이다. 고대 그리스에서는 행위 의도나 동기가 아니라 결과가 더 중요했다는 것이 여기서도 적용된다. 테이레시아스의 그와 같은 행위도 아침에는 네 발, 점심에는 두 발, 저녁에는 세 발로 걷는 것이 무엇인가라는 스핑크스의 물음에 신의 도움 없이

---

18) John S. Mbiti, *Concepts of God in Africa* (New York: Praeger, 1970), 25쪽.

온전한 자신의 지식으로 '인간'이라고 답해 능력을 발휘한 오이디푸스의 지적 오만을 예고한다.

오이디푸스의 실명도 이러한 관점에서 조명될 수 있다. 우선 모든 진실이 밝혀진 후 아내이자 어머니인 이오카스타의 브로치로 자신의 눈을 찔러 스스로를 눈멀게 한 행위를 일종의 거세행위로 보는 경우를 들 수 있다. 우리는 제3장에서 신화학적, 문화인류학적인 관점에서 '눈과 성기'의 관계를 다루면서 눈이 '팔루스'의 상징적인 대체물이라는 점을 지적했다. 또한 고대 그리스의 여러 자료를 통해 눈이 남성 성기를, 실명이 거세를 상징한 사례들을 접할 수 있음을 지적했다.[19]

그러므로 오이디푸스의 실명행위는 근친상간에 대한 벌로서 자신의 성기를 거세한 행위를 상징하는 것으로 해석될 수도 있다.[20] 일찍이 『꿈의 해석』(1900)에서 『오이디푸스 왕』을 '운명의 비극'이라 규정한 프로이트는 아폴론의 신탁이 "우리 모두의 운명"이기 때문에 "아마도 우리 모두는 최초의 성적인 충동이 어머니, 그리고 최초의 증오와 최초의 살인의 소망이 아버지를 향하도록 운명지어진 존재"[21]라고 주장했다. 인간이라는 존재는 무의식 속에 억압된 이 원초적인 욕망에서 결코 자유로울 수 없으며, 우리의 꿈이 이를 증명한다는 것이다.

그러나 『오이디푸스 왕』에 대한 이러한 해석을 베르낭은 설득력 있게 반박한다.[22] 우리는 오이디푸스의 운명이 어떻게 전개되었는지 잘 알고

---

19) '눈과 성기'의 관계에 대해서는 제3장을 참조할 것.
20) 가령 그것의 가장 고전적인 예는 George Devereux, "The Self-Binding of Oidipous in Sopokles: Oidipous Tyrannos," *Journal of Hellenic Studies*, 93 (1973), 36~49쪽이다. 그리고 Nicole Loraux, "L'Empreinte de Jocaste," *L'Écrit du temps 12* (1986), 35~54쪽을 볼 것.
21) Sigmund Freud, *The Interpretation of Dreams*, James Strachey 편역, *The Standard Edition of the Complete Psychological Works of Sigmund Freud* (London: Hogarth Press, 1953), IV: 262쪽.
22) Jean-Pierre Vernant, "Oedipus without the Complex," Jean-Pierre Vernant

있다. 자식을 낳으면 그 자식이 아버지를 죽이고 어머니를 취할 것이라는 아폴론의 신탁을 알고 있었던 라이오스는 오이디푸스가 태어나자마자 신하에게 그를 죽여 키타이론 산에 버리라고 명령했다. 그러나 그 신하는 차마 오이디푸스를 죽일 수 없어서 주위의 양치기에게 주어버리고는 자취를 감춘다. 양치기는 오이디푸스를 자식이 없는 코린토스의 왕, 폴리부스와 그의 아내 메로페에게 주었다. 코린토스의 왕자로 성장한 오이디푸스는 어느 날 자신에게 내려진 아폴론의 신탁을 알게 되고 그의 양친 곁을 떠나게 된다. 이런 점에서 베르낭은 오이디푸스가 어떠한 "오이디푸스 콤플렉스"도 가지고 있지 않았다고 논박한다. 오이디푸스가 양친 곁을 떠난 것은 그의 부모가 폴리부스와 메로페라는 것을 믿었기 때문이며 만약 그에게 '오이디푸스 콤플렉스'라는 것이 있다면, 그것의 대상은 라이오스와 이오카스타가 아니라 폴리부스와 메로페가 되어야 한다는 것이다.[23] 계속해서 베르낭은 문학 장르로서 비극의 역사성을 강조한다. 그는 다음과 같이 말한다.

그러므로 비극의 소재는 역사 밖의 인간현실로 가정되는 어떤 꿈이 아니라 5세기 폴리스 특유의 사회사상이다. 말하자면 법이나 정치적 삶에서 여러 제도의 출현으로 말미암아 지난날의 종교적, 도덕적 전통이 의문시될 때, 그 모든 긴장과 모순이 표출되는 장소로서 당시의 사회사상이다.[24]

과 Pierre Vidal-Naquet 공저, 앞의 책, *Myth and Tragedy in Ancient Greece*, 85~111쪽.

23) Jean-Pierre Vernant, 같은 글, 같은 책, 107~109쪽. 그리고 Pietro Pucci, *Oedipus and the Fabrication of the Father* (Baltimore: Johns Hopkins UP, 1992), 44~48쪽. 프로이트와 연관하여 좀더 상세하게 논의한 글로는 Charles Segal, 앞의 책, *Sophocles' Tragic World: Divinity, Nature, Society*, 161~179쪽을 볼 것.

24) Jean-Pierre Vernant, 같은 글, 같은 책, 88쪽.

이러한 맥락에서 오이디푸스의 실명이라는 모티프는 역사성, 즉 당시 사회상과 불가분의 관계 속에서 조명될 필요가 있다.

물론 오이디푸스가 자신의 눈을 찔러 스스로를 눈멀게 한 것은 그가 고백하듯이 인간들과의 모든 접촉을 단절하기 위해서다. 또한 하계에서는 그의 양친을 만났을 때 차마 그들을 쳐다볼 수 없기 때문이었다(1,369~1,374행). 그러나 이는 작품에 등장하는 표면적인 이유일 뿐이다. 앞에서도 잠시 거론되었지만, 자신의 '지식'으로 스핑크스의 수수께끼를 풀고 테바이 시를 구한 것을 자랑스러워하는 오이디푸스는 보는 것이야말로 진리에 이르기 위한 지식과 인식의 길잡이임을 강조하면서 보지 못하는 테이레시아스를 폄하했다.

그리고 이 작품에서 오이디푸스가 가장 즐겨 사용한 단어 가운데 하나는 척도, 수, 계산 등을 포괄한 '측정'(metron)이다. 소포클레스는 친구인 역사가 헤로도토스의 『역사』에서 이집트의 피라미드 건설에 계산법과 측정법이 사용되었다는 것을 읽었고,[25] 그의 주인공 오이디푸스는 이를 진리에 이르는 방법으로 간주한다. 오이디푸스에게는 "시간의 계산, 나이와 수의 측정, 장소와 기술의 비교 등이…… 살해범을 찾는 방법이 되는 것이다."[26] 오이디푸스의 이러한 자세는 과학적 사유를 기반으로 한 기원전 5세기 아테네 소피스트들의 계몽주의 정신이었다.

기원전 5세기 후반에 특히 아테네에서는 당시의 "가장 큰 논쟁거리의 하나였던" 예언이나 그 밖의 종교적 전통 전반에 대한 공격이 활발하게 이루어졌고, 비록 "조롱은 아니라 할지라도 회의적인 눈초리의 대상이 되었던 것이다."[27] 예언이나 종교적 전통에 대한 철학의 공격은 좀더 급진적인 것이었다. 잘 알려져 있듯이 당시의 계몽주의 정신을 대표하던 소피스트 프로타고라스는 신이 아니라 "인간이 만물의 척도(metron)"[28]

---

25) Bernard M. W. Knox, 앞의 책, *Oedipus at Thebes*, 150쪽.
26) Bernard M. W. Knox, 같은 책, 150쪽.
27) Bernard M. W. Knox, 앞의 책, *Essays: Ancient and Modern*, 49쪽, 48쪽.

라고 했다. "프로타고라스가 인간이 만물의 척도라고 규정했을 때, 이는 모든 지식이 본래 주관적이며 상대적이라는 것, 지식은 개인의 주관적 인식의 산물이므로 인식의 주체인 개인이 있어야 객관적 지식도 가능하며, 의미를 가질 수 있다는 것을 전제로 한 것이었다. 따라서 개인의 주관적인 경험이 절대기준이 되며, 개인의 주관적 경험을 벗어나는 절대표준은 존재할 수 없게 된다. ……예거가 정확하게 지적했듯이, 휴머니즘은 '본질적으로 그리스인들의 창조물이며', 소피스트들의 휴머니즘은 역사상 '최초의 휴머니즘'이었다".[29]

신이나 새들의 도움 없이 자신의 주관적 '지식'으로 스핑크스의 수수께끼를 풀었다는 오이디푸스는 바로 이러한 정신의 대변자다. 그는 휴머니즘에 입각한 소피스트들의 주관주의적이고 합리주의적인 과학정신을 대변한다. 그가 자부하는 그의 '지식'이란 소피스트들의 시각을 토대로 한 인간중심적 사유의 산물인 것이다. 소포클레스는 오이디푸스의 '실명'을 통해 소피스트들의 그러한 인간중심적 사유의 한계를 강조, 아니 반격한다. 오이디푸스가 자신의 눈을 찌른 행위는 시각적 경험을 토대로 한 일체의 지식에 대한, 그리고 그러한 지식을 표방한 소피스트들의 인간중심적인 사유에 대한 일격인 것이다.

소포클레스는 인간이 만물의 척도라는 소피스트들의 인간중심적인 태도를 불안한 눈초리로 바라본다. 소포클레스의 이러한 우려는 '오이디푸스'라는 이름에 대한 해석을 통해서도 설명될 수 있다. 사실 '오이디푸스'라는 이름은 복합적인 의미를 가진 단어다. 그 가운데 가장 잘 알려진 것은 아마 '부어오른 발'이라는 의미일 것이다.

'부어오른'이라는 뜻을 가진 그리스어 오이도스(oidos)와 발이라는 뜻을 가진 푸스(pous)의 합성어가 '오이디푸스'다. 오이디푸스를 라이오

---

28) Hermann Diels와 Walther Kranz 공편, 앞의 책(1954), *Protagoras* B1.
29) 제6장 225~226쪽.

스의 신하가 키타이론 산에 버렸을 때 두 발목은 구멍이 뚫린 상태였고, 그의 두 발은 퉁퉁 부어 있었다. 그런데 그리스에서 푸스라는 기표(記票)는 남성 성기를 의미하는 것이기도 하다.[30] 프로이트도 '부어오른 발'을 남성의 성기와 연결시켰지만, 프로이트 이전에도 페렌치(Sándor Ferenczi)라는 학자가 오이디푸스의 실명행위를 거세행위로, 그의 부어오른 발은 발기한 음경으로 해석했다.[31] 그러나 오이디푸스의 실명을 성적인 주제와 관련시켜 해석하는 것은 『오이디푸스 왕』이라는 작품의 진정한 의미를 축소시키는 것일 수도 있다. 오히려 오이디푸스라는 이름이 '부어오른 발'을 의미한다는 것은 발이 처음부터 존재와 뗄 수 없는 관계임을 보여주는 듯하다. 즉 '부어오른 발'은 오이디푸스의 정체인 버림받은 불구의 존재, 말하자면 존재의 불구성(不具性)에 대한 상징인 것이다. 그리고 이러한 육체의 불구성은 곧 인간 존재의 불구성, 즉 인간 존재의 불완전성을 의미하는 것이다. 이는 '오이디푸스'라는 이름의 또 다른 의미가 밝혀질 때 더욱 명확해질 것이다.

'오이디푸스'라는 이름의 또 다른 의미는 '나는 발을 안다'는 것이다. 그리스어로 '나는 안다'를 의미하는 오이다(oida)와 '발', 즉 푸스의 합성어로서 이때의 오이다는 '나는 본다'는 의미의 그리스어 현재동사인 에이돈(eidon)의 과거형이다. '나는 보았다'는 의미이지만, 보통 '나는 안다'는 현재동사의 의미로 쓰인다. 따라서 '발을 안다'는 것은 '본다'는 시각적 경험을 토대로 '인간을 안다'는 의미가 되는 것이다. 스핑크스가 오이디푸스에게 던진 수수께끼는 '발'의 정체다. 고대 그리스에서 발은 인간을 규정해주는 가장 중요한 요소 가운데 하나였다. 인간은 본질적으로 '땅 위를 걷는' 존재이기 때문이다. 『신통기』에서 헤시오도스는 이것이 신들과 인간들 간의 차이라고 했고(272행), 호메로스의 『일리아스』에

---

30) Pietro Pucci, 앞의 책, 76쪽.
31) 이에 대해서는 Peter L. Rudnytsky, *Freud and Oedipus* (New York: Columbia UP, 1987), 176~177쪽을 참조할 것.

서도 이러한 인식을 찾아볼 수 있다(V.442행). 헤시오도스는 또한 인간은 '발'로 땅 위를 걷기 때문에 신들과 달리 불멸성을 가질 수 없다고 했다.[32] 이는 아마도 오이디푸스의 발이 불구성을 상징하듯이 인간 육체의 고유한 불완전성, 더 나아가 인간 존재 자체의 고유한 불완전성 때문일 것이다. 오이디푸스가 스핑크스에게 밝힌 '발'의 정체는 다름 아닌 바로 '인간'이었다. 베르낭은 비극적 주인공 오이디푸스를 다루면서 "인간은 기술될 수 있거나 규정될 수 있는 존재가 아니다. 인간은 하나의 문제, 이중(二重)의 의미를 다함 없이 지닌 하나의 수수께끼"[33]라고 말했다. 인간의 정체를 밝힌 오이디푸스도 하나의 문제, 하나의 수수께끼다. 위대함과 위험성을 동시에 보여준다는 점에서 더욱 그러하다.

소포클레스는 『안티고네』에서 코러스를 통해 대지와 바다 그리고 동물들을 정복한 인간의 위대함을 노래하면서 그러한 업적의 절정은 폴리스의 창조라고 했다(335~370행). 동시에 소포클레스는 이러한 업적을 이룬 인간을 모든 존재 가운데 가장 '이상한' 존재라고 노래했다(335행). '이상한'이라는 의미를 가진 그리스어 데이논(deinon)은 '경이롭다'는 의미와 '두렵다'는 의미를 동시에 가지고 있는데, 하이데거도 그의 『형이상학입문』에서 『안티고네』를 다루면서 이 단어를 주목했다.[34] 경이로우면서도 두렵고 두렵기 때문에 '위험한' 존재가 인간이다. 제우스 신의 사제 눈에 인간들 가운데 "가장 으뜸가는 자" 또는 가장 지혜로운 자로 비친 오이디푸스는 자신의 지식으로 테바이 시를 구한 "가장 위대한 자"였고, 경이롭기 그지없는 존재다. 그러나 동시에 그는 두렵고 위험한 존

---

32) Pietro Pucci, 앞의 책, 74쪽을 볼 것.

33) Jean-Pierre Vernant, "Ambiguity and Reversal: On the Enigmatic Structure of Oedipus Rex," 앞의 책, *Myth and Tragedy in Ancient Greece*, 121쪽.

34) Martin Heidegger, "The Restriction of Being," *An Introduction to Metaphysics*, Gregory Fried와 Richard Polt 공역 (New Haven: Yale UP, 2000), 156~176쪽.

재이기도 하다. "이중의 의미를 다함 없이 지닌" 인간인 것이다. 그가 두렵고 위험한 존재인 것은 무엇보다도 그가 금기를 위반한 존재이기 때문이다. 아버지를 살해하고 어머니를 취한 것만이 아니다. 그의 가장 위험한 위반행위는 바로 '앎'에 대한 위반이다. 신만이 인간이 어떤 존재인지를 알 수 있다. 스핑크스의 질문에 거침없이 '인간'이라는 답을 던진 순간, 오이디푸스는 이 금기의 영역을 넘어섰던 것이다.

불구인 오이디푸스의 발이 상징하듯이 근원적으로 '불완전한' 존재인 인간 오이디푸스가, 시각적인 경험을 기반으로 한 인간중심적 합리주의의 대변자 오이디푸스가 인간 존재의 정체를 밝힌 순간, 그는 철학의 이름 또는 지식의 이름으로 신의 영역을 침범했던 것이다. 오이디푸스의 실명을 초래한 아폴론의 분노는 여기서 기인한다. "철학자들의 후견인"[35]으로 존경받았던 아폴론은 바로 '철학적' 신, '지식'의 신[36]이었기 때문이다.

아폴론의 분노와 지혜의 눈

아폴론이 전염병을 퍼뜨리기도 하고 이를 막기도 하는 신이었다는 것은 잘 알려진 사실이다. 『일리아스』 제1편에서 아폴론은 그의 화살로 전염병을 퍼뜨린다. 그러나 아폴론은 펠로폰네소스 전쟁에서는 전염병을 그치게 했기 때문에 '악을 물리치는 이'라고 불리기도 했다. 그는 아르테미스와 함께 니오베의 자식들을 무자비하게 죽이기도 하고, 아킬레우스를 처단하는 무서운 신이기도 하지만, 한편으로는 전염병을 그치게 하고

---

35) Jean-Joseph Goux, "The Wrath of Apollo," *Oedipus, Philosopher*, Catherine Porter 역 (Stanford: Stanford UP, 1993), 110쪽.

36) Mario Vegetti, "The Greeks and Their Gods," Jean-Pierre Vernant 편, Charles Lambert와 Teresa Lavender Fagan 공역, *The Greeks* (Chicago: U of Chicago Press, 1995), 266쪽. Jean-Joseph Goux, 같은 책, 105쪽.

'오염'을 정화하는 신이기도 하다. 그러나 무엇보다도 델포이 신탁으로 유명한 예언의 신이다.

철학자 엠페도클레스에 따르면 아폴론은 "발, 재빠른 무릎, 털투성이의 성기도 가지고 있지 않다. 그는 날랜 사유로 온 세상을 꿰뚫는 성스럽고, 말로는 형언할 수 없는 정신만을 가지고 있다."[37] "순수정신"[38]의 신이기 때문에 그는 예언의 신인 것이다. 고대 그리스인들이 그를 포이부스(phoebus), 즉 "빛나는 존재"라고 부른 것에서 알 수 있듯이, 그는 예언을 통해 모든 것을 '밝게 드러내주는'(77행, 81행, 106행) '빛'의 신이므로 '지식'의 신, '철학'의 신이다. 전통적으로 "철학한다는 것은 아폴론을 숭배한다는 것"[39]이었다. '철학적 신'이라는 위상으로 인해 "그의 권위는…… 때로는 제우스를 능가했다."[40]

절대적인 권위를 표상하는 델포이의 아폴론 신탁은 인간들에게 '너 자신을 알라'고 경고했다. 그리스에서 신과 인간의 차이는 신이 '힘'을 가지고 있다는 것이다. 이때 힘이란 곧 신들의 불멸성을 가리킨다. 존재의 불멸성이 그들을 인간과는 다른 존재, 인간을 압도하는 존재로 만드는 것이다. 『안티고네』에서 인간의 위대함을 노래하는 코러스는 인간이 아무리 위대하다 하더라도 죽음만은 피할 수 없다고 노래한다(360행). 그렇다면 죽을 수밖에 없는 인간이 펼치는 '앎' 또한 한계를 가질 수밖에 없다. '너 자신을 알라'는 신탁은 인간의 한계, 곧 인간이 넘을 수 없는 경계가 있다는 것의 경고나 다름없다. 그리고 감각적 경험을 토대로 얻어진 인간의 지식으로는 존재의 신비를 재단할 수 없다는 경고이기도 하다.

경고는 철저한 보복과 결부되며, 아폴론은 이름의 어원이 말해주듯이

---

37) Silvia Montiglio, *Silence in the Land of Logos* (Princeton: Princeton UP, 2000), 10쪽에서 재인용.

38) Silvia Montiglio, 같은 책, 10쪽.

39) Jean-Joseph Goux, 앞의 책, 110쪽.

40) Mario Vegetti, 앞의 책, 105쪽.

'파괴'라는 의미와 결부된다. 아이스킬로스는 '아폴론'에서 '파괴'를 뜻하는 아폴(apol)의 어원을 끌어낸다. 가령 그의 『아가멤논』에 등장하는 카산드라는 "아폴론…… 당신이 나를 파괴한다(Apollon…… apôlesas)"(1,081~1,082행)며 한탄한다. 『오이디푸스 왕』에서 오이디푸스가 아폴론이 자신을 아폴리나이(apollynai)한다고 할 때(1,441행), 아폴리나이도 '파괴한다'는 의미다. 그러므로 그는 "나에게 잔인한, 이 잔인한 고통을 가져온 이는 아폴론이었다"고 항변하는 것이다. 아폴론은 철저하게 오이디푸스를 파괴한다. 오이디푸스는 철저하게 패배하고 이를 통해 그 신의 권위는 회복된다.

이는 인간들 중 '가장 으뜸가는 자'에서 인간들 중 '가장 저주받은 자'로 전락한 과정을 통해서도 확인되지만, 그의 패배가 가장 명확해진 것은 실명을 통해서다. 앞서 지적했듯이 그리스에서 인간이 존재한다는 것은 그가 '본다'는 것을 전제로 할 때만 가능해지는 것이었다. 존재한다는 것은 곧 본다는 것이므로 죽은 자는 '보지 못하는 자', 하데스와 하나가 되는 것으로 간주되었던 것이다.

한편 그리스에서는 안다는 것도 본다는 것을 전제로 할 때 가능해진다. 모든 인식의 대전제는 보는 것, 즉 시각이었던 것이다. 따라서 '봄'을 상실한 오이디푸스는 이제 하데스와 하나가 되며, 더 이상 살아 있는 존재가 아니다. 더구나 그는 이제 아는 자도 아니다. '보지 못하는' 테이레시아스에게 죽은 자나 다름없다고 했던 그 조롱이 이제는 자기 자신을 향하게 된다. 테이레시아스의 예언대로 오이디푸스의 철저한 파멸(438행)과 패배로 마무리된 『오이디푸스 왕』은 그렇다면 전적으로 운명의 비극인가. 다시 처음의 물음으로 되돌아가보자.

아폴론의 예언은 그의 대리인 테이레시아스를 통해 한치의 차질도 없이 실현된다. 그러나 모든 것이 아폴론의 예언대로였음이 밝혀졌을 때 오이디푸스의 반응은 자신을 그 신과 대립적인 관계로 설정한 것이었다. 자신의 정체가 밝혀졌을 때, "오늘 이후 더 이상 태양빛을 보지 않으리라"(1,182행)는 그의 절규에서 태양신인 아폴론과의 결별을 예감할 수 있으며, 이는 스스로 자신의 눈을 찌른 뒤 자신에게 이 엄청난 고통을 가져다 준 것이 아폴론이었지만, "나의 눈을 찌른 손은 그 누구의 것도 아닌 나 자신의 손이었다"는 그의 절규를 통해서 더욱 구체화된다. 아폴론뿐만이 아니라 모든 "신들의 증오의 대상이 되는"(1,518행) 절대 고립 속에서도 오이디푸스는 자기를 포기할 수 없다. 비록 아폴론을 원망하고 그를 살게 한 양치기를 저주하지만(1,349~1,366행), 궁극적으로 그는 자신의 고통을 자신만의 것으로 받아들이고 그 어떤 존재에게도 도움의 손길을 요청하지 않는다. 우리는 오이디푸스의 이러한 자세에서 '파멸'을 인정하지만 '자기포기'라는 '패배'를 인정하지 않으려는 처절한 몸부림을 읽을 수 있다.

오이디푸스는 그가 태어나자마자 버려졌던 곳, 바로 키타이론 산으로 '자아추방'의 길을 떠나려고 한다. 키타이론 산은 작품에 등장하는 여러 인물과 코러스를 통해 이야기되듯이 성스러운 곳이다. 소포클레스뿐만이 아니라 핀다로스 등 여러 시인도 이곳이 성스러운 곳임을 노래한 적이 있다. 그곳은 델포이와 올림피아의 성스러운 장소, 자비로운 여신들의 성스러운 숲, 헤라클레스에게 산 제물을 바치던 곳, 그리고 여러 영웅이 숭배되던 곳이다.[41] 오이디푸스에게 이러한 키타이론 산으로 간다는 것은 추방인 동시에 지금의 운명 이전의 상태로 되돌아간다는 것을 의미한다. 그는 그 산을 "나의 산", 그의 양친이 그가 태어나기 전에 그를 위해 마련해둔 "나의 무덤"(1,453~1,454행)이라고 말한다. 여기서 '무덤', 매장을 본질로 하는 무덤은 그의 존재가 '드러나기' 전의 암흑 상태나 망각 상태에 대한 상징이다.

플라톤의 『소크라테스』에 따르면 지식은 망각되었던 것을 다시 불러

---

41) Rush Rehm, *The Place of Space: Spatial Transformation in Greek Tragedy* (Princeton: Princeton UP, 2002), 226쪽을 볼 것.

일으키는 것, 일종의 '상기'다. 지식은 어떤 의미에서 비망각의 상태, 즉 망각의 거부 또는 그것의 부정이다. 잘 알려져 있듯이 그리스어 레테는 '망각의 강'이나 '망각'을 의미한다. 초기 그리스어에서 '진리'를 의미하는 아레테(a-lēthē)라는 단어의 어원을 분석해보자면, '망각의 거부' 또는 '망각의 부정'이라는 의미가 된다. 이런 배경에서 하이데거는 진리를 아레테이아(alētheia), 즉 존재의 '드러냄'이라고 했다.[42] 여기서 존재의 드러냄이란 곧 망각 상태의 드러냄이다.[43] 그러나 그 '드러냄'은 때때로 잔인하기 그지없다. '진리'의 잔인성은 오이디푸스라는 존재의 드러남, 은폐되어 있던 망각 상태의 존재가 드러난 데서 극명하게 드러난다.

하이데거는 「예술작품의 기원」(1935)에서 '찢어진 틈'이라는 표현을 통해 대지와 세상을 대립시킨다. 그에게 세상이 드러남의 세계라면 대지는 유보와 은폐, 그리고 거부의 세계다. 대지는 드러낼 수 있는 존재가 아니라는 것이다. "그것은 모든 드러냄으로부터 움츠리며, 끊임없이 스스로를 차단시킨다."[44] 대지를 드러내는 것은 대지를 찢는 것이다. 「언어」(1950)에서 그는 이 찢어진 틈을 "고통"이라 규정한다.[45]

오이디푸스는 망각의 대지인 그의 '무덤'이 찢어지고 그 속에 은폐되어 있던 그의 존재가 드러나는 순간부터 고통의 존재가 된다. 오이디푸스가 '나'의 산이자 '나'의 무덤인 키타이론 산으로 돌아가려는 것은 그의 대지가 찢어지기 이전의 상태, '성스러운' 상태로, 은폐되었던 망각의 존재로 되돌아가려는 것인지도 모른다. 대지를 가르고 망각의 존재를 드러내는 '진리'의 잔인성, 오이디푸스에게 그것은 다름 아닌 신의 잔인성이다. 아폴론은 빛으로 망각의 존재를 드러낸 신이기 때문이다. 하이데

42) Martin Heidegger, 앞의 책, 107쪽, 203~206쪽.
43) Martin Heidegger, 같은 책, 21쪽.
44) Martin Heidegger, "The Origin of the Work of Art," *Poetry, Language, Thought*, Albert Hofstadter 역 (New York: Harper and Row, 1971), 47쪽.
45) Martin Heidegger, "Language," 같은 책, 204쪽.

거는 은폐된 것을 드러낸다는 점에서 빛을 진리와 결부시킨다. 그러나 빛은 우리를 보지만, 우리는 빛을 보지 못한다. 진리는 우리를 알지만 우리는 진리를 알지 못한다. 신은 우리를 보고 알지만, 우리는 신을 보지 못하고 알지 못한다. 빛, 진리, 신의 잔인성은 바로 여기에 있다. 신들은 우리 의도와 관계없이 고통이라는 '찢어진 틈'을 드러내준다는 것, 그런데 고통은 순전히 인간의 몫이며, 그러한 고통을 통해 존재의 비극성을 다시 확인하는 것이 인간 실존의 조건이라는 것, 이것이 바로 오이디푸스가 얻은 각성이다.

지식이 상기라면 지혜는 각성이다. 이 각성은 처절한 고통을 통해 얻어지는 지혜인 것이다. 아이스킬로스의 『아가멤논』에서 코러스는 "지혜는 오직 고통에서 나온다"(178행)고 노래한다. 이러한 지혜야말로 그리스 비극 전체의 비극적 비전을 요약해주는 주제다. 오이디푸스는 실명으로 '제2의 테이레시아스'가 되지만, 테이레시아스의 예언의 눈이 신에 의해 주어진 '타인'의 눈이라면, 오이디푸스의 지혜의 눈은 자기 자신에 의해 얻어진 '나'의 눈이다. 바로 이 지점에서 『오이디푸스 왕』이 운명의 비극이라는 틀은 무너진다. 오이디푸스의 지혜의 눈은 아폴론의 의지가 전혀 개입할 수 없었던 오이디푸스 '그 자신'의 눈이기 때문이다.

베르낭은 그리스 비극은 "(사회) 현실을 반영하는 것이 아니라 그 현실을 의문시한다"[46]고 했다. 소포클레스는 오이디푸스의 실명을 통해 '인간이 만물의 척도'라는 기원전 5세기 소피스트들의 인간중심적인, '신비'를 '문제'로 끌어내린[47] 과학적인 인식에 의문을 제기한다. 그는 스스로 자신의 눈을 찔려 실명케 하는 오이디푸스의 모습, 즉 자신의 눈을 스

---

46) Jean-Pierre Vernant, "Tensions and Ambiguity in Greek Tragedy, 앞의 책, *Myth and Tragedy in Ancient Greece*, 33쪽.

47) 마르셀은 '신비'와 '문제'를 구별하면서 '문제'는 순전히 이론적인 것과 분석으로 설명할 수 있는 것인 반면, '신비'는 이론적인 것과 분석을 초월하는 것으로 해석하고 있다. Gabriel Marcel, *The Mystery of Being*, G. S. Fraser 역 (Chicago: U of Chicago Press, 1950), I: 211~212쪽.

스로 부정하는 주인공의 상징적인 모습을 통해 눈 또는 그것의 '측정' (metron)에 기반한 과학적, 이성적 사유를 통한 앎이 얼마나 국소적이고 허망한가를, 말하자면 그러한 앎이 얼마나 한계가 있는가를 지적하는 동시에, 그러한 앎을 초래하는 눈을 철저하게 부정하고 스스로 지혜의 눈, 각성의 눈을 얻는 오이디푸스의 모습을 통해 '인간'의 앎이라는 것이, 한편으로는 얼마나 위대한가를 역설한다.

『오이디푸스 왕』은 신의 가치와 인간의 가치, 그 어느 하나도 거부할 수 없는 소포클레스의, 아니 그 시대의 고민과 갈등의 산물인 것이다. "신화는 모순에서 출발하여 그 모순과의 화해를 향해 나아가지만, 비극은 오히려 모순을 확고히 하고 화해를 거부한다"[48]는 바르트의 지적처럼 『오이디푸스 왕』은 끝내 화해를 거부한다. 자신의 의도와는 무관하게 언제라도 존재의 망각성이 갈가리 찢어질 수 있는 비극적 존재가 인간이다. 그러한 순간, 즉 존재의 망각성이 찢어질 때, 존재의 비극성이 낱낱이 드러날 때에도 그러한 현실과 화해할 수 없는, 오히려 그러한 현실을 통해 자기 자신을 더 처절하게 확인하려는 것이 인간 존재다. 아니 인간이라는 존재의 실존 자체가 '화해'를 거부하는 '찢어진 틈' 그 자체인지도 모른다. 오이디푸스가 바로 이러한 "비극적 인간의 '패러다임'"[49]이 아닌가.

48) Roland Barthes, *Sur Racine* (Paris: Éditions du Seuil, 1963), 67쪽.
49) Jean-Pierre Vernant, "Ambiguity and Reversal," 앞의 책, *Myth and Tragedy in Ancient Greece*, 125쪽.

8 동양에는 왜 비극이 없는가

갈등의 논리

흔히 문학 장르로서 비극은 고대 그리스 문화가 낳은 독특한 산물로 평가된다. 이는 곧 그리스 문화가 비극을 탄생시킬 수밖에 없었다는 의미이기도 하다. 그리스 문화가 모든 감각 가운데 시각을 가장 중시했다는 점도 그 배경의 하나라고 할 수 있는데, 이에 대해서는 제5장과 제7장에서 논했다. 비극은 갈등을 전제로 하며, 그것이 비극 형식의 가장 본질적인 특징이다. 갈등을 전제로 하거나 본질로 하는 '비극적' 정신이나 비전은 세계를 이원론적으로 인식할 때 가능해진다.

일원론적인 세계관은 비극적인 세계를 허용하지 않는다. 대립이나 갈등의 논리가 존재할 수 없기 때문이다. 개인과 그 밖의 모든 것과의 관계에서 오는 대립과 갈등은 개인의 개체의식이나 자의식이 지워지지 않는 한 사라지지 않는다. 비극이 갈등을 전제한다고 할 때, 그것은 비극이 이러한 개체의식이나 자의식을 전제로 한다는 의미다. 이런 점에서 "인간의 성격이 운명"[1]이라는 헤라클레이토스의 발언도 그리스 문화가 왜 문학 장르로서 비극을 낳을 수밖에 없었던가를 설명해주는 한 예가 된다. 인간의 성격이 인간의 운명을 결정한다는 인식은 곧 그리스인들에게 개인의 개체의식이나 자의식이라는 것이 얼마나 중요한 것이었는가를 보여준 중요한 실례이기 때문이다.

개체의식이나 자의식이라는 것이 없다면, 개인과 그 밖의 세계, 즉 '타자'와의 갈등도 존재하지 않을 것이다. '타자'와의 갈등이 불가피하다는 것이 비극 세계를 가능하게 한다. 개인의 개체의식이나 자의식을 근간으로 한 그리스 문화가 그들의 독자적 문학형식으로서 비극을 낳은 이유가 여기에 있다.

---

1) Heraclitus, Frag. 119. Hermann Diels와 W. Kranz 공편, *Die Fragmente der Vorsokratiker* (Berlin: Weidmann 1952).

동양, 더 구체적으로는 중국과 중화 문화권에 속하는 동아시아 국가들에는 문학 장르로서의 '비극'이 존재하지 않았고, '비극 정신', '비극적 비전'도 존재하지 않았다. 동양은 삶의 태도에서 중용(中庸)을, 무위(無爲)와 자연으로 복귀를, 일체의 존재에 대한 '집착'에서 '해탈'을 이야기하는 유교, 도교, 불교 세계관이 지배한 사회였고, 이러한 세계관에서 비극 정신이나 비극적 비전이 탄생할 수는 없었던 것이다. 이는 곧 동양의 사유가 갈등관계를 허용하지 않는 일원론적인 것이었음을 뜻하며, 이를 증명하듯 동아시아의 철학, 문학 텍스트들에는 그리스 비극에서 개인과 국가, 인간과 신들 간의 갈등과 같은 주제가 등장하지 않는다.

물론 그리스에서도 폴리스는 고대 동아시아 국가들과 마찬가지로 절대적 권위를 가진 존재였다. 소포클레스의 『안티고네』에서 코러스가 폴리스를 인간이 이룬 가장 위대한 업적이라고 칭송하는 것에서 알 수 있듯이(335행), 그것은 그리스인들에게 최고의 숭배대상이었다. 기원전 5세기의 그리스에서 진정한 종교는 폴리스 그 자체였는지도 모른다. 폴리스 자체가 사회 질서와 시민의 안전을 담보하는 진정한 신이었고,[2] 예거의 표현을 빌리면, 그것은 "바로 신과 같은 존재였다."[3] 여기에는 혈족을 기반으로 한 종족사회에서 출발하여 폴리스 건설에 이르는 과정에서 숱한 갈등, 폭력, 위험 등 그리스인들이 경험해야 했던 역사적인 고통의 무게가 실려 있었다. 투키디데스는 "오늘날의 그 어떤 도시도 폴리스만큼…… 시련을 겪은 경우는 없다"(『펠로폰네소스 전쟁』 II. 37)고 했으며, 그렇게 건설한 폴리스는 그들이 목숨을 바쳐서라도 지켜야 할 절대존재였다.

따라서 그리스인들의 폴리스에 대한 충성과 의무는 무조건적이었다고

---

2) Gilbert Murray, *Five Stages of Greek Religion* (New York: Anchor, 1955), 68쪽을 볼 것.
3) Werner Jaeger, *Paideia*, Gilbert Highet 역 (New York: Oxford Press, 1970), I: 94쪽.

할 수 있다. 그런데도 비극작품 『안티고네』에서 그러한 폴리스에 도전하는 안티고네의 저항을 통해 우리는 집단 가치와 개인 가치가 그 시대에 첨예하게 충돌했음을 읽을 수 있으며, 그러한 충돌을 통해 개인 가치도 중요하게 부각됨을 간파할 수 있다.

그리스의 비극작품들, 특히 소포클레스의 작품에는 집단 가치와 윤리에 도전하는 주인공의 비극적인 운명을 그린 주제들이 많다. 집단 가치 또는 이념과의 갈등을 적나라하게 보여준 아이아스, 필록테테스 같은 주인공들의 운명이 전형적인 사례다. 그러나 동아시아의 철학, 문학 텍스트들에서 개인과 집단 또는 개인과 사회의 갈등, 즉 개인 이념이 집단이나 사회가 표상하는 이념과 충돌하는 경우를 찾아보기는 힘들다. 고대 중국을 비롯한 동아시아 국가들과 이집트, 바빌로니아, 페르시아 등의 고대 근동 국가에서 개인은 집단적 삶 속의 한 '참여자'였으므로, 한 개인으로서 개체의식이나 자의식 등이 집단적인 삶 속에 함몰되어 있었다. 집단의 한 '참여자'로서 개인 행위는 개인의 내적 동기와는 상관없이 집단이 요구하는 행위의 규범에 얼마나 부합하는가에 따라 평가되었다.

유가(儒家) 사상이 이를 대변한다. 충과 효를 토대로 가족 내의 위계질서를 공고히 하는 것을 덕의 근본으로 하면서, 이름 그대로 국가를 가족의 연장(延長), 즉 일종의 대가족으로 간주함으로써 이에 대한 충성과 복종을 군자의 최대 덕목으로 삼았던 유교의 가족중심주의와 국가중심주의는, 개인과 집단 간의 갈등을 전제로 하지 않을 뿐만 아니라, 이를 용인하지도 않는다. 따라서 '나'와 나 밖의 세계, 즉 '타자'와의 갈등관계가 성립될 수 없었다. '하부' 민중들의 고통은 역사에 간단없는 상처를 남겼지만, 지배 이데올로기를 복창하던 '상부' 지식인들이나 예술가들에게 '갈등'의 본질은 은폐될 수밖에 없었던 것이다.[4]

---

4) 개인보다는 집단, 개인의 개체의식이나 자기의식보다는 집단의 가치나 이념이 더 강조되었던 동양의 전통적 사회구조는 사회가 각 개인에게 집단의 '참여자'로

그리스 비극에서 개인과 집단 간의 갈등보다 더 선명하게 드러난 갈등 관계는 바로 인간과 신들 간의 관계에서 드러난다. 물론 신들 간의 갈등도 유별나지만, 갈등들 중에서 가장 우리의 관심을 끄는 것은 역시 인간과 신들 간의 갈등이다. 그들 간의 갈등이 가장 첨예하게 드러난 것은 소

서의 존재이유를 부여하는 사회구조였다. 이러한 사회구조 내에서는 기본적으로 '나'와 '사회' 간의 갈등관계를 본질로 하는 '비극'과 같은 장르는 어울리지 않는 것이었을지도 모른다. 언어가 인간의 의식을 반영하는 것이라고 할 때, 중국의 언어구조 내에서는 개인의 자기의식의 표출인 '비극'이라는 장르가 성립할 수 없을 정도로 주체로서의 '주어'가 분명하게 설정되어 있지 않다. 박동환 교수는 다음과 같이 지적한다. "고대 한어 또는 갑골문의 시대로부터 현대 한어에 이르기까지 하나의 문장이 갖추어야 할 최소한의 '주어'와 '술어'라는 조건은 없다. 한어의 문장은 서구의 문법체계처럼 주어와 술어를 필수의 성분으로 여기지 않을 뿐 아니라 문장 성분들 사이의 수, 성, 격, 인칭 또는 시제의 일치관계라는 조건도 없다. 성분으로 참여하는 주어, 주제어 또는 주체라는 것은 그 전모를 간직한 배후의 집체구조에 얽혀 있는 종속자에 지나지 않는다"(박동환, 『안티호모에렉투스』 [서울: 길, 2001], 44~45쪽, 46쪽). 그 언어가 집체구조의 종속자로서의 주체를 규정하고 있는, 따라서 주체와 객체 간의 갈등관계의 부재를 상징적으로 반영한 문화 속에서 '비극'이 존재할 수는 없었을 것이다. "시제의 일치관계라는 조건도 없다"는 박 교수의 지적처럼 "유럽어와 달리 고대 중국어에는 시간의 분류가 전혀 없었다. 유럽어에서는 동사의 형태 자체가 무엇이 과거에 일어났고, 현재에 일어나고 있으며, 미래에 일어날 것인가를 보여주고 있는 반면, 고대 중국에서는 이러한 것들을 표기하기 위해 구체적인 이름과 사건을 언급해야 했다. 이러한 언어적 구조에서는 과거와 현재와 미래 사이의 근본적인 차이는 사라져버린다. '일종의 시제(時制)의 평면성은 시제를 알 수 있게 해주는 여러 형태와 사건을 동반한다. 그러나 이 평면성으로 인해 시간이 근본적으로 상반되는 영역들, 즉 과거와 미래가 분리되지 않는다'."(V. A. 루빈, 『중국에서의 개인과 국가─공자, 묵자, 상앙, 장자의 사상연구』, 임철규 역 [서울: 현상과 인식, 1988], 38쪽) 이러한 시제의 평면성은 곧 현재에 대한 의식이 없었다는 것을 의미하며, 현재에 대한 의식이 없었다는 것은 과거와 미래에 대한 의식, 즉 역사의식이 없었다는 것을 의미한다. 역사의식이 없는 곳에 동적인 세계, 소용돌이치는 변화의 세계를 보여주는 '비극'이 존재할 수는 없었을 것이다. 전통적으로 동양인들은 이집트인들과 마찬가지로 이 세계를 동적인 것이 아니라 정적인 것으로, 변화하는 것이 아니라 불변하는 것으로 생각했다. 변화가 없기에 과거와 미래도 없는 것이다. 이러한 역사의식의 부재로 동양에서는 문학 장르로서의 '비극'이 가능할 수 없었을 것이라는 추론도 가능하다.

포클레스의 비극작품들이다. 이 비극시인이 보여준 주된 비극적 비전은 인간의 한계를 넘어선, 또는 넘어서려는 인간들에게 주어지는 신들의 잔인한 응징이다. 제7장에서 논의된 오이디푸스를 비롯하여 그 밖의 작품들에 등장하는 많은 비극적 주인공의 파멸이 잔인성을 입증한다. 신에게 희롱당한 후 스스로 목숨을 끊는 전사(戰士) 아이아스의 죽음은 우리를 처절한 비감에 젖게 하며, 신들의 모멸에 찬 시선을 의식하면서 죽음을 택한 안티고네의 운명도 그에 못지않은 비감을 불러일으킨다. 그러나 동시에 우리는 파멸로 끝나는 비극적인 운명 속에서도 결코 자신의 패배를 인정하지 않고, 신들과의 갈등을 그대로 남겨두고 떠나는 그들의 영웅적인 자세, 화해를 거부하는 그들의 고집스러운 자세에서 일종의 인간적 위안, 즉 일종의 카타르시스를 경험하게 된다.

우리에게 비감과 함께 카타르시스를 불러일으키는 '비극'의 주인공들, 아리스토텔레스가 『시학』에서 다룬 비극 형식에 합당한 이러한 주인공들의 특성을 소포클레스 연구의 최고 권위자인 녹스는 '영웅적 기질'이라고 일컬었다.[5] 그리고 영웅적 기질의 바탕은 '오만'이다. 주인공들에게 오만이 없다면 '타자'와의 갈등관계는 성립되지 않는다. 그들만의 오만이 비극적 주인공들을 주인공답게, 영웅적인 주인공답게 해주는 것이다. 신들과의 갈등을 유발하는 이 오만은 그리스어로 휘브리스(hubris)라한다. 물론 휘브리스는 인간과 인간 사이의 관계에도 적용될 수 있다. 그러나 이 낱말의 진정한 의미를 아주 오래 전에 신학자 틸리히(Paul Tillich)와 니부어(Reinhold Niebuhr)가 정확하게 규정했다. 그들은 이 낱말을 영어의 자만(pride)으로 이해하는 것보다 신만큼 '자신을 높이는 것', 그리고 신만큼 '자신을 영광되게 하는 것'으로 이해하는 것이 옳다고 지적했다.[6] 그리스 비극의 전형적인 주인공들은 그렇게 자신을 신만

---

5) 제7장 주2를 참조할 것.

6) Paul Tillich, *Systematic Theology* (Chicago: U of Chicago Press, 1957), II:

큼 높인 자들이다. 그렇기 때문에 그들의 파멸은 좀더 비극적이고도 극적인 것이 된다. 그들의 오만은 파멸의 순간에도 꺾이지 않으므로, 그들은 더욱 영웅적인 주인공이 된다.

그러나 동양에는 '오만'에 가득 찬 주인공들뿐만이 아니라 오만한 주인공들과 갈등관계를 맺는 인격적인 신들도 존재하지 않는다. 그리스의 신들처럼 인간과 똑같이 분노하고 증오하고 폭력을 휘두르고 자비를 베푼 인격적인 신들뿐만 아니라, 창조의 주체로서 초월적인 신도 존재하지 않는다. 제4장에서 논의했듯이, 『구약』의 신 여호와는 목소리만을 들을 수 있을 뿐, 모습을 볼 수 없는 존재였다. 모습은 볼 수 없기에 우리는 그를 표현할 수 없다. 그의 목소리를 통해 들리는 명령이 있을 뿐이다. 진리가 우리의 눈에 보이지 않으며, 말로 표현할 수 없다는 점에서 필로(Philo), 하이데거, 비트겐슈타인, 요나스(Hans Jonas), 아렌트(Hanna Arendt)와 같은 철학자들은 절대진리를 성서의 신과 동일시했다. 신이 절대진리와 동일시되는 일종의 절대추상체가 된다는 점에서 그것은 동양의 도(道)와 닮았다.

그러나 동양의 신은 그것이 어떠한 절대존재로 등장하든 간에 언제나 비인격적인 존재다. 분노하고 보복한다는 점에서, 사랑을 몸소 실천한다는 점에서 인격적인 성서의 신과는 달리, 그것은 절대적으로 관념적인 추상체로 존재한다. 제우스는 비록 우주의 창조자는 아니지만, 그 우주 질서의 관리자로서 분노하고 설득하고 자비를 베푼다. 이 인격적인 신들은 인격으로 인해 구체적인 갈등의 대상으로 등장할 수밖에 없게 된다. 그러나 동양, 특히 고대 동아시아 국가들의 신은 비인격적인 절대추상체로만 존재했기 때문에, 비극적 갈등의 대상으로 등장할 수가 없었다.

중국에 유가철학이 등장하기 이전에 그것이 상제(上帝)라고 불리건 천

50쪽. Reinhold Niebuhr, *The Nature and Destiny of Man: Human Nature* (New York: Charles Scribner's Sons, 1964), I: 203쪽.

제(天帝)라고 불리건 분명 중국에도 신이 존재했지만, 이 신이 국가 전체나 개개인의 절실한 믿음의 대상이 되지는 못했다. 중국의 전통적인 사상들도 인간의 삶을 위협하는 고통과 악에 대한 첨예한 의식을 보여주었지만, 그리스 비극시인 아이스킬로스, 『구약』 중 「욥기」의 저자, 마호메트처럼 인간에 대한 신의 뜻을 정당화시키고자 하는 열의나 절박성을 보여주지는 않았다. 그리고 중국의 전통사상이 인간의 도덕적 책임에 대한 깊은 인식을 보여주었지만, 그것이 셈족의 종교나 기독교의 경우처럼 강렬한 죄의식으로 연결되지는 않았다. 일부 민간신앙을 제외하고는 영적 구원이나 그러한 구원을 가능하게 해줄 영적 존재를 간구하지도 않았다. 중국인들에게 신은 철저하게 비인격적인 존재였다. 죽음의 실체를 알고는 이를 인간에게 보낸 신에게 삶의 허무에 대한 분노와 죽음에 대한 두려움과 절망의 말을 던진 『길가메시』의 주인공 길가메시처럼 신을 구체적인 상대 인격체로 개념화하지 않았기 때문에 중국인들에게는 일반적으로 신과 관련된 인간의 죽음, 사후의 삶 등에 대한 문제의식도 존재하지 않았다. 인간은 우주 질서를 관장하는 신과 맞설 수 있는 존재가 아니라, 우주 질서의 일부였기에, 이른바 주체적인 개인의 개별적인 운명이라는 것은 존재할 수가 없었다. 그리고 인간의 죽음도 음양(陰陽)이 펼친 우주 질서의 한 현상으로 이해되었기에 가장 비극적인 사건인 한 인간의 죽음까지도 개인적인 사건으로 인식되지 않았다.

중국에는 타락에 대한 대가로 신이 인간에게 죽음을 부여한 '에덴'의 신화도, 메소포타미아인들의 명부(冥府)나 그리스인들의 하데스에 해당하는 '하계'에 대한 인식도 없었다. 더불어 『일리아스』와 『오디세이아』가 보여주는 죽음을 대하는 영웅들의 태도, 죽은 자들의 장례에 부여한 특별한 의미, 죽은 망령들의 불행, 죽음이 인간에게 던진 형언할 수 없는 아픔 등에 대한 서사적 관심도 존재하지 않았다. 플라톤의 『파이드로스』와 같은 죽음과 영혼의 본질에 대한 진지한 철학 담론도 없었으며, 길가메시나 아킬레우스, 헥토르의 영웅적 삶에 죽음이라는 거대한 적을 대면시킨 적대적인 우주나 신의 세계도 없었다. 죽음과 같은 가장 개인적인 비극적 운명은 '하부'의 현실에서만 현실로 존재했을 뿐, 삶의 최상의 원리로서 '중용'과 '도'(道), '무위'를 논하던 '상부'의 관념 세계에서는 별 의미를 가지지 않는 것이었다.

물론 중국의 정통철학에서 중요한 사유의 대상은 죽음이 아니라 사회 질서와 도덕의 터가 되는 현실의 삶이었다. 중국의 정통사상이 "인식론적 낙관주의"[7]에 따라 지배되었다는 주장을 반드시 염두에 두지 않는다 하더라도, 죽음보다 삶을 더 중요한 사유의 대상으로 삼았든, 신 또는 우주의 선한 의지를 확신하든, 인간은 본래 '선한 존재'라는 맹자의 인간관을 바탕으로 하든 중국의 전통적인 사유구조 내에 '비극'의 가장 본질적 요소인 나와 '타자'의 갈등관계가 끼여들 틈은 없었던 것이다. 갈등관계가 존재할 수 없었던 이러한 '인식론적 낙관주의', 아니 신이 구체적인 삶을 살아가는 인간들에게 구체적 갈등의 대상 또는 원인도 될 수 없는 비인격적인 절대추상체로만 존재했던 동양인들의 사유에 어떻게 '비극적 비전'이 가능할 수 있었겠는가.

노자와 '자연'

도가(道家)의 핵심 개념인 '도'를 소개하는 노자의 『도덕경』(道德經)은 유명한 "말로 표현될 수 있는 도는 영원한 도가 아니다"(道可道 非常道)라는 구절로 시작된다. '도'는 말로 표현될 수 없을 뿐만 아니라 말로 표현될 수 있는 것은 '도'가 아니라는 것이다. '도'가 말로 표현될 수 없다는 것은 그것의 실체나 본질이 규정되거나 개념화될 수 없다는 것을 의

---

7) Thoams A. Metzger, "Some Ancient Roots of Ancient Chinese Thought: This-Worldliness, Epistemological Optimism. Doctrinality, and the Emergence of Reflexivity in the Eastern Chou," *Early China* 11~12 (1985~87), 66~72쪽을 볼 것.

미한다. 즉 '도'는 언어영역 바깥에 있다는 것이다. 따라서 '도'는 앎의 대상이 될 수 없다. 노자철학은 이처럼 '도'는 알 수 없는 것이라는 전제를 가지고 출발한다. 이는 같은 책 제25장, 제32장 등에서도 반복된다.

하지만 우리는 우리가 아는 바를 언어를 통해 표현할 수밖에 없다. 그 밖에 다른 적절한 수단을 가지고 있지 않기 때문이다. 하지만 그 언어는 숙명적인 한계를 가지고 있다. 언어는 인간 인식작용의 산물이기 때문이다. 제1장에서 우리는 어떤 대상을 보고 인식한 순간 그 대상 전체를 있는 그대로 파악하는 것이 아니라, 전체 가운데 부분만 도려내어 이를 전체인 양 틀짓는 인식작용의 숙명적인 한계에 대해 지적했다. 그리고 "철학은 모든 것을 있는 그대로 두는 것"이라는 비트겐슈타인의 말을 인용하면서 "인식작용은 모든 대상을 있는 그대로 두는 것이 아니라 전체 가운데 부분을 떼어내어 그것이 전체인 것처럼 '틀짓는' 관견(管見)의 세계"라고 주장했다.[8] 언어는 이러한 인식작용에서 나온 인간의 작품이므로, 인식작용과 마찬가지로 전체를 전체로 파악할 수 없는 숙명적인 한계를 지닐 수밖에 없다. 우리는 인식작용을 통하지 않고는 앎과 진리에 이를 수가 없으며, 언어를 통하지 않고는 그 앎과 진리를 표현할 수가 없다. 노자가 "말로 표현될 수 있는 도는 도가 아니다"라고 했을 때, 그는 바로 인간 인식의 한계, 앎의 한계, 언어의 한계뿐만 아니라 역설까지 지적했던 것이다.

'도'는 말, 즉 인간의 언어로 표현되거나 규정될 수 없다고 역설한 노자는 "사람은 땅을 본받고, 땅은 하늘을 본받고, 하늘은 도를 본받는다. 그리고 도는 자연을 본받는다"(노자, 『도덕경』 제25장)고 했다. 이 분야의 전문가들 사이에서는 마지막에 등장한 이 '자연'을 어떻게 해석하느냐 하는 문제가 논의의 쟁점이 되고 있지만, 비전문가인 나는 그러한 쟁점에 뛰어들 의도나 능력이 없다. 하지만 비전문가의 눈에도 '도'가 '자

---

8) 제1장 32쪽을 참조할 것.

연'의 하위개념('개념'이라는 말의 사용이 허용된다면)이라는 것은 명확해 보인다. 그렇다면 그 하위개념인 '도'가 말로 규정되거나 표현될 수 없는 것이라고 할 때, 상위개념으로서의 '자연'도 그러할 것이다. 왕필은 "자연은 말로 호칭할 수 없으며, 그것은 궁극적 개념이다"(『노자주』[老子注] 제25장 주)라고 했다. '자연'은 '도'와 마찬가지로 개념화될 수 없다는 것이다. 이 지점에서 동양과 서양의 근본적인 차이가 설정된다.

서구에서는 신이 '인격적'인 존재로 개념화되었을 뿐만 아니라, '자연'도 개념화되었다. '자연'(natura)은 루크레티우스에게 신성화된 창조적 힘으로, 제논 이후의 스토아 철학자들에게 불, 이성, 필연성, 섭리, 특히 창조의 바람이나 정신(spiritus)으로 개념화되었다. 더 나아가 그것은 신들, 그 가운데서도 특히 제우스와 결부되거나 동일시됨으로써 창조적인 힘을 가진 신적 존재로 인식되기도 했다.[9] 천지만물을 존재하고 움직이게 하는 '도'의 원리인 노자의 '자연'처럼 스토아 철학의 자연도 우주의 생성을 주도하고 인간의 자기실현을 유도하는 최고의 신적 원리다. 그러나 서구의 자연이 그러한 원리가 된 것은 철저한 개념화를 통해서다. 여기서 개념화된다는 것은 인식의 대상이 된다는 것이며, 인식의 대상이 된다는 것은 인식 주체의 상대인 객체로서 '타자화'된다는 것이다.

이러한 존재의 객체로서 '타자화'는 그리스인들이 '존재'라는 개념에 얼마나 집착했던가를 잘 보여준다. 그들도 '생성'의 개념을 가지고 있었지만, 이는 '존재'의 개념에 늘 압도되었다. 그리스적(헬레니즘적)인 것이건, 성서적(헤브라이즘적)인 것이건 간에, 서구에서 지혜는 항상 (실체로서의) 신이나 진리를 유도하는 것이었다. 신이나 진리라는 존재에 대한 그들의 집착은 존재나 그 의미에 대해 더 이상 질문하지 않고 모든 것을 있는 그대로 받아들이는 동양의 '현인'(賢人)과 확연히 구별된다. 하

---

9) Thomas G. Rosenmeyer, "Seneca and Nature," *Arethusa* 33:1 (2000), 102~103쪽을 참조할 것.

이데거는 「진리에 대한 플라톤의 이론」에서 그 '서양의 철학자'에 대해 이야기하면서 '현인'의 시선은 "이데아를 향해 위로 향하지 않는다"고 했다.[10] '현인'의 이미지로 표상되는 전통적인 동양철학에서 우리는 플라톤의 이데아, 기독교의 신, 절대진리 등을 통해 드러난 절대추상체에 대한 서구 철학자들의 존재론적 집착을 찾아볼 수 없다. 유독 '생성'의 개념을 중요시한 동양적, 특히 중국적 사유에서 '생성'은 곧 '도'(道)였으며, 세상은 이 '도'를 통해 끊임없이 그 자체를 새롭게 하며, 모든 현존은 부단히 변모해간다. 따라서 객체로서 '타자화'할 대상의 존재화나 고정화는 물론, 주체와 객체 간의 갈등관계도 불가능해진다. 그러나 서구의 신, 절대진리, 자연, 운명 등은 객체로서 '타자화'되기 때문에 갈등의 원인으로 등장한다. 인식의 대상이 되는 것을 근본적으로 거부하는 '도'의 세계에서는 '타자'로서 객체 성립이 철저히 봉쇄되므로, 비극의 전제인 갈등관계가 성립될 수 없는 것이다.

"도는 자연을 본받는다"는 말에서 알 수 있듯이, 도가는 '도'의 원리이자 본성으로 이해되는 '자연'을 이상화한다. 노자는 "도는 항상 무위하지만 그것에 따라 이루어지지 않는 것은 아무것도 없다"(『도덕경』 제37장)고 했으며, 장자도 "도는…… 무위하며 무형하다"(『장자』「대종사」〔大宗師〕 제246장)고 했다. 노자는 '도'란 항상 '무위'(無爲)하므로 이 '무위'가 인간의 행위 규범이 되어야 한다고 했다(『도덕경』 제63장).

이른바 '하지 않음'인 '무위'는 곧 자연에 따라 행함을 의미하는데, 이는 '행함이 없는 행함'이며, 이 행함이 없는 행함의 전형이 물(水)이다. 따라서 노자는 "가장 좋은 것은 물과 같다"(『도덕경』 제8장)고 했다. 흐르는 물은 어떤 목적이나 의도를 가지고 흐르는 것이 아니며 자연 그대로

---

10) Martin Heidegger, "Plato's Doctrine of Truth," *Pathmarks*, Thomas Sheehan 편, William McNeill 역 (Cambridge: Cambridge UP, 1998), 155~182쪽. 그리고 François Jullien, "Did Philosophers Have to Become Fixated on Truth?" *Critical Inquiry* 28:4 (2002), 803~824쪽을 참조할 것.

흐르지만, 분명 거기에는 흐름이라는 행함이 있기 때문이다. 거기에는 어떤 목적이나 의도도 없고 단지 물처럼 자연스러운 행함만이 있기에 이 '무위'는 '유희'나 '놀이'라는 이름으로 달리 일컬어질 수 있다. 탈레스가 우주의 근원적 실체나 근원적 원리를 물이라고 했을 때, 아낙시만드로스가 이를 '정함이 없는 실체'라고 규정했다. 물은 우리가 인식을 통해 모든 것을 이분법적으로 틀짓기 이전의 순수 의식상태를 표상한다.

니체는 이러한 정함이 없는 상태를 '놀이'라고 했다. 어린아이들의 놀이는 어떠한 목적이나 의도 없이 행해지며, 모든 도덕적 구속과 규범에서 자유로운 자유정신 자체이기 때문이다. 이러한 니체의 '놀이'는 데리다의 '차연'(差延, différance)으로 이어진다. 초기의 글(1966)에서 데리다는 '차연'을 의미하는 말로 '놀이'라는 말을 사용했다.[11] 아무런 목적이나 의도 없이 행해지는 '놀이'의 세계, '무위'의 세계에서는 갈등관계가 존재할 수 없다. 갈등관계를 허용할 수 없기 때문에, 도가는 사회적 존재인 인간의 개념도 허용할 수 없었다.

물론 노자도 사물들은 각각 대립적 존재를 가지며, 그 대립적 존재들은 상대방을 자기 존재의 성립 근거로 삼는다는 것을 알고 있었다. 그는 대립적 존재를 자기 존재 성립의 전제조건으로 삼는 것을 상반상성(相反相性)이라 규정했다. 그러나 여기서 설정된 대립관계는 진정한 의미에서 갈등을 낳지 않는다. 노자가 파악한 대립관계는 우주 원리로서의 대립관계이지, 사회적 존재로서 인간과 '타자'의 실존적이고 역사적 차원에서의 대립관계는 아니었기 때문이다.

이른바 신비적 '도'와의 합일을 위해 '문명'을 거부하고 '자연'으로 돌아가라는 장자의 문명 무가치론에서는 '하부'의 인간들이 경험하는 현실로서 '역사적' 고통은 아무런 의미가 없다. 도가가 낳은 최고의 예술 장

---

11) Jacques Derrida, *Writing and Difference*, Alan Bass 역 (Chicago: U of Chicago Press, 1978), 292쪽. 제5장 「낭만주의, 리얼리즘, 모더니즘 그리고 포스트모더니즘」의 '낭만주의' 부분의 158~159쪽을 참조할 것.

르인 풍경화에는 "자연과 합일하려는, 산과 강의 세계 대일(大一)에 참여하려는"[12] 예술가들의 '무위'의 욕망이 있을 뿐이다. 거기에는 '하부'의 인간들이 겪는 갈등과 고통을 직시하는 '역사의 눈'이 없다. 이러한 도가의 세계에서 어떻게 '비극적 비전'이 가능할 수 있었겠는가.

불교와 '역사의 눈'

우리는 마침내 이 글의 주제인 눈과 가장 연관이 깊은 불가의 사상에 닿게 된다. 눈은 불가사상에서 가장 배타적인 대접을 받기 때문이다. 그리고 동아시아의 전통 철학사상인 불교는 그 어느 사상보다 '비극'에 가장 본질적인 요소인 갈등 자체를 인정하지 않기 때문이다. 다시 고대 그리스로 돌아가보자.

타자와의 갈등은 타자에 대한 개인의 사적(私的) 경험을 근거로 이루어진다. 그 경험은 개인이 타자를 어떻게 '바라보고' 어떻게 '인식하는가'에서 출발한다. 그리스인들에게 인식의 토대는 '봄'(見)이었다. 본다는 것을 살아 있다는 것과 같은 것이며, 보는 것을 아는 것과 같은 것으로 간주할 정도로 본다는 것은 그들에게 절대적인 것이었다. 개인과 개인 밖의 갈등이 개인의 타자에 대한 사적 경험에서 출발하고, 그 사적 경험은 타자를 보고 인식하는 경험에서 출발하는 것이라면, 타자와의 갈등을 전제로 하는 개인의 개체의식이나 자기의식은 그 '봄'의 경험에서 형성될 수밖에 없는 것이다. 갈등을 전제로 하는 '비극'은 이러한 '봄'들의 다양한 표현이었다. 극장을 의미하는 그리스어 테아트론(theātron)은 원래 '보는 장소'를 의미했다. 그리스 문화가 '시각문화'라는 평가[13]의 기저에는 이와 같이 '봄'의 구조가 자리한 것이다. 동양에

---

12) V. A. 루빈, 앞의 책, 179쪽.
13) 제5장 124쪽 이하를 볼 것.

는 '눈의 문화'가 존재하지 않았다. 달리 말하면 '눈의 역사'가 존재하지 않았다. 따라서 문학 장르로서의 비극도 존재할 수 없었다. 갈등은 '봄' 을 전제로 하기 때문이다. 제6장에서 살펴보았듯이, 서구 문예사는 "의 식의 램프"[14]인 눈의 다양한 표정을 통해 인간의 다양한 내면들, 다양한 영혼들의 풍경들을 보여주는 것이었다. 이런 점에서, 동양에는 '눈의 문 화'가 없었기 때문에 문학 장르로서의 비극이 존재할 수 없었다고 하더 라도 그리 무리한 주장은 아니다.

동양에서 눈이나 눈의 가치를 부정하는 가장 전형적인 사례는 바로 불 상(佛像)에서 찾을 수 있다. 불상들은 눈을 반쯤 감고 있거나 완전히 감 고 있다. 대신 그 이마에는 둥근 백호(白毫)가 빛을 발한다. 진주나 비취, 금 등으로 된 이 백호는 산스크리트어로 우르나(urna)라 일컬어진다. 몇 몇 신화들과 초현실주의 화가들의 그림에서 그것은 남성 성기에 대한 표 상으로 등장하기도 하지만, 불교와 힌두교에서 그것은 '제3의 눈', 즉 '지혜의 눈'이다. 우리의 물리적 두 눈이 보는 것은 환상이거나 허상에 불과한 것이기 때문에 그들은 감각의 눈이 아닌 '마음의 눈', 즉 존재의 실상(實相)과 진리를 볼 수 있는 '지혜의 눈'을 요구한다. 두 눈을 감은 불상의 제3의 눈은 바로 이러한 가르침을 전하는 것이다.

대승불교의 핵심적인 두 가르침이 지혜와 자비라는 것은 잘 알려진 사 실이다. 이때 '지혜'는 존재와 현상의 실체를 관통하는 궁극적 지식으로, 그것은 지혜 중의 지혜, '큰 지혜'(大慧)이며, 열반(涅槃, nirvanna)에 이 르기 위한 관건이기도 하다. 열반은 모든 존재(萬法, 때로는 '현상'이라 일컬어도 좋다)는 공(空)하다(비어 있다)는 것, 즉 집착할 실체가 아니라 는 것을 깨닫고, 고통을 초래하는 모든 감정, 욕망, 생각을 그치는 것과,

---

14) Ruth Padel, *In and Out of the Mind: Greek Images of the Tragic Self* (Princeton: Princeton UP, 1992), 60쪽.

이러한 그침을 통해 얻어지는 간단없는 희열의 상태를 말한다.[15] 모든 존재가 실체가 없다는 것은 무엇을 의미하는가. 여기서 불교의 '연기설'(緣起說)이 등장한다. 어떤 존재도 개별적으로 존재하는 것은 아무것도 없다. 말하자면 '인연'(因緣)으로 말미암지 않고 존재하는 것은 아무것도 없다는 것이다. 모든 존재는 여러 요인(인연)에 기대어 존재하기 때문이다.

이를테면 '장미'라는 하나의 생명이 존재하기 위해서는 여러 요인, 가령 햇빛, 공기, 땅, 습기 등등이 있어야 하듯이, 그 자체로 존재하는 것은 아무것도 없다. '나'라는 존재가 있기 위해 여러 요인이 있어야 하듯이, '나'라는 존재도 그 자체로 존재하지 않는다. 자체성(自體性)이 없다는 것, 즉 개별적인 실체성이 없다는 것, 이것이 모든 존재의 진정한 본질이다. 용수(龍樹, Nagarjuna)는 모든 존재가 '공'(空)함을, 즉 자체성이 없음을 아는 것이 열반에 이르는 지혜라고 했다. 이것이 용수를 중심으로 하는 '중관(中觀) 학파'의 주요 가르침이며, 『열반경』(涅槃經)의 중심개념이다.

자체성이 없다는 것이 '나'를 포함한 모든 존재가 실제로 눈앞에 존재하지 않는다는 것을 의미하는 것은 아니다. 우리의 눈앞에는 분명 여러 존재가 존재한다. 자체성이 없다는 것은 모든 존재가 여러 인연에 의지하지 않고는 존재할 수 없기 때문에 어느 존재도 고유의 본성을 가지지 않는다는 것이다. 고유의 본성이 없는, 자체성이 없는 일체의 대상을 우리의 눈이 '보고'(見), 눈이 '본 바'를 의식이 실체화하여 이를 '실상'(實

---

15) '열반'에 대한 논의는 끝이 없다. 내가 열반을 고통의 근원인 욕망 등의 그침만이 아니라 이로 말미암아 얻어진 "간단없는 희열상태"라고 규정한 것은 『밀린다왕의 문경(問經)』에서 현자인 나가세나(Nagasena)가 '열반'을 그러한 그침이라고 말하고, 『법구경』(法句經)에서는 '열반'이 "최고의 평화와 희열"로 일컬어지기 때문이다. 나는 이 두 말씀을 염두에 두고 그렇게 규정했다. *Milindapanha*, 268~271쪽, E. Conze 역, *Buddhist Scriptures* (Harmondsworth: Penguin, 1959), 156쪽. *Dhammapada*, 2. 23, Juan Mascaro 역 (Harmondsworth: Penguin, 1973), 38쪽.

相)이라 개념화하는 것이 문제라는 것이다. 고유의 본성, 자체성이 없기에 모든 존재는 그를 존재하게 한 요인(인연)들이 다하면 변하고 만다. 따라서 어떠한 존재도 항구성이 없는 무상(無常)의 존재일 수밖에 없다. 불교에서는 이러한 궁극적 인식을 '지혜'라고 한다. '공'이나 '자체성 없음'의 가르침이 중요한 것은 그것이 특히 '자기'의 개념과 결부되어 있기 때문이다. 그 비자체성으로 말미암아 '자기' 또한 무상의 존재에 지나지 않으며, 그렇기에 '나'라는 의식이나 개념은 사실상 있을 수 없다는 것이다. 인연으로 말미암아 존재하는 모든 존재는 '자체성이 없다는 것'이다. 말하자면 모든 존재에 개별적인 실체성이 없다는 것은 다름 아닌 '나'라는 것은 존재하지 않는다는 것이 된다. 초월적·자율적 자아라는 개념은 철저히 부정된다. 그러한 자아가 있다는 것이야말로 환상이며, 불교 용어를 택하면 미혹이나 무명(無明)으로 말미암아 우리가 이러한 환상을 가진다는 것이다.

이처럼 불교에서는 모든 존재가 그 자체성을 갖지 않기 때문에 존재를 이원론적으로 파악하는 일체의 입장이 거부된다. 모든 존재의 '자체성 없음'은 존재의 이원성을 거부한다. 주체와 객체라는 관계가 성립될 수 없기 때문이다. 주체와 객체, 그 어느 것도 자체성이 없다면, 즉 그 어느 것도 고유하게 '존재하는 것'이 아니라면, 존재의 이원성은 성립할 수 없다. 인식할 주체도 없고 인식대상이 되는 객체도 없다. 객체는 주체의 인식대상이 될 때 객체가 되고, 인식의 주체는 인식의 대상인 객체가 있을 때 인식의 주체가 되기 때문이다. 이렇게 볼 때 보어(Niels Bohr)의 '상보성원리'(相補性原理)는 이러한 불교의 가르침을 뒷받침하고 있다.

아인슈타인의 유명한 공식 $E = mc^2$도 존재의 '비이원성'이라는 불교의 가르침을 입증한다. 여기서 E는 에너지, m은 질량, c는 광속을 가리키는데, 그는 질량이 에너지로, 또는 에너지가 질량으로 변하는 것이 아니라, 질량이 곧 에너지이고 에너지가 곧 질량이라는 것을 증명함으로써, 에너지와 질량의 이원론을 폐기시켰다. 질량이 에너지로, 에너지가 질량으로 번갈아 나타나는 것을 증명함으로써 주체가 객체이고 객체가 주체라는 불교의 가르침을 확인해주었던 것이다. 불교는 이러한 존재의 총체적인 비이원성을 존재의 실상으로 간주한다. 주체도 객체도 없거나 주체가 객체이고 객체가 주체인 '존재의 실상'에 대한 이러한 인식은 곧 모든 존재는 '공'한 것(비자체성, 비존재성)이라는 인식의 결과다. 주체와 객체가 사라지거나 주체가 객체가 되고 객체가 주체가 되는 상태가 바로 '열반'인 것이다. 이처럼 불교는 존재의 이원성을 철저히 거부한다. 불이문(不二門)이라는 가르침은 이를 가장 상징적으로 보여준다.

존재를 이원론적으로 파악한다는 것은 우리가 어떤 대상을 보기 이전에 대상이 이미 '거기에' 있다고 생각하는 것이다. 가령 우리가 '금강산'을 직접 보기 전에 그것은 이미 거기에 있다는 것이다. 그러나 불타(佛陀)는 우리의 마음이 그 '있고', '없음'을 규정하기 전에는 금강산이 존재하지 않는다고 가르친다. 마음이 있다고 하면 있고, 없다면 없는 것, 그리고 마음이 그렇다면 그런 것이고, 그렇지 않다면 그렇지 않은 것이다. 있고 없고, 그렇고 그렇지 않고는 마음이 정한다. 즉 마음이 지어내지 않으면, 어떠한 존재도 '거기에' 존재하지 않는다. 마음이 모든 존재를 지어낸다는 것이야말로 불교의 가장 큰 가르침이다. '마음 밖에 단 하나의 법(法)도 없다'는 주장이 나오는 것도 이러한 견지에서다.

그러나 눈이 있는 한 존재의 이원성은 불가피하다. 우리의 눈이 보는 순간 마음은 그 '본 바'를 객체로서 실체화하고 개념화하기 때문이다. 우리의 눈이 본 대상을 마음이 그 '있고 없음'을 '그렇고 그렇지 않음'을 토막토막 분별한다. 우리는 존재를 토막토막 분별하는 이 '마음의 난동'을 의식(意識)이라 불러도 좋을 것 같다. 의식은 "분열된 마음"이나 "마음의 허망한 그림자"[16]이며 '진짜 마음'(本心)이 아니기 때문이다. 불타는 모든 존재가 마음의 난동인 이러한 의식의 산물이라고, 즉 모든

---

16) 대우(大愚), 『그곳에 부처도 갈 수 없다』 (서울: 현암사, 2002), 78쪽, 230쪽.

존재와 대상은 실상이 아니라 우리의 의식이 지어낸 '개념화'의 산물에 불과하다고 가르친다. 객체로서의 모든 현상은 의식의 투영에 불과하다는 것이다.

그렇다면 어떤 존재나 현상을 볼 때, 우리는 파편들을 보는 것이 된다. 인간은 의식의 놀이, 그것의 덫에 걸려 존재 유무, 존재의 옳고 그름을 분별하는 의식의 난동에 의해 고통받는다. 불교는 우리가 '보는' 모든 존재, 모든 현상이 실체가 아니라는 것을 알지 못하는 한 고통은 그칠 날이 없다고 가르친다. 용수(龍樹)는 개념화라는 의식의 난동을 그치는 것을 '열반'이라고 했다. "모든 재현을 조용히 그치게 하는 것, 모든 언어적 분별을 조용히 그치게 하는 것"[17]이 열반이라는 것이다. 말하자면 모든 존재, 모든 현상이 실상이 아니라 의식 투영의 산물이라는 것을 깨닫는 것이야말로 열반이다. '큰 지혜' 자체가 '열반'인 것이다.

『금강경사구게』(金剛經四句偈)에는 "만약 모든 현상이 현상이 아니라는 것(諸相非相)을 보면, 이는 바로 여래를 보는 것"이라는 가르침이 있다. 우리의 눈들의 '봄'의 대상이 되는 모든 존재가 실상이 아니라 우리 의식의 투영이고 의식의 환영이라는 것을 아는 순간이 곧 우리가 '부처'를 보게 되는 순간이라는 것이다. 바로 이 순간, 존재의 이원성은 철저히 해체된다. 즉 환영 또는 그림자에 지나지 않는 일체의 존재를 실체로 '보는' 존재에 대한 이원론적인 인식이 해체되지 않는 한 '부처', 즉 진리나 궁극적 실체를 볼 수도 알 수도 없다는 것이다.

불타의 가르침을 입증하는 '양자역학'(量子力學)은 존재의 이원성이 가진 모순을 좀더 구체적으로 드러낸다. '양자역학'은 동일한 존재라 할지라도 관찰자가 어떻게 실험하는가에 따라 그 존재는 '물질'이 되기도 하고 '비물질'이 되기도 한다는 것을 입증했다. 고전물리학적인 관

---

17) Nagarajuna, *Madhyamakakarika*, 25. 24, *Mulamadhyamakakarika*, J. W. de Jong 편 (Madras: Adyar Library and Research Centre, 1977).

점에서 보면 빛은 입자와 파동 가운데 어느 하나에 속한다. 그것이 파동이거나 입자일 수는 없다. 그러나 '양자역학'은 모든 빛이 입자와 파동의 이중성을 가지고 있다는 것, 단지 관찰자의 실험방법에 따라 입자, 즉 '물질'로 나타나기도 하고, 파동인 '비물질'로 나타나기도 한다는 것을 증명했다. '양자'의 모습은 관찰자의 실험방법에 따라 규정된다. 즉 '양자'라는 객체의 존재성은 미리 정해진 것이 아니라, 주체에 의해 규정된다. 그것의 '물질성'과 '비물질성', 즉 그것의 '있음'과 '없음'은 관찰자의 마음에 따라 정해진다. 양자는 그러한 존재이기에 그 자체의 고유성, '자체성'은 없다. 의식, 즉 "마음에 의해 투영된 마음의 그림자"[18]가 양자인 것이다. '마음의 그림자'인 양자처럼 모든 존재——물리적인 것이건 관념적인 것이건——는 '존재'이면서 '비존재', '비존재'이면서 '존재'인 존재다. 『반야심경』(般若心經)은 존재가 바로 비존재이고, 비존재가 바로 존재라는 가르침으로 시작된다. 있음이 바로 없음이고 없음이 바로 있음이라는 것이다. 여기서도 존재의 이원론은 철저히 해체된다.

존재의 이원성을 해체하는 불교의 가르침 이면에는 눈에 대한 단호한 부정이 자리한다. 눈이 '본 바'를 우리의 마음, 더 정확하게 말하면 우리의 의식이 객체로 실체화하고 개념화하기 때문이다. 존재의 이원성을 가능하게 하는 것이 바로 눈이기 때문이다. 눈은 '있음'을 '있음'으로, '없음'을 '없음'으로 본다. 하지만 이러한 구도 아래에서는 '있음'이 '없음'이고, '없음'이 있음'이 되는 세계를 볼 수 없으므로, '나'라는 주체를 제외한 어떠한 '타자'로서의 객체도 존재할 수밖에 없다. 따라서 주체와 객체 간의 갈등관계가 성립될 수밖에 없다. 이러한 갈등관계가 '비극'의 전제

---

18) 대우(大愚), 앞의 책, 245쪽. 이 책은 불타의 가르침을 '양자역학' 등 현대과학 이론을 빌려 가장 설득력 있게 펼쳐 보인 책들(또는 법문(法門)) 가운데 하나다.

또는 본질적 요소라면, 존재의 이원성을 철저히 부정하는 불교의 영향권에 있던 동양에 '비극'이 존재하지 않았다는 것은 어쩌면 당연한 일일 것이다. 우리는 제7장의 마지막 부분에서 "신화는 모순에서 출발하여 그 모순과의 화해를 향해 나아가지만, 비극은 오히려 모순을 확고히 하고 화해를 거부한다"는 바르트의 말을 인용했다. 화해, 이원성의 극복, 이원성의 해체를 받아들이지 않는 것이 '비극'의 고유한 특징인 것이다. 존재의 이원성이 전제되는 한, 화해란 있을 수 없다. 바로 여기에 '비극'의 비극성이 있다.

그러나 존재의 이원성을 부정한다고 해서 불교가 존재의 일원성을 옹호하는 것은 아니다. 불타의 가르침은 어떤 것에도 머물지 않고 존재에 대한 '집착'을 부단히 끊는, 끝없는 '해체의 놀이'에 있다. 존재에 대한 어떠한 개념화도 거부하며, '존재에 대한 어떠한 개념화도 거부한다'는 이 개념화마저도 거부한다. 끝없는 부정, 끝없는 해체의 놀이가 불타의 가르침인 것이다. 데리다의 차연(差延), 끝없는 해체처럼 말이다. 여기에는 '나'라는 주체도, '나'의 '봄'의 대상인 '객체'도 존재할 수 없다. 갈등 구조는 전혀 있을 수 없다. 불가(佛家)에는 간단없는 부정, 끊임없는 해체를 요구하는 사구백비(四句百非)라는 가르침이 있다. 가령 '나'라는 존재가 어떻게 부정되는지를 보자.

1. '나'는 존재합니까? 아니오.
2. '나'는 존재하지 않습니까? 아니오.
3. '나'는 존재하기도 하고 존재하지 않기도 합니까? 아니오.
4. '나'는 존재하는 것도 아니고, 존재하지 않는 것도 아닙니까? 아니오.

'나'의 자리에 들어갈 어떤 존재의 경우도 이와 마찬가지다. 심지어 거기에 '열반'이나 '부처'가 들어가더라도 계속되는 부정의 대답은 변하지 않는다. 어떠한 물리적 존재, 어떠한 관념의 집착도 용인하지 않는 끝없는 부정, 간단없는 해체만이 있을 뿐이다. 이러한 부정, 해체의 놀이를 통해 불교의 가르침의 전부라 할 수 있는 '연기설'마저 부정·해체된다.

'연기설'은 어떤 존재도 인연을 말미암지 않고 존재하는 것은 아무것도 없다고 한다. 그러나 어떤 존재를 있게 하는 여러 인연(요소)은 그것들을 있게 한 다른 인연들로 말미암아 존재하는 것이기에 그것들 역시 '자체성'이 없다. 자체성, 개별적 실체성이 없다는 것은 다른 말로 하자면 인연들은 존재하지 않는다는 것이 된다. 불타는 인연으로 말미암지 않고 존재하는 것은 아무것도 없다고 한다. 그러나 인연들마저 존재하지 않는다면, '연기설' 자체도 성립될 수 없다. '연기설'이라는 불교 최고의 이론은 바로 '연기설'이라는 최고의 이론으로 부정된다. 역설의 극치라 할 만하다.

간단없는 '해체'를 보여주는 이러한 역설이야말로 불교 사상의 고유한 특성이다. 부정의 놀이, 해체의 놀이는 끝이 없다. 여기서는 존재의 이원성이니 존재의 일원성이니 하는 어떤 것도 성립되지 않는다. 아니 어떤 것도 머무를 수 없다. 부정과 해체로 이어지는 끝없는 관념의 놀이, 언어의 놀이가 있을 뿐이다. 마음에 기대어 펼쳐지는 온갖 집착으로부터 해방이라는 해탈의 놀이가 있을 뿐이다. 여기에 어떻게 '비극'이, '비극적 비전'이 가능할 수 있었겠는가.

'보지 않는다면 부처다.' 그러나 '진정한 부처는 보지 않는 법이 없다.'

앞에서도 지적했듯이 대승불교의 두 핵심적인 가르침은 '지혜'와 '자비'다. 그러나 지금까지 불가의 가르침은 주로 전자에 집중된 것이었다. '열반'이라는 거대한 '구경'에 이르기 위해 보지 않아야 한다고 가르쳐오고 있다. 그리고 이렇게 보지 않는 눈을 그들은 우르나, '지혜의 눈'이라고 한다. 그러나 그 눈은 보지 않기 때문에 '하부'의 존재들이 경험하는 고통을 볼 수가 없었다. 진정한 부처는 보지 않는 법이 없다. 눈을 뜰 때만 눈은 눈물을 흘릴 수 있다. 눈물을 흘리는 눈이야말로 '자비의 눈'이며, '역사의 눈'이며, '인간의 눈'이다. 3세기경에 기록된 것으로 전해지는 외전(外典)의 하나인 『요한행전』에 따르면 예수는 단 한번도 눈을 감아본 적이 없다고 한다.[19]

19) Henry Maguire, *The Icons of Their Bodies: Saints and Their Images in Byzantium* (Princeton: Princeton UP, 1996), 115쪽.

9 바타유의 '눈 이야기'

"포스트모던 철학의 대부"[1]라 불리기도 하는 바타유(1897~1962)의 첫번째 소설 『눈 이야기』(1928)는 표면적으로 볼 때, 사실 포르노 소설에 가깝다. 그는 이 작품 외에도 『나의 어머니』, 『에두아르다 부인』 같은 포르노 소설 등을 발표했다. 그의 소설들을 접한 동료 브르통은 『제2차 선언』에서 "바타유는 이 세상에서 가장 비열하고 가장 실망스럽고 가장 타락한 것만을 고려한다"[2]고 비판하면서 그를 "불순에 탐닉하는"[3] 인간이라고 매도했다. 사드(Marquis de Sade) 이후 아마도 이 작품만큼 '선전성'으로 논란을 불러일으킨 작품도 없을 것이다. 다음과 같은 줄거리를 가진 이 소설은 주인공 '나'가 16세 무렵 해변에서 만난 같은 또래의 시몬이라는 한 소녀와 벌인 성적 '놀이'가 점차 폭력적이고 변태적으로 진행되어가는 성적 유희의 과정을 적나라하게 보여준 작품이다.

시몬은 의자 위에, 고양이가 먹을 차가운 우유가 담긴 하얀색의 둥근 접시를 올려놓고 그 우유에 자신의 "타는 듯한 뜨거운 엉덩이"[4]를 담근다거나, 엉덩이로 달걀을 깬 후 그 위에다 오줌을 눈다거나, 사람들 앞에서 오줌을 누거나, 자신의 몸에 오줌을 누라고 요구하는 등등의 기벽을 가진 소녀다. 어느 날 밤 그들은 바다가 내려보이는 절벽 위에서 '나'의

---

1) David Farrell Krell, "Paradoxes of the Pineal: From Descartes to Georges Bataille," *Contemporary French Philosophy*, A. Phillips Griffiths 편 (Cambridge: Cambridge Press, 1987), 215쪽.

2) Andre Breton, *Manifestoes of Surrealism*, Richard Seaver와 Helen R. Lane 공역 (Ann Arbor: U of Michigan Press, 1969), 181쪽.

3) Andre Breton, 같은 책, 185쪽.

4) Georges Bataille, "Histoire de l'œil," *Œuvres complètes* (Paris: Gallimard, 1970), I: 13쪽. 조르주 바타유, 『눈 이야기』, 이재형 역 (서울: 푸른숲, 1990), 196쪽. 이후 인용문의 쪽수는 본문의 괄호 안에 표기함. 앞의 쪽수는 원문, 뒤의 쪽수는 한글번역판을 가리키며, 원문 'OC I', 한글번역판은 '한'으로 표기함. 인용문 전부는 역자가 두서너 군데 빠뜨린 단어를 내가 첨가하여 해석한 것을 제외하고는 역자의 번역에 따른다.

여자 친구들 가운데 "가장 순수하고 가장 감동적인" 그리고 "독실한"(OC I.16, 19; 한 200~203) 금발의 소녀 마르셀을 만나게 된다. 다른 친구들과 함께 '나'의 집에 온 마르셀은 한 소년이 시몬에게 오줌을 누는 광경에 흥분해 노르망디산 장롱 속에 들어가 수음을 하게 되는데, 잠시 후 그 장롱 문 아래쪽으로는 수음하는 마르셀의 오줌이 흘러나온다.

자신의 행위에 대한 수치심 때문에 "도저히 견딜 수 없는 정신적 고통과 공포"(OC I.22; 한 209) 속에서 괴로워하던 마르셀을 부모님이 바다가 내려다보이는 절벽 위의 정신병원에 감금시킨다. 마르셀이 감금된 정신병원에 간 '나'와 시몬은 창을 통해 그녀를 보게 되는데, 두 소녀는 창살 사이로 서로를 마주보며 격렬하게 자위행위를 한다. '나'는 마르셀이 감금된 방의 "그 야비한"(OC I.42; 한 234) 창살을 끊어버리고 그녀를 빠져나오게 한다. 마르셀은 '나'에게 추기경이 돌아오면 자신을 보호해달라고 부탁한다. 추기경이 누구냐는 '나'의 물음에 그녀는 자신을 "장롱 속에 가둔 사람"이라고, 그 사람이 왜 추기경이냐는 '나'의 물음에 그녀는 그 사람은 "단두대의 신부"(OC I.43; 한 236)라고 대답한다. 그녀는 그날 밤 "눈부실 정도로 새빨간 프리지아산 모자"(OC I.43; 한 236)를 쓴 '나'에게서 단두대의 신부인 추기경의 모습을 보았던 것이다.

'나'의 집에 온 마르셀은 그 커다란 노르망디산 장롱을 보자 공포에 질려 이빨을 덜덜 떤다. 그때 다시 '나'를 보게 되자 그녀는 자신이 추기경이라 했던 사람이 나타난 것이라고 생각하고 절망적인 울부짖음을 토하며 장롱 속으로 들어가 목을 맨다. '나'는 죽은 마르셀의 시체 옆에서 처음으로 시몬과 성관계를 가진다. 시몬은 어김없이 마르셀의 시체에 오줌을 누고 그들은 경찰의 심문을 피하기 위해 에스파냐로 향한다. 마드리드에는 시몬을 도와줄 영국인 백만장자 에드먼드 경이 기다리고 있었고, 마르셀의 자살 이후 시몬은 오직 "전과는 비교할 수 없을 정도로 더 격렬해진 오르가슴을 통해서"(OC I.49; 한 242) 지상세계의 권태를 극복할 수 있게 된다.

시몬은 어떤 외설적인 광경보다도 "여전히 투우를 더 좋아했다"(OC I.49~50; 한 244). 세 가지 점이 그녀를 사로잡았는데, 첫째는 대기소에서 황소가 전광석화와 같이 튀어나오는 것, 둘째는 황소가 그 뿔을 암말의 옆구리에 머리가 박힐 정도로 힘차게 처박는 것, 셋째는 암말의 방광이 터지면서 한꺼번에 오줌이 쏟아져 나오는 것이었다.

황소의 뿔에 박힌 투우사가 공중으로 던져지는 광경도 그녀를 사로잡았다. 당시 투우 애호가들에게는 경기장의 관리인에게 가장 먼저 죽은 황소의 싱싱한 불알을 석쇠에 구워 가져오도록 한 후, 그 다음 황소가 죽는 것을 보면서 재빨리 먹어치우는 습관이 있었다. 그러나 시몬은 옆자리의 에드먼드 경에게 날것의 싱싱한 불알을 가져다 달라고 부탁한다. 그녀 앞에 달걀 또는 눈알의 모습을 한 두 개의 불알이 놓이고, 그녀는 그 가운데 하나를 날것인 채로 먹어치우고 나머지 하나를 그녀의 음부속에 집어넣는다.

1922년 5월 7일은 에스파냐에서 가장 훌륭한 투우사인 스무 살의 그라네로가 황소와 일전을 벌이는 날이었다. 황소와 대결에서 승기를 잡아가던 그라네로는 어느 한 순간 황소 뿔에 받혀 넘어지면서 황소와 난간 사이에 갇히게 되었다. "황소는 뿔로 난간을 세 번에 걸쳐 들이받고, 세 번째 공격에서 뿔 하나가 그라네로의 오른쪽 눈과 머리 전체를 관통했다"(OC I.56; 한 252). 그라네로가 실명하는 순간 마치 "하늘이 오줌으로 용해되는 것"(OC I.57; 한 253) 같았다. 사람들이 오른쪽 눈이 얼굴 밖으로 늘어진 투우사의 시체를 옮기는데, 그 눈은 시몬의 음부 속에 있는 황소의 불알과 비슷한 크기와 밀도를 가지고 있었다.

에드먼드 경은 이제 투우에 싫증을 느낀 시몬을 유흥지로 유명한 세비야로 데려간다. 세비야의 햇빛은 마드리드보다 "더 퇴폐적이었다"(OC I.57; 한 254). 에드먼드 경은 그들을 '돈 후안 교회'로 안내한다. 시몬은 그 교회의 젊고 잘생긴 금발의 신부에게 고해성사를 청하고, 그 신부는 감실(龕室)로, 시몬은 고해실로 들어간다. 고해실에 들어간 시몬은 신부의 옆 얼굴 옆에 있는 살창에 왼쪽 얼굴을 갖다 붙인 채 수음을 한다. 자신이 지금 수음을 하고 있다는 사실까지 고해한 시몬은 고해실 문을 열어젖히고 신부의 음경을 찾아 입 속에 넣고 빨기 시작한다. 그 모습을 지켜보던 에드먼드 경은 단호한 태도로 고해실로 들어가 그 신부를 끌어내고는 사정없이 구타하기 시작한다. 시체처럼 늘어진 그 신부는 성기실(聖器室)로 옮겨지고 시몬이 신부의 뺨을 갈기자 다시 신부의 성기가 발기한다. 신부의 옷을 모두 벗긴 다음 시몬은 그 옷에 오줌을 눈다. 그런 후 다시 그 신부의 음경을 난폭하게 빨기 시작한다. 에드먼드 경이 감실에서 금제 성합(聖盒)을 가져오고 그들이 있는 성기실의 장롱에서 커다란 성배(聖杯) 하나를 찾아낸다. 그 속에 든 성체빵의 냄새를 맡은 시몬은 그것이 그리스도의 '정액'이며, 성배 속의 백포도주는 그리스도의 피가 아니라 '오줌'이라고 말한다(OC I.63; 한 264). 피라면 적포도주를 사용해야 한다는 것이다.

시몬은 신부의 몸을 빨아대면서 한 번은 성배 받침대로 또 한 번은 성배로 신부의 얼굴을 때리고 신부는 시몬이 그의 음경 밑에 받쳐놓은 성배를 자신의 오줌으로 채운다. 에드먼드 경이 그에게 그것을 마시게 하고, 시몬은 다시 그를 용두질치면서 성체빵 위에 그의 정액을 쏟아내게 한다. 발기가 풀린 신부는 분노와 수치심에 몸을 떨면서 '순교'라는 말을 내뱉는다. 에드먼드 경은 교수형을 당한 사람들이, 숨이 끊어지는 순간 힘차게 발기하면서 사정을 하게 된다고 이야기하면서 신부에게 시몬과 성교를 하면서 순교하도록 권고한다. 그들은 신부의 두 팔을 등 뒤로 돌려 포박하고, 입에 재갈을 물린 다음 혁대로 두 다리를 묶는다. 시몬이 그 순교자의 배 위에 올라가 목을 조르자 음경이 다시 발기하고 시몬은 그 음경이 자신의 몸 속에 들락거리게 하며, 계속해서 그의 목을 조른다. 마침내 그녀가 단호히 목을 조르자 시몬은 자신의 엉덩이 안쪽에서 정액이 솟아오르는 것을 느낀다.

파리 한 마리가 목이 졸려 죽은 신부의 눈 위에 앉은 후 "악몽과도 같은 긴 다리들을 그 기괴한 눈알에 대고 흔들어대는 것이었다"(OC I.67; 한 268). 시몬은 그 눈을 완전히 벌리고는 '달걀'이라고 말하면서 에드먼드 경에게 그 눈을 뽑아줄 것을 요구한다. 에드먼드 경이 예리한 날을 가진 가위로 살을 자르고 그것을 끄집어내자 시몬은 그 "유체(流體)처럼 보이는 그 물체를 엉덩이 가장 깊숙한 곳에 집어넣고 쓰다듬으면서 즐겼다"(OC I.68; 한 270). 시몬의 엉덩이를 좌우로 벌린 '나'는 마침내 "단두대가 잘라야 할 목을 기다리듯 오래 전부터 '내'가 기다려온 것과 대면하게 되었다. '내' 두 눈이 마치 공포로 인해 발기라도 하듯 머리에서 빠져나와버린 것처럼 느낄 정도였다.

'나'는 '시몬'의 털투성이 음부 속에서 오줌의 눈물을 흘리며 '나'를 바라보는 '마르셀'의 연한 푸른색 눈을 정확하게 보았다⋯⋯"(OC I.69; 한 271). 두 시간 뒤 그들은 세비야를 떠나고, "땅도 노랗고 하늘도 노란 안달루시아를 가로질러", "햇빛이 넘쳐나는 거대한 요강처럼 보이는" 그 나라를 떠나 "흑인 선원들과 함께 새로운 모험을 찾아 먼 바다로 나갔다"(OC I.69; 한 272).

위반의 논리

1957년의 에로티시즘의 연구에서 바타유는 "사적 경험 없이 우리는 에로티시즘도 종교도 논할 수 없다"고 했다.[5] 그의 『눈 이야기』는 사적 경험을 토대로 한 자전적 소설이다.

바타유는 이 소설의 마지막 부분에 해당하는 제2부 「일치」에서 그가 호흡해야 했던 가정의 분위기(어머니, 특히 자신과 아버지의 관계), 그가 관전한 투우경기, 그 경기에서 죽은 황소의 불알, 불구의 아버지가 쏟아

---

5) Georges Bataille, *Eroticism: Death and Sensuality*, Mary Dalwood 역 (San Francisco: City Lights, 1986), 35쪽.

낸 하얀 오줌, 우울증 발작 이후 자살을 시도하던 어머니, 소설에서 마르셀로 등장하는 카페에서 잠깐 본 14세의 소녀, 1922년 세비야에서 직접 보았던 투우사 그라네로의 죽음 등과 같은 사적 경험들이 소설의 배경이 되었음을 분명히 밝혔다.[6]

바타유가 금기의 위반을 처음 경험한 것도 14세 때쯤이었다. 지독한 매독으로 눈멀고 몸이 마비된 그의 아버지는 밤이 되면 노증(勞症)의 급작스러운 고통으로 자주 지독한 비명을 질러댔는데, 그러던 어느 날 밤 아우성과도 같은 격렬한 어구들을 토해내던 도중에 스스로의 격정을 이기지 못하고 한순간 미쳐버리게 되었다. 그가 데리고 온 의사가 그의 아버지를 진찰한 후 어머니와 함께 옆방으로 가려고 하자 미쳐버린 그의 아버지는 "의사 양반, 당신 우리 마누라랑 흘레할 거야?"라고 소리쳤다. 바타유는 바로 그 순간 "엄격한 교육의 실망스러운 효과를 순식간에 파괴시켜버린 그 문장"(OC I.77; 한 278)이 그의 내면 깊은 곳에 각인되었고, 이후 그의 삶과 사유를 지배했다고 토로했다. 아버지가 내뱉은 그 문장은 그에게 금기의 영역인 어머니의 육체가 성적 욕망의 대상으로서

---

6) Susan Suleiman은 "Transgression and the Avant-Garde: Bataille's Histoire de l'œil," *Subversive Intent: Gender, Politics, and the Avant-Garde* (Cambridge/M.A.: Harvard UP, 1990), 72~87쪽에 제2부 「일치」에서 화자인 '나'의 자서전적 고백을 바타유의 사적 고백으로 받아들이는 것은 위험하다고 지적하면서 바타유의 그 소설을 철저한 '허구'로 보아야 한다고 주장한다. 반면 바타유의 텍스트는 "자서전적 주체를 설정하면서 동시에 해체한다"(56쪽)고 주장하면서 제2부 「일치」를 그런 관점에서 다룬 글로 Amy Hollywood, *Sensible Ecstasy: Mysticism, Sexual Difference, and the Demands of History* (Chicago: U of Chicago Press, 2002), 45~56쪽과 Gilles Ernst, "Georges Bataille: position des 'reflets' (ou l'impossible biographie)", *Revue des sciences humaines*, 224 (Octobre-Décembre, 1991), 105~125쪽을 볼 것. 그러나 전적으로 바타유의 자서전 형식의 소설로 단정하는 Michel Surya, *Georges Bataille, la mort à l'œuvre* (Séguier, 1987), 25쪽을 소개하면서 이에 대체로 동조하는 Annie Pibarot, *Georges Bataille, l'héritage impossible* (Montpellier: Université Paul-Valéry Montpellier III, 1999), 24쪽도 참조할 것.

"여성의 육체"라는 것을 확인시켜주었고, 이후의 "포르노적 상상력의 원천"이 되었다.[7] 그러나 무엇보다도 중요한 것은 그 문장이 이후 그의 사상 전반을 지배하게 된 '위반', 그 위반 논리의 단초가 되었다는 것이다. 어린 시절 아버지 쏟아낸 그 위반의 문장이 가져다 준 경험은 그후 줄곧 위반의 논리를 펼쳐나간 그에게 "무의식적"이면서 "지속적인" 일종의 의무로(OC I.77; 한 278) 남아 있었다.

바타유에게 인간의 삶이란 보존되어야 할 무엇이 아니라 '소모'되어야 할 과잉 에너지, 말하자면 과도하게 넘쳐나는 '비생산적인 힘의 소모'에 불과하다. 따라서 인간의 역사, 그 삶의 역사는 그러한 에너지가 끊임없이 소모되는 역사다.[8] 이러한 에너지의 소모는 신성모독 행위, 희생, 전쟁, 에로티시즘 등을 통해 이루어지므로, 인간의 삶은 "폭발 직전의 소동" 그 자체, "불안정과 불균형"으로 대변된다.[9] 이러한 에너지의 소모를 억제하는 모든 것에 붙여진 이름이 바로 '금기'(禁忌)다.

금기가 에너지의 소모에 대한 억제라면 위반은 곧 이의 실현이다. 불안정과 불균형을 초래하는 이러한 위반, 즉 에너지의 표출은 곧 '폭력'이며, 바타유에게 위반의 이름으로 행해지는 모든 인간의 폭력은 "전체 휴머니티의 고유한 영역에 속하는 것"이 된다.[10] 위반은 금기에 대한 폭력이며, 위반의 적은 바로 금기를 강요하는 세력들, 금기의 주도자들이다. 인간의 자유를 구속하고 이에 제한을 가하는 일체의 세력들, 가령 이성·신학·윤리·교회·국가·이성의 이름으로 행해지는 모든 담론이 그 적들에 속한다.

---

7) Susan Rubin Suleiman, 같은 글, "Transgression and the Avant-Garde: Bataille's Histoire de l'œil," 85쪽.
8) Georges Bataille, *The Accursed Share*, Robert Hurley 역 (New York: Zone Books, 1988), I: 10~11쪽, 12쪽, 22쪽, 33~34쪽.
9) Georges Bataille, 같은 책, 59~60쪽.
10) Georges Bataille, 앞의 책, *Eroticism*, 186쪽.

그에게 에로티시즘은 바로 이러한 금기들에 폭력을 가하는 위반의 전형이다. 사실 그는 에로티시즘을 위반과 거의 같은 의미로 사용한다. 그가 에로티시즘을 글쓰기의 직접적인 대상으로 삼은 것은 1950년대에 이르러서다. 하지만 에로티시즘에 대한 그 논의들의 근거를 1950년대에 한정시킬 수는 없다. 그것의 단초는 그로부터 거의 20년을 거슬러올라가는 『눈 이야기』에서부터 놓여 있었기 때문이다.

바타유에게 에로티시즘은 인간이 만든 금기를 위반하는 것과 함께 시작된다. 그러나 그러한 위반이 한계의 완전한 부재를 지향하는 것은 아니다. 한계가 없다면 위반도 있을 수 없다. 모든 위반은 한계를 전제로 한다. 즉 위반은 금기를 유지시키며, 금기는 위반을 유지시킨다. 금기의 위반은 금기의 완성이며, 금기의 힘이 충분히 실현되는 것은 바로 그러한 위반을 통해서다. 따라서 한계를 가지지 않는 위반은 근본적인 폭력성을 상실하게 되는데, 이것이 인간이 동물과 다른 점이다. 금기와 위반은 서로를 전제로 하는 긴장의 논리를 형성하며, 그러한 긴장의 논리로 말미암아 인간의 삶은 '불안정'과 '불균형'의 연속일 수밖에 없다는 것, 여기에 동물성의 세계와 전혀 다른 인간 고유의 세계가 있는 것이다.

이와 같은 금기와 위반의 관계는 바타유도 지적하듯이, 그것의 변증법적 관계 때문에 헤겔적인 지양(止揚, aufheben)을 떠올리게 한다.[11] 그러나 헤겔에게 '지양'이 절대정신에 이르기 위한 일종의 수단이나 방법, 따라서 절대정신이라는 목표에 이르는 순간 폐기되는 것인 반면, 바타유에게는 위반 그 자체가 목적이며, 스스로를 목적으로 하는 이 위반의 세계에서는 목적 달성이나 충족 같은, 말하자면 일종의 완성 단계 같은 것이 존재하지 않는다. 바타유가 말했듯이 "인간은 늘 타자가 된다. 인간은 끊임없이 자신과는 다른 동물이다."[12] 위반은 욕망의 실현이 아니라 욕망

---

11) Georges Bataille, 같은 책, *Eroticism*, 36쪽(주를 볼 것)
12) Georges Bataille, "Hegel, l'homme et l'histoire," 앞의 책, *Œuvres complètes* (1988), XII: 363쪽.

의 변주이며, 욕망의 연장인 것이다. 이런 점에서 볼 때 바타유의 위반은 오히려 라캉의 욕망과 닮았다. 라캉에 따르면, 욕망의 성취로 이루어지는 희열도 상상적인 것에 불과하기 때문에 인간은 자기이면서도 동시에 자기가 아닌 타자, "다른 동물"로 남을 수밖에 없다. 이러한 이중성, 이러한 역설로 인해 인간들은 위반을 통해 끊임없이 금기에 도전하고, 이루어질 수 없는데도 계속해서 욕망하게 되는 것이다. 바타유의 에로티시즘의 세계에서는 『눈 이야기』 제1부의 마지막에서 시몬과 '내'가 또다시 새로운 모험을 찾아 먼 바다로 나아가듯이, '지양'은 없고 위반 그 자체만 계속될 뿐이다.

인간의 자유와 욕망을 억압하는 금기들에 대한 도전이기에, 위반은 바타유의 용어를 빌린다면 주관성과 거의 동일한 주권의 표현이다. 따라서 '신의 죽음'을 선언한 니체가 바타유의 『저주의 몫』 제3권 전체를 통해 '주권'의 저자로 부각된 것은 우연이 아니다. 그에 따르면 "니체의 선물은 어떤 것에도 한계를 두지 않는 선물이다. 그것은 주권의 선물, 주관성의 선물이다."[13] 금기의 위반은 신, 도덕 또는 기존의 고착화된 질서에 종속되지 않으리라는 선언이다. 금기에 대한 복종은 인간이 신의 의지, 기존의 가치체계, 기존의 질서 등등의 단순한 도구에 지나지 않는다는 고백의 표현이기 때문이다. 신, 그 밖의 절대추상체들, 기존의 사회체계, 도덕 등이 규정한 금기를 위반함으로써 인간은 '주권'을 행사할 수 있다. 에로티시즘은 이러한 주권의 확인이나 다름없으며, 그러한 위반을 통해 인간은 도구화되는 것에서부터 해방될 수 있다.

바타유는 이러한 위반을 '악'이라고 규정한다. 그러나 그 악은 주권을 위한 악이다. 그는 "규범화된 사회질서의 패턴…… 기존의 정해진 패턴을 허물어뜨리는"[14] 위반의 전형적인 에로티시즘을 "오직 악 자체를 위

---

13) Georges Bataille, *The Accursed Share*, Robert Hurley 역 (New York: Zone Books, 1991), II, III: 370쪽.
14) Georges Bataille, 앞의 책, *Eroticism*, 18쪽.

한 악"[15]이라고 규정한다. 그것은 어떠한 규범에도 복종하지 않으며, 어떠한 생산적인 목적에도 이용되지 않기 때문이다. 그것은 주권적이며, '순수한 악'이다. 그에게 "악을 선택하는 것은 자유를 선택하는 것"[16], 도구화나 사물화에서부터 자유를 선택하는 것이나 다름없다.

위반의 내용과 배경

『눈 이야기』는 '위반'을 주제로 한 소설이며, 그 위반은 '이성'이나 '도덕' 또는 '신성'의 이름으로 구축된 일체의 가치, "규범화된 사회질서의 패턴"에 대한 것이다. 이를 보여주기 위해 바타유는 '눈'의 모티프를 등장시킨다. 그는 인간의 눈에 대한 모멸과 비하를 통해 그가 보여주려는 위반을 구체화한다. 우리는 제2장에서 신화적, 종교적 배경을 통해 눈이 '태양, 신 그리고 빛'과 어떤 관계를 가지고 있나를 다루면서 '악한 눈'으로 전락하기 이전의 원래 인간의 눈은 '신성의 빛'을 닮았으며, 그것은 궁극적으로 신이나 신성의 빛과 동일시됨을 지적했다. 그리고 이러한 신화적, 종교적 배경뿐만 아니라 그리스에서부터 현대에 이르는 서구의 전통적인 사유에서도 눈은 가장 중요한 감각기관, 이성이나 인식능력에서 가장 훌륭한 감각기관으로 인식되어오고 있었음을 제5장에서 지적했다.

이런 점에서 볼 때, 바타유의 『눈 이야기』는 위반의 정신, 구체적으로 말한다면 인간의 인식작용을 가능하게 하고, 인식작용 능력에 가장 부합하는 감각기관으로서 인간의 눈에 부여된 일체의 권위와 가치에 대한 위반 정신의 표현이다. 그는 이 작품을 통해 인간의 눈이 신성이나 이성의 또 다른 표현인 빛의 속성을 가진 고귀한 감각이 아니라는 것을 적나라하게 보여준다. 이를 통해 눈과 그 속성을 공유하는 신이나 신성이라는

---

15) George Bataille, 앞의 책, *The Accursed Share*, I: 134쪽.
16) Georges Bataille, *On Nietzsche*, Bruce Boone 역 (New York: Paragon House, 1992), xxxiv쪽.

것도 절대로 고귀한 것이 아님을 역설한다. 이를 위해 그는 음란하기 그지없는 대담한 상황 설정과 이미지들을 등장시키는데, 그 가운데서도 가장 극적이고 상징적인 장면은 역시 그라네로의 눈과 신부의 눈에 대한 장면이다.

바타유는 인간의 눈(그라네로의 눈이 이를 표상한다)과 신의 눈(신부의 눈이 이를 표상한다)을 음부의 놀이대상으로 전락시킴으로써 인간과 신을 철저하게 비하한다. 인간의 눈에 대한 이러한 비하가 서구의 로고스 중심주의, 시각중심주의에 대한 비판이라는 점은 대부분의 학자들이 공감한다. 물론 그의 일차적인 공격 대상인 인간의 눈은 이성의 빛, 이른바 '계몽'의 빛을 담고 있다는 서방의 시각중심적인 사유라는 점은 분명하다.

그러나 좀더 우리의 주목을 끄는 것은 좀더 복합적인 의미를 던지는 두번째 장면, 즉 신부의 눈에 대한 부분이다. 실제로 그는 이 부분에 더 많은 지면을 할애하며, 거듭해서 격렬하고 극적인 장면들을 연출한다. 이 부분이 부각시킨 신이나 신성에 대한 비하는 부패한 음식물이나 썩은 시체를 찾아 헤매는 파리 한 마리가 죽은 신부의 눈알에 앉아 '악몽과 같은 긴 다리'를 흔들어대는 장면을 통해 드러난다. 이러한 비하는 성합 속에 든 성체빵은 예수의 '정액'이며, 성배에 든 포도주는 예수의 '오줌'이라는 시몬의 주장으로 한층 강화된다. 성배가 신부의 오줌으로 채워지고, 성체빵 위에 신부의 정액이 더해진 장면 등은 더 이상 인용할 필요도 없을 것이다.

바타유는 또 다른 문제 소설 『에두아르다 부인』에서 주인공의 입을 빌려 창녀의 성기 속에서 신을 본다고 주장하기도 했다. 그의 에로티시즘에는 논리는 있지만 윤리가 없다고 할 정도로, 그의 신성이나 신에 대한 비하는 격심하기 짝이 없다.

『눈 이야기』에는 여러 성적인 이미지가 등장한다. 그러나 그 이미지들은 궁극적으로 우주 전체와 신에 결부된다. 이러한 구도는 특히 이집트의 창세신화를 통해 잘 드러나는데, 구체적인 확인이 가능한 것은 아니지만, 여러 나라의 에로티시즘을 비교 연구한 한 책에서 "이집트인들의 눈에는 피라미드가 휘황찬란한 태양빛의 이미지였다"[17]고 밝힌 그의 발언을 고려해볼 때, 바타유는 고대 이집트의 창조신화에 대해 일정 수준의 지식을 가지고 있었던 것 같다.

이집트의 창세신화에 따르면 세계의 기원은 '팔루스적'이다.[18] 최고신인 태양신 레-아툼(라-아툼)은 자신의 팔루스를 손에 쥐고 자위행위를 함으로써 그 정액으로 대기의 신 슈와 수분의 신 테프누트를 낳았다. 성적 파트너 없이 그들을 낳았던 것이다. 따라서 그들의 탄생은 생식을 위한 성행위의 결과가 아니라 성적 욕망의 충족을 위한 자위행위의 결과였다.[19] 이후 남성 신 슈와 여성 신 테프누트의 성적 결합을 통해 하늘의 신 누트와 태양신 게브가 탄생했고, 그들의 자식들도 성적 결합을 통해 오시리스, 이시스, 세트 등을 낳았다. 이 세상, 이 우주의 시작에는 최고의 태양신 레-아툼의 성적 욕망이 있었고, 창세에도 여러 성적 결합이 있었던 것이다. 특히 이 세상이 최고의 태양신 레-아툼의 과도한 성적 에너지의 '소모'를 통해 시작되었다는 부분은 이집트의 창세신화에서만 볼 수 있는 독특한 인식의 단편으로서, 우주의 근원은 성적이라는, 따라서 우주의 본질도 마찬가지로 성적이라는 바타유의 주장을 뒷받침해줄 수 있는 훌륭한 근거가 된다.

바타유는 이 작품 속에서 태양이나 달, 은하수 등을 성적인 이미지와 결부시킴으로써 우주 전체가 성적이라는 것을 보여준다. 가령 "비스듬하

---

17) Georges Bataille, 앞의 책, *The Accursed Share*, Robert Hurley 역 (New York: Zone Books, 1991), II, III: 223쪽.

18) 이에 대해서는 Lynn Meskell, *Private Life in New Kingdom* (Princeton: Princeton UP, 2002), 62쪽을 볼 것.

19) Lynn Meskell, 같은 책, 62쪽. 그리고 Tom Hare, *Remembering Osiris: Numbers, Gender, and the Word in Ancient Egyptian Representational Systems* (Stanford: Stanford UP, 1999), 113쪽을 볼 것.

게 내리쬐던 태양이 오후 6시 욕실 내부를 곧장 비추는 시간, 반쯤 먹은 상태의 달걀 속으로 갑자기 물이 들어오기 시작했다"(OC I.37; 한 228~229)는 구절이 있다. 여기서 물은 곧 태양의 정액이다.[20] 은하수도 성적인 이미지와 결부되는데, 화자인 '나'는 은하수를 "두개골처럼 생긴 성좌권을 가로지르며 천체의 정액과 천상의 오줌이 흐르는 기묘한 통로"(OC I.44; 한 238)라 묘사하며, 달을 여성들의 음부에서 나온 피, 즉 "월경과 결합시킨다"(OC I.45; 239). '나'와 시몬이 성적 놀이를 통해 현실 세계에서 완전한 자유를 경험한다는 환각도 "흙, 대지, 하늘과 더불어 전개된다"(OC I.33; 한 224). 마드리드나 세비야는 성적으로 "퇴폐적"인 도시의 전형으로 등장하며, 안달루시아 지방은 "하늘도 노랗고 땅도 노란" 지역으로, 나아가 에스파냐 전체가 "햇빛이 넘쳐나는 거대한 요강"이 되고 있다. 물론 여기서 넘쳐나는 햇빛은 "남성의 정액", 요강은 "여자의 성기"(OC I.32; 한 221)를 상징한다. 이처럼 일상적인 도구들도 성적인 이미지와 결부되는데, 눈의 모양을 한 달걀은 불알과 결부되며, 더 나아가 교회 자체도 성적인 것이 된다. 교회 안의 "붉은 커튼이 벌이는 그늘과 빛의 놀이" 등이 "호화롭고 관능적"(OC I.59; 한 257)이었다고 할 때, 여기서 그늘과 빛의 놀이는 남녀 간의 성교를 암시하는 것이다.

이처럼 우주 전체의 본질을 형성하는 성적 에너지는 레-아툼의 경우에서도 알 수 있듯이 항상 과도함을 본질로 한다. 이 작품에 등장하는 오줌의 이미지는 바로 이 과도함에 대한 상징이다. 적은 양의 정액으로는 과도한 성적 에너지의 '소모'를 감당할 수 없기 때문에 오줌의 분출이 이를 메워준 것이다. 오줌이 성적 에너지의 소모를 담당한다는 것, 즉 오줌이 정액으로 탈바꿈한다는 것은 '소모'할 성적인 에너지가 과잉상태임을 의미한다. 이것이 인간들에게만 국한되는 것은 아니다. 황소 뿔에 방광

---

20) 여기서는 물로 나타나고 있긴 하지만, 일반적으로 정액은 태양빛의 현현으로 받아들여지고 있다. 이는 「브라하다란야카 우파니샤드」 등에서 중요하게 다루어진 신화적 주제이기도 하다. 제3장 78쪽을 볼 것.

이 터지면서 한꺼번에 오줌을 쏟아낸 암말의 경우는 살아 있는 모든 생명이 그러하다는 것을 말해준다.

바타유가 보기에 인간의 삶 전체, 이 우주 전체는 넘쳐나는 성적 에너지로 인해 '제정신이 아닌' 상태다. 금기는 이처럼 포화상태에 있는 다양한 에너지의 분출을 억압하는 메커니즘이다. 앞에서도 지적했듯이, 바타유의 위반은 이러한 메커니즘을 전복시키기 위해 과잉상태인 에너지를 분출하고 이를 목적 없이 '소모'하는 행위이며, 그러한 위반의 전형이 바로 에로티시즘인 것이다.

위반의 윤리

데리다가 주목했듯이 태양은 늘 비유적이다. 그것은 "자신을 가리고, 늘 타자 자체, 즉 아버지, 씨앗, 불, 눈, 달걀이 되어왔다."[21] 제2장에서 살펴보았듯이, 태양은 모든 신화와 종교에 중요한 상징이 되며 이 작품에서도 예외는 아니다. 이 작품에서 태양은 투우장에서 전개된 이야기를 중심으로 황소와 결부된다. 화자인 '나'는 투우사가 휘두른 "붉은 천 조각으로 인해 제 정신을 잃은" 황소가 칼에 찔려 피투성이가 되어 죽어가는 모습을 보면서 "그 태양적인 괴물의 죽음"(OC I.53; 한 249)이라고 말한다. 이를 통해 드러나는 태양의 이미지는 바로 그 파괴적인 이미지다. "우리는 일종의 거대한 빛의 수증기와 목구멍을 말리고 가슴을 짓누르는 무더위 속에 응고되어 있었다"(OC I.55; 한 251)는 '나'의 묘사에서 파괴성이 확인된다. 난폭한 황소의 죽음은 강렬한 일광(日光)으로 "목을 타게 하고 감각장애를 일으키는"(OC I.55; 한 252) 파괴적인 태양의 죽음과 다름없다.

---

21) Jacques Derrida, "White Mythology," *The Margins of Philosophy*, Alan Bass 역 (Chicago: U of Chicago Press, 1972), 253쪽.

물론 태양에 대한 바타유의 사유가 파괴적인 속성에만 맞춘 것은 아니다. 『눈 이야기』 이후에 발표된 다른 텍스트에서는 태양이 아무런 대가 없이 자신의 에너지를 끊임없이 소모하는 자기희생의 상징으로 등장한다. 거기서 그는 자신에게 "가장 큰 영향을 미친"[22] 모스(Marcel Mauss)의 "자신을 희생하는 신은 아무런 대가없이 자신을 준다"[23]는 주장을 인용하면서 끊임없이 자신의 실체를 불태우면서 변함없이 자신을 희생하고 '소모'하는 '태양신'[24]을 인간의 자기희생의 전형이나 이상으로 설정한다. 태양의 끝없는 에너지 소모가 성스러운 행위로 찬미되는 것이다.

그러나 바타유의 태양에 대한 찬미는 초점이 그 '소모'적인 속성에 맞추어져 있다는 점에서, 플라톤의 '선의 이데아'나 아우구스티누스의 '신성의 빛'의 속성을 가진, 더 나아가 '이성의 빛'이 되는 서구의 전통적인 태양 이미지와는 분명한 차이를 보여준다. 『눈 이야기』보다 한 해 앞서 나온 「태양의 항문」(1928)이라는 글에서도 태양은 파괴적인 존재로 등장한다. 거기서 그는 자신을 태양과 동일시하면서, 태양을 "타는 듯이 뜨겁고 눈을 멀게 하는"[25] 존재라고 규정한다. '오로지' 밤을 사랑하고 밤과 교합하려는 태양이다. 구멍들 가운데 가장 어두운 구멍인 항문——바타유는 "항문이야말로 밤이다"[26]라고 주장한다——과 교합할 수 있는 태양

22) Louise Tythacott, *Surrealism and the Exotic* (London: Routledge, 2003), 224쪽. 모스가 바타유에게 미친 영향과 그들의 영향관계에 대해서는 Jean-Christophe Marcel, "Bataille et Mauss: un dialogue de sourds?" *Les Temps Modernes*, 602 (Décembre 1998-Janvier-Février 1999), 92~108쪽. Christopher M. Gemerchak, *The Sunday of the Negative: Reading Bataille Reading Hegel* (New York: State University of New York Press, 2003), 83~90쪽. 그리고 Louise Tythacott, 같은 책, 224~228쪽을 참조할 것.

23) Georges Bataille, "La Mutilation sacrificielle et l'oreill coupée de Vincent Gogh," 앞의 책, *Œuvres complètes*, I: 268쪽.

24) Georges Bataille, 같은 책, 263쪽.

25) Georges Bataille, "The Solar Anus," *Visions of Excess: Selected Writings*, 1927~39, Allan Stoekl 편역 (Minneapolis: U of Minnesota Press, 1985), 9쪽.

이다. 『눈 이야기』보다 한 해 뒤에 나온 「부패한 태양」에서는 태양이 미
트라 신과 결부된다. 거기서 태양은 "황소(미트라)를 살해하는 사람, (프
로메테우스의) 간을 먹는 독수리"와 동일시된다.[27] 바타유는 이 글에서
태양과 미트라를 별개의 존재로, 미트라와 황소를 동일한 존재로 파악하
지만, 같은 글에서 "물론 황소 자체가 또한 태양의 이미지다"[28]라고 말함
으로써 결국 그들 전부를 같은 존재로 결부시킨다.

바타유가 태양에 대한 이중적인 태도를 보인 것과 마찬가지로 이란 신
화에 등장하는 미트라도 이중적이다.[29] 태양신 미트라는 사후의 인간 영
혼을 현세의 구속에서 해방시키는 구원자,[30] 비와 풍요와 평안을 가져다
주는 신이면서, 기근과 질병, 죽음을 가져오고 칼을 휘두르는 무서운 전
쟁의 신이었다. 전사들의 수호신이기도 한 그는 적대자들을 추격할 때는
한치의 자비도 베풀지 않는 잔혹한 신이자, 자신에게 희생제물로 바칠
동물들의 살육을 거침없이 요구하는 잔인한 신이었다.

한편 황소는 이러한 미트라 신에게는 바쳐지는 제물인 동시에 미트라
신의 현현으로 숭배되는 대상이었다. 앞서 지적했듯이, 바타유도 황소를
미트라 신과 결부시키면서 "물론 황소 자체가 태양의 이미지다"라고 한
다. 그리고 『눈 이야기』에서는 황소의 죽음을 일컬어 태양의 죽음이라고
했다. 하지만 이러한 황소와 태양 간의 동일화가 미트라 신을 통해서만
이루어지는 것은 아니다. 「부패한 태양」에 등장하는 태양이 미트라 신과

---

26) Georges Bataille, 같은 글, 같은 책, 9쪽.

27) Georges Bataille, "Rotten Sun," 같은 책, *Visions of Excess*: 57쪽.

28) Georges Bataille, 같은 글, 같은 책, *Visions of Excess*: 57쪽.

29) 미트라에 대한 포괄적인 논의로는 Salomon Reinach, "La morale du
mithraïsme," *Cultes, Mythes et Religions* (Paris: Éditions Robert Laffont,
1996), 636~646쪽을 참조할 것.

30) 태양으로서 그리고 구원자로서의 미트라에 대해서는 Bruce Lincoln, *Death,
War, and Sacrifice: Studies in Ideology and Practice* (Chicago: Chicago
UP, 1991), 76~89쪽을 참조할 것.

결부된다면, 『눈 이야기』에 등장하는 태양은 궁극적으로 『구약』의 여호와와 결부된다. 여기서 중요한 점은 미트라가 황소로 숭배되었듯이 여호와도 황소로서 칭송되었다는 것이다.

고대 근동의 여러 국가에서 신들이 '황소'로 불렸다는 것은 잘 알려진 사실이다. 이란의 미트라뿐만 아니라 가나안 최고의 신(神) 엘도 황소로 일컬어졌으며, 바알 신도 그러했다. 『구약』의 「창세기」 제49장 제24절을 보면 야곱에게 힘을 준 여호와를 "힘 있는 자, 황소"(abhîr ya'āqôbh)라고 지칭한 구절이 등장한다. 『구약』에서 여호와는 황소−신이라는 부데(K. Budde)의 주장이 여전히 논쟁의 도마 위에 올라 있긴 하지만,[31] 진위를 가리는 것은 이 글의 범위를 넘어선 일이다. 여기서 중요한 것은 태양신으로 숭배되었던 『구약』의 여호와가 황소라 불리며, 바타유에 의해 황소의 죽음이 곧 태양의 죽음이 된다는 점이다. 그는 황소의 죽음을 "그 태양적인 괴물의 죽음"이라고 했다. 궁극적으로 여호와가 괴물로 귀착되고 있는 것이다.

바타유에게 『구약』의 여호와는 '금기' 그 자체를 표상하는 절대추상체이며, 십계명은 금기의 전형이다. 그라네로에 의한 황소의 죽음은 '금기'의 죽음을 상징하며, 신의 대리인 신부에게 가해지는 모멸과 비하, 그리고 죽음은 곧 신에 대한 모멸과 비하, 그리고 그의 죽음을 의미한다. 정신병원에서 탈출한 마르셀은 '나'에게 추기경이 돌아오면 자기를 보호해달라면서 그 추기경을 자신을 "장롱 속에 가둔 사람", "단두대의 신부"라고 묘사했다. "단두대의 신부"란 곧 '신성'이나 계율의 이름으로 욕망의 싹들을 잘라버린 단두대와 같은 존재, 신이 정한 계명이나 금기를 마치 단두대의 움직임처럼 '기계적'으로 실행하는 존재들인 것이다. 그러한 신부에 대한 비하와 그의 죽음은 곧 그러한 속성을 가진 신에 대한 비

---

31) 이에 대해서는 Nahum M. Sarna, "The Divine Title 'abhîr ya'āqôbh," *Studies in Biblical Interpretation* (Philadelphia: Jewish Publication Society, 2000), 3~11쪽을 볼 것.

하이며, 신의 죽음이다.[32)

우리는 신부, 즉 신에 대한 모멸과 비하의 절정을 그의 눈이 시몬의 성
적 놀이의 대상이 된다는 것에서 찾을 수 있었다. 이러한 성적 놀이의 터
가 되는 그녀의 음부는 '나'의 표현에 따르면 "피의 동굴"(OC I.54; 한
249)이며, 음문이 방출하는 오줌은 "빛처럼 보이는 총격"(OC I.38; 한
230)이다. 이러한 이미지들은 여성의 음문이 이른바 '이빨을 가진 음문'
(vagina dentata)[33)]임을 확인시켜준다. '황소'의 불알이, 신부의 눈알이
성적 놀잇감으로서 시몬에게 바쳐졌듯이, 음문은 성적 놀이 일체의 대
상—특히 금기의 전형적인 표본들—에게 '총격'을 가하고 이를 희생
제물로 삼는 음부(陰府)의 사신(邪神)인 것이다.

제3장에서 우리는 바흐친을 통해 "여성은 탄생을 주도하는 원리다. 여
성은 자궁이다"라는 주장에 이를 수 있었다.[34)] 여성 성기의 근본원리는
바로 자궁의 원리다. 사랑을 토대로 창조(탄생)를 주도하는 것은 여성 성
기의 터, 즉 자궁이기 때문이다. '창조'의 주체는 '하부'에 있었고, "하부
가 인류의 진정한 미래"였던 바흐친에게 이 '하부'는 곧 여성의 '자궁'이
었으며, 이 자궁은 사랑을 토대로 모든 것을 변화, 재생시키고, 창조하는
'대지의 어머니'의 표상이었다. 그러나 바타유의 하부에는 이러한 자궁
의 원리가 존재하지 않는다. 그에게 자궁은 이빨을 가진 음문이 '총격'을
가하는 '피의 동굴'이 되기 때문이다.

따라서 시몬의 음부 속에서 울고 있는 마르셀의 푸른 눈은 그러한 '총
격'으로 희생된 선한 눈이다. 시몬의 음부 속에 있는 신부의 눈이, 울고

---

32) 바타유와 기독교의 관계에 대해서는 Peter Tracey Connor, *Georges Bataille
    and the Mysticism of Sin* (Baltimore: Johns Hopkins UP, 2000), 109~114
    쪽을 볼 것.
33) 제3장 81~83쪽을 볼 것.
34) 제3장 87쪽을 볼 것.

있는 마르셀의 눈으로 변모한 것은 금기의 주도세력 뿐만 아니라 순수대상 그 자체도 '위반'의 희생물이 된다는 것을 보여준다. 바타유는 '나'의 입을 빌려 "방탕은 내 육체와 사고뿐만 아니라…… 광대하고 별이 총총한 우주까지도 더럽힌다"(OC I.45; 한 239)고 했다. 그리고 내리치는 '벼락'으로 세계가 종말을 고할 때 남는 것은 "직사각형의 구멍 하나"(OC I.31; 한 221)뿐일 것이라고 했다. 그는 직사각형의 총구를 가진 성기만이 난무하는 더럽혀진 우주가 인간의 미래일 것이라고 예견하고 있는 것이다. 그의 『눈 이야기』에는 금기와 위반 간의 변증법적 관계가 존재하지 않는다. 오직 금기만이 철저하게 압살당할 뿐이다. 그의 에로티시즘에는 오직 기존의 윤리를 해체하는 놀이만이 존재한다. 그렇기 때문에 그의 자궁은 '대지의 어머니'가 아니라 '피의 동굴'로 남게 되며, 바타유의 한계가 드러나는 지점도 여기인 것이다.

1968년 5월 이후 프랑스는 이른바 사르트르류의 지식인과는 다른 유형의 지식인을 요구했다. 푸코식으로 말한다면, "지식, 진리, 의식과 담론의 영역에서 자신들을 권력대상과 도구로 변모시키는 권력 형태에 반대하고 투쟁하는"[35] 지식인을 요구했다. 이러한 분위기 속에서 바타유의 위반, 에로티시즘, 주권, 소모 등과 같은 개념들이 주목을 받게 되었고, '텔켈'(Tel Quel)의 이론가들을 비롯한 많은 지식인이 이러한 개념들의 세례를 받았다. 그 가운데 한 사람인 크리스테바는 바타유의 "주권적 주체"가 고착화된 기존의 모든 입장과 이론, 사상체계를 거부하고 전복시킴으로써 "새로운 주체"의 가능성을 향해 나아가는, 그리하여 "또 다른 사회"를 향해 나아가는 길을 제시했다고 평가하기도 했다.[36]

---

35) Michel Foucault, "Intellectuals and Power," *Language, Counter-Memory, Practice: Selected Essays and Interviews*, Donald F. Bouchard 편, Donald F. Bouchard와 Sherry Simon 공역 (Ithaca: Cornell UP, 1977), 208쪽.
36) Julia Kristeva, "Bataille, Experience and Practice," *On Bataille: Critical Essays*, Leslie Anne Boldt-Irons 편 (Albany: SUNY Press, 1995), 252쪽.

바타유의 위반 논리가 당시 지식인들에게 자기 점검의 계기가 되었던 것은 사실이다. 그러나 그의 위반 논리는 '주권적 주체'를 강조할 뿐 '윤리적 주체'를 탄생시키지는 못한다. 이른바 '주권적 주체'라는 것도 『눈이야기』의 주인공처럼 "경우에 따라 달걀, 불알, 눈으로 변하는 기관"[37]에 지나지 않는 존재일지 모른다. '포스트모던 철학의 대부'라고 일컬어지는 바타유와 그 후예들이 '인간의 눈'을 상실했듯이,[38] 그의 위반 논리는 '윤리적 주체'를 상실하고 있다. 이것이 바타유의 또 다른 한계가 드러나는 지점이다.

---

37) Gilles Ernst, *Georges Bataille: Analyse du récit de mort* (Paris: Presses Universitaires de France, 1993), 81쪽.
38) 제5장 결론 부분을 볼 것.

10 구원의 눈

우리는 제1장의 마지막 부분에서 "눈이 있는 한 인간의 세계는 파국을 면할 길이 없다. 종교적 용어를 구사한다면 인간에게 구원은 없다"고 진단한 후 진정 "인간에게 '구원의 눈'은 없는 것인가?"라는 절망적인 물음을 던졌고, 이 책의 마지막 장에서 이를 다룰 것이라고 했다.

데리다는 『눈먼 이의 회상』(1990)이라는 저서를 남겼다. 이 책은 "당신은 믿는가?"라는 물음으로 시작하여 "보고 있는 눈물을…… 당신은 믿는가?"[1]라는 물음으로 끝난다. 첫 물음 "당신은 믿는가?"에서는 믿음의 대상이 명시되지 않았다. 데리다는 마지막 물음 "보고 있는 눈물을…… 당신은 믿는가?"에서 비로소 그 믿음의 대상이 "보고 있는 눈물"임을 일러준다. '보고 있는 눈물'은 그가 밝히고 있듯이, 17세기 영국 형이상학파 시인 가운데 하나인 마블(Andrew Marvell)의 시 「눈과 눈물」에 나온 표현이다. 그 시에는 "인간의 눈만이 울 수 있다"(48행), "눈과 눈물은 같은 것……"(54행)이라는 표현이 등장하며, "울고 있는 이 눈, 보고 있는 저 눈물"(56행)이라는 구절로 마무리된다.

우리는 제5장에서 고대 그리스 이래 서구인들은 모든 감각 가운데 시각을 가장 중요한 감각으로 평가했던 것을 주목했다. 시각이 로고스라는 이성 능력과 이성적 담론의 토대를 이루는 최고의 감각이라는 인식은 오늘에까지 이어지고 있다. 이러한 시각중심적인 전통이 현대사상가들, 비트겐슈타인, 하이데거, 벤야민 등과 특히 일군의 프랑스 사상가들—가령 바타유, 메를로 퐁티, 푸코, 이리가라이, 레비나스 등—에 의해 노골

---

1) Jacques Derrida, *Mémoires d'aveugle: L'autobiographie et autres ruines* (Paris: Éditions de la Réunion des Musées Nationaux, 1990), 9쪽, 130쪽. 영역판은 첫 문장을 "당신은 이것을 믿는가"라고 번역했는데, 불어 원문에는 직접목적어인 '이것'이라는 단어가 없다. *Memoirs of the Blind: The Self-Portrait and Other Ruins*, Pascale-Anne Brault와 Michael Naas 공역 (Chicago: U of Chicago Press, 1993), 1쪽, 129쪽. 이후 괄호 속의 쪽은 영역판의 쪽수를 가리킴.

적인 비판의 대상이되었다는 점은 잘 알려진 사실이다.[2] 데리다는 시각에 대해 이들만큼 반감을 표출하지는 않았지만, 시각을 가장 중요한 감각으로 간주하고 이에 지나친 특권을 부여한 서구의 전통적 사유를 받아들일 수 없었다. 그는 시각이 아주 중요한 감각임을 인정했지만, 다른 감각들 역시 중요한 감각이기 때문에 감각의 서열화를 용인하지 않았다.

그러나 우리가 여기서 주목하는 것은 이러한 그의 입장이 아니다. 우리의 관심을 끄는 것은 "보는 것이 눈의 본질이 아니라 눈물이 눈의 본질"[3]이라는 인식이다. 그는 이 사실, 말하자면 "눈물이 눈의 본질"이라는 사실을 "인간만이 아는 것"이라고 역설한다.[4] 그러나 그는 이러한 주제를 더 이상 확대하여 논의하지 않는다. 이에 대한 그리고 이에 연관되는 논의는 이제 우리의 몫이다.

앞에서 언급한 데리다의 저서에는 루브르 박물관에 소장된 71점의 그림이 등장한다. 그 가운데 우리의 주목을 끄는 것은 마지막 71번째 그림인 다 볼테라(Daniele da Volterra, 1509~66)의 「십자가 아래의 여인」이다. 한 여인이 십자가 아래에서 몸을 앞으로 구부린 채 통곡한다. '애도'의 눈물이 그녀의 눈을 덮고 있고, 손이 울고 있는 그 눈을 덮고 있다. 십자가 위에서 처형당한 예수의 죽음을 슬퍼하며 가눌 길 없는 눈물을 쏟아내는 그 여인의 모습은 "우리의 조건"이자 "우리 모두의 자화상이다."[5] 조금 뒤에 다시 거론하겠지만, "기독교 문화에서 참회가 없는 자

2) 이에 대한 본격적 연구는 Martin Jay, *Downcast Eyes: The Denigration of Vision in Twentieth-Century French Thought* (Berkeley: U of California Press, 1993)이다. 이 책의 부제는 다름 아닌 「20세기 프랑스 사상에서의 시각의 폄하」다. 또 다른 하나는 David Michael Levin, *The Philosopher's Gaze: Modernity in the Shadows of Enlightenment* (Berkeley: U of California Press, 1999)이다.

3) Jacques Derrida, 앞의 책, *Mémoires d'aveugle*, 128쪽(126쪽).

4) Jacques Derrida, 같은 책, 128쪽(126쪽).

5) John D. Caputo, *The Prayers and Tears of Jacques Derrida: Religion Without Religion* (Bloomington: Indiana UP, 1997), 314쪽.

화상은 없다."[6] 데리다가 "위대한 눈물의 저작"[7]이라 칭한 아우구스티누스의 『참회록』은 이의 원형이자 전범(典範)이다.

아우구스티누스는 『참회록』 전체를 통해 너무나 많이 울고 있다. 그리고 이러한 울음들, 즉 통한의 울음, 참회의 울음을 통해 다시 태어난다. 젊은 시절 음욕의 삶을 살다 어머니의 '기도와 눈물' 속에서 다시 태어난 아우구스티누스는 인간의 눈 그 자체가 '음욕의 눈'이라고 철저하게 매도했다. '음욕의 눈'은 '봄'(見)을 통해 가능해진다. '보지 않으면' 음욕은 불가능해지기 때문이다. 그러나 '울고 있는 눈'에는 이러한 음욕이 자리하지 않는다. '보는 눈'이 초래하는 시기, 탐욕, 폭력과 같은 눈의 부정적 속성들도 자리하지 않는다. 그 속성들은 오직 '보는 눈'에만 자리한다. '울고 있는 눈'은 '선한 눈'이다. 그것은 '악한 눈'과 반대되는 '눈물의 눈', 바로 '윤리의 눈'이다.

어느 철학자는 "철학의 미래——서방의 운명——를 결정하는 투쟁은 윤리와 미학…… 레비나스와 하이데거 간의 투쟁이 될 것이다"라고 말한다.[8] 곧 존재론과 윤리 간의 투쟁이 될 것이라는 것이다. 전통적으로 철학이 관심의 대상으로 삼았던 것은 존재론과 인식론이다. 현대에 이것을 파고든 전형적인 철학자는 하이데거와 그의 제자 데리다다. 그들은 철학의 본질은 '대답하는 것'이 아니라 '질문하는 것'에 있다고 가르친다. 이른바 '존재의 집'인 언어에 천착한 하이데거의 후계자답게 데리다도 철학을 철학 그 자체에 대해 '질문'하는 언어로 파악한다.

그러나 우리는 언제까지 질문만을 던져야 하는가. 야만의 역사, 광기의 역사, 그리고 폭력의 역사를 경험하면서 언제까지나 우리는 자기니 진리니 존재니 언어니 하는, 간단없는 질문들만을 던져야 하는가. 질문

---

6) Jacques Derrida, 앞의 책, *Mémoires d'aveugle*, 119쪽(117쪽)

7) Jacques Derrida, 같은 책, 123쪽(122쪽)

8) Richard A. Cohen, *Ethics, Exegesis and Philosophy: Interpretation After Levinas* (Cambridge: Cambridge UP, 2001), 151쪽.

은 대답과 달리 사유의 정지를 가져오지 않는다. 끝없는 질문이라는 사유의 '자유', 이 사치스러운 "자유를 위한 자유"를 레비나스는 "유혹 중의 유혹"[9]이라고 일컫는다. 우리는 언제까지 이 '유혹'의 바다에서 사유의 자유라는 나래를 퍼덕이고 있어야만 하는가.

그리고 헤겔에서부터 실존주의를 거쳐 구조주의에 이르기까지 강단철학을 지배해온 관념론은 오직 진정한 철학은 이론적이고 체계적이어야 한다는 것만을 강조해오고 있다. 철학은 언제까지 우리에게 '순수이론'으로만 다가와야 하는가. 윤리를 지식으로 환원시킨 "테오리아(theoria)의 제국주의에 대한 비판"[10]과, 존재론에 우선하는 형이상학 윤리에 대한 옹호가 레비나스 사상의 핵심이다. 일체의 존재론이나 인식론보다 윤리가 더 중요하다는 것이, 즉 도덕과 정의의 요구가 더 절박하다는 것이, 휴머니티는 지식에 있는 것이 아니라 윤리에 있다는 것이 레비나스의 강조점이다. 햄릿의 유명한 독백, '존재냐 비존재냐'가 '문제'가 아니라는 것, 말하자면 그것이 일차적이거나 최종적인 문제가 아니라는 것이다. "좀더 긴박한 문제점은 '존재할 정당한 이유'와 결부되어 있다"는 것이다. 문제는 "존재가 어떻게 그 자체를 정당화하는가"에 있다는 것이다.[11] 레비나스는 초현실주의 시인 샤르(René Char)의 "나는 타자다"[12]라는 시구를 무척 좋아했던 것으로 전해진다.[13] 타자의 고통이 나의 고통, 타

---

9) Emmanuel Levinas, "The Temptation of Temptations," *Nine Talmudic Readings*, Annette Arnowicz 역 (Bloomington: Indiana UP, 1990), 30~50쪽.

10) Jacques Derrida, "Violence and Metaphysics: An Essay on the Thought of Emmanuel Levinas," *Writing and Difference* (Chicago: U of Chicago Press, 1978), 84~85쪽.

11) Emmanuel Levinas, "Ethics as First Philosophy," *The Levinas Reader*, Seán Hand편, Seán Hand와 M. Temple 공역 (Oxford: Blackwell, 1984), 86쪽.

12) René Char, "Recherche de base du sommet," *Œuvres completes* (Paris: Gallimard, 1981), 728쪽. David Michael Levin, 앞의 책, 298쪽에서 재인용.

13) David Michael Levin, 같은 책, 298쪽을 볼 것.

자의 위험이 나의 위험임을 깨달을 때에만 우리 존재는 존재로서 정당화된다는 것이다.

레비나스의 용어를 빌리면 타자는 "나의 바로 맞박"[14]이라는 것, 그렇기 때문에 나의 무한한 책임과 사랑의 대상이라는 것을 깨달을 때에만 존재가 정당화된다는 것이다. 이렇게 볼 때 윤리는 종교의 또 다른 얼굴인지도 모른다. 탈무드 주석가이자 카발리스트인 20세기의 한 랍비는 "진정 종교와 윤리는 같은 목적을 가지고 있다. 양자 모두 우리를 자기사랑이라는 비좁은 마음의 오물에서부터 들어올려 타자사랑이라는 정점으로 데려가고자 한다"[15]고 말했다. 철학의 본래 목적도 이런 것이 아니었던가.

아도(Pierre Hadot)에 따르면 서구의 전통철학, 즉 소크라테스와 플라톤, 아니 그전의 철학자들에서 출발하여 중세철학(신학)에 이르는 서구 고전철학은 삶에 대한 철학이었다. 그것은 어떻게 살아야 하는가를 말해주는 형이상학 담론이었다. 아도의 표현을 빌리면 "삶의 철학적 방식"에 대한 다양한 "선택"을 들려준 것이 바로 철학이었다.[16]

가령 소크라테스에게 철학자의 역할이란 "무엇이 진정한 선이며, 무엇이 진정한 가치인가를 깨닫게 해주는 것"이었고, 그의 "지식의 근간을 이룬 것은 선에 대한 사랑"이었다. 플라톤에게도 철학은 '자기변화'를 가져오는 '지혜'를 가르치고, 자기에 대한 사랑에서 타자에 대한 초월적 사랑을 끌어내는 '삶의 철학적 방식'이었다.[17] 아리스토텔레스의 경우에는

---

14) Emmanuel Levinas, *Totality and Infinity: An Essay on Exteriority*, Alphonso Lingis 역 (Pittsburgh: Duquesne UP, 1969), 113쪽.

15) Rabbi Yehuda Ashlag, *Kabbalah: A Gift of the Bible*, Samuel R. Anteby 역 (Jerusalem: Research Center of Kabbalah Books Edition, 1984), 72쪽. Richard A. Cohen, 앞의 책, 161쪽에서 재인용.

16) Pierre Hadot, *What is Ancient Philosophy*, Michael Chase 역 (Cambridge/M.A.: Harvard UP, 2002), 65쪽. 이런 규정은 이 저서의 도처에 등장한다.

정신적인 삶, 즉 '테오리아'에 부응하는 삶 속에서 보다 고양된 자기를 실현하고, 보편적이고 초월적인 가치를 추구하도록 가르치는 것이 철학이었다. "사회를 변화시키려는 그들의 희망을 결코 포기하지 않았던" 스토아 학파 철학자들에게도 철학은 "이성에 순응해서 좋은 일을 하고 좋은 행동을 하는 것"을 가르치는 담론의 방식이었다.[18] 이 밖에 헬레니즘 시대의 다양한 철학 유파들에게도 철학은 인간의 고통, 근심, 불안 등에 대한 "치유"[19]의 담론이었다.

중세시대의 철학(신학)도 인간 존재에 철저한 변화를 가져옴으로써 윤리적 삶을 살도록 가르친 담론이었다. 알렉산드리아의 성 클레멘스는 "신을 닮도록 행동하고, 모든 교육의 지도원리로서 신의 계획을 수용하도록 가르치는 것," 이것이 바로 철학이라고 했다.[20] 고대 철학가들에게 철학은 단지 "내가 무엇을 알아야 하는가"를 가르치는 단순한 이론적 담론이 아니라, "나는 무엇을 해야 하는가"를 가르쳐주는 윤리적 담론이었던 것이다. '철학'이라는 단어의 어원이 '지혜에 대한 사랑'을 의미한다는 것은 누구나 아는 사실이다. 삶을 어떻게 살아야 하는가에 대해 '지혜'를 얻고자 노력하는 것, 바로 그것이 철학한다는 것의 진정한 의미였다. 철학은 이론의 문제가 아니라 윤리의 문제라는 것이 철학의 궁극적인 지향점이었다.

푸코는 데카르트와 함께 철학의 '이론화'가 시작되었다고 본다.[21] '이론의 제국주의'는 근대철학과 함께 시작되었다는 것이다. 세네카의 지적처럼 소피스트들이 지혜에 대한 사랑을 '언어에 대한 사랑'으로 전락시켰다면(「루킬리우스에게 보낸 서한」 128.23), 근대철학가들과 그들의 후

---

17) Pierre Hadot, 같은 책, 35쪽, 65쪽, 69~70쪽.

18) Pierre Hadot, 같은 책, 95쪽, 127쪽.

19) Pierre Hadot, 같은 책, 102쪽.

20) Pierre Hadot, 같은 책, 239쪽.

21) Hubert Dreyfus와 Poul Rabinow 공저, *Michel Foucault: Beyond structralism and Hermeneutics* (Chicago: U of Chicago press, 1983), 251~252쪽 (푸코와의 면담 내용).

예들은 지혜에 대한 사랑을 '이론에 대한 사랑'으로 전락시켰다고 할 수 있다. 이러한 사실은 '질문'이 아니라 '대답'에 그 궁극적인 존재 이유가 있다고 할 수 있는 철학이 근대의 출발과 함께 본래의 고유한 성격을 잃었나는 것을 의미한다.

아도르노는 베케트의 『승부의 끝』을 다룬 논문에서 "존재론은…… 거짓된 삶의 병인(病因)"이라고 말했다.[22] 데카르트 이후 존재론 등을 포함하여 철학의 '이론화'에만 몰두하는 철학자들은 다른 이들의 "눈은 보지만, 눈물은 보지 못한다." 이것이 그들의 "불행", 그들의 '병'이다.[23] 나치의 만행에 대한 하이데거의 침묵 등이 그러한 '병'의 증상이다. 다른 이들의 눈물을 보지 못하기에 이들의 눈에는 눈물이 없다. 데리다는 그 저서에서 눈물의 사상가로 니체, 루소, 아우구스티누스 등을 거론한다. 데리다에게 그들은 눈물을 거침없이 쏟아낸 이들이다. 그들은 인간의 고통, 인간의 문제에 대해 더 이상 '질문'을 던지는 이들이 아니라 '대답'을 주려는 이들이다. 대답을 주려는 이들에게는 눈물이 동반된다. 대답을 주려는 이들에게 인간과 그 인간들이 안고 있는 문제들이 너무나 고통스러운 주제로 다가오기 때문이다.

그러나 '울고 있는 눈'에 합당한 전형적인 인물들은 방금 데리다가 거론한 그들이 아니다. 그 전형은 바로 마르크스다. 아니 그보다도 더 전형적인 인물은 예수다. 마르크스와 예수는 간단없이 이어지는 '질문', 즉 인간은 어떤 삶을 살아야 하는가 하는 '질문'에 종지부를 찍고 결정적으로 '대답'을 준 이들이기 때문이다. 그러나 마르크스의 대답이 '이론적'

---

22) Theodor W. Adorno, "Trying to Understand Endgame," *Notes to Literature*, Shierry W. Nicholson 역 (New York: Columbia UP, 1991), I: 247쪽.

23) 나는 이 구절을 엘리엇의 시 구절에서 원용했다. 그는 "나는 눈은 보지만 눈물을 보지 못한다. 이것이 나의 불행이다"라고 노래했다. T. S. Eliot, "Eyes that last I saw in tears," *Collected Poems 1909~1962* (New York: Harcourt Brace Jovanovich, 1964), 55쪽.

이었다면, 예수의 답은 '실천적'이었다.[24] 예수의 특별한 존재, 그리고 그의 특별한 삶의 의미는 바로 여기에 있다. 그는 절대적 사랑을 위한 절대적 자기희생이 인간의 조건이라는 것, 이 조건을 통해 우리의 존재는 존재로서 정당화된다는 것을 실천적으로 보여주었기 때문이다. 십자가 위에서 그의 죽음이 바로 이것의 표상이다.

복음서 저자들에 따르면 예수는 크게 울부짖으면서 마지막 숨을 거두었다고 한다.[25] 우리는 지금까지 여러 장에 걸쳐 신화적, 철학적, 종교적 배경을 토대로 인간의 눈은 '악한 눈'이 아니라, '사랑'이라는 신성의 빛을 닮은 '선한 눈'이 본질이자, 진정한 실체임을 역설했다. 그리고 '사랑'이라는 신성의 빛을 지향한 '선한 눈'의 궁극적인 표상, 그 원천이 예수임을 암시했다. 3세기에 씌어진 것으로 알려진 외전(外典) 『요한행전』에 따르면 예수는 단 한번도 눈을 감아본 적이 없었다고 한다.[26] 최후의 심판을 위해 한 사람 한 사람의 삶을 낱낱이 지켜보는 그의 이러한 '감시'의 눈을 중세시대 사람들은 '정의의 눈'이라고 일컬었다.[27]

그러나 그는 그러한 심판에 대비하기 위해 눈을 감지 않았던 것은 아니다. 그는 도처의 인간들이 경험하는 숱한 고통 때문에 눈을 감을 수가 없었다. 그 고통들이 전하는 참을 수 없는 아픔과 비통함에 눈을 감을 수가 없었던 것이다. "양털 옷 한 벌, 짐승을 쫓는 데 사용한 투석용 줄 하나와 샌들 두 켤레만을 남기고"[28] 세상을 떠났던 예수의 지상에서 보낸 삶은

---

24) 나의 저서 『왜 유토피아인가』(서울: 민음사, 1994)의 근저에 마르크스가 있었다면, 이 책의 근저에는 예수가 있다.

25) 「마태복음」 27.50; 「마가복음」15.37; 「누가복음」 23.46.

26) 제6장 주109를 볼 것.

27) Henry Maguire, *The Icons of Their Bodies: Saints and Their Images in Byzantium* (Princeton: Princeton UP, 1996), 115쪽.

28) Jarif Khalidi 편역, *The Muslim Jesus: Sayings and Stories in Islamic Literature* (Cambridge/M.A.: Harvard UP, 2001), §77, 94쪽.

그처럼 가난한 이들, 즉 암하레츠[29]를 위한 것이었다. 땅의 사람들을 위해 지상에서 '그의 나라'를 실현하려 했던 예수는 그들의 고통에 단 한번도 눈을 감을 수가 없었던 것이다. 그의 눈은 '심판'의 눈이 아니라 '선한 눈', '울고 있는 눈', 곧 '눈물의 눈'이었다.

그러나 예수는 십자가 위에서 죽음으로 단 한번도 감아본 적이 없던 그 눈을 마침내 감았다. 이는 우리 삶의 궁극적 가치이자 그 이상(理想)이었던 단 하나의 '선한 눈'마저 사망했음을 의미한다. 그렇기 때문에 그의 죽음은 형언할 수 없을 정도로 상징적 의미가 깊다. 그것은 '선한 눈'이 표상하는 모든 가치의 죽음 그 자체이기도 하기 때문이다. 아도르노는 '암흑', 즉 절망적인 사태에 직면했을 때 책임 있는 철학이 할 수 있는 유일한 시도는 그 사태를 "구원의 관점"에서 바라보는 것이라 했다.[30] 어느 시대도 '구원의 관점'에서 사태를 바라볼 수밖에 없을 정도로 절박하고 절망적이지 않았던 때는 한번도 없었다. 그렇지 않았던 때가 단 한번이라도 있었던가. 그러나 언제부터인가 역사는 아주 빠른 걸음으로 파국의 길로 치닫고 있다. '선한 눈'을 죽인 인간들의 '악한 눈'이 세계를 지배하고 있기 때문이다.

다시 다 볼테라의 그림 「십자가 아래의 여인」으로 돌아가보자. 예수의 죽음에 통곡하는 여인의 눈은 온통 눈물로 덮여 있다. 그 눈과 눈물을 구별할 수 없을 정도로 눈이 눈물, 눈물이 눈이 된다. 마블의 표현 그대로 "눈과 눈물이 같은 것"이 되고 있다. 그 여인의 눈은 "보는 것이 눈의 본질이 아니라 눈물이 눈의 본질"인 '선한 눈'의 표상이 되고 있다. 우리는 일찍이 이 땅 위의 "모든 이는 자기가 사랑하는 존재와 똑같은 존재가 된다. 그대가 땅을 사랑하는가? 그대는 땅이 될 것이다. 그대가 신을 사랑하는가? ……그대는 신이 될 것이다"라는 아우구스티누스의 전언을 소개했다.[31]

---

29) 제4장 117~118쪽을 참조할 것.
30) Theodor W. Adorno, *Minima Moralia: Reflections from Damaged Life*, E. F. N. Jephcott 역 (London: New Left Books, 1978), 247쪽.

십자가에 못박힌 예수는 숨을 거두기 직전 "나의 신이여, 나의 신이여 당신은 나를 버리시나이까?"(「마태복음」 15.34)라고 처절하게 울부짖었다고 한다. '그의 신'은 그를 배반했지만 그를 사랑한 다 볼테라의 그 여인처럼 '땅의 사람들'인 '우리'는 그를 배반할 수가 없다. '우리'가 그를 사랑한다면 '우리'는 모두 그와 똑같은 존재가 된다는 것, 바로 여기에 예수 '부활'의 의미가 있다. 예수 부활의 의미뿐만 아니라 역사의 운명도 '우리'가 그를 얼마나 닮아가는가에 따라 달라질 수 있다.

우리는 제6장의 마지막 부분에서 르네상스와 더불어 근대적 주체로서 당당하게 등장한 인간들과 후예들이 바로 광기의 역사, 야만의 역사를 주도한 주인공들이었음을 역설한 후, 이러한 '가짜' 인간들과 달리 "진정한 인간은 어떤 존재인가? 그리고 진정한 인간의 눈은 어떤 눈인가? 우리는 이러한 물음에 대한 대답을 이 책의 결론에서 만나게 될 것이다"라는 말로 그 장을 마무리했다. 예수의 사랑을, 아니 그의 전부를 사랑했던 그림 속 그 여인처럼 그를 닮아가려는 이들이 바로 '진정한 인간'이다. 절대적 사랑을 위해 절대적 자기희생을 한 예수를 닮아가려는 인간들이 있기에, 그 여인처럼 통곡하는 '진정한' 인간들이 있기에 역사의 파국, 인간의 종말은 유보되고 있다. 아도르노는 "희망은…… 망각된 것의 복귀"[32]라고 했던가. 그렇다면 우리에게 '희망'을 가져다 줄 그 '망각된 것'이란 무엇인가. 그것은 바로 '보고 있는 눈물'로 가득 찬 '울고 있는 눈'이 아니겠는가.

그러나 예수를 닮아가려는 '선한 눈'들, '보고 있는 눈물'로 가득 찬 '울고 있는 눈'들로 인해 역사의 파국, 인간의 종말은 '유보'되고 있을 뿐, 인간에게 '구원'이란 없다. '보는 눈'이 있는 한, 파국을 향해 내달리는 폭력의 역사, 야만의 역사는 멈출 수가 없기 때문이다.

---

31) 제2장 주46을 볼 것.
32) Theodor W. Adorno, "On the Final Scene of Faust," 앞의 책, *Notes to Literature*, I: 120쪽.

인명 찾아보기

지은이 임철규는 1939년 경남 창녕에서 태어났다.
연세대학교 영문학과를 졸업한 후 미국 인디애나 대학에서
고전(그리스·로마)문학으로 석사학위를, 비교문학으로 박사학위를 받았다.
연세대학교 영문학과와 같은 대학 대학원의 비교문학과 교수를 거쳐,
지금은 연세대학교 명예교수로 있다.
대표적인 저서로는『임철규 저작집』(전 7권)으로 묶어 한길사에서 펴낸
『눈의 역사 눈의 미학』『그리스 비극─인간과 역사에 바치는 애도의 노래』
『우리시대의 리얼리즘』『왜 유토피아인가』『귀환』『죽음』
『고전─인간의 계보학』이 있다.
그 밖의 역서로는『비평의 해부』(노스럽 프라이)를 비롯하여
『역사심리학』(제베데이 바르부),『문학과 미술의 대화』(마리오 프라즈),
『인간의 본질에 관한 일곱 가지 이론』(레즐리 스티븐스),
『중국에서의 개인과 국가』(비탈리 루빈) 등이 있다.
편역서로는『카프카와 마르크스주의자들』이 있다.